D0419188

Calumet City

CHARLIE NEWTON

Calumet City

UITGEVERIJ LUITINGH

Oorspronkelijke titel: *Calumet City*
Vertaling: Bert Stroo
Omslagontwerp: Pete Teboskins
Omslagfotografie: Arc Angel/Image Store

ISBN 978 90 245 2183 8
NUR 305

www.boekenwereld.com

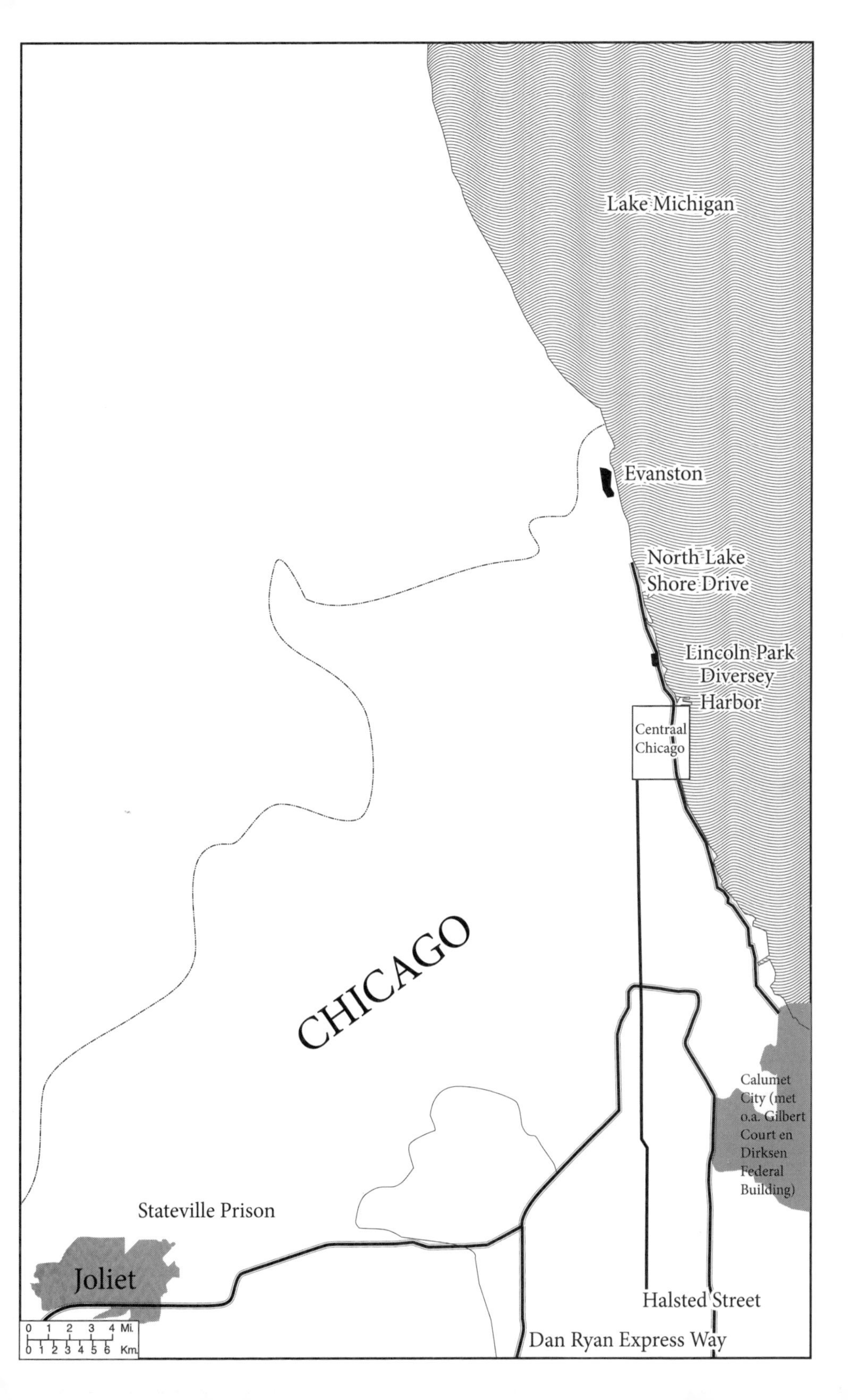
Lake Michigan
Evanston
North Lake
Shore Drive
Lincoln Park
Diversey
Harbor
Centraal
Chicago
CHICAGO
Calumet
City (met
o.a. Gilbert
Court en
Dirksen
Federal
Building)
Stateville Prison
Joliet
Halsted Street
Dan Ryan Express Way
0 1 2 3 4 Mi.
0 1 2 3 4 5 6 Km.

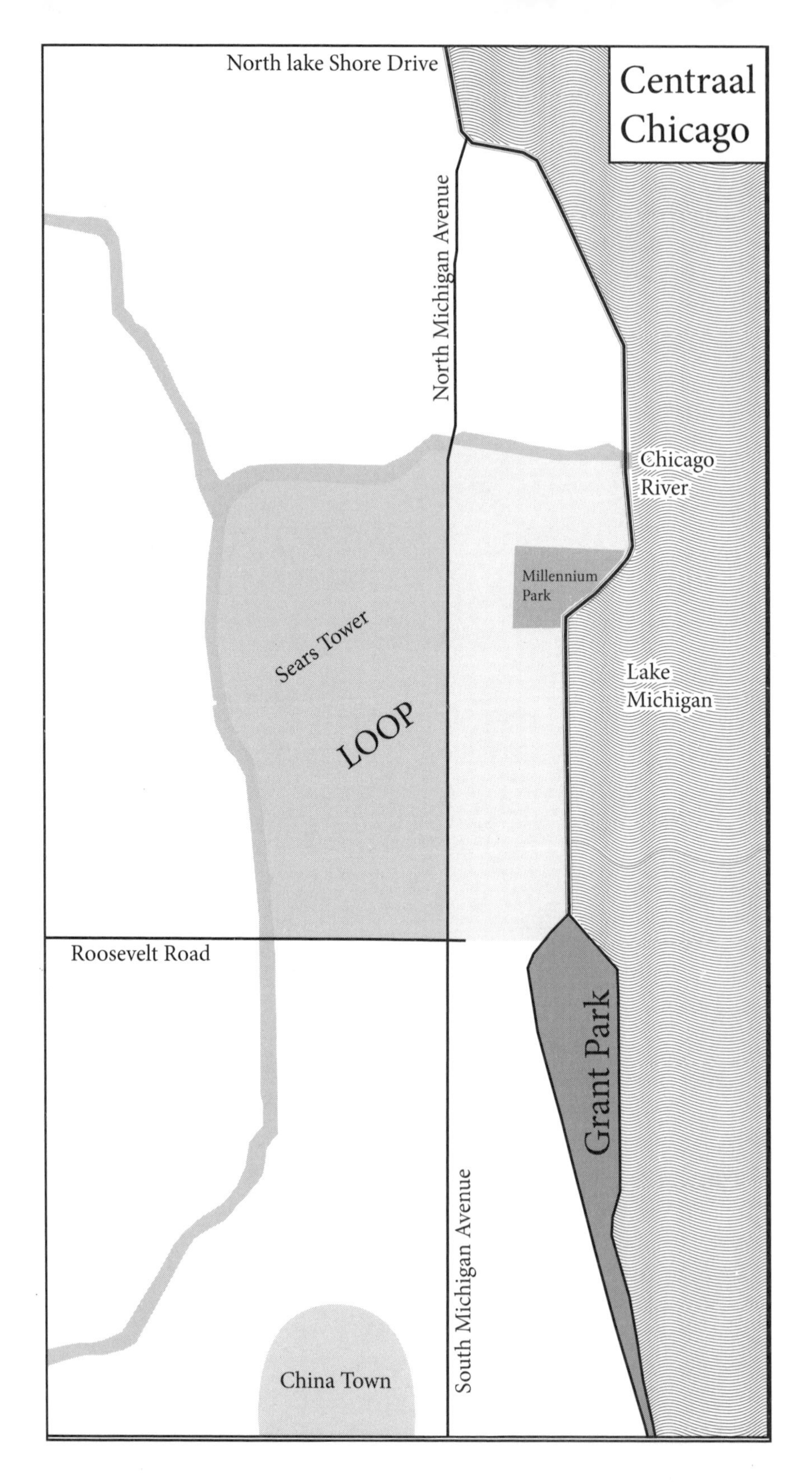
Centraal Chicago
North lake Shore Drive
North Michigan Avenue
Chicago River
Millennium Park
Sears Tower
LOOP
Lake Michigan
Roosevelt Road
Grant Park
South Michigan Avenue
China Town

Agent Patti Black

Ik weet een tent in Chinatown.

In een zijstraat van Wentworth Avenue, in het 25ste Ward, waar de drieverdiepingenhoge huizen overleunen boven de straat: gebouwen die nog niet door stadsvernieuwing, matrasbranden of door schulden aan de verkeerde politici met de grond zijn gelijkgemaakt. Het soort buurt dat je afschrikt als je te goed kijkt.

Een straat verderop in oostelijke richting knarst de El-trein boven je hoofd. Met een schril, krankzinnig geluid. Metaal op metaal, waardoor je achter in je keel een bittere smaak proeft. Amtrak rijdt daar ook, op grijs geschilderde ijzeren bruggen, zodat ze passen bij het erdoor beschaduwde beton. Boven en onder en voorbij de treinen razen en toeteren twintig banen lawaaiige snelweg in vier richtingen. Alles op de begane grond trilt. Het gevoel van beweging is zo sterk dat je je evenwicht kunt verliezen.

Overdag komen plezietvaarders van de Great Lakes en bustoeristen om snuisterijen te kopen en om een glimp op te vangen van iets wat er niet is. 's Nachts is het net een Mexicaanse grensstad waar in het Mandarijn de zonde wordt verkocht. Achter de pagodeachtige winkelgevels en aan de overkant van de steeg zwaait de Outfit de scepter – de maffia van Chicago – over dobbel- en kaartruimtes. En de Chinese Handelsvereniging, met zijn tienerhuurmoordenaars, bepaalt de rest.

Ik, ik zit in een restaurant in een zijstraat, met een adres in verbleekte Chinese karakters en zes tafels voor vaste gasten die beter zouden moeten weten. Het is er schemerig, en dat is ongewoon. De vloer is smerig, en dat is niet ongewoon. De stoom van rijstkokers en radiatoren bevochtigt de bedompte lucht. Achterin, bij de keuken, rookt een oude vrouw sigaretten zonder filter totdat er vrijwel niets meer van over is, en dat heeft ze zo lang ik me herinner gedaan. We praten niet met elkaar, zij en ik. We staren uit het raam in de pui. Haar ogen verbergen zich achter de rook en dat is waarschijnlijk maar goed ook. Ze hoort wat ik hoor: de echo's van een lange, geweldddadige worsteling tussen mij en de duivel.

De duivel heeft de voor- en achternaam van een man, dat moet je geloven. Hij heeft speeksel, grijpgrage handen, en een Bijbel waaruit hij citeert, en altijd nieuwe schoenen. Maar toch is hij de duivel.

En hij loopt daar ergens rond, daar, aan de andere kant van het raam. Ik heb zijn sporen gezien. En zij ook.

Ik kom al zeventien jaar in dit restaurant. Altijd alleen. Elke vrijdagavond sinds ik dit werk doe. Destijds was Patti Black een meid van 21 met een heel grote bek, maar dat was allemaal poeha. Diep in mijn hart was ik een klein, blank weesmeisje met akelige dingen achter de rug en met nachtmerries die nog erger waren, en hoopte ik dat ik me in een uniform kon verbergen voor voorbije gebeurtenissen die je niet verdringen kunt.

Zeventien jaar heb ik aan dit tafeltje gezeten en uit dit raam gekeken. Ik heb een nachtmerrieachtig geheim dat van mij een goedgewapende angsthaas heeft gemaakt. Vanavond moet ik de confrontatie aangaan: dit is het einde. Ik zit onder de blauwe plekken en verwondingen. In mijn zak heb ik een pistool dat niet van mij is en in mijn mond proef ik de smaak van de loop. En de klok tikt maar door, zou je kunnen zeggen. Want zo is het.

1

Een week geleden

Het is maandag in Chicago, wat in werkelijkheid erger is dan het klinkt.

Onze bookmakers, handlezers en ambtenaren draaien allemaal een dubbele dienst. Het honkbalseizoen is bijna afgelopen en de Cubs en Sox zijn allebei nog niet uitgeschakeld. De stand van de planeten is zo vreemd dat de *Herald* van vandaag bijbelse implicaties suggereert.

We staan ook aan de vooravond van verkiezingen.

En dan is er nog iets ánders: negentien uur geleden heeft iemand met een vuurwapen geprobeerd om onze burgemeester te vermoorden. Drie kogels. Groot kaliber. Allemaal in de lucht in de buurt van het dure kapsel van hem en zijn vrouw.

Zoals je je wel kunt voorstellen, hebben wij, de politie, daar een beetje last van. Tenminste, iedereen boven de rang van brigadier heeft er last van. Onder de rang van brigadier richten we ons meer op patrouilleren, de mensheid redden en af en toe slaan we eens onze slag. Begrijp me niet verkeerd, ik mag de burgemeester. Zijn vrouw Mary Kate is een secreet, maar dat is een ander verhaal. En ik vind niet dat de burgemeester in functie zou moeten sterven. En als je mijn brigadier Sonny Barrett, een kolos van Ierse afkomst, niet dwarszit en als hij geen honger heeft, vindt hij dat ook niet.

Op dit moment gaat Sonny's gezicht grotendeels schuil achter een enorme sandwich die hij met twee handen moet vasthouden. Maar noch zijn broodje vlees, noch de in zuidelijke richting boven ons hoofd voortdenderende vrachtwagens op de Dan Ryan, de snelweg, vormen voor hem enig beletsel voor commentaar op mijn uiterlijk: 'Ik meen het, Patti, en ik neem je echt niet in de zeik: je moet een paar kilo afvallen.'

Ik ben maar zo'n 1 meter 65, maar ik heb een pistool, en hoewel Sonny het niet kan zien zitten onder mijn verschoten windjekker, weet hij dat het daar zit. Hij heeft zelf gezien dat ik het gebruikte. 'Echt? Vind je?'

Sonny, aan de andere kant van de gehavende bumper, knikt en kijkt naar mijn figuur, en eet verder. De vijf andere TAC-agenten, leden van de niet-geüniformeerde, tactische politie-eenheid, doen hetzelfde, en genieten ervan hoe Sonny het middelgrote broodje voetbal met tomatensaus van Ricobene's naar binnen werkt.

'Ik vind het niet erg om met dikke wijven te werken, maar shit...'

Ik ben half zo zwaar als hij en denk vaak dat Sonny en ik beter af zouden zijn als hij ernstig gewond zou raken tijdens de uitoefening van zijn plicht. Als hij mijn leven niet had gered op 79th Street, bij St. Rita's, dan had ik hem lang geleden al omgelegd. En misschien doe ik het alsnog. Want kijk, we hebben een soort ongeschreven regel in onze ploeg: mijn uiterlijk en jouw mening, compliment of kritiek, hebben niks met elkaar te maken. Maar Sonny heeft vandaag niks te vrezen, en dat weet hij maar al te goed. Na deze lunch bij de auto gaan we naar een gebouw van de Gangster Disciples, om een arrestatiebevel uit te voeren. Een arrestatiebevel waarvoor we alle zeven in leven moeten zijn. De Gangster Disciples hebben in het hele land dertigduizend leden, en eenderde of meer heeft hun hoofdkwartier in Chicago. Veel, zo niet alle GD's, kunnen op een onaangename manier gewelddadig zijn.

Ik, daarentegen, ben een en al zelfbeheersing in de omgang met mijn brigadier: 'En die enorme reet van jou is wel geschikt om ondergoed te showen?'

Mijn partner Cisco Pike steekt zijn hand op om te bemiddelen, morst koffie op de motorkap van onze Ford en stamelt iets wat niemand snapt. Cisco heeft een spraakgebrek als hij zenuwachtig is. Dat maakt hem bijna schattig, vind ik, maar niet schattig genoeg voor je-weet-wel. Net als Cisco grinniken mijn collega-TAC-agenten en stellen zich brigadier Sonny Barrett voor in zijn BVD-ondergoed, klaar voor de catwalk. Alleen ik neem de moeite om de koffie op te vegen.

Deze TAC-wagen zit, net als alle andere, vol deuken. Vijf jaar oud, één wieldop en tweederde van de lak die hij had toen hij nog nieuw was. In Chicago rijden TAC-agenten in auto's die de rechercheurs niet blieven. Rechercheurs dragen chique jasjes en een veelbetekenende uitdrukking op hun gezicht. Wij dragen kogelvrije vesten en speciale holsters om razendsnel je wapen te kunnen trekken, kleding waarin je kunt tuinieren, met tomatensaus op de mouwen. Hoewel dat laatste vooral voor Sonny geldt. Veel van onze superieuren en de media rangschikken TAC-agenten maar net iets boven de criminelen die we in de hand moeten zien te houden. We nodigen beide groepen uit om met ons een ritje te maken door het getto. Beter nog: zonder ons. Neem vrouw en kinderen mee, maak er een leuk dagje van.

District 6, waar wij werken, is geen fijne plek, en districten 2 en 7 ook niet. Voor niemand niet. Meer dan genoeg wreedheid aan beide kanten, meer dan genoeg vijandelijkheid, genoeg om families generatieslang te vergiftigen. Geloof mij maar, ik weet er alles van: ik kom zelf uit zo'n buurt. Bazen en journalisten vragen me waarom ik niet bij Verkeer werk. Van Verkeer schiet niemand iets op en dat is het enige wat ik erover kan zeggen. Ik wil iets doen. De meeste mensen hier krijgen zo weinig. Bij elkaar is het nog geen greintje medelijden.

Sonny kijkt me nog steeds indringend aan en klopt op de motorkap. *'Leg jij het de heren hier nog eens een laatste keer uit, Patti Ann.'*

Een goede brigadier laat je je eigen arrestatiebevelen regelen. Die van mij wil het plan voor de inval nog eens doornemen, terwijl hij iemand zoekt voor een high five en zijn rare pooierloopje. Hij ziet er belachelijk uit, een soort kruising tussen een grizzlybeer en een Ier met twee bier op, maar ik weet waarom hij het doet. Een ontspannen, geconcentreerde ploeg maakt minder fouten.

Cisco glimlacht om Sonny's optreden en glimlacht daarna naar mij. Zonder mij zou Cisco al drie keer dood zijn geweest en daarvan is hij zich voortdurend bewust. Als geluk echt bestaat, en het bestaat, absoluut, dan breng ik hem geluk en hij mij. Afgezien van die nichtenparfum die hij soms draagt, is Cisco perfect. *Bijna* perfect, afgezien dan van dat softe gelul dat hij op die avondcursus leert. Sinds de lente probeert hij me vaak tot onderwerp van zijn huiswerk te maken, omdat hij het waanidee heeft dat ik tekortkomingen heb. 'Problemen,' noemt Cisco dat, nu hij een opleiding heeft: 'Een onbenaderbare persona.' Probeer daar maar eens chocola van te maken terwijl je door het getto rijdt. 'Neiging om oorzaak en gevolg niet onder ogen te zien,' nog zo'n simpele, en dat komt volgens hem omdat ik weiger de puntjes in mijn leven met elkaar te verbinden. En dan gisteren zijn commentaar dat ik nog steeds elk weekend rugby speel en geen nagellak wil dragen. Die snap ik. Ik heb gewoon geen zin om een méisje te zijn, maar daar heeft hij toch geen reet mee te maken? Dan is er nog een gerucht, dat ik alleen goed met kritiek kan omgaan zolang ik die maar niet hoor.

Sonny laat een boer en zegt: 'Oké cowboys, in het zadel.' Hij heeft zijn broodje achter de kiezen, dus moet de rest ook klaar zijn. 'We gaan wat geluidsapparatuur halen.'

De moordpoging op de burgemeester doet er nu niet meer toe, en onze culturele verschillen wat betreft de Cubs en de Sox ook niet. We gooien de koffie weg, pakken de papieren en doen de bekers in een zak. Ik bewaar alle overgebleven eetbare restjes. Daarmee houd ik de meeste zwerfdieren in district 6 in leven en hoef ik in noodgevallen geen hotdogs voor ze te kopen.

Iedereen controleert zijn pistool. Ik heb als enige een revolver, en daar moeten ze elke keer weer even iets van zeggen. Drie van ons hebben een geweer. Voor de tweede keer leg ik op de motorkap het plan uit. Iedereen knikt, de frivoliteit verdwijnt, en de adrenaline komt. Twee van de mannen nemen het breekijzer en de zeven kilo zware hamer. Ik doe de deur, omdat ik de daders ken. Ik zeg tegen ze: 'Zing het vandaag nog even uit,' en daarna is het hun eigen verantwoordelijkheid. En GD's nemen soms heel verkeerde beslissingen.

Sonny trekt een serieus gezicht, en kijkt ons allemaal aan. Op de plek waar wij nu naartoe gaan is hij twee partners kwijtgeraakt. De ene dood, de andere zit nu in een rolstoel. 'Dit zijn klootzakken. Kinderen. Ik wil niet dat er onder ons doden vallen vandaag.'

Allemaal knikken we. Welbespraakt is hij niet, maar Sonny Barrett heeft altijd gelijk.

Zo ver naar het zuiden ziet Halsted Street eruit zoals het is. En wij zevenen zien eruit zoals wij zijn: drie TAC-wagens die in konvooi voorbij racen, voorbij de diplomalozen die op de uitkijk staan met maar één vraag: *Waar?* Zij maken er deel van uit, wij maken er deel van uit:

van het grote spel. Sonny's Ford gaat op Vincennes linksaf. Hij rijdt voorop en wij proeven zijn verbrande olie.

Nog *drie straten* en dan zijn we in het doodlopende stuk van Gilbert Court. In 2003 zijn hier twee agenten in uniform omgekomen. Door vijftien kogels, terwijl ze in hun auto zaten. Mijn hart begint te bonzen, op de maat van het nummer in mijn hoofd: Springsteens 'Born in the USA'. Cisco glimlacht, maar ik heb geen idee waarom. Dat doet hij wel vaker.

Sonny's Ford rijdt bijna tachtig en die van ons ook: de bakstenen winkelgevels vervagen, handgeschilderde borden vloeien samen tot één zin: *Big Julie's Suit Up, Temple Mercy, Time Out Lounge, Esta's Chicken Wings.* Het geweer slaat hard tegen mijn borst. Ik heb nog nooit iemand hoeven doodschieten. Maar als je me dwingt, dan doe ik het, niemand hier op straat twijfelt daaraan. Maar ik pieker 's nachts wel van dat besluit dat je in een fractie van een seconde neemt en die zich *voortdurend* voordoet.

Twee straten. Deze buurt beslaat zo'n zesentwintig vierkante kilometer, met stukken waarvan de meeste Amerikanen niet zouden geloven dat die in ons land bestaan. Ik werk hier al sinds m'n 21ste en heb de buurt zien veranderen van blank naar zwart, van arbeidersbuurt naar arme buurt, en daarna van arm naar getto. Er zijn meer ramen met triplex dan met glas, en niet omdat het goedkoper is.

Een straat. Nu rijden we negentig. Ik ken al die mensen die die winkels draaiende houden, mensen die hun best doen, zoals diegenen vóór hen ook hun best deden. Hun problemen los je niet op met gepreek of met beloftes. Allebei populair hier, maar nutteloos: dit is een oorlogsgebied, in elke betekenis van het woord, met armoede, drugs, en bendes. Bendes met legers, zo groot als die van een klein land.

Cisco stampt op de rem.

Jongens op de uitkijk schreeuwen: 'Smerissen!' en maken zich uit de voeten.

Onze drie auto's nemen de bocht. In een oogwenk staat Gilbert Court vol met zeven blanke smerissen met een doodernstige uitdrukking op hun gezicht. Twee dienders met geweren rennen naar de achterkant van het gebouw, en ik met mijn geweer naar de voorkant. Cisco heeft het breekijzer, Eric Jackson de hamer. We staan op de trap en ik klop met mijn voet. Achter me staan Sonny en de jongens klaar om achter me aan naar binnen te rennen zodra de deur open is.

'POLITIE. We hebben een bevel, Carlos. Openmaken, DIRECT!'

Drie, twee, een. Ik doe een stap achteruit, Cisco zet het breekijzer vast, Eric geeft een ram met de hamer. De deur en de deurpost versplinteren: een goed teken. Als de deur gebarricadeerd is, hebben ze meestal wapens.

Grote lichtflits. Daarna geraas. De deur en de deurpost exploderen in ons gezicht. *Machinegeweer.* Cisco gaat neer en Eric Jackson schiet. Ik sta verblind zijwaarts geleund. Achter me knallen pistolen. Ik zie niks en val op mijn knieën. Eric Jackson valt over de leuning. De ene klap volgt op de andere, de lucht is vol ontploffingen en geflits. Ik hoor niks... Ik word vastgegrepen, iets slaat me in mijn gezicht. Ik word gewurgd door een arm... Ik vecht, trap, krab – *doe alles om geen gijzelaar gemaakt te worden*, en ik zie niet genoeg om te kunnen schieten. Mijn hoofd zit in een bankschroef en ik word door een gorilla met vier armen meegesleept. Achter me schieten grootkalibergeweren. Geschreeuw van mannen. Drie gangsters rennen langs me heen. De gorilla duwt me naar het midden.

'Gijzelaar, klootzak! Ik heb een smeris te pakken!'

Sonny schiet. Ik stik en ram mijn geweer in een kruis. Een enórm salvo uit mijn geweer, daarna nog een, en ik zit op één knie. De vierarmige gorilla verandert in twee GD's, die me laten vallen en allebei op de vlucht slaan, het gebouw in. Ze gooien de achterdeur met een klap open en ik zit ze achterna voordat ik besef dat ik sta. Op het kleine plaatsje is onze ondersteuning in een vuurgevecht verwikkeld met GD's met pistolen die schieten vanuit de hoeken van het gebouw. Mijn twee GD's slagen erin de steeg te bereiken, en steken die over, op weg naar het dichtstbijzijnde huis. Eentje draait zich om om te schieten. Ik buk, hij valt. We klauteren op, en rennen allebei weer. Ik kan het me niet veroorloven om in de woning te schieten en te missen. Hem maakt het geen reet uit en hij vuurt twee keer.

Achter me knallen de geweren. Bij de stoep van de buren struikel ik, denk niet na en storm het portaal in. Als ik vijf stappen binnen ben, zie ik allebei de GD's aan de achterkant naar buiten sprinten en iets surreëels wat de keldertrap op komt rennen. Twee blanke ComEd-medewerkers, het elektriciteitsbedrijf, rammen tegen me aan als een stel linebackers. Ik ga tegen de grond en ben ineens doornat van de benzine en er is geen lucht. De blanke kerels rennen een deur uit, het daglicht in. Ik hoest zonder dat ik zie en probeer op te staan. Meer schoten en ik buk. Door de deuropening zie ik een wit busje weg-scheuren. Door de dampen zoek ik naar GD's. Geen een op de benedenverdieping of de trap. Hoest, knipper. Overal benzine.

Benzine.

'BRAND! BRAND!'

Het souterrain staat vast vol benzine, en in het gebouw zijn nog twee verdiepingen vol mensen. Op de benedenverdieping bons ik op deuren en niemand die goed bij zijn hoofd is, zou nu opendoen. 'BRAND! BRAND! Naar buiten!' Als iemand rookt, ben ik een fakkel. Met twee treden tegelijk ren ik de trap op. 'Naar buiten! Naar buiten!' Meer deuren, meer gebons. Een vrouw doet open en ik grijp haar vast. 'NAAR BUITEN. Het gebouw staat in brand!' Ze stribbelt tegen en ik ruk haar de gang in. NAAR BUITEN! NAAR BUITEN!' Deuren gaan op een kier open, witte ogen, kinderen duiken in elkaar, hoofden kijken in het trappenhuis naar beneden. Niemand is hier veilig, nooit, niemand weet wat hij moet doen. Ik ruik als een bom. 'Kom op, mensen, de straat op. Nu. Nu. NU.'

Honden blaffen en rennen overal. Het gebouw is leeg. Dertig boze, bange burgers zijn door de afscheiding Gilbert Court op geduwd. Niemand heeft spullen meegenomen, geen ingelijste foto's of porselein. Gilbert Court is een chaos. De hele buurt is al toegestroomd. Ze jouwen ons vanuit hun ramen uit en schudden met hun vuist. Ploegen komen met gillende sirenes aan. Twee blanke agenten zijn neergeschoten, maar leven nog. Twee zwarte gangsters liggen morsdood in het bloed, glas, wapens en houtsplinters. Koperen hulzen en Cisco liggen op de stoep. Cisco staart naar me terwijl hij op zijn rug ligt, ogen troebel, zijn spraakgebrek half wel, half niet aanwezig. 'Je ruikt naar een p-p-pompstation. Wat is er gebeurd?'

Voordat ik hem kan helpen, grijpt een hand mijn schouder. Ik draai me om en deel een stoot uit, en het is een brandweerman die achteruit wankelt. We zijn allebei in de war. Een ander wijst naar me: 'Je kleren, stomme trut. Kom hier,' en geeft me met een kleine brandslang een duw. Een ambulancemedewerker ontfermt zich over Cisco, en ik krijg een douche.

Een koude douche. De brandweerman zegt dat ik me helemaal moet omdraaien. De waterdruk is drie keer zo krachtig als thuis en ik moet me schrap zetten en mijn ogen dichtdoen. Cisco lacht, op de eerste rang bij een wet-kogelvrij-T-shirt-contest. Het water stopt en Cisco's ambulancemedewerker steekt haar duim omhoog naar haar partner. Ik struikel, verward door de adrenaline en ruik nog steeds naar benzine, alleen iets minder. Twee andere ambulancemedewerkers helpen Eric Jackson op de been, maar hij kan niet op eigen kracht staan. Hij waggelt, maar zijn voeten bewegen, en slepen langs de jongste dode GD. Ik veeg het water van me af, doe mijn haar naar achteren, probeer mijn evenwicht te vinden, en dan herken ik het uitgestrekte lichaam. Ik ken de moeder van die dode jongen.

Ik draai me om om Cisco en zijn ambulancemedewerker te helpen. De brandweerman die voor me staat zegt: 'Kleed je uit.' En hij wijst naar een andere kerel, alsof ze dit de hele tijd doen. 'Geef haar een jas.'

Ik steek mijn vinger naar hem op. *Bekijk het even, man.* Hij haalt zijn schouders op en rent met andere brandweerlieden de steeg in. Cisco ligt op een brancard. Mijn blik verplaatst zich vlug naar de woning waar al die benzine ligt en ik verwacht vlammen te zien. Geen vlammen, geen bewoners dood. Haal diep adem, *kom op, schat. Even rustig.* Omkomen in een brand is een akelige dood, vooral voor oude mensen. Het lijkt wel of die gewoon in een hoek gaan liggen en wachten totdat het vuur ze te pakken neemt. Meer sirenes. Onze agenten hebben de hele straat afgezet. Ons eigen legertje, het lijkt wel alsof elke smeris uit 6 en 7 hier is. Het is een vreemd gezicht voor de burgers en dat blijft het altijd. Iedereen gaat z'n gang in het getto en dan PANG, overal politie. Dan vraag je je af hoe de sfeer is als we weer vertrokken zijn.

Sonny staat bij mijn schouder, zijn pistool op het trottoir gericht. 'Alles in orde, P.?'

'Hè? Met Eric is alles in orde, toch?'

'Het kogelvrij vest heeft die kogel bij zijn schouder tegengehouden, maar hij heeft wel een flinke klap gehad. Die schouder is ontwricht.'

Ik draai me om en zoek Cisco. Sonny kijkt hoe Cisco slapjes zwaait terwijl hij in de ambulance wordt gelegd en zegt dat Cisco een tijdje afwezig zal zijn, maar dat hij te slim is om het loodje te leggen. Mijn knieën verslappen naarmate de adrenaline wegebt en Sonny grijpt mijn kraag. Ik pers er een glimlach uit en sla zijn hand niet weg. 'Veel kogels voor wat stereoapparatuur.'

Sonny denkt kennelijk hetzelfde, maar houdt zijn mond. 'Hiervoor krijg je weer een stel medailles, P., doorweekt met benzine een gebouw ontruimen.' Hij schudt zijn hoofd, en houdt het schuin, in de richting van Ierland, precies zoals hij doet als hij vijf bier op heeft. 'Ik geef het niet graag toe, maar je bent een wijf met ballen,' en hij duwt me tegen zijn borst, een traan in zijn oog. Ik ken Sonny Barrett. Het komt absoluut door de benzine.

Binnen enkele minuten verdringt de boze mensenmassa zich. Er zijn drie mediawagens gearriveerd, gevolgd door de rechercheurs van Moordzaken die de plaats delict onderzoeken, terwijl OPS, het *Office of Professional Standards*, de afdeling die onderzoek doet als er schoten zijn gelost, toekijkt en wacht om straks een rapport te schrijven van de schietpartij waarbij agenten waren betrokken. Eén OPS-er staat al naar mij en mijn geweer te kijken. Dat betekent een lange dag vol ondervragingen nadat de rechercheurs de plaats delict hebben vrijgegeven.

De technische recherche arriveert, terwijl geüniformeerde agenten scheldende burgers achteruit duwen en daarna kilometers geel tape ophangen. Ik herken de inspecteur van onze dienst, van district 6. Dat is de inspecteur die tijdens onze dienst het hoogste in rang is, een 'klootzak met een leeg holster,' zeggen diegenen die respectlozer zijn dan ik. Hij en een hulpofficier van justitie staan schouder aan schouder, allebei met hun armen over elkaar, om achteraf kritiek te kunnen leveren op wat we doen. De zwarte lichamen zijn niet bedekt en zien er op de stoep op een vreemde manier krachtig uit. Nu hebben ze een gezicht en zijn het geen willekeurige en naamloze lijven. Ze hebben gevolgen en invloed op verloop van carrières. Een zwarte vrouw die ik ken, roept me naar de tape.

'Waarom heb je die jongens vermoord, Patti Black?'

Hoewel het heel simpel lijkt, is dat het niet. 'Weet je, Drea. Als ze op ons schieten, dan schieten we terug.' Ik wijs naar de twee omgebouwde Tec-9's die op straat liggen. 'Dat zijn geen tv-machinegeweren.'

De jongen die naast haar staat, is nog geen een meter twintig. Hij kijkt onder de tape door en zegt: 'Zoals op tv?' Drea jaagt hem weg, maar hij loopt gewoon om haar heupen heen en rukt aan mijn jeans. 'Jij bent helemaal nat.'

Ik hurk, en mijn knieën houden het. Zijn handje knijpt water uit mijn sweatshirt en hij lacht. Ik wijs naar de brandweerman. 'Die man heeft me net een douche gegeven. Hij vond dat ik stonk.'

De jongen knijpt zijn ogen half dicht. Drea zegt: 'Dat is Ruth Anns zoon, Robert. Of niet?'

Ik knik en stel me Ruth Anns gezicht voor als ze haar, over twintig minuten op haar veranda, komen vertellen dat Robert dood is. Dan is hij haar derde. Ik ril en zeg tegen het trottoir: 'Echt waardeloos als zoiets nodig is.'

En dat vind ik echt.

De inspecteur van onze dienst is links van me komen staan, zodat de camera's van Channel 7 zijn naam kunnen zien en de schittering van zijn zilveren strepen. Hij zegt tegen een rechercheur van Moordzaken: 'Ze is gek op die negers.'

Ik draai me om, terwijl de rechercheur antwoord geeft. 'Bijna net zo gek als op de verslaggevers.' Hij kijkt me recht aan. 'Ze lost twee, drie moorden op en die trut denkt dat ze rechercheur is.'

Uit de blik van de inspecteur van onze dienst blijkt instemming en hij kijkt naar de camera. 'En het kan *ook* geen kwaad om het luisterend oor van de commissaris te hebben.'

De rechercheur glimlacht. 'En niet alleen zijn oor.'

Hij en ik delen twee meter stoep en de cameralens van Channel 7. Ik schat hem zo'n twintig kilo te dik en vermoed dat zijn vrouw een minnaar heeft. Hopelijk twee, met beide een andere huidskleur.

De brandweerman die me heeft natgespoten, komt tussen ons in staan en zegt: 'Dit moet je even zien.'

Ik weet niet of hij tussenbeide wil komen of dat er echt iets is. Als er echt iets is, moet hij met de rechercheurs praten die de plaats delict onderzoeken, niet met mij. Ik loop vooral met hem mee omdat ik woedend ben, en het me even afleidt. En ik ben even uit de buurt van mijn twee fans met een rang. Terwijl we langs het tweede lijk lopen, schreeuwt een verslaggever van de *Tribune* die ik wel ken mijn naam. Ik zeg 'Sorry', wijs naar de mannen in de blazers en loop door.

De Street Deputy arriveert met zijn gevolg. Hij is de tweede man, na de commissaris, de hoogste functionaris van de politie van Chicago die naar de plaatsen delict gaat, en bezit de autoriteit van commissaris. Alle mankracht die zich niet met hem bemoeit, blijft zich met de plaats delict bezighouden. Alleen de brandweerlieden zijn tot dusver geïnteresseerd in het gebouw met al die benzine. Daar zwaaien zij de scepter totdat ze de flat vrijgeven. Terwijl we de steeg oversteken en bij het huis komen, zegt de brandweerman dat het vreemd is dat Gilbert Court het adres is van het gebouw en zegt daarna: 'Laat die twee toch oprotten. Je had wel ballen nodig om achter ze aan te gaan, dame. Je kunt altijd voor ons komen werken, wanneer je maar wilt.'

Hij lijkt me eerlijk, een leuke afwisseling in vergelijking met de meeste mannen. Zijn ogen blijven iets langer hangen dan zou moeten. Waarschijnlijk een compliment, maar ik krijg er de kriebels van. 'Wat gaan we bekijken?'

'Souterrain.'

In het souterrain staat zo'n zestig centimeter water en het stinkt er al. Ik blijf op de trap staan. Hij kijkt me aan, alsof hij wil zeggen dat meer water nu geen kwaad meer kan, maar hij hoeft mijn gymschoenen niet te betalen. De andere brandweerlieden waden terug, bij een stuk muur bij de verwarmingsketel vandaan. De muur hebben ze opengehakt. Ik ga op mijn hurken zitten en tuur. Eentje schijnt er met een zaklantaarn en het licht wordt teruggekaatst op het driekleurige water. Er zit iets wits in de regenboog. Een bot. Nee, een hand, met de handpalm naar boven en lange, stramme vingers en geen huid. De drijvende hand zit vast aan een arm in een mouw en maakt deel uit van een lichaam dat zit ingemetseld in de muur.

Dat zie je niet elke dag.

De brandweerman gebaart dat ik naar hem toe moet komen. Ik waad naar hem toe. Fout, omdat dit souterrain nu een plaats delict is waar een moord is gepleegd. Nu ik dichterbij sta, zie ik dat de botten een fluwelen damesjasje dragen dat in de jaren negentig modieus was. Ze zit in een lastige positie, met een weggedraaid gezicht en is vastgebonden met leren banden die van haar nek naar haar polsen lopen. Eén bandje is van ouderdom gebroken. Ik probeer haar gezicht te zien, maar dat gaat niet. De brandweerman richt zijn zaklantaarn in de holte langs dode wormen en kakkerlakken, op wat afdrukken van nagels in het hout lijken.

Hij blaast uit met een zucht, en zegt: 'Ging er levend in.'

De hand drijft bij mijn scheen. Haar vingertoppen zijn ingescheurd. Om haar polsen zitten metalen boeien, *maniakboeien* noemen we die. Benodigdheden voor zedenmisdrijven die Zeden en de afdeling Minderjarigen vaker zien dan wij.

Op mijn polsen heb ik ook littekens van boeien, harde striemen die ik vermijd als ik me was. Ze heeft niks aan haar voeten. Ik mocht geen schoenen aan toen ik op mijn vijftiende zwanger was. Dat stond in de Bijbel en zo kon ik ook niet weglopen. Zij wilden de baby. De enkelbotten glimmen in het licht, maar ik kijk er niet naar. Misschien zitten daar ook boeien. Het souterrain krimpt, de smerige lucht verdikt zich, en het benzinewater wil stijgen tot boven mijn hoofd. Ik struikel, flits door de jaren waarin ik mezelf heb gevormd, waarin ik uit de brokstukken iemand van mezelf heb gemaakt. Ik wil niet vallen, niet in dit water, niet bij die geboeide hand. En dat gebeurt ook niet, als ik nu niet meer denk.

Aan al die dingen waaraan ik al 23 jaar niet heb gedacht.

2

Maandag, dag een
middag

Mijn middag bestaat uit acht uur ondervragingen op 111th Street en Cottage Grove, een klein stukje hemel dat bekendstaat als Area 2 Detective Division, en dat door straatagenten, die vermoeid en van streek niet steeds dezelfde vragen willen beantwoorden, ook wel A-D-D wordt genoemd.

Elke ondervraging gebeurt apart, maar de vragen veranderen niet, en de onvriendelijke gezichtsuitdrukkingen en de gesprekken van de ondervragers onderling ook niet. Eerst krijg je de rechercheurs van Moordzaken die je op de plaats delict al ondervraagd hadden. Daarna krijg je, een voor een, de rest: OPS, de hulpofficier van justitie, de inspecteur van onze dienst, en de Street Deputy, ondersteund door zijn gevolg. Allemaal willen ze weten waarom je het niet anders hebt aangepakt.

Ik klaag niet, want ik snap wel waarom we dit doen: er zijn mensen omgekomen, mensen met familie en misschien zelfs wel met een toekomst. Maar vandaag zijn de onderbrekingen erger dan de ondervragingen. Steeds weer zie ik het lijk in de muur en de hand in het driekleurige water. En de handboei.

Nadat de inspecteur van onze dienst klaar is met zijn vragen over de schietpartij en zijn derde onderonsje met de hulpofficier, die niet aan me is voorgesteld, vraagt hij me opnieuw: 'Waarom ben je de daders gevolgd en die steeg overgestoken, die woning in?'

Hij werkt toe naar de conclusie dat ik mijn collega's in de steek heb gelaten om de 'heldin uit te hangen,' alsof hij een idee zou hebben wat dat is. Zijn naam is Carson Scott, *inspecteur* Carson Scott, als je tijdens je werkdag minder gelazer wilt. Gelukkig zie ik hem niet vaak, tenzij er iets vreselijks gebeurt, zoals dit. Hij is een klootzak, een racist en hij golft 's weekends en steekt dan zijn neus in de achternaad van elke geruite broek die hem tot hoofdinspecteur zou kunnen bevorderen of die zijn politieke ambities zou kunnen ondersteunen.

'Ik beschermde mijn collega's door de achtervolging in te zetten en achter de schutters aan te gaan.'

Voor de derde keer schrijft hij mijn antwoord op. Onder ons noemen we hem 'Kit' Carson en we hebben met elkaar verzonnen dat een baan als presentator in een wildwestshow een passende promotie zou zijn.

'En daarom hebt u de gewonde agenten Pike en Jackson in de steek gelaten?'

'In de *steek* gelaten?'

'Geeft u alstublieft antwoord.' Hij kijkt naar de lege regel waar zijn pen het antwoord zal opschrijven.

Ik herhaal dezelfde uitleg. Hij schrijft die weer op en vergelijkt die daarna met de regels daarboven. Zijn pen tikt en hij krult zijn onderlip naar binnen, tegen een duur gebit. Kit Carson komt uit een rijke familie en heeft rechten gestudeerd aan DePaul, aan de Northside. Mocht je de stad niet kennen: Chicago heeft iets met noord en zuid. De stad wordt in twee afzonderlijke stammen verdeeld door een rivier die zo is aangelegd dat hij vanuit Lake Michigan achteruitstroomt. De Southside zegt dat het werkt om de kost te verdienen, terwijl de Northside vijf dollar voor koffie betaalt en een hulp in de huishouding heeft om de ramen open te zetten.

Kit Carson zegt: 'Hmmm, Interne Zaken moet hier misschien naar kijken...'

Het is onzin dat Interne Zaken hiernaar zouden moeten kijken, en dat gebeurt ook niet, tenzij Kit Carson een klacht tegen me indient die net zo op zijn plek zou zijn als pudding in de fundering van de Sears Tower. Mijn mond beweegt voordat ik mijn hand ervoor kan doen.

'Kom op, Kit. Jezus.'

'Wat?' Hij houdt de pen met beide handen vast en buigt zich naar me toe.

'Ik heb de regels niet geschonden. Van "in de steek laten" is geen sprake. Het enige wat ik gedaan heb, is wat ik had moeten doen. Dat had je geweten als je eens achter dat bureau van je vandaan zou komen.'

Inspecteur Carson schrijft dat op, neemt de tijd om de grammatica nog eens te controleren. 'Dat was het, agent Black.'

Maar dat is niet zo. Ik verzeker je dat die ondervragingen de reden zijn waarom de politie liever niet iemand neerschiet. En als die ondervragingen achter de rug zijn, sluit je een twaalf uur durende werkdag waarop twee doden vielen af met het ontwijken van beschuldigingen van plaatselijke politici. Waarna je de papierwinkel moet afwerken totdat je handen er zeer van doen.

Mijn dag komt eindelijk ten einde omdat lui zoals Kit Carson andere dingen te doen hebben. En zelfs aan de slechte dagen komt een einde, een elementaire waarheid die verstandige agenten al vroeg leren, naast het feit dat niemand hier echt iets oplost. Kleine overwinningen is het enige wat je behaalt. Als je daarmee tevreden bent, behoud je de hoop dat je nog iets kunt veranderen... aan iemands situatie. Voor Cisco bijvoorbeeld. Dus ga ik bij Christ Hospital langs, waar hij prima op zijn gemak lijkt, bedwelmd, geflankeerd door ouders met rode ogen, nog steeds in tie-and-dye uit de jaren zestig (vandaar ook zijn naam) en leerling-verpleegsters die dol zijn op helden met kogelgaten en dienstwapens. Dit melkt hij vast nog dagenlang uit, en die woordspeling is opzettelijk. Eric Jackson is al ontslagen en mocht terug naar zijn vrouw en kinderen. Terug naar de kapperszaak waar hij nog liever over praat dan dat hij de loterij wint.

De Dan Ryan is zoals altijd een immer voortronkende rivier van metaal en frustratie, en brengt me centimeter voor centimeter naar mijn halfvrijstaande huis, maar dat kan me niet schelen. Mijn Celica voelt als een leunstoel en als ik nog aan alcohol deed, dan was het nu tijd voor een biertje. Maar ik doe niet meer aan drank, afgezien van het miniatuurflesje Old Crow dat als talisman aan mijn sleutelring hangt. Want het tijdstip dat ik dronk, raakte bij mij wat opgerekt. Elke dag, de hele dag, van mijn zestiende tot aan mijn twintigste. Alle bourbon die een klein, blank meisje wist te versieren en achterover kon slaan.

Het verkeer blijft vreselijk tot aan de Y bij I-57, en wordt dan de laatste drie kilometer tot aan 11th Street iets rustiger. Tussen Ramsey Lewis en U2 in meldt mijn radio dat zowel de Cubs als de Sox vandaag hebben gewonnen. Meer overwerk voor iedereen: nu is het aan beide kanten van de rivier carnaval.

Nog een paar straten en ik ben thuis en ik zou blij moeten zijn. Maar dat ben ik niet. Ik pieker me suf, in het wilde weg, zoals ik doe als ik iets moet snappen, terwijl dat me maar niet lukt: ik zie de twee GD's uitgestrekt liggen op Gilbert Court en trek een diepere frons. Dode tieners, zelfs als het om GD's met machinegeweren gaat, bederven toch al snel de 'kleine overwinningen' van zo'n dag. En ik zie ook twee blanke mannen met benzine in een wijk waar blanke mannen, zelfs werknemers van het elektriciteitsbedrijf, gewapende lijfwachten nodig hebben. Ze hadden het hele souterrain laten vollopen met benzine... *Ril*, ik ben niet zo dol op souterrains... God weet dat we niet zitten te wachten op een brand die hele straten van het getto in de as legt, zoals in Philadelphia.

Ik sla af zonder te kijken. Ik kende dat lijk in de muur natuurlijk niet, maar haar angst is me wel bekend. Mijn handen veranderen van positie, zodat ik de littekens op mijn pols niet kan zien. In een woonwijk neem ik nog drie afslagen, de laatste om Tripod, de buurtpoedel, te vermijden.

Bij mijn stoep is plaats om te parkeren. God lacht me eindelijk toe. Ik zet de motor uit, haal diep adem en merk dat de lucht niet naar stad smaakt. Eindelijk ben ik een burger. *Haal Dorothys rode schoentjes en een parasol.* Mijn bloemen in de voortuin zien er goed uit, vooral de goudsbloemen. Mijn goudsbloemen ontbreekt het aan niks, behalve dan een ziektekostenverzekering en een sofinummer.

Ik draai me om en denk na over mijn straat. De stoepen zijn aan de ene kant hoger dan normaal en als het hard regent, stroomt het water naar de putranden. 'Schilderachtig' zou je het kunnen noemen: kleine bungalows en kleine gazonnetjes, ongeveer de helft bejaarden en de helft agenten of brandweerlieden uit Chicago. Mount Greenwood. Het klinkt zelfs schilderachtig. De jongere mannen met motormaaiers maaien het gazon van de weduwen. De vallende bladeren zijn zo groot als een honkbalhandschoen. Als er nog steeds twee keer per week melk werd rondgebracht, zou mijn straat de lievelingsstraat van de melkboer zijn.

Ik wil het slot openmaken en...

Godver... Er is ingebroken, ondanks de politiester en de voodoopop die aan de klopper hangen. Mijn tas met kleren valt uit mijn handen. Ik trek mijn wapen, stap naar binnen. *Mijn* woonkamer is meteen compleet anders: smal, door het vizier bekeken, en bedreigend. Niks in de kamer is van mij.

Wat is daar? Hoeveel zijn het er?

Mijn hartslag versnelt. Met beide handen op het pistool, langzaam vooruit, schuin voorover om te schieten. Keuken, niets. Slaapkamer. Niets. Badkamer. Niets. Kast, voorraadkast, onder het bed. Niets. Mijn tweede pistool ligt in de lade waar het hoort. Veranda, achtertuin. Niets. Klootzakken, dit is mijn huis.

Buurvrouw?

Ik ren de voordeur uit en bons op Stella's deur. Stella is schoonheidsspecialiste, werkt aan huis en is te oud om haar eigen radio te horen. Ik bons nogmaals, maar er komt geen reactie. De deur gaat open precies op het moment dat ik achteruit stap om hem in te trappen. Stella lijkt meer in de war dan gewoonlijk. Waarschijnlijk door het wapen en mijn voet in de lucht.

'Alles in orde, Stell?' Achter haar schouder is...

Ze knijpt haar ogen tot spleetjes en zegt '...Eh, in orde?'

'Is alles in orde met je?'

Ze tovert haar gebruikelijke flauwe glimlach op haar gezicht en reikt naar mijn blonde paardenstaart die van achteren uit mijn Cubs-pet steekt. 'Tricia, zulke mooie blauwe ogen, maar je haar... Altijd net een vogelverschrikker. Je vindt nooit een man.'

Opluchting. Koetjes en kalfjes. Ik stop mijn pistool, waarover Stella met geen woord repte, terug in het holster. Nu krijgen we een opmerking over mijn Cubs-obsessie: een onmiskenbaar trekje van iemand van de Northside dat aan onze kant van de rivier niet al te populair is. Of anders zegt ze dat mijn werkkleding me *helemaal* niet staat. Ze kiest voor de kleding. 'Tricia, geen enkele man wil een vrouw als een vuilnisbak.'

'Stell, lieverd, heb je toevallig iemand bij mijn deur gezien?'

Ze doet haar hordeur open, stapt naar buiten en kijkt naar mijn deur. 'Knap dat nou eens op, Patti. Stel dat je bezoek krijgt?'

Ik knik, omdat dat eenvoudiger is. 'Maar heb je iemand gezien? Vandaag?'

'Druk, druk.' Ze strekt weer haar hand uit naar mijn haar. 'Morgen knappen we jou op.'

Een van onze buren zit in Stella's stoel, met de haardrogerruimtehelm op. Ze glimlacht, ik glimlach. Stella doet de deur in mijn gezicht dicht. Ik bekijk mijn kapotte deur. Voordeur. Niet mijn achterdeur. Een keuze die een dosis onbeschaamdheid aan de dag legt die je doet vermoeden dat er drugs en dus stommiteiten in het spel zijn of dat de dader de buren kent.

Binnen controleer ik de belangrijke dingen.

Jezebel en Batseba zwemmen als kampioenen. Zonder twijfel hebben ze de indringers gezien, maar goudvissen zijn waardeloze getuigen, dus ik vraag niets. Mijn tv staat er nog, mijn stereo ook. Dat is vreemd. Daar komen junks juist op af. Ik heb gisteravond een cd van John Coltrane gedraaid en het doosje ligt nog waar ik het had neergelegd. De plaat van Johnny Cougar staat nog steeds vooraan mijn stapel elpees, de laatste voordat hij zich weer gewoon John Mellenkamp ging noemen.

Met mijn woonkamer lijkt niks aan de hand. Dat geldt niet voor mijn slaapkamer. Mijn bed is een zootje. De daders hebben erop gezeten en naar mijn toilettafel gekeken. Daarna zijn ze waarschijnlijk opgestaan, *klootzakken*, en hebben van dichtbij naar de foto's gekeken die ik in de lijst van de spiegel heb geklemd. Foto's die zoveel van de spiegel in beslag nemen dat je jezelf niet kunt zien, foto's van mij, onder de modder, gearmd met mijn rugbyteammaatjes Tracy Moens, een keihard, supercompetitief secreet van de bovenste plank en topjournaliste bij de *Chicago Herald*, en Julie McCoy, mijn beste vriendin en eigenaar van de L7-bar.

Foto's van mij met mijn TAC-ploeg tijdens politiepicknicks, Cisco en Sonny en Eric Jackson die er allemaal als een echte schutter uit proberen te zien. Onwillekeurig moet ik toch lachen. Het zijn *da boys*, '*the Magnificent Seven*' als je mij meetelt, echte haantjes, maar vooruit, ik ben dol op ze. Zelfs op Sonny Barrett, als ik er niet te diep over nadenk. Zij en Julie zijn de broers en zussen die ik nooit heb gehad.

Ik heb ontzettend veel foto's en weet niet of er een paar ontbreken. Drie foto's zijn er absoluut nog steeds. Op één staat de commissaris helemaal in uniform toen hij nog hoofd Recherche was. Dan is er die foto van mij met honkballer en jarenzestigster Ernie Banks in Wrigley Field, op de publieksdag. Dat was nog eens *cool*. Ernie en ik hadden het over homeruns en... En dan is er nog een foto van een prachtige baby, een dag oud en roze. Zijn foto is met de jaren vergeeld en zit met plakband op ooghoogte vastgeplakt aan de spiegel. PANIEK. Ik kijk achter de spiegel. De envelop zit er nog steeds, ook nog steeds vergeeld, nog steeds vastgeplakt. Even diep inademen helpt.

Er ligt een streep stof op een halve centimeter van mijn doos Kleenex. Ik staar, herleef de ochtend: ben ik tegen het dressoir aangestoten, heb ik op het bed gezeten? Ik controleer nogmaals of het tweede pistool er nog ligt. Niks aan de hand, het ligt echt in de lade. Dat brengt me bij zinnen. Kun je me uitleggen waarom je inbreekt en dat wapen niet meeneemt? Dat is alsof je een zak goud laat liggen. Binnen de stadsgrenzen van Chicago is een pistool verboden en dus kun je er bij helers en straatbendes veel voor krijgen. Dit laat je alleen maar liggen als je het niet hebt gezien.

En je ziet het alleen niet als je niet zoekt.

Waarom zou je dan op klaarlichte dag inbreken?

Dat licht is inmiddels verdwenen, merk ik. Ik zou nu op dit moment in Grant Park moeten trainen, in het centrum bij het meer. We hebben aanstaande zaterdag een belangrijke wedstrijd tegen de Bay Area SheHawks. Mijn rugbyschoenen en sporttas zitten in mijn kastje in district 6 waar ik ze heb achtergelaten. Ik blaas uit, mijn schouders zakken naar beneden. Ik ben veel te moe om nu iets te doen aan die kapotte sloten op de deur en die... die achterlijke inbraak. Niet opdagen voor de training terwijl mijn vriendinnen op me rekenen kan ook niet, en dat geldt ook voor de nacht alleen doorbrengen met twee dode tieners en een geboeide vrouw in de muur.

Ik kleed me uit, en stel me voor om het rugbyshort en het shirt te dragen dat een respectabele fly-half aan hoort te hebben (zonder die nuffige eyeliner die Tracy Moens vast draagt), en stop daarna, om twee redenen: ik heb mijn kleding niet hier – hallo! En ik heb geen zin om me weer onder de mensen te begeven. Ik pak mijn ongestreken jeans, mijn pistool en ster, vind mijn autosleutels weer terug en voer de vissen. *Ik hou van jullie, meiden. Ik beloof dat we zondag badderen.* Ik weet het, ik weet het, het lijkt misschien stom om het bad vol te laten lopen voor hun wekelijkse excursie, maar het is niks anders dan je hond uitlaten in het park. Ik heb zelfs sierdingetjes voor onder water. En de gelukkigste goudvissen van Chicago.

En ik ben weg, en rij in oostelijke richting. Achter me zie ik lichten die mijn spiegeltje vullen. In het verblindende licht zie ik dat souterrain, de krassporen van nagels in het hout en de uitdrukkingen op het gezicht van de brandweerlieden. Benige vingers strekken zich naar me uit, *hou op*, als in een B-horrorfilm, maar ik ga nooit naar horrorfilms. Ik doe aan struisvogelpolitiek. Ik ben een kei in het verdringen van de dagelijkse verdorvenheid... Maar daar is mijn pols en het litteken, en daar is de benige hand...

Claxon. HÁRD. *Shit! Remmen – ik mis het spatbord van die vent. Jezus christus. Sorry. Sorry. Even bij de les, Patti. Twee handen op het stuur. Diep ademhalen. Sturen...* Je doet het goed, je doet het goed. Je bent agent, weet je nog? Met een wapen. Patti Black. *De* Patti Black, oké? Je weet hoe je moet rijden. Dat klopt en een geest fluistert 'Chinatown' achter me.

De rugbytraining is op vijf minuten na afgelopen als mijn Celica besluit om bij Grant Park te stoppen. Waarom hij hierheen is gereden, weet ik niet, maar nu ik hier ben, kan ik maar beter mijn gezicht even laten zien. De jongere meisjes aan de zijlijn knikken, absoluut niet blij met mijn afwezigheid, maar zonder dat ze er een punt van willen maken. Vorige week heb ik met ze in het *She-Devil 15*-toernooi gespeeld, en niet bijzonder goed, wat een paar dapperen van hen opmerkten toen we verloren. Ik had geen goed excuus, dus bedacht ik er een paar, waaronder die dat ik al 38 ben.

Ze staan voorzichtig met hun noppen op het gras en kletsen maar door met hun wederhelft, vooral over de moordaanslag op de burgemeester. Ik hoor de theorieën. Die variëren in complexiteit van *Ryan's Hope* tot aan *The Godfather*. Ikzelf geloof in één schutter die alleen, op eigen initiatief, handelt, en die ook onze burgemeester Cermak in de jaren dertig en JFK in de jaren zestig heeft doodgeschoten. Schutters die op eigen initiatief handelen zijn, net als seriemoordenaars, bij de media en in brede lagen van de bevolking, heel populair. Als je binnen vierentwintig uur geen verdachte hebt, past een van de twee altijd, zoals twintig dollar bij 'hé schatje' op Soul Street.

Eén van de rugbymeisjes staat geen theorieën uit te wisselen. Het is mijn teamgenote en ster, Miss Sportief, roodharige Tracy L. Moens, die bij haar collega-journalisten bekendstaat als de Pink Panther. Dat is geen compliment. Tracy heeft de lichaamstaal van een estafetteloper die al in de startblokken staat en die als laatste het stokje moet overnemen, en heeft het mededogen van beton op een koude dag. Ik wil dat zij en Sonny Barrett een afspraakje maken, het op een zuipen zetten en elkaar tot pulp slaan.

Ze gooit de bal, maar blijft bij de zijlijn en glimlacht naar me alsof ik de enige ben van wie ze ooit heeft gehouden. 'Zware ochtend, hè?' Waarschijnlijk is zij de enige hier die iets van de GD-schietpartij op Gilbert Court af weet.

Ik knik en trek dan een moeilijk gezicht omdat ik probeer om mijn hamstring te strekken in plaats van met haar te praten.

'Wil je erover praten?'

Ik staar haar aan. We hebben ook een ongeschreven regel, Miss Moens en ik. Geen werk tijdens de training of tijdens wedstrijden. De rest is toegestaan. Maar niet hier en niet nu. Dat vergeet ze alleen als het belangrijk voor haar is.

'BASH wordt hartstikke lastig, Trace. We moeten ons op hen concentreren.'

'Ik dacht: ik vraag het even.' Ze geeft me haar journalistenglimlach die handig genoeg haar scherpste tanden verbergt. De rest van het gebit is perfect.

Mijn vriendin Julie McCoy heeft nog niks tegen me gezegd omdat ze in de weer is met dingen die ik had moeten doen. Rugby is haar lust en haar leven sinds het motorongeluk in Nice een einde maakte aan haar cellocarrière. Mijn teammaten zijn klaar met de looptraining en de partijtjes en eindelijk verschijnt Julie. Allereerst neemt ze mijn straatkleding eens op.

'Verrek, Patti, ben je soms vergeten hoe je moet spelen?'

'Eigenlijk wel, ja.'

'Tracy was scherp vanavond. Maar goed, ze is jonger.'

'En knapper,' voeg ik eraan toe.

'Dat ook. Veel meer geld. Vriendjes. Wat een kanjer is het, hè?'

'Eigenlijk wel, ja.' Ik probeer om niet te glimlachen. Voor een grote, blonde saloonhoudster is Julie hier erg goed in.

'En? Gaat Patti Black nog trainen voor BASH of komt ze zaterdag gewoon even langs om het haar teamleden lastig te maken?'

Lastig maken? Onwillekeurig kijk ik naar Tracy die staat te fonkelen in het licht. Julie lacht. Ik begin een antwoord en ze legt mijn arm over mijn schouder. 'Waarom ga je niet met me mee, dan kun je boven logeren en dan eten we een pizza. Dan ben je één nacht lang een Northsider. Dan mag je een mooie blouse van me aan naar je werk. Als er maar geen bloed op komt.'

Een nachtlang vakantie aan de andere kant van de rivier in yuppieland. Dan hoef ik me tenminste niet druk te maken om de slotenmaker en die spookinbraak die ik niet kan plaatsen.

'Nemen we dan jouw BMW en mogen we naar de arme mensen zwaaien?'

De L7 is een 'vrouwenbar'. Kijk even naar de L en de 7 en je snapt hoe het zit. Het is een retro-beatgeneration-koffiehuis met een kale baksteenmuur, gecombineerd met een volledige bar. Daarachter hangt een lange spiegel en in het midden een zes meter hoge korrelige foto van Julie en haar Ducati Café-racemotor die een bistro in Nice in was gereden. Vier jaar geleden, op de dag van het ongeluk, heeft ze er in een dronken bui met een spuitbus oranje verf een handtekening van drie meter op gezet.

De muziek is meestal hard en bluesachtig: Nina Simone, k.d. lang, Billie Holiday. De bar heeft een hoog plafond met kronkelende kabelgoten die beschilderd zijn met slangen die alleen in je nachtmerries zo groot worden. Julies muren hangen vol met rugbyshirts met handtekeningen en foto's van haar helden: Jack Kerouac, Allen Ginsberg, Ken Kesey. Achterin is er een klein podiumpje, vooraan staat de vaste clientèle die gek genoeg is om in een film van John Waters te kunnen figureren. Er hangt zelfs een foto van hem, met handtekening van Johnny Depp en van een felrode kus voorzien door Traci Lords.

Zo'n soort plek hebben we niet aan de Southside en zo'n suffe *comedian* die daar dovenhumor staat te doen ook niet. Hij leest iets op, doet Lou Ferrigno's spraakgebrek na en niemand lacht. Dat moet je die lui van de Northside toch nageven. Lui als Cisco en Mr. Ferrigno verdienen beter. Het valt vast niet mee dat iedereen je zwakke punt meteen opvalt. En toch pit genoeg hebben ondanks dat er gewoon op af te gaan.

De tv boven de bar staat aan, maar het geluid staat uit, en ik concentreer me op het beeld en niet op de comedian. Een reporter doet verslag van de moordaanslag, gevolgd door een fragment van de burgemeester en zijn vrouw. Julie leunt over de bar, werpt een blik op het podium en vult daarna mijn water bij.

'En?'

Ik haal mijn schouders op.

'Vertel het nou, lieverd. Je mist nooit een training. Nooit. Je hebt je vissen en verder zijn wij alles wat je hebt.'

'Bedankt. Maar ik mis één dag en meteen staat Miss Moens op mijn plek?'

'Zij en ik zijn *wel* de sponsors.'

Tracy en Julie zijn partners in de L7. Vroeger waren ze vriendinnen, maar nu niet meer, tenminste, zover ik en de rest weten. Ik haal mijn schouders op, omdat ik geen zin heb om te vertellen over mijn dag, wat ik heb gedaan en gezien.

Julie zegt: 'Moet ik soms naar je toe komen?'

Ze is veel groter dan ik, maar ik heb een wapen en dat zeg ik tegen haar.

'Dat heb ik gezien, lieverd.' Ze pakt mijn handen. 'Gaat het om de burgemeester? Vertel het nou. Ik meen het.'

Dus ik vertel het. Maar niet over het lijk in de muur. Ik vertel over de schietpartij met de Gangster Disciples, dat ik dat joch kende, dat ik zijn moeder ken. Al die ellende die je niet wilt weten, waar je niet over wilt vertellen en die je niet wilt herleven nadat je het hebt gezien. En die je niet daarna acht uur lang aan kreukvrije blazers wilt vertellen.

De comedian is ongeveer tegelijk met mij klaar en nu applaudisseert het kleine publiek. Daar gaat mijn nieuwe vertrouwen in de Northside. Het wordt nog mooier: hij gaat op de kruk naast me zitten, glimlacht zo warm dat ik er bijna van bloos en gaat maar door met die dovenimitatie en praat van te dichtbij rechtstreeks tegen mij. Ik zie een mobiele telefoon aan zijn riem en denk er even over om die in zijn reet te duwen, maar wend me daarna weer tot Julie, omdat ik niet heb gehoord wat ze zei. De vent raakt me aan en ik ben van mijn kruk af voordat hij klaar is, mijn hand dicht bij mijn pistool, oog in oog met hem.

'*Blijf* met die gore poten van me af.' Kennelijk ben ik een beetje opgefokt.

Julie zegt tegen mijn wang: 'Hij kan je niet horen.'

'Een .38 hoort hij wel.' Ik blijf hem woest aankijken.

'Hij is doof, Patti.'

Ik werp een vluchtige blik op Julie. 'Een dove comedian?'

'Hij is dichter. De comedian gaat nu op.'

Ik kijk even naar het podium. Een meisje met een slecht kapsel klimt het podium op. De dove dichter loopt weg, met zijn rug naar me toe. Ik schreeuw een excuus, maar besef dat dat niet helpt. Julies ogen branden op mijn wang. Ik kijk. Ze fronst nu nog meer dan eerst.

'*Shit.* Het spijt me.'

Julie wakkert mijn schuldgevoel wat aan. '*Mannen.* Die denken dat ze complimentjes kunnen uitdelen aan elke vrouw die alleen in een bar is.'

Mijn telefoon trilt op mijn heup. Het is de commissaris. Hij wil me ontmoeten, in het Berghoff Restaurant, op State en Adams. Meteen.

3

Dag een
elf uur 's avonds

Het Berghoff Restaurant, om elf uur 's avonds, is een vreemde plek om de commissaris van politie te ontmoeten. Maar aan de andere kant wordt de burgemeester niet elke dag beschoten. En in Chicago benoemt de burgemeester de commissaris van politie, die alle grote bazen benoemt, vanaf hoofdinspecteur en alle rangen daarboven. Dus als de burgemeester het veld moet ruimen, door een kogel of door verkiezingen, dan verdwijnen ook de meeste bazen.

Ik werk in het getto. Waarom wil hij mij spreken?

De dakloze man die me bij Adams en Wabash aankijkt, geeft geen antwoord. Ik ben in de Loop en totaal niet op mijn plek. De Loop is het financiële district, waar alle sneltreinen boven het straatniveau stoppen in, je raadt het al, een *loop*, een lus. Als je de achtervolging in *The French Connection* hebt gezien, dan weet je hoe het eruitziet. Maar dan beter, omdat we in Chicago zijn en niet in New York.

Achter me bewaken twee leeuwen het Art Institute. Vanavond leven ze, gluren tussen de banken en de verzekeringsmaatschappijen door naar mijn kont en likken hun lippen af. Net als de meeste ambtenaren ben ik in deze buurt altijd een beetje op mijn hoede: ik draag mijn hypotheekbetalingen af aan een van die wolkenkrabbers en afbetalingen op mijn auto aan een andere. Ik doe er nog twee straten vol indrukwekkende gebouwen over voordat ik het snap: Kit Carson zit hierachter. Inspecteur Klikgraag heeft zijn golfvriendjes bij Interne Zaken gebeld en nu krijg ik...

Ik struikel om een tweede dakloze man te ontwijken die net zo gekleed is als ik. Ik maak mijn excuses en hij eist geld of 'een potje krikken'. Ik weiger beide en loop verder in westelijke richting. Misschien gebruikt de commissaris het Berghoff om de journalisten te ontlopen die dag en nacht bij het hoofdkwartier staan. Het restaurant in het souterrain van het Berghoff zou heel geschikt zijn om buitenstaanders te ontmoeten. Zou kunnen dat hij na het eten met me wil praten. *Ja, hoor.*

Het ligt veel meer voor de hand dat... *Het ligt veel meer voor de hand?* Wie hou je voor de gek? Er is helemaal niets aan deze oproep wat 'voor de hand ligt'. Of misschien wil de commissaris dat ik zijn gras kom maaien.

Onze commissaris is... Hoe zal ik het zeggen... Ongewoon. Een aardige vent die met gemak professioneel worstelaar of gouverneur van Minnesota had kunnen worden. Hij heet ook Jesse en zijn beste vrienden noemen hem nog steeds Opperhoofd. Opperhoofd Jesse heeft verre voorouders die Native Americans waren. Hij is lid van de Hohokam-stam, dus dat Opperhoofd heeft hier meer dan één betekenis, wat maakt dat je moet oppassen. De resterende 85 procent van hem is de gebruikelijke mix van blanke Europeaan en niet zo vreselijk gelukkig.

Hij is ook kinderloos en al dertig jaar gescheiden van een vrouw die het maatschappelijk steeds hogerop zocht en nu getrouwd is met de rijkste radioloog van Illinois. Afgezien van zijn keuze van echtgenote mag ik hem wel en hij mag mij. Ik ben min of meer de dochter die hij nooit heeft gehad. Hij was mijn baas in district 6 voordat hij de onverschrokken leider werd van de 13.500 blauwe uniformen. In tegenstelling tot inspecteur Carson en de rechercheur onder hem op de afdeling denkt Chief Jesse niet dat ik een dikdoener ben. Maar Chief Jesse heeft wel af en toe commentaar op mijn houding. Ik geloof dat tijdens een verhitte discussie het woord 'therapie' wel eens gevallen is. Het was onofficieel, maar niet zo heel erg onofficieel. Afgezien van deze foutieve inschatting heeft hij echt veel mensenkennis. Absoluut een man naar wie ik luister als hij iets te zeggen heeft, vooral als de zin met mijn naam begint.

Zo'n drie meter voor de deur naar het Berghoff-souterrain stapt een geüniformeerde assistent van Chief Jesse in mijn pad en wijst me op een stilstaande Town Car uit 2005. Een chauffeur staat tegen de achterbumper en gebaart naar het verkeer om door te rijden, en doet of hij mij of iets anders niet ziet.

In de auto wordt het grootste gedeelte van de achterbank in beslag genomen door de commissaris. De ramen zitten potdicht. Iemand heeft gerookt in de auto en daarna een luchtverfrisser gebruikt. Dat of het is hoerenparfum. Laten we dat maar de zenuwachtige atmosfeer noemen. Een vreemde dag wordt steeds vreemder. De politiecommissaris staart naar me. Dus ik stel een vraag.

'Hallo.' Niet zo'n geweldige vraag, maar ik ben een beetje uit mijn doen. Er ligt een personeelsdossier op zijn schoot met mijn naam erop. Hij knikt naar me, zijn gewoonte als hij boos is. Zijn dikke vingers trommelen op mijn dossier. 'Een interessante dag, agent Black.'

Onze bijeenkomst gaat kennelijk niet over onze Democratische burgemeester of over de gisteren met *veel bombarie* door onze Republikeinse gouverneur en door het OM van Cook County opgerichte Moord-Taskforce. Dus moet deze bijeenkomst *wel* over Kit Carson en zijn achterlijke hielenlikkers gaan. In plaats van woede voel ik een rilling die ik niet zou moeten voelen, een ongepast gevoel, alsof je weet dat er iets achter het douchegordijn staat, maar dat je er toch bloot opaf moet.

De hoogstgeplaatste politiebeambte in Chicago zegt: 'Onze *Republikeinse* gouverneur en het OM denken dat de moordaanslag op burgemeester McQuinn verband houdt met de burgemeesterverkiezingen van volgende maand, en geen poging is om de stemming over de casinovergunningen te belemmeren... Alsof die twee zaken niets met elkaar te maken hebben.' Opperhoofd Jesse schudt zijn grote hoofd en het is niet moeilijk om je er een hoofdtooi bij voor te stellen. '"Volg het geld" leren ze kennelijk niet op de rechtenfaculteit of de hoogleraren zijn nog nooit in een casino geweest.'

Ik slaak een zucht van verlichting die ik niet laat zien. Blijkbaar gaat dit toch over de burgemeester en de casinovergunningen, die de machtsverhoudingen in de stad in belangrijke mate zullen veranderen.

'Mocht er nog een aanslag volgen voor de verkiezingen, en die is succesvol, dan wordt alderman Leslie Gibbons onze nieuwe burgemeester en meteen de nieuwe zittende Democratische kandidaat bij de verkiezingen.' Chief Jesse kijkt even vluchtig onderzoekend naar Adams Street, aan de andere kant van zijn raam. Ik volg zijn blik en zie geen verschil met vorig jaar, behalve dat Adams nu in duisternis is gehuld en er nu geen dronken teamleden bij me zijn.

'Alderman Gibbons is zwart.' *Zwart* blijft nog even hangen, en dat moet ook, want de raciale achtergrond van de alderman is niks nieuws. 'Gibbons zou het dan opnemen tegen de buitengewoon goed gefinancierde Republikeinse uitdager. En hoewel er geen overtuigend bewijs is dat een zwarte kandidaat niet herkozen kan worden, geloven onze Republikeinse tegenstanders dat Gibbons aanzienlijk makkelijker te verslaan zou zijn dan burgemeester McQuinn.'

Ik trek zelf de conclusie: 'Heeft de gouverneur Rush Limbaugh ingehuurd om de aanslag te plegen?'

Chief Jesse draait zich van het raam af met een frons en opengesperde neusgaten. Ik heb duidelijk een cruciaal stuk informatie gemist. Dat, of mijn mond is weer eens groter dan mijn kennis van de gemeentepolitiek.

'Vuil spel van de Republikeinen is één mogelijkheid.' De toon van de commissaris is niet goed, hoewel het beeld van Limbaugh die op de radio zijn pillen aanbiedt in ruil voor een huurmoordenaar best geestig is. Ik zie aan het gezicht van de commissaris dat hij dergelijke fantasieën niet deelt en ik beschrijf die van mij maar niet.

'Een andere mogelijkheid is alderman Gibbons. Alderman Gibbons komt uit district 6, jouw district. Net als Louis Farrakhan en zijn chique moslimleger. Het OM zet weliswaar een speciale taskforce in... Maar zou je het heel vervelend vinden als ik jou vroeg om hetzelfde te doen?'

'Meneer?' Ik begrijp hem niet. Ik ben nog steeds zo opgelucht dat dit niet over inspecteur Kit Carsons erectie gaat vanwege mijn *heldenactie* of over die handboeien in de muur.

'Mijn afdeling wil graag weten, in alle *stilte*, wat de burgers van jouw district denken dat er aan de hand is. Als ze er al iets van denken. Er is in de zwarte gemeenschap veel verzet geweest tegen het casinoplan van de burgemeester. Proberen leden van de zwarte gemeenschap burgemeester McQuinn te lozen? Is het een poging om hun leider aan de macht te brengen op een cruciaal moment in de toekomst van de stad?' Hij zwijgt even. 'Kun je een stil, informeel onderzoek uitvoeren, agent Black?'

'Absoluut, ja, meneer.'

'Mocht er nou sprake van zijn dat diegenen in jouw district hebben meegedaan of betrokken zijn bij een samenwerking ten aanzien van de moordaanslag op de burgemeester, zouden jij en de niet-gewonde leden van je team in staat zijn om dat te onderkennen?'

Ik ben weer een beetje bijgekomen. 'Dat doen we graag, meneer. Dienen en beschermen. In alle *stilte*, natuurlijk.'

'Je begrijpt dat dit betekent: geen formele kanalen, geen geschreven verslagen, geen beschuldigingen later dat de campagnestrategie van de burgermeester erop gericht is om ras tot issue te verheffen of dat zijn steun aan de casinovergunningen een raciale achtergrond had.'

Gezien het klimaat en de spelers begrijp ik absoluut niet waarom *ik* mee zou moeten doen in dit onderzoek, aangezien alderman Gibbons momenteel het getto op de been brengt, vanwege de GD-schietpartij die mijn dwangbevel en inval heeft veroorzaakt. De eerste activisten stonden al bij de rand van het district toen ik vier uur geleden klaar was met mijn verslag.

Ik zeg dat ik het snap, ook al begrijp ik het niet. Chief Jesse knikt, kijkt weer weg, en voegt eraantoe: 'Ze hebben je skelet geïdentificeerd.'

'W-wat?'

'Het lijk in de muur. Annabelle Ganz, Calumet City.'

Mijn handen beginnen te kriebelen en ik zie kleine lichtvlekjes voor mijn ogen. Ik verdring het grootste deel van de naam, en concentreer me op 'city', het enige woord dat geen pijn doet. Het is 23 jaar geleden, maar dat is nog lang niet lang genoeg. Ik reik naar de armsteun, probeer tot rust te komen.

Dat is geen naam die je in het donker uitspreekt.

Annabelle Ganz was mijn stiefmoeder.

Dinsdag

4

Dinsdag, dag twee
drie uur 's nachts

Mijn mobieltje trilt en ik tast totdat ik het gevonden heb.

Ik lig onder een deken. Cisco's gepraat, geloof ik, nog steeds high door de pijnstillers en blonde aandacht. Zijn stem verandert in die van Sonny Barrett. Of ik droom, of Sonny zit aan Cisco's bed. Ik wrijf in mijn ogen. De gordijnen in de slaapkamer zijn doorschijnend. Het maanlicht werpt een zilveren schijnsel op het voeteneind van mijn eenpersoonsbed. Waar ben ik? Ik werp een blik op de deur. Die heeft twee sloten. Mijn hand stoot tegen mijn pistool. Ligt dat onder mijn kussen?

Sonny zegt: 'Alles lekker me je?'

Julies kamer boven. Ik ben boven de L7. Waarom slaapt mijn .38 bij me? Sonny brabbelt meer gettotaal. Waarschijnlijk heeft Sonny er een paar op, waarschijnlijk niet genoeg om af te stappen op een meisje dat geen geld kost, maar genoeg om te denken dat hij dat best zou kunnen.

'Ik slaap.'

'Hoe gaat ie, schutter? Ik heb gehoord dat er indianen zijn.'

Dit is een verwijzing naar mijn ontmoeting met de commissaris. Interessant dat mijn brigadier dit weet. 'Zou kunnen. Hoe gaat het met de patiënt?'

'Cisco? *Shit*, Cisco krijgt geen woord recht zijn bek uit, maar hij is high, schat, net als die lui op 47th Street.'

Dit is de eerste keer dat Sonny Barrett me 'schat' noemt, en ik ken hem al zolang ik volwassen ben. Gezien zijn toestand en de oppervlakkigheid van mobiele gesprekken, ben ik graag bereid om zijn pogingen tot kameraadschap of zijn seksuele plagerijtjes te bespreken. Twee zaken die hij nooit zou proberen als hij nuchter was, dat weet ik zeker. 'Rot op, *schat*.'

Ik hoor twee mannen lachen. Sonny laat een boer, zegt tegen iemand anders dat het hem spijt, zegt dan tegen mij: 'Kit Carson vindt je een trut. Ik kon er onmogelijk iets tegenin brengen wat overtuigend klonk, dus...'

'Wat een nieuws.'

'Dus heb ik gezegd dat hij zelf zijn reet maar eens in de benzine moest weken, om te zien hoe dapper hij zich dan voelde.'

'Dan kunnen we hem als een fakkel gebruiken.'

Sonny zwijgt even en ik hoor Cisco op zijn eigen manier zeggen: 'Vraag haar.' Sonny schraapt zijn keel in de telefoon en zegt: 'Je komt morgen toch naar je werk?'

Julies klok op het slaapkamertafeltje gloeit. 'Over vijf uur.'

'Maar je komt wel.'

Ik ben te slaperig om te registreren hoe gek dat klinkt totdat ik al antwoord heb gegeven. Maar de vraag blijft doorzeuren, net als sommige dingen die chief Jesse gisteravond heeft gezegd...'

Calumet City. *Annabelle Ganz.*

Het dekbed vliegt aan de kant en ik spring het bed uit: ik kijk vlug naar de deur, daarna naar het raam. Het is onmogelijk, dat Annabelle Ganz terug is, en in mijn district is, nog geen acht kilometer verderop.

Sonny's stem is piepklein en praat tegen mijn heup. 'Patti? Hé, Patti?'

De kamer is... leeg, veilig, ziet er leeg uit. De telefoon blijft mijn naam maar roepen en ik slaag erin om hem naar mijn mond te brengen. 'Hier ben ik. Ga naar bed. Ik zie je morgen.' Met mijn duim zet ik de telefoon uit en ik staar naar de maanverlichte kamer. Wat is er toch aan de hand? De kamer geeft geen antwoord. Het raam ook niet. Bladeren dwarrelen beneden over de stoep. Annabelle Ganz. Een duivel in een katoenen nachthemd. Koude, glibberige handen. De vrouw van de duivel, moeder en... *Stop, Patti.* Ik en Richey en kleine Gwen. *Genoeg.* Drie kinderen, verdwaald in de hel, te beschadigd om onszelf of elkaar te helpen.

Een taxi rijdt langzaam voorbij. De neonreclames aan de winkelgevels zijn donker. Iedereen aan de Northside, met hun ideale leventje, ligt te rusten, edelman, bedelman, dokter, pastoor. Mijn hand omklemt het gordijn en de stof strijkt langs mijn wang. Op zolder hingen gordijnen, maar die bewogen niet, en de muffe gordijnen in de kelder ook niet. Ik knijp mijn ogen dicht, maar wat ik daar zie, bevalt me ook niet: ik, Richey en kleine Gwen... drie lege hulzen bij elkaar. Dan weer niet. Altijd bezig om ergens anders heen te kijken.

Ik wil me verstoppen.

Ga ik morgen wel naar mijn werk? Ik knipper en ben weer in het heden. Waarom zou ik morgen *niet* naar mijn werk gaan?

Dinsdag, dag twee
halfzeven 's ochtends

En vijf uur later ga ik dus ook.

Binnen, in Art's op Ashland, voel ik de zon opkomen achter de gebouwen en zie ik de dag komen. De zon bereikt Art's niet, behalve in de vroege zomer. De rest van het jaar schijnt hij elders. Ik ontbijt hier al zeventien jaar, zes dagen per week, en zit liever op de bankjes dan op de krukken bij de balie vol brandplekken van sigarettenpeuken. De bankjes bestaan uit evenveel tape als vinyl. Door de vierkante ramen zie je het getto, zie je de overgang van nachtelijke gangsters naar arme arbeiders die naar banen sjokken die te weinig opleveren. Op de een of andere manier biedt dat hoop, en op betere dagen zie ik die ook.

De deur gaat open. Twee oudere GD's stappen naar binnen, allebei met jassen aan. 'Ouder' als het over gangsters gaat, is 25, en die zijn veruit de allergevaarlijkste. Maar Art's is hier in het getto een gedemilitariseerde zone. Smerissen en gangsters eten hier, en laten elkaar over het algemeen met rust. Het is ook het enige restaurant met blanke eigenaars dat de neergaande economische spiraal heeft overleefd.

Ik en de GD's staren elkaar aan. We weten allemaal van elkaar wat de ander doet. Ze geven me een klein knikje en ik knik terug. Dat is de afspraak vandaag: hier binnen geen problemen tenzij zij beginnen.

Eentje is van dezelfde groep als de twee die we maandag hebben doodgeschoten, dezelfde groep die het eerste schoot en dankzij wie mijn partners in het ziekenhuis liggen. Hij zit met zijn gezicht naar mij toe, met drie lege tafeltjes tussen ons in. De andere hangt met zijn rug naar het raam. Allebei zouden ze hier voor mij kunnen zijn, of voor de toast en koffie.

Anne brengt eieren met spek en nieuws van de scheiding van haar dochter. Met haar linkerhand schenkt ze koffie bij en voegt eraantoe dat de echtgenoot niet joods was, en dus geen groot verlies is. De GD van wie ik de handen kan zien, doopt zijn bestek in zijn gevlekte waterglas, iets wat alle vaste klanten hier doen, ikzelf inbegrepen. Zijn partner werpt een blik in mijn richting en kijkt dan weg. Hij heeft een melkchocoladekleur met hoge, Afrikaanse jukbeenderen die het harde licht opvangen. Zijn pet is brandschoon en staat scheef op zijn hoofd, zijn schouders zitten in elkaar gedrukt zodat hij toch achter het tafeltje past.

Als je getuige zou zijn van deze situatie zou je in de meeste restaurants denken: ontbijt.

Vandaag zegt mijn instinct me iets anders.

Tot aan vandaag heb ik in Art's nooit mijn pistool getrokken. Nu houd ik het stevig vast in mijn schoot, maar tenzij ik het op tafel leg, heb ik er niks aan. Beide GD's hebben misschien een geweer met een afgezaagde loop of een Tec-9, en dan maakt het toch niet uit. Ik doe mijn vinger in de trekkerbeugel en aarzel... Je laat je angst niet zien op straat, je trots verbiedt dat. Kijk maar naar een gevangenisfilm: trots is nodig om te overleven, zelfs voor een smeris. Het is niet dat ik niet drie of vier keer *per dag* mijn wapen trek, maar als je hier vol zelfvertrouwen met lege handen zit, dan dwing je respect af. Dat is je bescherming.

Mijn toast wordt koud. De Gangster Disciple die met zijn gezicht naar me toe zit, kijkt niet weg, kijkt me ook niet recht aan, maar hij zit dichtbij genoeg om mijn bewegingen te zien. De haren in mijn nek gaan rechtop staan. Als ik een kanon droeg, zoals mijn *Magnificent Seven*-partners, dan kon ik zo door die drie bankjes heen schieten. Dan schoot ik zo door een motorblok. De hangende GD draait zich om, zijn schouders draaien mee met zijn pet.

Mijn hart klopt in mijn keel. Als het gebeurt, dan gebeurt het...

Sonny Barrett verschijnt in de deuropening en roept: 'Hé Anne, lieverd, hoe gaat ie?' Sonny heeft zijn blik op de GD's gericht en een van zijn handen is zichtbaar. De hangende jongen kijkt terug, de ene die met zijn gezicht naar mij toe zit, beweegt zijn ogen even als hij Sonny's stem hoort, maar dan richt hij zijn blik weer op mij, en kijkt deze keer recht naar mij.

Sonny loopt te langzaam langs hun hoekje om nog beleefd over te komen, knikt nog minder beleefd en zegt: 'Heren.'

De hangende jongen steekt zijn kin omhoog. Sonny gaat op een kruk zitten, leunt met zijn rug tegen de toonbank, en laat zijn schiethand zien, met daarin een wapen en een dikke vinger aan de trekker. Zijn grijns past niet bij zijn bloeddoorlopen ogen, maar Sonny's stem klinkt blij. 'Anne, koffie, graag.'

Anne gaat tussen Sonny en een van de GD's staan om hun koffie in te schenken. Dat had ik nou niet gedaan. Anne is slim, maar lang niet zo bang als ze zou moeten zijn. Ze is ooit eens iemand die zonder te betalen wegliep drie straten lang achterna gegaan. Werd nog in elkaar geslagen ook.

Sonny houdt de GD's scherp in de gaten, maar geeft mij ervan langs: '*Moet* je nou bij het raam zitten?'

Daar zit ik altijd.

De GD's raken hun koffie niet aan. Allemaal zitten we ons af te vragen wat er hierna gaat gebeuren. Ineens zegt Sonny, tegen niemand in het bijzonder: 'De begrafenissen zijn niet vandaag. Geen enkele reden nu al opgefokt te gaan zitten doen. Ik? Shit, ik zou even een dutje doen en het verder maar vergeten. Misschien een paar wijven erbij. Feesten, weet je wel, totdat het zover is.'

De GD's kijken niet naar hem. Ze staan allebei op. Werpen allebei een blik naar mij. En vertrekken. Terwijl de laatste van de veel te grote jassen door de deur verdwijnt, zegt Sonny tegen mij: 'Ga *verdomme* bij dat raam weg. Jezus christus, ben je niet goed bij je hoofd?'

Zonder antwoord te geven, doop ik de koude toast in de koffie. Sonny loopt naar de ramen die uitkijken op 74th Street en wacht op de voorbijrijdende auto van waaruit geschoten gaat worden. Als dat gebeurt, stel ik me zo voor, duik ik wel onder de vensterbank. En als het niet gebeurt, zit ik nog steeds achter het raam als ze voorbijkomen en dat onderstreept dat wat ik sinds ze schooljongens waren in deze buurt heb verteld: 'Ik woon hier ook, jongens. Jullie *en* ik.'

Anne weet weer waar ze werkt en heeft een reden bedacht om naar de keuken te gaan. Een blauwzwarte Impala rijdt langzaam voorbij op 74th Street en de chauffeur staart... Hij is niet een van de twee die net binnen waren, en dat is geen goed teken. De Impala wacht op verkeer dat er niet is, terwijl de chauffeur zich ervan vergewist dat ik er zit en slaat dan langzaam af naar rechts, Ashland op. De kok achter Sonny voelt de spanning. Die is af te lezen op zijn gezicht. Het gevlekte schort loopt leeg als hij uitademt. Ik weet waarom ik hier werk, maar ik heb werkelijk geen idee wat hij hier doet.

Sonny vraagt weer om koffie, komt bij mijn tafeltje zitten en zegt: 'De burgemeester, hè? Denken ze soms dat *deze eikels* hem hebben proberen om te leggen? Om ayatollah Gibbons aan de macht te brengen?'

Mijn toast stopt midden in de lucht. Ik knipper twee keer en wacht totdat Sonny verdergaat. Dat doet hij niet. Het is rozijnenbrood en meer oudbakken dan getoast. Sonny is van alles en nog wat, vooral een echt Iers mannetje en zo bot dat het bijna pijn doet, maar telepathisch is hij niet. Ik weet wel beter dan te happen. Behalve in de toast dan, dus dat doe ik.

Sonny neemt koffie in een gebarsten kopje van Anne aan en zegt dat ze sinds gisteren is afgevallen en wendt zich dan naar mij. 'Dus de burgemeester, hè?'

'De burgemeester... Wat?'

'Iemand heeft geprobeerd om hem te vermoorden, weet je nog?' Sonny's ogen zijn net diepe poelen. '*Jezus*, ik voel me waardeloos. Heb de halve nacht met Cisco zitten drinken. Elke verpleegster in dat gebouw komt bij die jongen langs.'

'Je hebt mij opgebeld, weet je nog?'

'Heeft Cisco jou gebeld?'

'Jij.'

'Heeft Cisco mij gebeld?'

Ik kijk naar mijn toast. 'Hoe ben jij ooit geslaagd voor dat brigadierexamen? Heeft je neef dat voor je gedaan?'

Sonny trekt een vies gezicht vanwege de koffie, trekt een frons naar de keuken, voor zover zijn nek hem toestaat. 'En? Wat zei hij?'

'Wie?'

'Het Apache-opperhoofd. Wie denk je verdomme?'

Ik probeer van onderwerp te veranderen, een onderwerp dat ik liever niet aansnijd, maar ik moet er gewoon meer over weten, als er

meer te weten valt. 'Het lijk in de muur, staat haar identiteit al vast?'
'Moet je de recherche vragen.'
'Die zijn niet eh... mijn grootste fans.'
'Vraag het toch... Wie kan dat eigenlijk wat schelen?' Sonny worstelt met zijn kater. 'Interessant, zeg. Een blanke meid in district 6, levend begraven in een gettomuur.' Hij glimlacht. 'Vast een hoer of een slachtoffer van Ted Bundy.' De glimlach verbreedt zich tot aan zijn oren. 'Hopelijk is het een Ted, dan spelen wij straks Dennis Farina.'
Dennis was een smeris uit Chicago die succes kreeg in Hollywood.
'Het is *wel* interessant, Sonny. Vraag het nou maar, oké? Met jou praten ze wel, met zo'n stoere, enorme smeris die hun taal spreekt.'
Sonny kijkt naar zijn kruis. 'Dat klopt als een bus,' en daarna wendt hij zich weer naar mij: 'Dus wat zei Chief Jesse nou?'
'Hoe eh... weet je dat ik gisteren met hem heb gegeten?'
Sonny knippert opnieuw, haast alsof hij gek is. Hij knijpt zijn hand tot een vuist en laat die onder de tafel verdwijnen.
'Hébben jij en hij... dan *echt* iets samen?'
'Het welkomstfeestje voor de baby is deze week. Nadat Interne Zaken me heeft aangeklaagd voor nalatigheid.'
Sonny leunt achterover, zijn ogen toegeknepen.
'De bruidslijst van de commissaris en mij ligt bij Field's.'
Sonny leest mijn ogen, verhardt dan. 'Rot op.'
Nu heb ik hem gekwetst, geloof ik. Niet dat iemand gelooft dat Sonny Barrett gevoelens heeft. 'Kijk, ik moest het stilhouden, snap je? Daarom vroeg hij het aan mij.'
Sonny knikt, kijkt me serieuzer aan, maar buigt niet naar voren om naar me te luisteren.
'Hij wil weten of lui uit deze buurt,' mijn vingernagel tikt op de tafel tussen ons in, 'ermee te maken hebben. Met name Farrakhan en alderman Gibbons.'
Nu leunt Sonny naar voren. 'Shit, ik dacht dat ik een geintje maakte.' Het begin van een glimlach concurreert met zijn kater en met de reden, wat die ook mag zijn, waarom hij kwaad op me is. 'Je neemt me ongelooflijk in de maling.'
'Nee.'
Zijn nek verdwijnt weer recht in zijn kraag. 'Nou, de burgerrechtenbeweging staat erbij en kijkt ernaar.' Sonny ziet de implicaties een stuk beter en sneller dan ik. 'Er staan drie rijen camera's en activisten

bij 6. Dit wordt een groot ding, Patti. Groot.'

Dat zou kunnen. En smerig. Niemand zou een moordaanslag op de burgemeester voorbereiden, zo'n ingewikkelde operatie, zonder belangrijke medestanders te hebben. Nu ik Sonny's gezicht zie, krijg ik langzaam in de gaten hoe ernstig het zou zijn als alderman Gibbons of Louis Farrakhans Nation of Islam er *inderdaad* bij betrokken zouden zijn, al is het maar zijdelings, als je al 'zijdelings' bij een complot betrokken kunt zijn.

Sonny waagt een nieuwe poging met de koffie die hij een seconde geleden nog niet door zijn keel kon krijgen. 'Wie weet er verder van?'

'Wat weet jij van mijn ontmoeting van gisteravond?'

Sonny haalt zijn schouders op. 'Zijn chauffeur, Fatso Leary.'

Ik beweeg mijn wijsvinger heen en weer.

Sonny fronst, ongeveer zoals hij fronst als hij iets aan de groep heeft uitgelegd, maar niemand van ons het heeft gesnapt. 'Fatso is getrouwd met Kelly, mijn oudere zus, die in Humboldt Park woont. Ze belde me heel opgewonden dat een van mijn ploeg een etentje had met de commissaris. Ze wilde weten waarom, omdat Fatso het haar niet wilde vertellen.'

'O ja? De vent die hem gisteren rondreed, woog hooguit zeventig kilo. En hij was lang.'

Sonny trekt rimpels in de rest van zijn gezicht. 'Nou en, verdomme?' Hij buigt zich zover naar voren dat hij mijn neus bijna raakt en wacht totdat hij mijn onverdeelde aandacht heeft. 'Werken we nu ineens niet meer al zeventien jaar samen? Vertel je me ineens niks meer?'

Ik geef dan de lucht tussen ons een flinke smakkerd. Hij schrikt terug, ik grinnik. Het is het beste wat ik de afgelopen 24 uur heb meegemaakt.

Sonny bromt. 'Weet je verdomme wel wat het betekent om een hand in de kont van Gibbons of Farrakhan te steken? Zonder dat het officieel is?'

'Niet veel goeds.'

'Niet veel goeds?' Sonny schudt zijn hoofd. 'We zitten ontzettend in de sores als die vriend van je besluit om ons te verraden. Dan staan we alleen, en worden we aan alle kanten genaaid. Zo gaat dat dan.'

'Waarom vroeg je of ik vandaag naar mijn werk zou komen? Waarom zou ik niet komen?'

Sonny blijft maar staren. Hij is echt razend en doet zo als hij geen antwoorden krijgt of zich bedreigd voelt door het systeem. De verklaring die ik wil, moet wachten.

'Ik heb deze opdracht rechtstreeks van de commissaris gekregen, dus ik mag kiezen. Jij en de jongens nemen Farrakhan. Ik doe Gibbons.'

Sonny gaat staan. 'Wat een gore nonsens,' en hij kijkt met een kwaaie blik naar alles en iedereen, kijkt ook neer op mij. 'We werken nu al heel lang samen, Patti. Ga mij en de jongens nou niet de wet voorschrijven.'

'Ik?' Mijn gezicht wordt in één klap vuurrood. De *wet* voorschrijven? Wat is dat nou?

Ik ben ook niet echt kapot van deze opdracht, om betrokken te raken bij een al dan niet bestaand conflict tussen de burgemeester en de maffia. Een smeris is van nature paranoïde en dit soort raadsels zijn niet erg goed voor de spijsvertering. Sonny ademt uit, maar beweegt zich niet.

Ik duw me omhoog, bij het tafeltje vandaan en ga recht voor zijn gezicht staan. 'Ik doe Gibbons. En bedenk goed wie je door de zeik haalt *na zeventien jaar*.' Ik bots tegen zijn schouder als ik langs hem heen loop, het getto in, dat van een gewone vroege ochtend verandert in een Byzantijns labyrint.

Sommigen zeggen dat de politie van Chicago Fred Hampton heeft vermoord.

Alderman Leslie Gibbons is een van hen. Hij was erbij in 1969 en zegt dat hij het kan weten. Volgens zijn versie van wat er op 4 december is gebeurd, was er geen enkele waarschuwing. Om halfvijf 's nachts werd de deur naar de woning versplinterd en werden er daarna honderd schoten gelost *in* het hoofdkwartier van de Black Panther Party op West Madison. Allemaal, op één na, door de politie van Chicago. Vijfenzeventig kogels werden afgeschoten in Fred Hamptons slaapkamer.

Alderman Leslie Gibbons zegt dat Fred Hampton een ernstige schouderwond had opgelopen, maar dat hij de aanslag had overleefd, waarna twee agenten van de politie van Chicago naar zijn bed toe liepen en hem executeerden door hem een kogel door het hoofd te jagen. Waar zijn zwangere vrouw bij was.

Dat beweert zij ook.

De acht jaar voordat alderman Leslie Gibbons werd opgesloten voor zijn rol in de Black Panther-partij, steunde hij Martin Luther King, stond zij aan zij met hem in Selma en Birmingham en Marquette Park, totdat King in Memphis werd vermoord. Wat een cv.

Leslie Gibbons is ongelooflijk populair in het getto, en als de smerissen hem door de zeik halen in district 6 komt dat ongeveer het dichtste bij zelfmoord. Hem niet door de zeik halen in de krimpende blanke buurten in de Southside, waar ze hem de 'ayatollah' noemen, zou dezelfde reactie veroorzaken.

Dus dat doe ik vandaag, in plaats van werken. Zeiken. Mijn TAC-eenheid komt vandaag veel manschappen tekort, nu Cisco is uitgeschakeld en twee van onze jongens in de rechtszaal zitten. Ik loop alleen op straat. Dit gebeurt vaker dan je denkt en vaker dan we aan buitenstaanders zouden willen vertellen, en zeker niet aan hen die we in de gaten houden.

Ik vraag lui die deugen en anderen die niet deugen hoe het ermee staat. Heeft iemand iets gehoord? Iets over de burgemeester, weet je wel? Waarom iemand hem zou willen vermoorden, en zo? Zo klonk het in mijn hoofd, maar zo zei ik het niet. Ik bedoelde hetzelfde, maar alleen dan zonder de familiaire zwarte toon van Sonny Barrett. Klootzak.

Connie Long, buschauffeur voor de Chicago Transit Authority, had geen idee, Tante I.L., van Fried Right had geen idee, Shirl-the-girl, travestiet en hoer wist het wel, wist het absoluut zeker: de blanke duivel wilde de Southside helemaal voor zichzelf. Die stomme Ieren.

Ik ging overal heen waar ik kon, sprak met mensen die me kenden, mensen die ik had geholpen, lui die ik had gearresteerd en die ik weer zou arresteren. Het was niet ijskoud op straat, maar ik werd ook niet met open armen ontvangen. Kijk, het is niet net als op tv waar ze de sympathieke en de kwaaie smeris uithangen. Ze *hoeven* niet met je te praten. En ze hoeven niet aardig of respectvol te zijn of zoiets. Ze kunnen gewoon doen alsof ze je niet snappen, hun schouders laten hangen en je aankijken met wezenloze, vochtige ogen. Of 's middags, als ze al hebben liggen pitten, 'uh-huh' zeggen, met omhooggetrokken lippen en met een rapritme, terwijl ze kauwgum kauwen en alles om zich heen nog eens aandachtig bekijken, terwijl ze daar de hele dag al naar staan staren.

Dat gebeurt hartstikke vaak. Sonny denkt dat er een school voor bestaat, verborgen onder een van de radiozenders van de El Rukns of de Vice Lords: *Chicago's Bad Motherfucker Pimp School.* Cisco zegt dat het jammer is dat niemand van de scholen of de bedrijven een tour doet, met 'echte schietoefeningen', als aanvulling op de schoolboeken en de lessen. Cisco heeft nog geen keurig overhemd aangedaan naar zijn werk, maar dat komt nog wel. En zodra hij een pijp meebrengt, schieten we hem neer, hebben we besloten.

Hoe dan ook, dat was mijn ochtend, regelmatig onderbroken door boze blikken, sommige wantrouwig, sommige niet, vijftien of twintig keer een in de lucht gestoken kin die beledigingen mompelde en vier maal een beschuldiging dat wij/ik Robert, Ruth Anns zoon, hadden vermoord.

Tijdens de lunch gaat het beter. Ik deel mijn lunch bij Maxwell's vuilniscontainer met Rasta-Dog, een zwervende spaniël die door jongens met spuitbussen verf wordt beklad als ze nog verf hebben. Hij en ik praten over de burgemeestersverkiezingen, terwijl hij worstjes eet en af en toe een hapje grind neemt. Rasta-Dog kan geen nieuw licht werpen op Chief Jesse's opdracht, maar als ik praat, kwispelt hij met zijn staart.

We maken een einde aan onze bijeenkomst en ik ga nog een uur de wijk in, wat nog meer stemmen oplevert om alderman Leslie Gibbons heilig te verklaren. En een crackhoer waarschuwt me dat de GD's me nog minder zien zitten dan gewoonlijk. Om halfdrie geef ik ondersteuning aan een auto met geüniformeerde agenten onder het viaduct op 81th Street en Wallace, vlak bij Gilbert Court. De aanhouding is lawaaiig en dreigend, maar er wordt niemand neergeschoten. En als het achter de rug is, rijden de agenten weg met de twee criminelen. Ik niet. Ik zit in mijn Ford en luister naar de echo van de motor tegen de muur van het viaduct, denk na over de dode GD's van gisteren, hier om de hoek... En de woning vol benzine aan de andere kant van de steeg.

Ik scheur met doorslaande wielen weg en het gravel spuit weg onder mijn banden voordat ik kan besluiten om om te draaien en Gilbert Court in te rijden. Daar alleen in te rijden... Er bestaat geen woord dat uitdrukt hoe stom dat is.

Tegen halverwege de middag heeft nog niemand de Republikeinen of alderman Leslie Gibbons beschuldigd van het willen vermoorden van de burgemeester, hoewel een Blackstone, een lid van een straatbende, die een straf van vijf tot tien jaar boven het hoofd hangt, zei dat hij iets gehoord zou kunnen hebben en dat zou verklaren als ik 'hem zou helpen'. Ik houd twee gestolen auto's aan, help een andere patrouillewagen bij een zaak waarbij een vrouw een man dreigt te vermoorden omdat hij tegen haar kind had gepraat, en nu kom ik alweer langs dat doodlopende Gilbert Court. En deze keer draai ik om.

'Smerissen! Smerissen!'

Halverwege de draai ruk ik aan het stuur en mis een GD die op de uitkijk stond en nu in de richting van Kerfoot Liquors sprint. Mijn banden piepen aan de passagierskant, en mijn Ford schuift langs een elektriciteitspaal, *godver*, en daarna ben ik weer terug op Vincennes. Claxons toeteren. Twee vrachtwagens schieten de vluchtstrook op. Ik rijd onder de viaducten naast Simeon Vocational. Meteen deel ik mijn kant van de straat met gangsters uit vier maffiafilms en politieauto's die het einde van de schooldag begeleidden, een dagelijks gevecht, en het incidentele bloedbad.

Ik probeer te rijden alsof ik weet hoe het moet, en probeer op mijn eigen weghelft te blijven. Een geüniformeerde agent zwaait, ik slik snel, zwaai daarna terug en net na de school keer ik om. Treinen denderen over de viaducten waar ik net onderdoor ben gereden, twee treinen, bedekt met graffiti, gaan in dezelfde richting. Ik sta op het punt om voor een derde keer langs Gilbert Court te rijden. *Annabelle Ganz is dood, oké? De recherche heeft haar geïdentificeerd.*

Het daglicht loopt ten einde als ik onder het viaduct doorrijd. De schimmel ruikt sterker dan mijn herinneringen uit de kelder, maar het opgesloten gevoel is ineens hetzelfde en ik geef gas. *Alsof de recherche het niet eerder bij het verkeerde eind heeft gehad.* En waarom in mijn district? Er wonen verdomme drie miljoen mensen in deze stad. Waarom was ze in mijn district? Mijn rechterhand dreunt neer op de zitting. 'Niet eerlijk, verdomme! Niet eerlijk, verdomme!'

Een vrachtwagenchauffeur kijkt me met grote ogen aan terwijl ik voorbijrijd. Ik bereik Gilbert Court en die vervloekte souterrains daar en kijk dit keer weg, in de richting van het spoor. En besluit om iets te doen wat maar iets minder gevaarlijk is.

Ik ga bij Ruth Anns huis op Emerald Avenue langs. In haar straat staan aan beide kanten auto's. Recht tegenover haar portiek leunen zes GD's tegen een oude Ford Galaxy. Ruth Ann zit buiten, met haar schouders naar voren en haar handen gevouwen in haar schoot. Naast haar zit een van alderman Gibbons' hielenlikkers op een stoel die hij elders heeft geleend of voor de gelegenheid heeft gekocht. Vijf andere vrouwen zitten op allerlei kisten en dozen. In haar portiek zijn geen GD's. Ruth Ann is geen gangsterfan. Een mening die ze niet voor zich houdt en die getolereerd wordt, maar wel als verraad wordt beschouwd.

Een prediker die ik ken van de Lazarus Temple zit op het trapje, met de Bijbel in zijn hand, sportschoenen aan zijn voeten en een gepijnigde uitdrukking in zijn ogen. Hij is wat ze een 'Afrikaan' noemen, een schreeuwer, een kerkgenootschap van één persoon die zijn kudde weer terug naar Afrika wil brengen. Van alle flauwekulverkopers die hier religie aan de man proberen te brengen is hij geloof ik de enige die het meent. Hij is ongeveer dertig, met een marge van vijf jaar aan beide kanten, heeft een universitaire opleiding en zoekt aan beide kanten de confrontatie, met de bendes en met ons. En toevallig leeft hij nog. Voor de gelovige hoop ik niet dat hij de zoveelste FBI-infiltrant is.

En dan ben ik er nog. Ik kan je wel vertellen dat het niet verstandig is om hier, blank en in je eentje, op de stoep te lopen. Niet zo stom als naar Gilbert Court rijden, maar het komt in de buurt. Al die lui hier hebben een hekel aan de politie in het algemeen en aan mij in het bijzonder en houden mijn fouten maar al te goed in de gaten.

Ruth Anns vierenhalve meter lange karige plaatsje scheidt ons. Ik glimlach treurig. De prediker staat op, net als de hielenlikker van de alderman bij Ruth Anns schouder. Mooie show van die hielenlikker, hoewel Ruth Ann en ik weten dat je ze met een lampje moet zoeken als de gangsters de hele buurt kapotmaken. Al die lui die je vertellen dat de bendes een essentieel onderdeel uitmaken van het weefsel van de buurt, studeren sociologie aan de Northside. Bendes zijn de pest, puur en simpel. En de politici, net als die ene die op het punt staat de confrontatie met me aan te gaan en me de weg wil versperren, met zijn deugdzame verontwaardiging en zijn pak van duizend dollar, hebben er geen reet aan gedaan, behalve dat ze het geld hebben opgemaakt en iemand anders de schuld hebben gegeven.

Het hulpje van de alderman staat drie treden boven me en zegt: 'Je bent hier niet welkom.'

'Ruth Ann. Ik kwam even langs... om mijn medeleven te betuigen.'

Ze kijkt langs de hielenlikker naar mij en de prediker die intussen naast me staat. Ik ruik de pikante lunch van de prediker en het zweet in zijn kleding. Het is vers zweet, alsof hij vandaag ergens hard aan heeft gewerkt. Dat is geen reden om een hekel aan iemand te hebben.

De prediker doet zijn duit in het zakje. 'Jullie steken er ook niks van op, hè? Kijk dan naar het nieuws, de Gaza-strook, de Westbank, de politie kan ons niet allemaal vermoorden.'

'Ruth Ann, ik vind het heel erg van Robert. Die hele affaire. Ik vind het... heel erg.'

Ze nodigt me niet uit om naar boven te komen, hoewel ik meerdere keren in haar portiek ben geweest en in haar appartement als ze hulp nodig had met Robert en zijn vrienden. De hielenlikker gaat tussen haar en mij in staan en doet daarna één stap naar beneden. 'Als de advocaat die Mrs Parks vertegenwoordigt, beveel ik u om haar perceel te verlaten, tenzij u een dwangbevel hebt. Dat ik in dat geval nu graag wil zien.'

'Ruth Ann, ik...'

'Agent Black.' De hielenlikker/advocaat van de alderman komt nog een trede naar beneden. 'Burgerrechten Civiele procedure. Verdwijn van haar perceel.'

'Ruth Ann, ik...'

Haar gezicht is zo moe dat ik het vanaf hier voel. Dan staat de hielenlikker op het trottoir, voert een show op, te dicht bij me, en dat weet hij. 'Jij vermoordt niet zomaar de zoon van mijn cliënte en...'

'Achteruit, klootzak.'

Dat doet hij niet, en blaast zichzelf op. 'Bedreig je me? Op Mrs Parks perceel, in aanwezigheid van al deze getuigen?'

'Ik ben de politie.' Mijn toon is een fout, een grote fout. '*Ga verdomme achteruit* als ik dat zeg.'

Dat doet hij. Eén stap en daarna nog eentje die niet nodig was, en steekt daarna beide handen uit om mijn zogenaamde vuurlijn in de richting van Ruth Ann, rouwende moeder, te blokkeren. Flitsen gaan af. Een camcorder verschijnt. Het is alsof ze op me hebben staan wachten.

Dinsdag, dag twee
vijf uur 's middags

Sonny Barrett schudt zijn hoofd als ik klaar ben met mijn verhaal, net als Eric Jackson, die terug is van de kapper en na een halve vrije dag, vanwege zijn ontwrichte schouder. Mijn middagbezoek aan Ruth Ann werkt als een ijsbreker op Sonny. Hij is afstandelijk, maar niet dusdanig dat ik me bedreigd voel. De afstand voelt niet goed, maar wel beter dan toen we bij Art's waren.

Sonny had zijn dag helemaal besteed aan Nation of Islam en hij ziet er meer uitgeput uit dan gewoonlijk. De Nation of Islam en hun kerk in de gaten houden op 79th Street, is niet zo eenvoudig als het klinkt, als het al eenvoudig klinkt. Sonny had die dag geen camera's en/of activisten gezien, dus goed beschouwd was zijn dag beter verlopen dan die van mij.

'Je haalt het nieuws van zes uur niet,' zegt Sonny, 'maar reken maar op dat van tien uur.'

Eric Jackson valt hem bij: 'Er gaan koppen rollen, die van jou absoluut, zodra Chief Jesse dit hoort.'

Sonny knikt en neemt nog een slok. Die laat de Guinness-snor achter waarvan hij denkt dat hij dan meer Richard Harris lijkt. We nemen er nog eentje om het einde van de dienst te vieren op z'n Iers in Dell's, een politiebar op 79th Street in de gedemilitariseerde zone. Ik kom hier niet zo vaak. Ten eerste zet ik het niet graag op een drinken en ten tweede is dat glas-in-lood hier alle beschutting tussen ons en een schietpartij vanuit een langsrijdende auto, waarmee de GD's tien keer per dag dreigen. 'Happy hour', noemen ze het wel.

Ik vraag nog eens naar Farrakhan. Sonny haalt zijn schouders op en kijkt langs me heen naar de zwarte agenten links van me, en daarna weer terug naar mij. Ik vraag het voor de derde keer. Sonny schudt zijn hoofd, wat betekent dat we ergens anders over Louis Farrakhan praten als er minder zwarte getuigen bij zijn. Eric Jackson, die zwart is, zet zijn Old Style neer en leunt van ons weg, verder ons bankje in. Hij kijkt naar mij, dus ik merk het, en hij wendt daarna zijn blik, en die van mij, naar de barkrukken achter me. Ik kijk, maar herken geen enkele van de ruggen op de krukken of hun vage gezichten in de spiegel. Onze tafel is plotseling erg stil.

Ik zei: 'Waarom vroeg je of ik vandaag naar mijn werk kwam?'

Sonny knijpt zijn ogen tot spleetjes: 'Hè?'

'We hadden het er al eerder over. Afgelopen nacht belde je vanuit het ziekenhuis en vroeg je het.'

Hij haalt zijn schouders op en neemt een slok van zijn Guinness. 'Was vast Cisco of een van zijn meiden.' Hij glimlacht naar Eric: 'Man, wat een meiden had hij daar. Echt wel.'

Omdat ik niet precies weet waarom en hoe lang Sonny van plan is om dit vol te houden, besluit ik om maar naar huis te gaan en te kijken of de slotenmaker langs is geweest. Misschien laat ik Stella mijn haar wel onder handen nemen, dan kan ik ondertussen nadenken over een leven zonder Sonny Barrett en zijn typische geheimzinnige Ierse machogezeik.

Buiten sta ik op het punt om in mijn auto te stappen als er een patrouillewagen stopt, en daarna een tweede daarachter, zo'n halve meter van de bumper. De rechterportier van de tweede auto zwaait open en Kit Carson, de inspecteur van onze dienst en levensgrote klootzak, stapt uit. Hoewel dit van acht tot vier zijn district is, komt hij bijna nooit op straat, en over het algemeen nooit als het donker wordt. De twee geüniformeerde agenten die bij hem zijn, zijn erbij omdat het begint te schemeren.

'Agent Black?'

Hij weet wie ik ben, hij wil dat ik mijn pas inhoud. Als ik hem nu zou neerschieten, nu, op dit moment...

'Agent Black. Ik wil even met je praten.'

Feitelijk werk ik niet voor Kit Carson, omdat ik bij de TAC hoor, en wij onze eigen inspecteur hebben, maar feitelijk ook wel omdat hij de inspecteur van onze dienst is. Het is verwarrend, en als mijn inspecteur niet op vakantie was, dan zou ik er veel meer toe geneigd zijn om deze klootzak neer te schieten en te hopen op een tuchtcollege dat niet op zijn rang zou letten. Maar zo is de situatie niet, zelfs niet in fantasieland, dus houd ik mijn pas in op de stoep, maar een paar stappen verwijderd van veiligheid en een avond thuis met muziek en mijn vissen.

'Ja, meneer. Wat kan ik voor u doen, meneer?'

Een van de twee agenten grinnikt achter zijn hand, zijn partner knipoogt.

Kit zegt: 'Zou je het misschien *nog* stommer kunnen aanpakken?'

'Meneer?'

'De gemeenschap post bij district 6 en jij gaat naar het huis van de *moeder*? Gibbons zei dat je erheen was gegaan om haar te bedreigen.'

'Als u Ruth Ann bedoelt: ik ging erheen om mijn medeleven te betuigen.'

'Medeleven?' Kit Carson richt zich nu op totdat hij de hoogte heeft bereikt die bij zijn rang past. 'Alderman Gibbons heeft een formele aanklacht ingediend tegen de politie, waarin jij met name wordt genoemd, wegens mishandeling. Die nieuwe aanklachten passen naadloos bij de beschuldigingen van gisteren van wreedheid, overtreding van burgerrechten en de "door de politie toegestane moord op onschuldige Afro-Amerikaanse burgers". Einde citaat. Meld je bij Interne Zaken, nu meteen.'

'Onzin.'

'Meteen, dat is een bevel.'

Een grote gedaante, Sonny Barrett, stapt half verblind, zelfs tijdens de schemering, de bar uit en schreeuwt: 'Patti, Patti, wacht even.' Wat er nog over is van de zon schijnt in zijn rug. Hij ziet de inspecteur en zijn lijfwachten en houdt zijn pas in. Zijn hoofd draait mee met zijn schouders, terwijl hij iedereen op het brede trottoir opneemt, inclusief de voorbijgangers die ook nieuwsgierig toekijken.

'*Jezus*, Kit. Het wordt zo donker.'

Ik stik in mijn hand. De lijfwachten buigen weg en proberen niet te lachen. Kit Carson richt zich opnieuw op tot zijn volledige hoogte en rang en kijkt woedend naar Sonny. *'Hoezo?'*

'Niet te geloven, man. *Donker*, helemaal geen licht, weet je wel? En criminelen, klootzakken komen uit hun holen. Kwaadaardige eikels zoals die daar.' Sonny wijst op een crackdealer die we dit jaar al twee keer County in hebben gekregen vanwege wapenbezit. 'Dit is geen veilige buurt... meneer.'

Kit Carson is vuurrood, roder dan ik hem ooit heb gezien, behalve afgelopen Valentijnsdag, toen hij een geboeide gevangene bewusteloos sloeg omdat die zijn secretaresse in haar kruis had getrapt. Kit is in een aantal opzichten die je niet meteen in de gaten hebt nogal gespannen. Hij loopt op Sonny af.

'Wat zei je, brigadier?'

Sonny glimlacht niet meer en ik besef dat hij absoluut niet dronken is en dit misschien wel voor mij doet. Sonny buigt zich met zijn 115 kilo dichter naar de inspecteur van onze dienst toe. 'Ik zei, meneer, *papiervreter met je lege holster*, dat zei ik.'

Mocht ik het nog niet eerder gezegd hebben: Sonny Barrett, dronken of nuchter, gewapend of niet, is niet iemand met wie je spelletjes speelt, en iedereen ten zuiden van de rivier die dat weten moet, weet dat.

'Dat zei ik tegen agent Hazleton, meneer, die stomme Ier naast u. En ik kan het nog eens zeggen, meneer, als u wilt. Meneer'

De kans is aanwezig dat Kit Carson niet op 79th Street wil eindigen. En hij kan Sonny's toestand niet helemaal peilen. Er is meer dan één agent aan zijn einde gekomen nadat de stress van de dag gemarineerd werd in whisky en slechtgekozen woorden. Ik weet niet of Sonny het maar speelt. Sinds mijn benzinedouche is zijn houding een beetje ongewoon. Maar ik ben blij dat hij daar staat. En dat voelt vreemd, om allebei de redenen.

Kit Carson kijkt naar me. 'Interne Zaken, meteen,' en hij wacht tot ik wegrijd voordat hij zich weer omdraait naar Sonny. Het laatste dat ik van Kit zie is dat hij en Sonny pal tegenover elkaar staan, en Kit Carson wordt gesteund door zijn agenten. Dat lijkt me een eerlijk gevecht, zelfs in mijn achteruitkijkspiegeltje.

Mijn mobiele telefoon begint al te trillen voordat ik vijftien straten naar de Dan Ryan kan afleggen. Het is de secretaresse van de commissaris. Het bericht is: 'De afspraak van vanavond met Interne Zaken is uitgesteld. Neem morgen om negen uur contact op met de commissaris.'

Vreemd... maar goed. Tenminste, ik geloof dat het goed is. Nu heb ik tijd om eens flink na te denken over de lijst aanklachten die volgens Kit Carson boven mijn hoofd hangt. Eén klacht zou al genoeg zijn om een einde te maken aan mijn loopbaan, als Gibbons die klacht hard zou kunnen maken. Moeilijk te begrijpen waarom slimme mensen niet in de rij staan voor deze baan. Mijn telefoon zegt dat er nog meer boodschappen zijn. Elf, namelijk. Vijf van Tracy Moens en eentje van Julie. Julies boodschap is de beste: 'Boxplaatsen vanavond! Cubs tegen de Cardinals.'

Fantastisch! Ik kan maar twee wedstrijden per jaar zien, zit altijd op de tribune en ben nooit eerder bij een kampioenschapsduel geweest. Ik tik het nummer in in plaats van te sturen. 'Julie, met mij. Ik...'

'Kom. Nu meteen. Parkeer op mijn plek, dan lopen we erheen.'

'Het duurt misschien een halfuur.' Ik kijk naar de Dan Ryan die voor me opdoemt. 'Misschien een uur. Leg nog eens uit hoe ik daar kom.'

Helaas kan ik aan die kant van de rivier nooit iets vinden, tenzij ik achter iemand aan kan rijden of tenzij de aanwijzingen bij Wrigley Field beginnen. Zo zit het, afgezien van één gebouw in Evanston waar ik eenmaal per jaar kom. Volgende maand wordt het de zeventiende keer. Daar stop ik, maar ga nooit naar binnen, dus dat telt eigenlijk niet.

Julie legt me de route twee keer uit en zegt dan: 'Iemand wil *de* Patti Black ontmoeten.'

Ik zak helemaal in elkaar. 'Vanavond niet, oké?'

'Kom op, meid. We ruilen jou voor kaartjes die zelfs burgemeester McQuinn niet kon krijgen. Praat even tien minuten met ze over koetjes en kalfjes aan de bar en we zitten vier rijen achter de dug-out.'

'Wie is het?'

Julie doet net of de verbinding ineens wegvalt en laat me mijn vraag herhalen, terwijl zij intussen een antwoord verzint. 'Zou een vrijer kunnen zijn,' dramatische stilte, 'misschien een heer van de Northside. Schoon ondergoed en schone nagels, alles erop en eraan.'

Ik wijk uit, tien graden, om een dronkenlap te ontwijken die achter zijn fles aanjaagt, 79th Street op. 'Waarom ik? Is Tracy's balboekje vol?'

Julie lacht. 'Zo vol, lieverd, je hebt geen idee.'

Ik deed er 73 minuten over. Waarom? Omdat de Northside is ontworpen om iedereen die niet is afgestudeerd in verwarring te brengen. Ik moest drie keer bellen om de weg te vragen en elke keer werd Julie minder vriendelijk. Toen ik eindelijk aankwam, was de L7 één feest van sportieve vrouwen plus een klein groepje Cardinals-fans dat geen idee had *waarom hier zoveel vrouwen waren.*

Mijn 'vrijer' was Tracy Moens en die had absoluut niet de bedoeling om met iemand het bed in te duiken, tot de teleurstelling van de mannelijke fans uit St. Louis. We hadden nog 35 minuten voordat het begon en liepen erheen, meteen nadat ik was aangekomen, Tracy, ik, Julie en de dove dichter van gisteravond. Ik wist nog net mijn verontschuldigingen aan te bieden voordat Tracy me naast zich trok en haar grote bek tegen me opendeed.

'Ik heb je vijf keer gebeld. We hebben een afspraak, Patti. Ik verwacht wel van je dat je je daaraan houdt.'

Mijn twee vingers halen die van haar van mijn arm. 'Bedankt voor de kaartjes.'

'Je hebt gisteravond de burgemeester gesproken.'

Ze vergist zich, maar dat kan mij geen reet schelen. 'Het was geen "vergadering". We hebben samen gegeten, gelachen, wat getongd, niks bijzonders.'

Tracy's frons past niet bij haar gewoonlijk zo stralende gezicht. Dat maakt me blij, misschien voor de tweede keer die dag.

'Je hebt hem ontmoet buiten zijn kantoor, alleen, en in zijn auto. Vijftien uur later dient alderman Gibbons, *de volgende burgemeester*, mocht de huidige ineens doodgaan, twee aanklachten tegen je in. En nu heeft een aantal bewoners van district 6 verklaard, met de zegen van alderman Gibbons, dat jij de hele dag vragen hebt gesteld over die bovengenoemde alderman.'

Ik voel dat Kit Carson hier de hand in heeft en loop gewoon door. Op de trottoirs is het druk met fans die plotseling een stuk blijer zijn dan ik. 'In het diepste geheim, oké? De burgemeester en de alderman zijn minnaars... Poedels, glijmiddel, truien, alles erop en eraan.'

Tracy grijpt mijn arm weer beet. 'Je kunt nu met me praten voordat we het plaatsen of later je excuses aanbieden, zeg het maar.' Rode Miss Sportief lacht nu ook haar scherpe tanden bloot. 'Dat is de macht van de pers, lieverd. Heeft veel weg van jouw handboeien.'

Ik probeer positief te denken, terwijl we verder lopen. Ik probeer Hare Fabelachtigheid als levend wezen en haar bedreigingen weg te denken, maar haar kaartjes niet. Dit is een bedevaart en ik moet zorgen dat mijn hoofd ernaar staat. Mijn team heeft me nodig.

Wrigley Field is het onderkomen van het 'wonder van Addison Street' of een van de andere vele namen die worden gebruikt om de Chicago Cubs, de eeuwige verliezers, aan te duiden. Die namen worden gewoonlijk minder strelend naarmate het seizoen vordert. Dit ondanks het feit dat de *Chicago Tribune* ooit eigenaar was en bezoekersaantallen die doen denken aan een sprinkhanenplaag. Je moet heel wat op je geweten hebben om fan te zijn van deze lui. Het helpt als het ernstig is en onvergeeflijk. Maar dat is praat voor de negende inning en de wedstrijd van vanavond is nog niet eens begonnen. We liggen nog niet achter.

Vanbinnen ziet Wrigley er in de lichten geweldig uit. Als je dit in een doosje kon doen, dan verkocht het meer dan hoop. Ik glimlach van oor tot oor, zelfs met de Pink Panther naast me. Sinds we zijn aangekomen, hangt ze aan haar mobiele telefoon en zit ze van me af gebogen, zodat ik niks kan verstaan. Alsof het mij iets kan schelen waar zij mee bezig is. De dove dichter vindt het kennelijk hartstikke leuk, maakt gebaren op Julies been en wijst alsof hij een kind van tien is. Hij is al net als ik. We vangen een paar keer elkaars blik en hij ontwijkt die van mij soms wel, soms niet. Julie koopt pinda's en drie Old Styles. Tracy knoeit met die van haar op mijn sportschoenen en ik herinner me dat ik sokken van gisteren aan heb. Ze probeert de troep op te deppen met servetten. Haar nagels zijn perfect. Het verbaast me dat de twee knappe mannen voor ons niet knokken om de boel voor haar te mogen opvegen.

Julie stoot me aan. Ik kijk naar haar en zie dat ze naar de dug-out kijkt. Alfonso Soriano, 136 miljoen, de volgende Sammy Sosa. Zo dichtbij dat ik hem kan aanraken, ik zweer het. Alfonso glimlacht naar het publiek, en man, hij ziet eruit als een echte honkballer. Nee, Alfonso glimlacht niet naar het publiek, hij glimlacht naar Tracy. Lieve heer, hij zwaait. Ze zwaait terug met dat perfecte gebaar waar filmsterren de hele dag op moeten oefenen. Plotseling ben ik verbaasd dat zij het volkslied niet mocht zingen.

'Wil je hem ontmoeten?'

'Hè?' Totdat ik wist dat Alfonso Soriano Tracy's vriend was, had ik dagelijks zijn huis willen schoonmaken. Nu wil ik hem uitzetten wegens slavenhandel in de Dominicaanse Republiek.

Tracy glimlacht breder naar me, daarna weer naar Alfonso, voordat hij met zijn schattige kontje het veld op rent. 'We kunnen hem ontmoeten als je wilt. Geen probleem.'

'En dat zou me wat kosten?' Ik ga even verzitten en hoop dat ze mijn pistool in haar ribben kan voelen.

Ze veegt het rode haar uit haar ogen en alle mannen aan deze kant van het derde honk houden hun adem in. 'Kosten? Je bent ambtenaar. Ik wil je alleen wat vragen stellen over je beroep. Je mag vertrouwelijk antwoorden als dat moet, maar dan heeft Alfonso het misschien,' en ze trek een vreselijk triest gezicht, 'te druk.'

Ik kijk naar het linkerveld. Ik en Alfonso, pratend over honkbal, misschien in de dug-out, en we spugen om de paar seconden. Cisco en Sonny zouden stikjaloers zijn. En *foto's*, 20 bij 25... Nee, onzin. Posters. Ik zou een honkbalpak lenen. Ik zou de eerste bal gooien, net als de burgemeester...

'Oké, eerst praten we met Alfonso, en daarna wij met elkaar. Vertrouwelijk.'

Tracy zwaait haar haar heen en weer, net als in de reclame voor VO5-shampoo. 'Sorry. We moeten nu praten, vanavond.'

'Waarom?'

'*Waarom?*' Tracy bederft haar perfecte gelaatstrekken. 'Omdat ze op het punt staan om je in de bak te gooien.'

'Wie zijn zij?'

Kerry Wood gooit een slag en Wrigley gaat helemaal uit z'n dak. Het is de eerste bal van de eerste inning. Je zou Cubs-fan moeten zijn om het te begrijpen. 'Geniet ervan nu het nog kan' is de theorie.

Tracy heeft niet meer naar het veld gekeken sinds Alfonso naar zijn werk is gegaan. 'Patti, zorg dat jij niet de bliksemafleider wordt van deze verkiezingen. Er staat veel te veel op het spel. En er vallen *veel* slachtoffers voordat dit achter de rug is.'

Slachtoffers, dat trekt toch je aandacht, zelfs nadat Wood zijn tweede slag achter elkaar gooit. 'Slachtoffers? Doden, bedoel je?'

Ze leunt achteruit. 'Dat zou kunnen.'

Tracy is dan wel het koninginnetje van het bal, maar ze weet echt niet waar ze het over heeft als het over een reeks moorden gaat die nog plaats moeten vinden, vooral als die begint met de burgemeester. Ik leun zijwaarts en staar haar aan. Af en toe kijken we op het rugbyveld zo naar elkaar, als het spel van de een de ander last heeft bezorgd. De term is *ziekenhuispass* en hij wordt gebruikt als de bal op een slechte manier wordt afgespeeld waardoor de ontvanger er onnodig van langs krijgt. Er gaan geruchten dat zij en ik zo wraakzuchtig zijn dat we dat wel eens met opzet doen.

'Een advies, Trace. Als je iets weet, bel dan de politie. Nu, voordat de Cubs aan slag komen.'

'Lieve heer, Patti. Met "slachtoffers" bedoelde ik politieke slachtoffers, een metafoor. Ik ben journalist.'

'Je bent schoonheidskoningin.'

Tracy glimlacht, want het is waar. 'Ik bedoelde "politieke" slachtoffers en dat weten we allebei best. Vertel me over jou en de burgemeester, dan schrijf ik niet over jou en de commissaris.'

Wood gooit een derde slag vanaf een of andere plek aan Waveland Avenue en Wrigley staat op z'n kop. Dat helpt me om haar geen dreun te verkopen, dat en het feit dat ze een geduchte tegenstander is in een eerlijk gevecht. Zodra het gejuich tot menselijke proporties is teruggebracht, staart ze me te lang aan en zegt:

'Na de wedstrijd moeten we het ook over het lijk in de muur hebben.'

Woensdag

5

Woensdag, dag drie
twee minuten over middernacht

De Cubs hebben gewonnen. Eigenlijk zou ik ademloos van geluk moeten zijn.

Maar in werkelijkheid herinner ik me niet veel nadat Tracy en ik onze plekken hadden verlaten, nadat ze de toverwoorden 'Annabelle Ganz' en 'Calumet City' had gezegd. Ik elleboogde me een weg naar buiten, langs de boxplaatsen en de bewakers. Buiten de hekken haalde ze me in, onder het enorme Wrigley Field-bord dat ze altijd op tv laten zien. De bezoekers liepen feestend langs me heen, maar Tracy bleef in mijn buurt.

'Afgelopen nacht heeft de moordbrigade van district 2 het lijk dat jij hebt gevonden geïdentificeerd als Annabelle Ganz. Twee uur geleden, na een knap staaltje recherchewerk, is vast komen te staan dat wijlen mevrouw Ganz dezelfde Annabelle Ganz is die in 1987 in Calumet City betrokken was bij de moord op een volwassen man in een pleeggezin waarin zij een van de pleegouders was. Het was heel vreemd, de moord en het tehuis.'

Ik probeer haar en haar woorden te ontwijken, maar Tracy en het publiek geven me geen kans.

'*De moord op Zwarte Maandag*. Een vrij geruchtmakende zaak, op 19 oktober 1987, de datum van de grootste beurscrash in de geschiedenis. Het slachtoffer was een zakenpartner van wijlen mevrouw Ganz en haar echtgenoot Roland. Roland verdween, dat weet iedereen, en...'

Roland Ganz. Die naam wordt steeds maar herhaald in mijn hoofd, en daarbij zie ik steeds een beeld. Daarna hele films, acht millimeter, korrelig, gruwelijk, *Roland Ganz*, een naam die ik nooit denk en nooit hardop zeg. *Roland Ganz* echoot Addison Street op en weer, en zuigt het leven uit mijn borst. Tracy vertelt me nog steeds allerlei dingen die ik maar al te goed weet en ik ga ervandoor. Ik ren zo hard ik kan, ondanks koplampen en claxons en vloekende mannen, tussen stellen door en langs honden en door hopen bladeren, over stoepranden en door tuinen, steek straten over en nog meer straten, ren stegen door... totdat ik geen adem meer kan halen, totdat een oude muur van rode baksteen, waaroverheen takken van eik en iep hangen, me de weg blokkeert. Het hek heeft metaalwerk, steunen voor handen en voeten, en ik klauter naar boven en scheur Julies blouse. Ik krijg steken in mijn zij, ben verdwaald en al over het hek heen voordat ik me afvraag wat het hek en de muur eigenlijk beschermen.

Ik land hard op mijn schouder. Mijn hart klopt in mijn keel, terwijl mijn ogen zich aanpassen. Het is een park. Met rollende heuvels en vol met stenen in diepe schaduwen. De binnenste rand wordt nauwelijks verlicht door de gloed van Clark Street. Demonen maken een sprinter van je. Mijn demonen zijn topatleten. En het is geen park. Het is een begraafplaats.

En het is er donker. Echt donker, hoe verder ik ga. Mijn hart vindt langzaam een aanvaardbaar ritme en het getintel in mijn vingertoppen stopt. Het verkeerslawaai van buiten de muur sterft weg tot niets. Ik veeg een plaat af die ik nauwelijks kan zien. Mijn vingers volgen 'Graceland-begraafplaats'. De stilte wordt intenser, als dat mogelijk is met stilte. Ik kruip verder naar het midden, met mijn linkerhand tastend uitgestoken. Barokke gebouwen, op kleine schaal, vangen het weinige maanlicht dat er is, maar alleen op een marmeren hoek of een deur met een hangslot.

Mausoleums. En geurige nachtlucht. Dode bloemen, goudsbloemen, denk ik. Het is een grindpad of misschien is het een verweerde weg die zich langs grafstenen slingert die ik niet kan zien. Oude grafstenen, wed ik, net als aan de Southside, en ook oude bomen. Ik schrik van een *woesj* links van me en ik struikel en beland tussen vele handen die me overal betasten. Geen handen, bladeren. Het is een ongesnoeide tak die over de grond veegt. Ik zuig de lucht in, en de zachte bladeren dwarrelen dood over mijn gymschoenen. Ik laat me vallen. De grond is zacht. En de bladeren blijven maar dwarrelen. Ik beweeg me niet. Mijn hartslag wordt rustiger en warme tranen zeggen dat ik huil.

De nachtlucht wervelt een uurlang en laat bladeren dwarrelen, tranen stromen en onzichtbare dode bloemen tollen. Vanuit het oosten nadert een noodweer. Er valt zo veel te zeggen, vreselijke dingen, maar hoe en tegen wie? Misschien slaap ik hier, vind ik een droge plek tussen het woud van rechtopstaande stenen verhuld in het duister, met de geesten die me geen kwaad willen doen.

Mijn mensen. Zij weten dat ik altijd meer geest ben geweest dan mens. Een jongen, een tiener, bij het Leger des Heils, zei ooit tegen me dat ik een onvoltooid lied was, we waren destijds even oud, een tekst met meer witte plekken dan woorden, zonder dat je wist waar de noten moesten komen. Hij had puistjes, schoenen die niet bij elkaar hoorden, een gitaar en ging er diezelfde week nog vandoor. Ik ben een week later weggelopen.

Een rilling trekt door mijn rug en schouders. Ik denk aan iets anders, bel Stella, vraag haar om Jezebel en Batseba te voeren. Mijn hand ligt plat op het onleesbare marmer bij mijn heup en ik denk aan het leven daaronder, wat het heeft bereikt, denk aan wat er op mijn grafsteen zal staan en hoe snel dan en... En dan glipt er een gedachte naar boven, langs de verdrongen herinneringen en het zelfmedelijden: dit is een beroemde plek aan de Northside, een heel stel beroemde Ierse gangsters uit de jaren twintig liggen hier begraven.

Waarom denk je dat?

Annabelle en Roland willen niet aan Ierse gangsters denken en duwen ze opzij. Annabelle en Roland willen dat het gezin weer bij elkaar is.

Ik sta en loop verder, omdat bewegen plotseling beter is. Een fletse streep licht schemert tussen beschaduwde bomen. Dat licht moet Clark Street zijn. Het grindpad slingert ernaartoe, daarna er weer vanaf, en uiteindelijk duikt er een stuk muur op. Eekhoorns of ratten vluchten als ik nader. De El komt ergens in het donker ten oosten van me voorbij. Graceland begint toch een onaangename plek te worden, zoals een donker kerkhof voor veel mensen zou zijn. Al je angsten belichaamd in deze lijken, plus religieus bijgeloof. Dat zijn de angsten van iemand anders. Ik ken die van mij. Die heeft een naam, schoenen, speeksel...

Er is een hek in de muur en het is een makkie om eroverheen te klimmen. Een gele taxi komt voorbij. Ik wil niet naar huis, niet waar ze me kunnen vinden.

Wie zijn zij?

Jij, ik, zij... Neem een taxi naar de L7. Verberg je totdat het ochtend is.

De taxi kost zo'n zes tot acht dollar, niet dat het geld me op de rug groeit, maar ik heb geen idee waar ik ben. Nog een taxi gaat langzamer rijden, maar deze stopt ook niet. Dan stopt er een auto van Gypsy Cab, ik ben blank en ik ben een vrouw, de taxichauffeur kent het adres of doet alsof. We zien remlichten en het begint te regenen, eerst nevel, daarna zware druppels. De boulevard verandert in vlekkerige koplampen en schaduwen. En de verkeerslichten zijn feller dan anders, gloeien, als rode spots.

Mijn chauffeur kijkt voor de tiende keer naar me in zijn spiegeltje, met zijn ogen helemaal toegeknepen. Ik laat hem mijn ster zien, te snel en te dicht bij zijn oor. 'Rijden, klootzak. Concentreer je maar op de weg.'

Hij voelt zich bedreigd en wilde dat hij een dikke, plastic scheidingswand had.

Goed gedaan, Patti. Prima gedaan. 'Sorry. Sorry. Rijd nou maar gewoon, oké?'

Ik glijd naar achteren in de zitting, en schrik dan. Annabelle Ganz is hier ook. Ze vindt dat ik me zou moeten afvragen hoe lang ze in district 6 is geweest. Ik geef haar stuk van de achterbank een klap om te bewijzen dat het leeg is. De chauffeur kijkt weer naar me. Bepaalde stukken van district 6 waren in de jaren tachtig en de vroege jaren negentig blank. Maar wat deed Annabelle daar, afgezien van de twaalf jaar die ze, volgens Tracy, in die muur gemetseld zat? Ik bal mijn vuisten. En wie weet wie er bij haar was? Ze... *God, Roland ook...* Hij zou er ook geweest kunnen zijn. Was er waarschijnlijk...

Ik ril hevig. Ik moet misschien kotsen.

De taxi stopt voor de L7. De chauffeur kijkt weer voorzichtig in zijn spiegel. Vast een lesbische fantasie of hij verwacht dat een agent hem neerknalt. In plaats daarvan krijgt hij tien dollar. Hij kijkt naar mijn kont. Ik heb echt zin om iemand neer te schieten, draai me al om, maar ik doe het niet. Misschien ben ik nog niet uitgehuild, maar kan ik het niet toegeven. Julie staat buiten onder haar luifel en kijkt naar de regen.

'Waar heb jij nou gezeten?'

'Ik heb de trein genomen. Als je me de volgende keer weer aan je ex wilt koppelen, laat dan maar, oké?'

Ze glijdt opzij en gaat voor de deur staan. 'Trace zei dat je bent gevlucht. *Weg?*'

Ik kijk haar doordringend aan, en zeg dan: 'Te blij om stil te blijven staan,' en probeer langs haar heen te lopen. Ze grijpt de blouse die ze me heeft geleend en ik sla haar hand weg. 'Vanavond niet.'

Julies wenkbrauwen gaan omhoog en ze haalt haar neus voor me op. Maar ze gaat opzij. Terwijl ik door de bar naar de trap achterin loop, zie ik dat Tracy me wenkt om naar haar toe te komen. In plaats daarvan neem ik de trap die vanuit Julies kantoor naar boven loopt. Mijn telefoon trilt en ik neem hem op zonder te kijken.

Ik hoor bargeluiden en Tracy die zegt: 'We moeten praten. Ik kom naar boven.'

'Misschien morgen.'

'Nee. Dit is belangrijk... Voor jou...'

'Ik zei "nee". Elke vezel in me is gespannen. Doe het *verdomme* niet.'

In de kamer doe ik de deur op slot. Ik ga op het eenpersoonsbed zitten en wil huilen, om zoveel redenen dat ik niet weet waar ik moet beginnen. Tracy komt niet, en Julie ook niet. Ik ga liggen, doe de lichten uit en bedek daarna mijn ogen. Het gezicht van mijn zoon is bij me in het kussen, het gezicht dat ik voor hem heb bedacht. Het is niet dat van hem en ik heb het nooit gezien, maar het is wat ik heb. Vanavond is hij niet genoeg.

Woensdag, dag drie
zonsopgang

De nacht is een en al slapeloze droom, wazig en angstig en schuldig en dan zie ik eindelijk een spoor van zonlicht aan mijn raam dat een einde maakt aan een nacht die wel wat van verdrinken weg had. Mijn mobiele telefoon en mijn pistool delen mijn bed. Ik kijk op de klok. De commissaris wil dat ik om negen uur bel, deze keer wordt het geen verrassingsmissie. Het zal over Interne Zaken gaan en de aanklachten die alderman Gibbons bovenop Kit Carsons klacht heeft gestapeld. Ik zet mijn mobiele telefoon aan en toets Stella's nummer voordat ik mijn berichten afluister.

Stella schraapt haar keel, zegt daarna dat ze al een uur uit bed is, naar het Home Shopping Network zit te kijken en de warme chocolademelk zit te drinken die ik voor haar heb gekocht. Ik vraag haar om Jezebel en Batseba te voeren. Dat heeft ze al gedaan en zegt dat er geen slotenmaker langs is geweest, en wil daarna weten waarom ik het niet belangrijk vind om dingen te laten maken. Je hebt toch op z'n minst nog je trots? We maken een afspraak: ik beloof dat ik beter mijn best zal doen en zij belooft om ervoor te zorgen dat ik dat doe.

Dan nu de voicemail. De boodschap die ertoe doet, komt van de commissaris. Hij wil me spreken bij het ontbijt, en *persoonlijk*, voordat ik me in district 6 meld. Dat zal nog niet meevallen, omdat ik niet thuis ben waar hij denkt dat ik ben. We worden gescheiden door het spitsuur van noord naar zuid. Ik heb alleen tijd voor een douche uit een spuitbus en een handjevol snoepjes voor een frisse adem, en hoop dat die combinatie me toonbaar maakt. Een TAC-agent laat de commissaris niet wachten. Ik laat een briefje achter voor Julie waarin staat dat ik alles na het werk zal uitleggen, terwijl ik zeker weet dat ik dat echt niet ga doen.

Het vroege verkeer in de richting van de stad is al bijna vreselijk, maar nog niet helemaal. Ik ga na waarom ik zou moeten komen. Dit is de tweede keer in drie dagen dat ik met Chief Jesse afspreek in een restaurant, deze keer in Bridgeport, het bolwerk van Daley, en in het openbaar, en niet op de achterbank van een Town Car. Het feit dat de commissaris samen met me ontbijt, is misschien machtsvertoon of, voor mij, geluk. Als ik Chief Jesse was, was dit wel het laatste wat ik zou doen.

Tenzij hij dingen weet die ik niet weet.

Hè?

Maar wat dan? Waarom zou hij met me gaan zitten pronken, terwijl ik radioactief ben?

Denk *Southside Iers*. Aan wie hebben die een grotere hekel dan aan de Engelsen? Door mijn glimlach knijp ik mijn ogen tot spleetjes. Zodra ik de buurt herken, stop ik om een krant te kopen.

Buiten, bij het Bridgeport Family Restaurant, koop ik een *Herald*. Op pagina twee staat mijn antwoord. De op elkaar gestapelde kop boven één kolom luidt: 'Dappere agent bedreigd door alderman.' Dat noemen ze pr, geloof ik. Ze hebben een mooie draai aan dat verhaal gegeven. Ik adem stevig uit, alsof de helft van het vuurpeloton tijdelijk zonder munitie zit. Ik kijk op. Binnen, aan de andere kant van het glas, wenkt Chief Jesse me naar zijn tafeltje.

Op weg daarheen word ik de hand geschud door een stoppelbaard in een flanellen blouse. Een van zijn vrienden geeft me een schouderklopje. Allebei vinden ze dat 'die gore ayatollah destijds in 1969 op West Madison het loodje had moeten leggen'.

De hoofdinspecteur, die een plek voor me vrijmaakt aan het tafeltje van de commissaris, zegt: 'Trots op je,' en klopt me ook op mijn schouder. Heel even heb ik de schoonheidswedstrijd gewonnen. Daarna ben ik alleen met de commissaris, omringd door stoom en geroezemoes en Ierse accenten, en hij zegt: 'Goed gedaan.'

Ik kan aan zijn uitdrukking niet zien of hij het nou meent of niet. De serveerster brengt koffie die ik niet heb besteld, glimlacht alsof ik haar zus ben die geld voor de hypotheek komt brengen, en wendt zich tot het volgende tafeltje. Ik kom hier morgen absoluut terug. Dan neem ik Cisco en Sonny mee.

De commissaris vraagt: 'En de stemming in het getto is...'

Ik doe verslag van de Gibbons/Farrakhan-avonturen. De commissaris luistert zonder commentaar te geven. Niet dat ik veel informatie heb over een mogelijk complot.

'Je bent overgeplaatst naar district 18, ingaande een uur geleden.'

'*Wat?*'

'Overgeplaatst via de telefoon. Veel plezier.'

'Flauwekul.'

Chief Jesse heeft nu een gepijnigde uitdrukking op zijn gezicht terwijl hij zijn linkervuist balt. Of hij is *echt* kwaad op me of een hartaanval zoekt een uitweg door zijn arm. Hij aarzelt totdat, wat het ook was, voorbij is. 'Over minder dan een maand hebben we de verkiezingen en over twee weken de stemming over de casinovergunningen. De gouverneur heeft gisteravond met het kantoor van de burgemeester gebeld. Dreigde ons allebei met de FBI. De gouverneur vindt dat de FBI betrokken zou moeten zijn bij het onderzoek naar de moordaanslag. Alderman Gibbons wil ook dat ze erbij betrokken worden. Een diepgaand federaal onderzoek naar "systematische schendingen van burgerrechten door de politie van Chicago", het recentste voorbeeld daarvan is jouw schietpartij in Gilbert Court en de "woordenwisseling" tussen jou en zijn rouwende schoothondje.'

Mijn ogen rollen bijna hun kassen uit. 'Er was geen sprake van een woordenwisseling.'

'Zoals je weet, ben ik benoemd door de burgemeester. Als hij het veld moet ruimen, ben ik ook weg.' Het interesseert de commissaris kennelijk niet wat ik denk. 'Dat zouden de gouverneur en alderman Gibbons wel willen en ze laten geen kans onbenut om de indruk te wekken dat ons "dienen en beschermen" onder de maat is. En ze deinzen er ook niet voor terug om ons van groeiende corruptie binnen het korps te beschuldigen.'

Beschuldigingen van *groeiende corruptie* zijn niet nieuw en steken voorafgaand aan elke burgemeestersverkiezing weer de kop op. Dit jaar is het al niet anders.

'Tijdens de vele beschuldigingen die de edelachtbare gisteravond uitte, werd er in de sterkst mogelijke bewoordingen op aangedrongen dat jij, agent Black, binnenkort *rechercheur* Black als je dit niet verpest, met geen woord rept tegen je vriendjes bij de media, officieel of vertrouwelijk, over alderman Gibbons of over het vuurgevecht in Gilbert Court van afgelopen maandag, dat hier helemaal los van staat.'

'Los waarvan?'

Chief Jesse buigt zich over zijn bord en kijkt me al die tijd aan. 'De twee dode Gangster Disciples in Gilbert Court hebben *niets* te maken met de moordaanslag op de burgemeester.'

'Geen probleem.'

'En de moordaanslag heeft *niets* te maken met het lijk dat in het gebouw van zijn vrouw aan de andere kant van de steeg is aangetroffen.'

Hé. De vrouw van de burgemeester?

'Volgens de burgemeester,' en dit is een citaat, 'heeft zijn herverkiezing geen behoefte aan een moddergooicampagne waarin een verband wordt gelegd met Calumet City en de zestig jaar vol ambtsmisdrijven daar. Ben ik duidelijk?'

Ik krijg bijna geen adem omdat het Bridgeport Family Restaurant zich vult met rook die alleen ik kan zien. 'Eh, zei u nou dat de burgemeestersvrouw betrokken is bij Calumet City...?'

'Het staat verdomme in de krant.' De commissaris balt zijn vuist en ontspant die daarna weer. 'Annabelle Ganz, haar echtgenoot, en twee van hun stiefkinderen worden *allemaal* vermist uit Calumet City totdat jij en de brandweer Annabelle in de muur vonden.'

Hij kijkt aandachtig naar de *Herald*, en daarna naar het raam op 35th Street. Ik volg zijn blik en hoop dat er buiten iets is wat verandering brengt in wat hij daarnet heeft gezegd, vooral dat het in de krant zou staan.

Hij wendt zijn blik weer naar mij en zegt: 'Niet dat Calumet City mij iets kan schelen, behalve dat de vrouw van de burgemeester ooit eigenaar was van het gebouw waarin Annabelle begraven lag. Een cadeau van haar grootvader, als ik het goed onthouden heb.' Zijn stem zakt. 'En ik heb er in de jaren zeventig gewoond, toen ik net bij de politie was, net als een stel andere groentjes die in 6, 7 en de Deuce werkten.'

Was de lieftallige en getalenteerde Mary Kate O'Banion eigenaar van Gilbert Court? En heeft Chief Jesse daar gewoond? Ik vraag me af waar ik straks ben als ik wakker word. Geen wonder dat het allemaal in de *Herald* staat. En Mary Kate heeft haar eigen 'kleurrijke' achtergrond. Nog afgezien van het feit dat ze de vrouw van de burgemeester is, is ze de kleindochter van Dean 'Dion' O'Banion, een beruchte gangster uit het Capone-tijdperk, die nu een zoete herinnering is als 'couleur locale', ondanks de vijfentwintig moorden die hij op zijn geweten heeft.

'Natuurlijk is het toeval dat zij ooit de eigenaar van dit gebouw was en dat ik daar heb gewoond. Maar wel een toeval dat je mediavriendjes, inclusief Tracy Moens, zullen aanwakkeren om drie dagen lang extra kranten te verkopen, waarna er goed getimede politieke aanvallen volgen op de burgemeester en mijzelf.' De commissaris kijkt me aan alsof ik de politieke consequenties begrijp. 'Dus, agent Black, je bent alweer nieuws, en deze keer bevind je je in het middelpunt van een ongegronde beschuldiging ten aanzien van burgerrechten. En als dat nieuws wegebt, worden de voormalige eigenaars en bewoners van Gilbert Court het nieuwe brandpunt van bovengenoemde moddergooicampagne.'

'U hoeft me niet over te plaatsen. Als u zegt dat ik mijn bek moet houden, dan doe ik dat.'

'District 18. Ben ik duidelijk, agent Black?'

'Eh, ja, maar...'

'Deze maand geen gemaar. *Hou je buiten alle drie zaken* en bemoei je *niet* met alderman Gibbons.' De commissaris schenkt me een kleine, ondefinieerbare glimlach. 'Vooruit, maak de Northside veilig voor BMW's en kinderwagens, totdat ik je iets anders opdraag.'

'Wat betreft Interne Zaken en de aanklacht...'

'District 18. Nu.'

De commissaris staat op als er een fotograaf nadert, pakt mijn hand en glimlacht als de professionele politicus die hij niet is. De flits is fel maar geluidloos. 'P-a-t-t-i,' zegt hij tegen de fotograaf, klopt op mijn schouders als hij langsloopt en schudt handen totdat hij buiten is. Ik kijk naar de *Herald*, zodat ik niemand hoef aan te kijken en knipper net zoals toen ik werd geflitst bij Ruth Ann. De kop onder de foto in de *Herald* luidt:

'Annabelle Ganz. Vermoord in 1993, vermist sinds 1987.'

Woensdag, dag drie
einde van de ochtend

Drie uur later spookt datgene wat ik van de commissaris gehoord heb in Bridgeport nog steeds door mijn hoofd. En waarom het werd gezegd, en waarom het gezegd werd en plein public en in bijzijn van een camera. Ik ben een TAC-agent die in het getto in actie komt. Dit is Perry Mason uit de jaren vijftig.

Mijn nieuwe partner laat me mijn nieuwe buurt zien, en slaat op Division Street met één hand af naar links. Hij is jong en opgewonden en werkt al twee jaar als TAC-agent in district 18. Hun bureau ligt tegenover de gettoflats op Division: de projecten, Cabrini Green, het enige gebied aan de noordkant van de rivier dat lijkt op wat ik gewend ben. Dat is ook de plek waar burgemeester Jane Byrne en haar leger lijfwachten hebben gewoond om te bewijzen dat 'sociale woningbouw veilig is'. Een bewering die niemand kon staven. En omdat we onze vakbond aan haar te danken hebben, ben ik fan, ook al was het een ontzettend stomme streek.

Gaap. De afgelopen nacht begint me parten te spelen. Mijn ogen vallen dicht en mijn rechterschouder voelt alsof iemand ertegenaan heeft staan schoppen totdat hij er moe van was. Goed nieuws is dat het met Cisco in het ziekenhuis prima gaat. Zijn stem, een uur geleden via de telefoon klonk zo gladjes als het gezang van Mel Tillis, alsof pijnstillers en verpleegsters echt je van hét zijn. Hij wist niet dat ik was overgeplaatst en ik heb het hem niet verteld. Mijn nieuwe partner is klaar met zijn bocht en zegt:

'Patti Black in levenden lijve. Tegen het weekend ben ik dood of rechercheur.' Hij glimlacht alsof dat een compliment is. 'Ik wil je niet beledigen, maar je bent wel jong om al zeventien jaar bij de politie te zitten.'

Ik adem uit. 'Zal wel.'

Hij is ongeveer dertig, en verrassend genoeg geen klootzak. Ik zeg 'verrassend genoeg' omdat hij een lichtgekleurde broek draagt en politieslang op me afvuurt, wat je nodig hebt om tv-agent te worden. Maar die rang is in een vuurgevecht maar van beperkte waarde. En waar zijn trouwring heeft gezeten, heeft hij een wit streepje omdat de zon daar niet kon komen, en ik kan zijn tweede pistool zien zitten, maar hij heeft wel de goede schoenen aan. Aan schoenen kun je zien of een agent van plan is om te werken of niet. We rijden langs gebouwen die me niks zeggen. Dat geldt ook voor de vroege straatgangsters uit Cabrini Green. Crack is tegenwoordig een business die dag en nacht en zeven dagen in de week doorgaat, en dat is hier al niet anders.

'Jong vanwege de geschiedenis, snap je. De inspecteur zei dat Denny Banahan vroeger je partner was.'

Denny's naam brengt een lach op mijn gezicht. Denny Banahan hing niet achter zijn bureau zoals veel andere bazen en was niet dol op aanbiedingen uit Hollywood. Hij nam ook geen blad voor de mond. Denny Banahan leerde mij en Sonny en elk andere schutter in district 6 hoe je agent moest zijn. De gangsters noemden hem 'Zorro' – en terecht. Als het om gangsters ging, nam Denny het niet altijd even nauw met de wet. De rest van de tijd was hij een Ier, en had hij helemaal geen zin om mee te werken aan je eerherstel.

'Zorro was een waanzinnige diender. De inspecteur zei dat jij nu de meest onderscheiden smeris van de stad bent, nu Banahan terug is naar Moordzaken.'

Ik zeg tegen mijn raam wat ik tegen journalisten zegt: 'Dat klopt niet. Alle oude kerels die echt hun werk deden, zijn met pensioen.'

'Dus werk je echt zoals ze zeggen?'

Ik werp een blik naar hem, en snap wat hij bedoelt, maar niet wat hij ermee wil zeggen.

'Er wordt gezegd dat veel van die eikels,' hij knikt naar weer een groep crackdealers die op de hoek staan, 'nog steeds leven omdat jij niet schiet totdat ze je daartoe dwingen.'

'Zeggen ze dat? Hier aan de Northside?'

'Ja.' Geen verandering van toon, probeert me niet uit de tent te lokken. 'Dat zeggen ze overal.'

Dit is niet voor het eerst dat ik deze discussie voer. Gewoon met geüniformeerde agenten met strakke mouwen en een harde blik, vredebewaarders die vinden dat ik de goede jongens onnodig in gevaar breng. 'Ik ben zelf in de situatie geweest waarin veel van die lui nu zitten. Je hoeft ze niet te haten om ze te arresteren.'

Hij wil weten wat ik bedoel, alsof we de beste vrienden worden en dit allemaal met elkaar moeten delen. Ik wil alleen maar terug naar bed en me verstoppen. We komen langs een kapot open stuk muur en ik zie Annabelle Ganz en haar hand, hoor het gesis van de staalfabriek twintig jaar geleden en proef de metalen lucht in mijn mond.

Opnieuw vraagt hij: 'Kom je zelf uit district 6?'

Zonder na te denken, zeg ik: 'Calumet City.'

Zijn mond vertrekt tot een halve glimlach. 'Kom je *zelf* uit Calumet City?'

Calumet City grenst aan Chicago. Het is niet zozeer een stad, maar meer een rangeerterrein voor de treinen van Michigan Central, B&O, en Penn Central, die allemaal tussen de haven van Chicago en de grens met Indiana zijn geperst. Denk: passanten, dode iepen, dichtgetimmerde stripclubs, en pandjeshuizen zonder klanten. Voeg daar rokende schoorstenen aan toe, het hele jaar door, en je bent in Calumet City.

Tijdens de enige bloeiperiode die de stad mocht meemaken, was de plek waar ik geboren ben voor de Outfit de belangrijkste plek voor gokken en seks. 'The Strip', voordat die in Vegas zo werd genoemd. In de jaren tachtig, toen ik daar nog was, maakte John Belushi de stad weer beroemd als het thuis van Joliet Jake en Elwood Blues. Belushi werd met minachting bekeken, maar de humor was nieuw. Aan wat ik me nu nog herinner was echt niets grappigs.

Mijn nieuwe partner probeert het nog eens. 'Calumet City. *Echt waar?* Daar kwam dat lijk van maandag vandaan dat in die muur zat. Volgens de *Herald* van vandaag was de vrouw van de burgemeester eigenaar van dat gebouw. Shit, de commissaris heeft er gewoond.'

‘Echt waar?’

‘Absoluut. De moordrechercheurs hebben het lijk twee avonden geleden geïdentificeerd, met behulp van een oud rijbewijs dat in haar portemonnee zat.’ Hij valt even stil om naar twee hangjongeren in Nike-trainingspakken te kijken die tegenover elkaar staan. ‘Ze was betrokken bij rare zaken in die contreien, *hele* rare zaken voor een kleine stad. Shit, zelfs voor een grote stad.’ Nu lacht hij. ‘Ken je haar?’

Een oproep via de radio. ‘1812?’

Een patrouillewagen antwoordt: ‘1812’.

‘1812 en alle eenheden in de hele stad. Er is een ontvoering gaande, twee daders, hulpofficier Richard Rhodes. Wells 1-7-1-0, in de steeg.’

Voordat ik *jezus christus, een hulpofficier*, kan zeggen, trekt mijn partner de microfoon al naar zich toe: ‘1863, niet-geüniformeerd, onderweg,’ en ik zet het zwaailicht op het dak. We keren om, sirene, en hij rijdt honderd, in oostelijke richting, op de smalle banen van Division. De buurt gaat van sociale woningbouw tot yuppie, in vier snelle straten. We ontwijken een bus en een bestelwagen. Nu zijn we aan de verkeerde kant van de gele streep en gaan hard op de rem. *Claxooooon.* Ik zet me schrap tegen het dashboard. We ontwijken de vrachtwagen die op ons af komt, slingeren, remmen weer, gas, scherpe bocht en we glijden Wells Street op.

Alleen de politie op tv rijdt zo op een kruising af. Bijna zeker dat je aan beide kanten wordt aangereden of dat je een voetganger doodrijdt. Hij rijdt over de middenstreep en rijdt 120, en raast langs voetgangers die dekking zoeken. We missen een fiets en een geparkeerde Baird’s Bread-vrachtwagen die iemand anders niet heeft gemist. De radio kraakt opnieuw. ‘Alle eenheden, in de hele stad. Verdachte auto betrokken bij de ontvoering rijdt in zuidelijke richting op Wells, bij de 1600-nummers. Bruine Chevrolet SUV, hoge snelheid, collega’s hebben achtervolging ingezet.’

‘We komen eraan.’ Hij stampt op de remmen en draait aan het stuur om de straat met de zijkant van de auto te blokkeren. Dat betekent dat een SUV van zo’n drieduizend kilo die met ‘hoge snelheid’ komt aanrijden, tegen mijn portier botst en ons allebei doodrijdt. De wielen aan mijn kant draaien en zetten ons recht. De SUV ronkt Wells op, en komt als een trein op ons af. Ik kan nergens heen. Ik duik weg en de SUV hakt het spatbord aan de chauffeurskant weg tot aan het portier. We draaien tegen geparkeerde auto’s aan en onze benzinetank scheurt. Sirenes gillen langs ons heen. Benzinedamp neemt de plaats in van de lucht. Ik ben volledig gedesoriënteerd en ruk aan de gordel die me heeft gered. *Vast.* De benzine vliegt in brand en zuigt alle zuurstof weg. Heet. Lawaai. De gordel schiet los, maar het portier gaat niet open. Ik leun naar mijn partner en trap tegen het portier. Hij kreunt in mijn oor. Ik trap met allebei de voeten. Vlammen vullen de achterbank, overal is rook. Ik krijg geen adem, zie sterren. Mijn schoen haakt in de deurgreep, de deur is open en ik ben eruit, de vlammen door, rol het trottoir op. De auto spuugt vuur. Een *schreeuw* vanuit de auto. Ik duik terug de auto in omdat ik niet nadenk. Mijn partner komt als ik in de rook graai. Te zwaar, ik krijg geen adem, op de een of andere manier sleep ik hem eruit, het trottoir op. Iemand slaat met jassen tegen ons aan, meer gegil. Het wordt heel snel donker en alles stopt.

De hemel heeft ruwe lakens en parfum die ik eerder heb geroken. Ergens.

En vreemd genoeg is daar ook een commissaris van politie. Kennelijk is hij toch God, zoals hij altijd al zei. Nu wou ik dat ik had geluisterd. God houdt mijn hand vast, wat me een goed teken lijkt. De menigte achter hem is minder. Over zijn schouder kijkt Sonny Barrett met een zeer gepijnigde blik en zes vreemden in pak, een van hen een vrouw van middelbare leeftijd, op mooie hakken. Draagt zij die parfum? Achter hen houden geüniformeerde agenten verslaggevers op afstand. Chief Jesse laat mijn hand los, zodra hij in de gaten heeft dat ik wakker ben.

Ik glimlach. 'Heb je me gemist? Ik kan zo weer terugkomen van district 18, hoor.'

Hij heeft geen antwoord en gebaart dat Sonny en de andere mannen de kamer moeten verlaten. Sonny aarzelt, alsof hij erover nadenkt, maar doet dan wat hem wordt opgedragen. Ik herinner me de brand. 'O shit, zeg dat die jongen niet dood is.'

Hij schudt zijn hoofd, trots in zijn commissarissengezicht, maar onderdrukt. 'De agent die je uit je auto hebt getrokken... Zijn vader is de alderman van de First Ward, Toddy Pete Steffen.'

Wauw. De First Ward is de Chicago-variant van Tammany Hall, lui die moordprocessen van Outfit-huurmoordenaars, zoals de beruchte Harry Aleman, konden beïnvloeden. En ook sommige presidentsverkiezingen, die van 1960 absoluut, zoals sommigen beweren. En Toddy Pete Steffen, als hij zich niet met de publieke zaak bezighoudt, is assurantiemakelaar, een *magnaat*, groot in de verzekeringswereld, net zoals Alan Dorfman was voordat de Outfit hem een kopje kleiner maakte.

'Toddy Pete is erg tevreden over je optreden en vindt dat je weer een eervolle vermelding nodig hebt. Ik persoonlijk raad je het klooster aan. De laatste tijd staan de sterren niet echt gunstig voor je.'

Ik hoor geschreeuw van verslaggevers. 'Leuk dat de pers dat opvalt.'

De commissaris gaat iets rechterop zitten. 'Dat is niet waarom ze hier zijn.'

Donderdag

6

Donderdag, dag vier
zonsopgang

Lake Shore Drive, in zuidelijke richting. Ik ben ontslagen uit het ziekenhuis, dat is het goede nieuws. Gebruind, uitgerust en klaar. Ik ben langs twee slaapdronken journalisten geglipt zonder ook maar een vraag te beantwoorden. Het slechte nieuws is de rest wat Chief Jesse zei. Interne Zaken wacht op me, en ze likken hun lippen al af. De kleren die ik draag zijn naar de maan, inclusief mijn Cubs-pet en Julies blouse. Dat is de tweede van haar in twee dagen. En ik stink naar een verwarmingsketel.

De zon van donderdag springt het water uit en legt een schitterende gloed op Lake Michigan. Ik zet mijn Ray-Ban op, maar die houdt maar de helft van het zonlicht tegen. Ik kan alleen maar mijn ogen tot spleetjes knijpen en hopen dat de auto voor me niet stopt. Mijn mobiel trilt, maar ik kan niet opnemen totdat ik wat beter zie. Toen ik weer bij mijn auto kwam, stonden er zes alarmboodschappen van Tracy Moens op mijn voicemail, waarvan ik er vijf nog niet heb beluisterd, en eentje van Sonny Barrett die zei: 'Bel me om tien uur.'

Ik weet waarover Tracy en Sonny willen praten. Na die ontvoering, waarbij ik bijna ben verbrand, om een uitdrukking te gebruiken die ik net op de radio heb gehoord, staat de hele stad 'op z'n kop'. Chief

Jesse heeft me verteld, voordat hij mijn kamer verliet, dat degene die de SUV-ontvoerders hadden gegrepen niet zomaar een hulpofficier was, maar de hulpofficier die de taskforce leidt die onderzoek doet naar de moordaanslag op de burgemeester.

Dit is groot nieuws. En of die ontvoering nou verband houdt met iemand die drie schoten heeft afgevuurd op de burgemeester en zijn vrouw bijna had vermoord of niet, het geeft blijk van een bepaalde brutaliteit die deze stad sinds Al Capone niet meer heeft meegemaakt. En iedereen die ze een beetje op een rijtje heeft, ziet die overeenkomst met de Outfit. De jazzy muziek op de radio houdt op en Cameron 'Superfly' Smith zegt dat er bijna vierentwintig uur zijn verstreken en dat de ontvoerders nog geen eisen hebben gesteld.

Geen eisen is geen goed nieuws voor Richard Rhodes. Smerissen zijn zelden gek op het OM. Zij geven ons de schuld voor alle mislukte rechtszaken, maar als ik aan zijn situatie denk, lopen de rillingen me over de rug en ik klop twee keer op het dashboard boven mijn radio. Er bestaan geen gebeden die je opzegt voor mensen die zijn ontvoerd. Daar luistert God niet naar.

Voordat ik me deze ochtend weer bij district 18 meldt, wil ik naar mijn kluisje in 6, via wat de Northsiders de 'Whiteman's Expressway' noemen. Die noemen ze zo omdat Lake Shore Drive aan de noordkant langs de goudkust loopt, met zijn jachthavens, via Evanston en verder langs het lommerrijke North Shore. Maar het grootste gedeelte van mijn route ligt op het zuidelijke deel, omdat het naar het hart van het getto loopt, via 47th Street, Stoney Island en 79th Street.

Het plan is om de activisten van de Ayatollah bij district 6 te ontwijken, mijn kastje uit te ruimen, dan langs te gaan bij mijn huis, Jezebel en Batseba te voeren, me om te kleden en Stella gerust te stellen, mocht ze gisteren het nieuws hebben gezien, en als dat niet zo is nog geen trouwerij te plannen. Ik en het verkeer kruipen over de brug over de rivier en door het felle zonlicht zijn we allemaal Ray Charles. Nu snap ik waarom zoveel Northsiders die in het zuiden werken omkomen bij verkeersongelukken. Mijn been trilt weer, deze keer neem ik op en probeer niet in het meer of de rivier te rijden.

De commissaris zegt: 'Telefonische overplaatsing. Je bent overgeplaatst naar de Intelligence Unit.'

Door wie hoef ik niet te vragen. Alleen hij kan opdracht geven tot twee telefonische overplaatsingen in twee dagen. Om dat als verdacht te karakteriseren, is net zo weinig overdreven als beweren dat de Maagd Maria is verschenen in Gerri's Palm Tavern. 'Mag ik vragen waarom?'

'Voorpagina van de *Herald* van vandaag. De hulpofficier van de taskforce, Richard Rhodes, heeft in een pleeggezin in Calumet City gezeten. Raad eens welk pleeggezin.'

Ik zwenk de stoep op.

'Als minderjarige, in 1987, was hij verdachte van een moord die daar had plaatsgevonden. Tot nu toe was er geen reden om die naam in een moordonderzoek van achttien jaar geleden te verbinden met ónze Richard Rhodes. Die moord is nooit opgelost en dus blijft hij verdachte.'

Claxons toeteren. Ik laat de telefoon vallen en hoor 'FBI', terwijl ik mijn Celica met twee handen laat stoppen in Daleys Millennium Park dat 450 miljoen dollar heeft gekost en dat ik nooit eerder had bezichtigd.

'Agent Black?'

Tastend breng ik de telefoon weer bij mijn gezicht. 'Ja. Sorry, Chief, eh... Baas. Sorry.'

'Hoor je me?'

'Ja. Ja, verkeer. *Jezus.* Zei u nou dat Richard Rhodes een pleeg... Dat hij in het pleeggezin van Annabelle Ganz zat?'

'Stop bij de volgende vaste lijn en bel mijn kantoor.'

'Eh, ja. Maar...'

Klik.

Ik staar naar mijn mobieltje alsof het net in mijn oor heeft gebeten. *Zat Richard Rhodes ook in dat pleeggezin? Met mij?* Een flits van een gezicht, hij heet Richey, hij is tien of elf. Net als ik staat Richey ook voortdurend doodsangsten uit. *Lieve heer.* Papa's lievelingsjongetje en ik ben papa's lievelingsmeisje. Een golf van kots, nog voordat ik het portier kan openen. En de golven blijven maar komen.

Donderdag, dag vier
acht uur 's ochtends

De zeepspuit bij Leon's RideBrite haalt het ziekenhuisontbijt uit mijn vloermatten en van mijn handen. Het schoonmaakmiddel in de spuit doet ook dienst als mondspoeling, wat niet aan te raden is. De commissaris wacht nog steeds op mijn telefoontje via een vaste lijn. Ik wil vluchten, iemand anders zijn. Een telefooncel vol ganggraffiti staart me aan. De telefoon wordt omringd door drie straatgangsters die crack staan te dealen. Ik haal de CPD-ster uit mijn blouse en mijn pistool uit mijn holster. Het is geen goed idee om hier alleen te zijn, maar dat is zeep eten ook niet. Of een deel van je leven herbeleven waaraan je de eerste keer al bijna onderdoor ging.

De gangsters gaan zes meter verderop staan en blijven me aanstaren. Ik bel het directe nummer van de commissaris.

'Meneer, agent Black meldt zich.'

'Je zit nu officieel bij *Intel* en je werkt rechtstreeks voor mij. Begrepen?'

'Ja, meneer.'

Ik begrijp het, min of meer. De *Intelligence Unit* is de onderzoeksafdeling van het kantoor van de commissaris en werkt rechtstreeks onder zijn leiding, heeft rechtsbevoegdheid in de hele stad en geen verantwoordelijkheid ten aanzien van wetshandhaving. Veel respect voor een agent met die ster, die een opdracht uitvoert voor de baas. Ook veel argwaan.

Chief Jesse's toon is formeel, alsof hij tegen een microfoon praat. 'Vanaf zes uur vandaag is de FBI officieel bij deze zaak betrokken. Ze onderzoeken drie zaken die volgens onze gouverneur in zijn oneindige verkiezingsmaandwijsheid met elkaar verband houden. Zaak één: de moordaanslag op de burgemeester. Zaak twee: de ontvoering van hulpofficier van justitie Richard Rhodes. En zaak drie: de ontdekking van het lijk van Annabelle Ganz. De FBI is het ten onrechte met de gouverneur eens dat alle drie de zaken verband houden met elkaar.'

'Meneer...'

'Er is geen bewijs dat deze drie zaken verband houden, behalve dat hulpofficier Rhodes en Annabelle Ganz achttien jaar geleden in Calumet City in hetzelfde huis hebben gewoond. Dit is politieke karaktermoord. En jouw vrienden van de media staan in de rij om een handje te helpen.'

'Meneer...'

'Pak de snelweg naar Joliet. Dat kun je wel, toch?'

'Waarom bent u kwaad op me?'

Stilte.

Ik ben veel te ver gegaan en ben me dat zeer bewust. Hij weet niet dat ik in een autowasserette zeep sta te eten, terwijl een stel tieners met vuurwapens me in de peiling houden. Hij weet niks van mij en van Calumet City omdat niemand dat weet.

'Sorry. Ik ben onderweg naar Joliet. Meneer.'

'In de dodencellen van de gevangenis van Stateville zit een gevangene die tweemaal levenslang uitzit en zegt dat hij 'urgente' informatie heeft ten aanzien van hulpofficier Richard Rhodes. Deze gevangene wil alleen met jou praten. Leg dat eens uit.'

'Eh, graag. Over wie gaat het?'

'Tracy Moens van de *Herald*, jouw vriendin, en teamgenoot geloof ik, heeft iedereen in dit gebouw gebeld, *en de FBI*, om na te trekken dat jij en deze gevangene elkaar kennen. Als dat waar is, dan hoop ik dat het met zijn arrestatie te maken heeft.'

Ik huiver vanwege dat 'FBI' en Tracy's onophoudelijke behoefte erachter te komen.

'Meneer, welke gevangene?'

'Danny del Pasco.'

'Danny D. uit Canaryville? De motorrijder?'

'Je kent hem wel.'

'En hij wil me zien?'

'Alleen jou. Waarom?'

Ik heb geen idee en dat zeg ik. Geen idee. Nul.

'Dit is niet het moment om me in de maling te nemen, agent Black.'

'Doe ik niet, Chief, meneer. Ik heb Danny D. nog nooit gezien. Alleen maar allerlei verhalen over hem gehoord.'

Stilte of de telefoon doet het niet meer. Maar dan:

'De afdeling Georganiseerde Misdaad van de FBI is nu in Stateville en probeert een ondervraging af te dwingen. Ze geloven dat deze drie zaken, de moordaanslag op de burgemeester, de ontvoering van de hulpofficier, en het lijk van Annabelle Ganz, onderdeel uitmaken van meerdere ontvoeringen en moorden die teruggaan tot 1987 in Calumet City. De FBI denkt dat deze drie zaken ze zullen leiden naar "een omvangrijke doofpotaffaire en corruptie binnen het OM" en criminele activiteiten binnen de politie van Chicago...'

'Niet de Republikeinen of de zwarten. Nu is het de politie of het OM die de burgemeester proberen te vermoorden? Zelfs de FBI is niet zo stom.'

Meer stilte, waardoor ik wou dat ik dat niet had gezegd, hoewel de conclusie toch moeilijk te vermijden is... Beweging. De drie straatgangsters verspreiden zich, maar lopen niet weg. Ik laat mijn pistool zien, maar ik richt niet.

'De komende verkiezingen is het moment waarop oude geschillen worden beslecht. Op lokaal niveau, op het niveau van de staat en federaal. Bel me zodra die ondervraging van Del Pasco achter de rug is.' De commissaris laat een stilte vallen, zodat ik mijn belofte kan doen. Die doe ik, en dan voegt hij eraan toe: 'Geen pers, niks. En nog geen "hallo" tegen de FBI.' Klik.

In een flits zie ik Richey en mezelf als pleegkinderen. Richey bovenop toen ze hem dwongen om... HOU OP. Tot nu toe had ik geen idee dat Richey en Richard Rhodes één en dezelfde waren. Jezus, en stel dat het waar is? Dat de FBI gelijk heeft en de drie zaken inderdáád verband houden? En stel dat Chief Jesse *weet* dat dat zo is? Stel dat... Echt niet. Ga naar de dodencel in Joliet, luister naar Danny del Pasco, en vertel Chief Jesse daarna je verhaal.

Dat kan niet. Ik klem de hoorn vast. Je móét wel. Richard Rhodes gaat misschien dood als je het niet doet. Welnee, die ontvoering heeft er niets mee te maken. Dat is toeval, een vreselijk toeval. Dat komt voor, je hoeft het niet te vertellen. Nu niet, nooit niet.

Vertrouw je vrienden. Vertel het nu aan Chief Jesse. Ik gooi quarters in de telefoon en hoop dat ze vast komen te zitten en hoop dat Chief Jesse niet opneemt. De gangsters kijken toe. Eén draait zich om en ik kan zijn handen niet meer zien. De telefoon rinkelt, maar er wordt niet opgenomen. Achter de gangsters, achter het raam van de bar aan de overkant van de straat, staat een bord van Old Crow.

Nee. Wegwezen hier.

De twee gangsters die naar me kijken, hebben kennelijk in de gaten dat ik in de sores zit en trekken de derde weg. Als hij zich omdraait, heeft hij een mobieltje in zijn hand, geen pistool en ik schiet hem niet neer. Mijn Smith richt zich op naar hun gezicht en daardoor gaan ze nog eens zes meter verderop staan. Die ene met de telefoon knikt bijna onmerkbaar en praat maar door in zijn telefoon. Hij houdt me in de gaten, vast en zeker. Misschien vanwege die dode GD's in Gilbert Court, maar ik heb geen tijd om te bedenken waarom of om er iets aan te doen.

Onder de vele dingen die ik me afvraag, terwijl ik maak dat ik wegkom uit de buurt en mijn nieuwe behoefte om alles maar op te biechten te ontvluchten, is waarom Interne Zaken me niet heeft opgepakt vanwege de aanklacht van de alderman in verband met de GD-schietpartij en de *aanval* op Ruth Ann. Die zorg duurt één straat. Ik heb nu grotere vraagtekens, zoals hoeveel FBI-agenten je nodig hebt om een pleeggezin te onderzoeken. Hoeveel dagen heb ik nog voordat de hele stad mijn verhaal kent? Voordat ik in het openbaar de waarheid over Patti Black onder ogen moet zien?

Donderdag, dag vier
tien uur 's ochtends

Ik en mijn gedachten rijden na een dikke vijftig kilometer van de snelweg af bij een gevangenisstad die erg zijn best doet om dat niet te zijn. Behalve dat het een uitgebreid wapenarsenaal is, staat Joliet bekend om maar één ding: de gevangenis uit 1858, die onlangs is gesloten, een kalkstenen nachtmerrie die is gebruikt in elke film die het publiek met alleen maar stilte en beelden doodsbang moest maken. De gevangenis en zijn opvolger bewaken de flank van de stad en haar problematische geschiedenis en liggen in de noordelijke buitenwijk, voorbij de bezoekershotels en hun koffieshops met hun plakkerige bankjes van vinyl, voorbij de wegen die erheen leiden en daar ook eindigen.

Onder criminelen betekent 'Joliet' nog steeds iets meer dan alleen een gevangenis. Het is een positie, een bepaalde strafmaat. Architecten waren zo weg van Joliet dat ze het gebouw voor de meeste gevangenissen uit die periode kopieerden. De eerste zestig jaar had het gebouw binnen de muren geen stromend water of toilet.

Het nieuwere Statesville CC (1925) is nu een extra beveiligd detentiecentrum. De dodencellen zijn hier, alleen noemen ze die hier niet zo, terwijl de rechters en de politici een manier proberen te bedenken om de gevangenen onder te brengen die ze af willen maken. Lui die het verdienen, zoals Danny del Pasco. De andere gevangenen die het gebouw met ze moeten delen, zouden wel weten hoe ze ze zouden moeten *onderbrengen*. Ik staar naar de buitenmuur en de rollen prikkeldraad en weet het ook wel. Absoluut.

De toegang via Highway 53 is een bakstenen keet voor de bewakers die midden op het asfalt staat, heuvelop. Tweetalige borden, opgehangen aan de bakstenen, leggen uit dat *iedereen* die hier binnengaat zijn rechten opgeeft en gefouilleerd kan worden en dat spullen in beslaggenomen kunnen worden. Te oordelen naar het uiterlijk van de toegang wordt die op de meeste dagen niet bemand. Vandaag staan er politiewagens dwars op de in- en uitgang geparkeerd.

Ik laat mijn ster en mijn legitimatie met foto zien. Allebei worden ze gecontroleerd met behulp van een lijst door een bewaker die net zo goed postbode had kunnen zijn. Van beide kanten rennen een man en een vrouw naar mijn auto toe. Dat moeten journalisten zijn. Vreemd dat ze met hun perskaart niet binnen komen.

Eentje schreeuwt: '*Patti. Patti.* Waarom wil Danny del Pasco jou spreken?'

De bewaker geeft me mijn legitimatie terug en gebaart dat ik kan doorrijden.

'Ben je in staat van beschuldiging gesteld door Interne Zaken? Leeft Richard Rhodes nog?'

De politiewagen rijdt achteruit, opzij. Ik glip er langs en twee motoragenten blokkeren de weg achter mijn auto, tussen mij en de vrijheid en de journalisten in mijn spiegel. *Zo snel* en je bent geen burger meer, maar gevangene. Ik denk na hoe het is om hier gevangen te zitten en ril bij de gedachte om hier echt te moeten zitten, tien jaar of voor altijd. Ik heb lui hierheen gestuurd: je zou denken dat ik wel weet hoe het is.

Stapvoets rijd ik de schaduw in van de tien meter hoge betonnen muur. Terwijl de muur meer en meer lucht afdekt, concentreer ik me op *gevangene.* In een flits zie ik hulpofficier Richard Rhodes, geboeid, maar als jongetje, niet als volwassene. Met grote onschuldige ogen, onbehaard en naakt. Je weet niet hoe erg hij het nu heeft, maar dat het erg was toen hij nog 'Richey' was, valt niet te ontkennen.

Een van de twee bewakers buiten het gebouw waar de bezoekers binnenkomen kijkt indringend naar mijn witte knokkels op het stuur en mijn uitgestreken gezicht, wijst me dan verder naar de dichtstbijzijnde kant van de parkeerplaats voor het personeel, en praat daarna in haar radio. Ik parkeer zonder problemen, maar ik heb vijf minuten nodig met tandengeknars en verdringing om mijn eigen muren weer op te trekken. Richey als jongetje is geen beeld dat ik bij me wil dragen.

Het bezoekersgebouw is die dag gesloten. Ik word naar een deur verderop verwezen, naar de personeelsingang en wordt met een zoemer binnengelaten door een grote Duitser van halverwege de veertig met een glimlach die niet bij zijn land of bij de voorzorgsmaatregelen van vandaag past.

Ik zie zijn naambordje en meen dat ik agent Leo Didier hoor zeggen: 'Heb je vijftig dollar?'

'Sorry?'

'Vijftig.' Hij gebruikt beide handen om de vorm van het biljet te maken. 'Ongeveer zo groot en groen.'

'Eh... waarschijnlijk niet.'

'Dan moet ik je pistool innemen.'

'Mag ik hem houden dan, voor vijftig dollar?'

Hij schudt zijn hoofd en glimlacht oprecht. 'Nee, ik heb gewoon vijftig dollar nodig.'

Een grappenmaker was niet wat ik had verwacht bij het loket van een horrorfilm. Ik teken voor mijn Smith en steek beide armen in de lucht om gefouilleerd te worden. Agent Didier glimlacht weer, bijna verlegen, en zegt:

'Ik zou graag willen, maar het hoeft niet. De commissaris heeft met de directeur gebeld. Je hoeft me alleen maar een legitimatie te laten zien,' en hij knikt over de gebodybuilde schouder van een andere bewaker naar een glazen deur, *'en je bent achter de muur.'*

Aan de andere kant van een weg in het gebouw, voorzien van een hek, bevindt zich de Muur. Aan de andere kant daarvan bevinden zich de schimmen van John Wayne Gacey en Richard Speck, en een levende, ademende Ralph Andrews.

Agent Didier zegt: 'Doe voorzichtig. Praat snel, het gaat vandaag niet lekker.'

Ik stel geen vragen, maar dat had ik wel moeten doen.

'Binnen' begint met dat ik begeleid de straat oversteek naar de hoofdingang, daarna door Ingang 1 naar de ruimte voor de bewakers in het gebouw van de leiding. Ik pik het ritme op van een gebouw waarin gewerkt wordt en word weer agent. Diepe ademhalingen, verblindende verlichting en linoleum helpen het kerker-effect draagbaar te maken. Er is niet veel uitgegeven aan de inrichting voor de bezoekers, ongeveer net zoveel als in een ziekenhuis, maar dan zonder de twee jaar oude tijdschriften. Maar het personeel houdt me scherper in de gaten, alsof ze bang zijn dat ik elk ogenblik kan ontploffen.

Mijn begeleidster staat stil, alsof ze is verdwaald, biedt haar excuses aan, en zegt dat we terug moeten, door Ingang 1, naar de vergaderkamer van de directeur. Dat doen we. Daar wachten drie heren in donkere pakken. Eén van hen onderbreekt mijn wandeling.

'Agent Black?' Hij steekt zijn hand uit. 'Special Agent Stone, FBI, afdeling Georganiseerde Misdaad.'

We schudden elkaar de hand. Mijn begeleidster kijkt toe. Ze weet dat deze ontmoetingen vaak niet goed verlopen.

Special Agent Stone zegt: 'We moeten met u praten voordat u met meneer Del Pasco spreekt,' en geeft me een kopie van een oud artikel van Tracy Moens, 'en meteen daarna weer.'

'Sorry. Ik breng verslag uit aan mijn baas. Dat is de procedure. U kunt met hem praten.'

'Is dat Kevin Ryan in district 18 of de commissaris?' Bij het woord 'commissaris' trekt hij wat je een wrede grijs zou kunnen noemen.

'Kies maar uit.' Over de tweede telefonische overplaatsing heb ik het niet.

De bewaakster gebaart dat ik door moet lopen. Of ze is ongeduldig of ze heeft dezelfde vijandschap ten aanzien van de FBI als de meeste smerissen. 'Sorry... Mijn afspraak.'

We lopen door gangen met linoleum vloeren die ruiken zoals alle gebouwen in de stad voordat ze 's ochtends hun deuren openen. De muren zijn al even leeg als de vloer. De ruimte waar de ondervraging plaatsvindt, bevindt zich tussen Ingang 2 en 3, in de bezoekruimte voor advocaten. Mijn kamer is drie bij vier met een glazen deur. Een versleten, houten tafel staat in de lengte in het midden, tussen twee stoelen. Mijn begeleidster gebaart dat ik naar binnen moet gaan en draait zich om om te vertrekken.

Ik raak haar schouders aan. 'Is er een probleem hier... vandaag?'

Ze tuit haar lippen en knikt, draait zich om en loopt de brede gang in. Ik weet het niet... het voelt... vreemd, alleen in de kamer. Alsof ik degene ben die schuldig is. Ik merk dat ik Tracy's artikel in mijn hand heb en lees een stukje terwijl ik wacht.

© Tracy Moens, *Chicago Herald*
16 januari, 1996

Danny del Pasco was al bekend in Canaryville.
Maar op kerstdag 1995 maakte hij zichzelf onvergetelijk. En dat

bereik je niet zomaar ten zuiden en ten westen van Comiskey Park, waar de kanaalgravers en veedrijvers van de slachthuizen gefrustreerd in kleine huisjes wonen: de Ieren die deze stad hebben gebouwd, maar die te arm waren om er te blijven.
Op die kerstdag had Danny del Pasco een uur lang aan één glas Harp zitten drinken en langzaam Pall Malls zitten roken totdat de brandende punt zijn vingertoppen raakte, en had hij de ene sigaret met de andere aangestoken. Tobin's Corner Bar was vochtig van het zweet en was vol lawaaiige gesprekken. De krukken aan Danny's beide zijden waren leeg. Niemand wist het nog, Danny ook niet, maar voordat Dallas de Cardinals met 37-13 zou verslaan, zou hij negen mensen vermoorden. Hij zei dat hij had gedacht dat er twee doden zouden vallen, misschien drie. Maar dat het allemaal van hen afhing. Onder zijn leren jas droeg hij een mouwloos spijkerjasje met *Gypsy Vikings MC* in een boog erop en aan de onderkant *Chicago*. Dat had hij gewassen in 1990, 'moest wel, vanwege het DNA.'
Net als Danny hadden Canaryville en deze pub geschiedenis, Chicago's versie van Hells Kitchen en de Five Points, een buurt die Ieren die overzee hadden gevochten onderdak gaf en verborg. En huurmoordenaars die deden, en doen, wat de Outfit wil, als de Italianen niet willen laten merken dat zij er achter zitten. Het zijn goede mensen hier, arm en hardwerkend, die zich niet met vuile zaakjes inlaten, tenzij ze gedwongen worden. Ze kenden Danny, kenden hem zijn hele leven al, en ook de schurken kenden Danny. Daarom waren de krukken leeg.
Bij de rust was de zon ondergegaan en had Dallas het spel beheerst. Danny liet vijf zilveren dollars op een stapeltje achter, liep naar buiten, waar het twee graden onder nul was, trok strakke handschoenen aan en wuifde een Bonneville uit 1982 naderbij. In de auto dirigeerde hij de 24-jarige chauffeur in westelijke richting, naar Cicero. Over zijn schouder kreeg hij een tweede Glock aangereikt, die hij controleerde, en een handgranaat. De pin zat vast en hij maakte die iets losser.
Tijdens de rechtszaak getuigde de familie van de slachtoffers dat Danny del Pasco, nadat hij twee keer had geklopt en hun kerstkrans die op de deur hing had losgemaakt, het huis binnenliep, met één hand de pin uit de granaat had getrokken en 38.000 dol-

lar had geëist. De helft van de aanwezigen in de kamer waren vrouwen en kinderen, allemaal eerste of tweede generatie Mexicaans-Amerikanen. De mannen hadden niet bewogen. Hij vroeg het opnieuw, had daarna de granaat gegooid en was gaan schieten.

Zeven van de doden waren man, variërend in leeftijd van 20 tot 54, die allemaal een wapen, mes of scheermes bij zich hadden. De twee vrouwen waren allebei minderjarig. Het ging om een crystal meth-deal die verkeerd was gegaan. Een erezaak, zeiden de Gypsy Vikings.

En daar komt hij, aan beide zijden begeleid door grote en brede bewakers, die hem allebei niet aanraken. Een van hen neemt me op, met meer respect dan de gebruikelijke machoblik. De ander stelt zichzelf voor. Ik besluit dat gevangenisbewaarders niet waarheidsgetrouw worden afgebeeld in films of bij het professioneel worstelen. De gevangene daarentegen is precies zoals je je voor zou stellen.

Danny del Pasco is een blanke man van ongeveer veertig, mager met zijn negentig kilo, met een kaalgeschoren hoofd, en zijn aderen zijn duidelijk zichtbaar. Om zijn buik zit een ketting en hij is bedekt met White Power-tatoeages. De niet-versierde gedeelten van zijn huid zijn een tint lichter dan het versleten hout dat ons scheidt. Onder zijn linkeroog zijn twee tranen getatoeëerd: uiterlijke kentekens van gevangenismoorden. Hij beweegt met vertrouwen, maar zonder air. Zijn ogen staan helder, maar rustig, gereserveerd, niet voorzichtig. Ik heb genoeg opgefokte misdadigers gezien met moord op hun geweten, maar zo is hij niet. Dit is een *eersteklas* moordenaar.

We gaan zitten, een dikke halve meter van elkaar. Als verdediging kan ik alleen maar wegduiken. De bewakers trekken zich terug en doen de deur dicht. De een blijft bij de deur staan, met zijn hand in de buurt van de deurknop. Geruststellend, maar waarschijnlijk te ver weg om Danny D.'s eerste aanval tegen te houden, mocht hij in de aanval gaan. Danny's ogen zijn staalblauw en rusten op mij, maar het is geen woeste blik, geen bedreigende blik. Ik heb een uitgestreken gezicht en laat niets blijken, hang half onderuitgezakt in een ongemakkelijke plastic stoel. We zijn twee mensen die samen koffiedrinken in Art's op Ashland, niet meer, niet minder. Tenminste, zo doe ik het voorkomen.

'Hoe gaat ie, Danny?'

Hij glimlacht. Daardoor lijkt hij niet minder bedreigend, maar dat is nu kennelijk zijn doel, een gevangenisversie van 'aardig'. Hij leunt naar voren en ik dwing mezelf om niet te bewegen. De bewaker draait aan de deurknop, aarzelt als er niets gebeurt, en doet dan weer een stap achteruit.

Danny fluistert. Ik kan hem niet verstaan en moet naar voren leunen. Dat is een oude gevangenistruc die bijna nooit goed afloopt voor de diender die naar voren leunt. Ik buig me toch naar voren.

Danny fluistert opnieuw. 'De FBI had vanmorgen interessante vragen. Ik heb er een aanbod tegenover gesteld: ik praat over jou en Richard Rhodes en verder iedereen die hierbij betrokken is en misschien kunnen ze dan iets voor mij doen.'

Ik wacht totdat er meer volgt, maar hij gaat er verder niet op in. Hij glimlacht erbij, een eerlijke glimlach die in deze omgeving moeilijk te plaatsen is.

'Kom op,' zegt hij. 'Je herinnert je me toch wel? Ik ben het, Danny.'

Ik staar hem aan met een domme blik. Onmogelijk dat ik hem zou vergeten. *Waarvan dan ook.*

'Danny boy. De vleermuis.'

Met een ruk ga ik achteruit zitten. *Onmiddellijk vuurrood in nek en gezicht.*

De deur vliegt open. 'Alles in orde, mevrouw?'

NIET FLAUWVALLEN. Woorden komen niet, dus ik knik en wenk dan *bedankt, geen probleem*, totdat de bewaker me gelooft en vertrekt. Danny kijkt naar me, maar niet met de slangenblik die je op straat ziet. *Lieve heer, de* Danny del Pasco en ik kennen elkaar *wel.* Het enige wat ik zeggen kan is:

'Hoe gaat het, Danny?'

'Je ziet er beter uit dan op de foto's. Ik geloof dat ik die in het tijdschrift *Chicago* nog het leukste vind. Die heeft Paul Elledge gemaakt, toch?'

De bom explodeert nog steeds. Dit is de *Twilight Zone.*

'Een beetje geschrokken, hè?' Danny glimlacht op zo'n manier naar me dat de twee tranen bij zijn oog over elkaar heen schuiven. 'Moet een krankzinnige kutweek zijn geweest, denk ik.'

Ik zucht diep, en haal diep adem. 'Ja.'

Danny begint te praten. Ik hoor woorden, maar de herinneringen hebben me te grazen. Mijn eerste drie dagen in het pleeggezin. Danny D. was de oudere jongen die me beschermde. Hij schrok Richey af, die me meteen als boksbal zag. En hij schrok Roland Ganz af, die ergere bedoelingen had. Danny, zestien jaar, sloeg Roland op de derde dag bewusteloos met een honkbalknuppel en nam de benen toen Annabelle de politie belde.

'Daarom dus.'

'Neem me niet kwalijk. Wat?'

Danny staart naar me en zegt dat ik maar even diep adem moet halen, en dat doe ik. Hij praat verder, en geeft blijk van een opleiding die hij waarschijnlijk in de gevangenis heeft gehad, een contrast met de getatoeëerde tranen. Na vier minuten is het overduidelijk dat ik mijn verleden absoluut niet kan ontkennen tegenover Danny D., mocht hij besluiten om erover te praten, met mij of iemand anders.

'Religie is hier niet te stuiten,' besluit hij.

We zijn hier om over hulpofficier Richard Rhodes te praten, en dat wil ik zeggen, maar Danny praat maar door.

'Net als PTL, die conservatieve religieuze groepering, destijds, weet je wel? Jim en Tammy met hun "stuur ons geld".' Hij bijt op zijn mondhoek, waar een dik litteken zit. 'Jij en ik moeten erover praten, of ik alleen. Je ziet er niet zo goed uit, misschien moet je alleen luisteren.'

Niet als het aan mij ligt. PTL, de Praise The Lord Club, van de tv.

'Knik dan alleen maar.'

Een dreigende blik door het glas in de deur.

'Toen ik de benen nam, was jij... Hoe oud? Dertien, veertien, twaalf? Richey tien of elf...'

Ik knik.

'Heeft Roland op jou ook PTL, *People That Love*, toegepast, net als op mij en Richey?'

Ik knijp hard genoeg in de tafelpoot om mijn pols te breken.

'Kijk, ik heb geen idee wanneer jij eruit bent gekomen, alleen dat je eruit bent gekomen. Al die verhalen over smerissen in de kranten. Ik wist dat jij dat moest zijn.' Hij stopt en knijpt zijn ogen tot spleetjes. 'Gaat het, Patti?'

'Ja.'

Danny's stem is te kalm voor de foto's die ik zie: Roland en Annabelle, de gezichten die ze trokken.

'Toen ik hoorde dat iemand Roland in dat huis een kopje kleiner had gemaakt, in 1987, dacht ik dat Richey dat had gedaan. Ik had het gedaan als ik in die kelder was gebleven.'

Iemand gebruikt mijn stem en zegt: 'Het was Roland niet, de aanvankelijke identificatie klopte niet. Het was een vriend van hem... Een man met wie Roland samenwerkte.'

Danny trekt een gevangenisgezicht. Die uitdrukking blijft terwijl hij iets akeligs ziet, maar hij herstelt zich als ik met mijn gemompel het gesprek weer op Richey weet te brengen. Op Richard. Danny vraagt zich hardop af hoe het met de anderen in het pleeggezin zou zijn.

'Er was nog een meisje,' zeg ik tegen hem en mij. 'Kleine Gwen. Maar die kwam nadat jij de benen had genomen.'

Danny is met z'n gedachten weer elders. Ik wil niks meer vragen, maar ik doe het toch. 'Dus Danny, over Richey...'

'Ik herkende hem van een foto in de krant. Superbelangrijke hulpofficier van justitie, of ik dacht dat ik hem herkende.' Danny stopt zijn hand in de borstzak van zijn overhemd en haalt een nieuwe polaroid tevoorschijn. Die schuift hij half over tafel.

Het is een foto van een celmuur.

'Die heb ik een bewaker laten maken.' Hij knikt naar de grote bewaker met zijn hand op de deurknop.

Vijf rijen knipsels, foto's en artikelen hangen keurig aan de muur. Ik kijk wat beter. Ik ben het. Ik herken de foto van Paul Elledge die is gemaakt toen ik de eerste keer Agent van het Jaar werd. Danny praat, terwijl ik tuur.

'Kijk, ik doe min of meer alsof jij mijn kleine zusje bent. Ik wou dat ik was teruggekomen om je te halen, nadat ik Roland in elkaar had geslagen.' Zijn gezicht verhardt, 'maar al vrij snel zat ik klem, leven in de misdaad en zo...'

Ik staar. Naar de foto. Naar hem.

'Man... dat klopt toch niet. Dat die gore klootzak nog leeft... Al die tijd dacht ik dat Roland dood was.' Danny D. ziet er nu uit zoals hij is. Hij zegt: '*Gore klootzak*' tegen zijn handen, vindt zijn zelfbeheersing terug, doet zijn armen over elkaar. 'Roland was accountant of boekhouder, zoiets dergelijks. Werkte meestal voor ziekenhuizen. En hij was ook een soort missionaris in de weekenden... maar dat wist je al.' Een rood hakenkruis golft over Danny's onderarm. 'Ik zou hem en zijn vrouw beter moeten leren kennen, allebei. Ben mijn hele leven al bezig dezelfde twee mensen te vermoorden.'

Ik denk eraan om de vraag te stellen waar de commissaris mee zit: 'Wie heeft de hulpofficier van justitie ontvoerd?'

'Geen idee.'

Nog steeds houd ik de foto van Danny's muur in mijn hand. 'Waarom heb je me dan laten komen?'

'Je hoort wel eens wat. Het meeste hier is flauwekul. Het *meeste*. Danny kijkt me lang aan om te onderstrepen wat hij zegt. 'Er staat ook een prijs op jouw hoofd. En snel.'

De bewaker klopt op het glas in de deur en spreidt zijn hand uit. Nog vijf minuten.

'*Zit er iemand achter mij aan?* Net als bij Richey?'

Danny D. haalt zijn schouders op. 'Ik weet niks over Richey-de-belangrijke-hulpofficier.' Hij zwijgt en staart me weer lang aan. 'Over jou weet ik wel wat.'

Ik ga achterover zitten alsof ik een duw heb gekregen en neem hem op, en buig me daarna naar voren omdat ik alles wat ik gedurende de zeventien jaar op straat heb geleerd ben vergeten. Hij buigt zich naar me toe en fluistert:

'Een blanke uit Arizona of Idaho koopt crystal, heeft een paar mensen ontmoet, en een stel handlangers ingehuurd.' Stilte. 'Hij heeft geld uitgeloofd om details over jou te weten te komen. Een flink bedrag.' Danny's neus is zo'n vijftien centimeter van die van mij af. 'En niemand die ik ken heeft er moeite mee om informatie over een smeris door te spelen als ze de kans hebben.'

'Dus jouw conclusie...'

'Ik concludéér helemaal níks. We kennen allebei dat soort vragen heel goed. Stel ze met zo'n zak geld erbij en dan betekent het wat het altijd betekent.'

'En hoe weet je dit?'

Danny wrijft over de Gypsy Vikings-tatoeage boven het hakenkruis. 'Een van mijn bezoekers. Die wist dat jij en ik familie zijn.'

'Wat voor handlangers heeft die blanke ingehuurd?'

Danny neemt even de tijd voordat hij antwoordt. En weegt zijn woorden. 'Brandstichters, bijvoorbeeld.'

Ik zie de blanke ComEd-arbeiders die benzine in het souterrain van Gilbert Court goten... Dezelfde man die hen heeft ingehuurd is op zoek naar informatie over mij...

'We hebben nog een minuut, of minder,' zegt Danny. 'Ga naar ons clubhuis, vraag naar Charlie Moth, vertel hem wie je bent en dat ik je heb gestuurd om Pancake te ontmoeten. En geen politiegedoe. Beloof me: geen politiegedoe of anders kom ik achter jou aan. En daar heb je geen zin in.'

Prettige, gelijkmatige toon, alsof we het over de boodschappen hebben. Ik denk toch steeds na over 'brandstichters', dat zit me dwars. Hij moet die brandstichters in Gilbert Court wel bedoelen. En vanwege mijn relatie met Annabelle Ganz impliceert hij dat de poging tot brandstichting niet alleen tegen het gebouw gericht was, maar ook tegen het lijk in het souterrain... Of misschien *alleen* tegen het lijk in het souterrain. Angst nestelt zich diep in mijn buik.

'Geen politiegedoe. Absoluut niet.'

Ik mompel: 'Goed,' en denk aan Annabelle Ganz. Als die brandstichting om haar ging, waarom dan twaalf jaar na de moord? Om sporen uit te wissen? Shit, het gaat ineens alle kanten op. Misschien heeft de FBI gelijk en hebben die drie zaken *toch* met elkaar te maken, en alle drie ook op de een of andere manier met mijn achtergrond. Shit, de vrouw van de burgemeester was eigenaar van het gebouw.

'Pancake heeft antwoorden over wat ik hier heb gehoord. Vertel Charlie Moth en hem wat ik heb gezegd, dat je mijn zus bent. Als Pancake je probeert te grazen te nemen, en dat zou kunnen, schiet hem dan maar dood. Hij is leverancier, geen maatje.'

'Waarom steek je je nek uit?' Ik knik naar zijn omgeving.

'Ik vind het leuk om je broer te zijn, min of meer. Ik kan me niet voorstellen dat je dat een geweldig gevoel vindt.'

Ik geef voor het eerst een klapje op zijn hand en bekijk hem met andere ogen. 'Misschien valt dat wel mee. En bedankt.' Mijn glimlach is zo oprecht als die van een klein meisje. 'Voor allebei de keren.'

Donderdag, dag vier
elf uur 's ochtends

Special Agent Stone wacht bij agent Didiers personeelsingang, tussen mij en mijn pistool. Achter Stone staan twee hulpjes. Drie paar van overheidswege verstrekte zonnebrillen, alsof ze Will Smith en Tommy Lee Jones nadoen.

'We hebben een interessant halfuur gehad, agent Black. Je vriend

Danny del Pasco is echt fan van je.' Special Agent Stone heeft zijn eigen Polaroid van Danny's cel.

Ik glimlach flauw. Deze lui kunnen een agent heel wat last bezorgen als ze willen: informatie lekken naar de pers, ongefundeerde beschuldigingen uiten die de burgemeester alarmeren, die de commissaris alarmeert, formele klachten bij je inspecteur die toegeeft en een klacht indient, zodat Interne Zaken aan de slag kan. Met een dagvaarding kunnen ze je personeelsdossier in handen krijgen en controles van de Belasting regelen van hier tot Tokio. Ze kunnen je ook gevangenzetten.

Agent Stone weet dat ik dat weet en zegt: 'Laten we een kopje koffie drinken en erover praten, om te zien of we elkaar kunnen helpen.'

'Sorry. Moet eerst verslag uitbrengen aan mijn baas. Dat zijn de regels.'

'Dit is een federaal onderzoek, agent Black. Wij zijn bevoegd, jouw baas niet.'

Hij legt zijn hand lichtjes op mijn schouder, alsof ik hem zou moeten volgen naar het gebouw van de leiding. Dat doe ik niet, en hij stopt.

'Hier is ook goed.'

'Sorry. Ik moet de trein halen.'

Hij wijst. 'Hierheen.' Zijn vriendjes blokkeren beleefd de enige weg naar mijn pistool en persoonlijke eigendommen.

Ik schud mijn hoofd en voel het bloed naar mijn gezicht stijgen.

Special Agent Stone komt dichtbij staan. 'We hebben Mr Del Pasco's cel doorzocht en denken dat jij informatie hebt die het leven van hulpofficier Richard Rhodes kan redden.'

'Praat met mijn baas.'

'Ik praat met jou. Over het leven van een man, over het belemmeren van de rechtsgang, de federale versie. Daardoor komen agenten en commissarissen, die verdacht worden van samenzwering of corruptie, in gevangenissen zoals deze.'

'Commissarissen? Zei je dat?' Onze neuzen raken elkaar nu bijna. 'Jij en J. Edgar's jurk kunnen de tyfus krijgen.'

'Hier zijn wij bevoegd...'

'Dit is een *staats*gevangenis, klootzak.' Ik gebaar naar agent Didier om me mijn wapen te geven. 'Jij bent hier alleen bevoegd in die onderbroek van je.'

Agent Stone duwt zijn lippen op elkaar en knikt bij zichzelf. 'Alderman Gibbons heeft misschien gelijk. Misschien moeten we de schietpartij in Gilbert Court *toch* aan een nader onderzoek onderwerpen. "*Federale* inbreuk van burgerrechten."'

Bij het buitenste hek zou ik me beter moeten voelen, maar dat is niet zo. Ik vraag me af wie me probeert te vermoorden en hoe lang het gaat duren voordat de FBI een zaak begint wegens belemmering van de rechtsgang ten aanzien van Danny D. of voordat ik word vervolgd vanwege de schietpartij in Gilbert Court. Dan eisen ze mijn personeelsdossier op, vinden de vage perioden en...'

Een van de journalisten die hier al stond toen ik aankwam, duwt een mobiele telefoon tegen mijn raam en schreeuwt: 'Tracy Moens. Tracy Moens.'

Mooi niet. De enige die ik ga bellen is Chief Jesse, en dat telefoontje wordt nog heel lastig. Hoe vertel je een verhaal dat je niet kunt vertellen? En aan iemand die je als een marionet de hele stad door stuurt? Allereerst moet ik dat hulpje van Tracy, die nu naar zijn auto rent, zien kwijt te raken. Tracy is razend nieuwsgierig naar wat Danny D. me heeft verteld, wat het ook is. Dat Danny D. niks weet over de ontvoering van Richard Rhodes doet er niet toe. Danny D. heeft naar mij gevraagd. Alleen naar mij.

In mijn spiegeltje zie ik de grille van de auto van de journalist. Geef de media twee of drie uur en zij of de FBI ontdekken dat Danny D. in een of ander pleeggezin in Calumet City heeft gezeten. Vanaf dat moment, toeval of niet, is het niet meer te stuiten. De FBI gaat mijn personeelsdossier uitkammen en mijn verleden reconstrueren, mijn jaren op straat nadat ik was weggelopen, het Leger des Heils, alles wat ik heb weggelaten om mijn cv voor de politie al die jaren geleden presentabel te maken. En daarna krijg je Interne Zaken. Die hebben niet eens een hoorzitting nodig om me te dwingen ontslag te nemen.

Waar hulpofficier Richard Rhodes helemaal niets mee opschiet. Zonder brief met eisen van de ontvoerders en geen aanwijzingen is Chicago gewoon te groot, en erger nog: omringd door miljoenen mensen in andere steden. Als hij nog leeft, dan vinden de politie en de FBI hem niet totdat zijn ontvoerders dat willen. En tegen die tijd is Richey al een flink eind op weg op zijn tweede helletocht.

Ik huiver bij dat beeld, neem een scherpe afslag naar links en race Joliets buitenwijken door, doe alsof ik de Stevenson neem in oostelijke richting, maak een bocht en rijd onder de weg door. De journalist zit vast op de oprit. Ik heb een vaste lijn nodig en de moed om de waarheid te vertellen, met de gok dat mijn bekentenis de man zal redden die als jongen gedwongen werd om me twee keer te verkrachten. Ik zie een flits van Richey bovenop me, bang, opgewonden en...

HOU NU JE BEK.

Ik zie het nummer van zeven cijfers dat mijn pantser werd en tel af. Bij 999.992 is het beeld verdwenen. Ik probeer te lachen om die oefening, maar de pijn in mijn kaak is echt. Ik stop niet bij de eerste tien telefooncellen waar ik langsrijd. Rood licht. Een SUV en het busje daarachter vullen de baan naast me, zo dichtbij en zo hoog dat ik in beide ruiten niet naar binnen kan kijken. Danny D.'s waarschuwing neemt het over van verdrongen angsten. *Let op.* Elke wagen kan de wagen zijn met de blanke man uit Arizona of Idaho achter het stuur. Hij en zijn brandstichtende handlangers willen je ontvoeren of vermoorden. Ontvoeren is verdomme onmogelijk, omdat ik mezelf heb beloofd zelfmoord te plegen voordat ik nog eens zoiets doormaak. Ik tast naar mijn wapen, maar dat zit niet op zijn plek. Het zit onder mijn been en ik herinner me niet dat ik het pistool daar heb gestopt.

Ik rijd door rood en keer om. Een straat verder draai ik weer om en controleer in mijn spiegel of ik de SUV of het busje zie. Nee. Ik kan beter stoppen, mijn zelfbeheersing terug zien te vinden en dat telefoontje plegen. Een plan met veel gebreken komt bij me op, en ik zou het ontzettend graag vergeten en gewoon de zonsondergang tegemoet willen rijden.

Donderdag, dag vier
halftwaalf 's ochtends

In Armando's Pizza ruikt het naar gebakken oregano en er is een telefoon. Ik bestel een calzone die ik waarschijnlijk niet opeet en pleeg het telefoontje tussen twee tegenover elkaar gelegen wc-deuren. Boven de telefoon hangt een foto van een footballer van University of Wisconsin die door een kilo zwart, jarenzeventighaar heen naar me glimlacht. Op de foto staat een handtekening: 'Gale'. De telefoon gaat nauwelijks over en wordt meteen opgenomen. 'Smith.'

'Agent Black, meneer. Ik bel via een vaste lijn, als het u schikt.'

'Vertel.'

Ik haal diep, diep adem. 'De beruchte Danny del Pasco heeft in hetzelfde pleeggezin gezeten als hulpofficier Richard Rhodes.'

'Onzin.'

'Zoals u al zei, meneer, is dit niet het moment om de commissaris in de zeik te nemen.' Stilte. 'Het komt hierop neer: Danny D. heeft geen informatie over de ontvoering of over de verblijfplaats van de hulpofficier.'

'Waarom wilde hij dan dat jij kwam?'

Mijn plan was om mijn verhaal, het grootste gedeelte, te vertellen en te zeggen dat het Danny's verhaal was, maar nu ik aan het begin sta, kan ik maar geen begin maken, zelfs niet door te doen alsof het Danny's verhaal is. Dat is geen verrassing. Ik kan dit verhaal nog niet tegen een spiegel zonder weerspiegeling vertellen of tegen een nachtelijk door lantaarns verlicht raam in Chinatown. Ik kon het destijds nog niet tegen een priester of tegen de politie vertellen en ik kan het nu niet in het donker.

'Agent Black?'

Stilte. Stilte... Stilte. Ogen dicht. Ik spring in het diepe. 'Er blijkt... was... op grote schaal seksueel misbruik van kinderen in dat pleeggezin.' Ik voel me als een kind van vijf dat in de hoek is gedrukt. 'Danny D. zal dit, als hij officieel wordt ondervraagd, altijd ontkennen, maar hij vertelde me dat Annabelle en Roland alle vier kinderen in hun pleeggezin hebben misbruikt en dat hulpofficier Richard Rhodes gedwongen werd mee te doen... met het verkrachten van een tienermeisje dat daar ook zat. Dat weggelopen meisje dat u noemde.'

Ik hoor Chief Jesse 'Jezus,' fluisteren, en tegen iemand zeggen om Roland en Annabelle Ganz nog eens na te trekken, en daarna weer tegen mij: 'Wie waren die andere kinderen?'

Ik stik in die vraag. Probeer om te praten, maar kan het niet. Ik laat de hoorn vallen en duw met mijn schouder de deur naar het toilet open. Een flits in de spiegel aan de muur: ik ben het, op veertienjarige leeftijd, doodsbang en alleen, elke dag door iemand misbruikt. Ik gil, wankel achteruit en smak tegen de tegels. Tranen stromen uit mijn ogen, ik krijg geen adem, zuig lucht naar binnen...

De deur vliegt open. Het is een man die plotseling zijn pas inhoudt.

Ik duw me achteruit tegen een muur, met mijn handen op de grond.

Hij mompelt iets in het Italiaans.

Ik haal driemaal adem, kijk niet in de spiegel en kom zwalkend overeind.

Italiaans accent: 'Alles in orde?'

Rustiger ademen, rustiger ademen, daarna: 'Ik dacht dat ik een rat zag, maar dat was niet zo. Het spijt me. Echt, het spijt me.' Zijn blik concentreert zich op mijn pistool. Ik zeg: 'Smeris,' en haal mijn ster tevoorschijn. 'Chicago.'

Hij knikt, nog steeds verbaasd.

'Echt, alles in orde.' Ik wuif hem naar buiten en wijs naar de hokjes, alsof ik op het punt sta om er eentje te gebruiken. Hij knikt razendsnel, geneert zich nu, en neemt de benen. Ik gebruik de kraan en vermijd de spiegel. Door het koude water denk ik weer aan de commissaris van politie, die misschien nog steeds aan de lijn is en zich afvraagt hoe dood zijn agent is.

Buiten het toilet, tussen de deuren, pak ik de bungelende hoorn en zeg vier keer 'meneer' en hij antwoordt met zijn straatstem: 'Wat is daar verdomme aan de hand?'

De moed zakt me opnieuw in de schoenen. 'Huiselijk geweld. Ik ben in een restaurant, maakte er een einde aan, maar dat duurde even. Sorry.'

'Nou? De namen. Wie zijn die twee verdwenen kinderen?'

'Danny D. wist het niet meer. Die namen moeten we via de kinderbescherming van Calumet City te pakken zien te krijgen.'

'Dat duurt een maand, als het überhaupt al lukt.'

'Meneer, er is nog iets. De FBI hield me staande en bedreigde u. Zei dat ik de rechtsgang belemmerde en dat u betrokken was bij corruptie of samenzwering.'

Lange stilte, daarna: 'O ja, zeiden ze dat? En hoe heet die agent?'

'Special Agent Stone. Is er... eh... nog nieuws over Richard Rhodes?'

'Nieuws? Ja, er is nieuws, hulpofficier Richard Rhodes is elf minuten geleden aangetroffen, zo'n 150 meter van de Jackson Park Yacht Club. Omdat ik zeker weet dat jij die buurt niet kent: dat is zo'n beetje de voortuin van het herenhuis van burgemeester McQuinn.'

'O, shit.'

'Ja. Dat vat het behoorlijk goed samen. Richard Rhodes was geboeid met prikkeldraad dat helemaal tot aan het bot in zijn vlees zat, had drie afgehakte vingertoppen, en is naar het zich laat aanzien langzaam doodgeslagen met een stomp voorwerp, mogelijk een schop. Ik gok dat de moordenaars iets te weten wilden zien te komen.'

Vertel hem de rest. Zeg het gewoon.

'De bewaking van de burgemeester en zijn gezin is verdubbeld. Op dit moment ruziën we met de FBI op de plaats delict, waar ze ons maar blijven beschuldigen van incompetentie en erger.'

'Chief, ik...'

'Nogmaals, agent Black, waarom vroeg Mr Del Pasco naar jou en alleen naar jou? Denk na voordat je antwoord geeft.'

Dat doe ik, maar mijn kaak gaat op slot. Een halve leugen biedt soelaas: 'Hij is fan van me, liet me een foto van zijn cel zien, een muur die helemaal aan mij is gewijd. Geen idee waarom. Hij zegt dat er een prijs op mijn hoofd staat, maar wist niet wie daarachter zat, alleen dat het rondzingt in het crystal meth-circuit. Ik doe mijn ogen dicht en voeg er een leugen aan toe: 'Waarschijnlijk de GD's. Hij maakte van de ontvoering van Richard Rhodes gebruik zodat hij het me persoonlijk kon vertellen.'

'Is dat alles?'

Shit, is dat niet genoeg? Ik wil hem vertellen over die blanke vent van in de twintig uit Idaho of Arizona die op zoek was naar handlangers en naar mijn gegevens. En ik wil opbiechten dat die brandstichters mij waarschijnlijk in verband brengen met de crypte van Annabelle en dat zij me weer in verband zou kunnen brengen met... dingen die zijn gebeurd en die ik me niet meer wil herinneren, laat staan toegeven. In plaats daarvan antwoord ik: 'Ja, dat was alles.'

Stilte. Te lang om goed te zijn. Daarna:

'De politie van Calumet City heeft ons al laten weten dat ze de namen of dossiers van de kinderen uit het pleeggezin niet mogen overdragen, zelfs als ze dat zouden willen, wat niet zo is. In tegenstelling tot de politieke tegenstanders van onze burgemeester en de FBI geloof ik nu dat we maar twee zaken hebben, niet drie, en dat ze absoluut *geen verband* houden met elkaar. De eerste zaak is de moordaanslag op de burgemeester en de ontvoering/marteling/moord op de leider van zijn taskforce, officier Richard Rhodes. Die twee gebeurtenissen houden op de een of andere manier verband met de stemming over de casinovergunningen of met de burgemeesterverkiezing. Meest waarschijnlijk met allebei. De tweede zaak is het lijk van Annabelle Ganz en het gebouw in district 6. Die zaak heeft ook te maken met Richard Rhodes, maar op een indirecte manier. Dat verband dateert van achttien jaar geleden, een pleeggezin in Calumet City, en ik geloof nog steeds dat dat compleet toeval is.'

Ik begin te vertellen dat de brandstichters en ik bijna zeker het verband vormen tussen Richard Rhodes en het gebouw. Maar doe het niet.

'De tweede zaak biedt geweldige mogelijkheden om ons zwart te maken. Het met elkaar in verband brengen van de Zwarte Maandagmoord in het Ganz-pleeggezin met de vrouw van de burgemeester of met mij is, volgens de burgemeester, een paar duizend stemmen waard in een nek-aan-nekrace. Ik geloof dat het niet overdreven is om te zeggen dat hij zich op het moment daar meer zorgen over maakt dan over het vermijden van nog een kogel.'

'Ja, meneer.'

'Ik bel Calumet City en zeg dat jij eraan komt. Bekijk het Zwarte Maandag-moorddossier, helemaal. Alles wat je kunt vinden en wat mij, de politie van Chicago, de vrouw van de burgemeester, hulpofficier Rhodes of Mr Del Pasco in de verste verte met zaak 1 of 2 in verband zou kunnen brengen. Vragen?'

Er zijn maar een paar dingen die ik minder graag zou willen doen dan naar Calumet City gaan. Eén daarvan is het bekijken van foto's van mijn voormalige pleeggezin en van de moord die daar heeft plaatsgevonden.

'Is er een probleem, agent Black?'

'Hè?'

'Is het een probleem om terug te gaan?'

Terug? Zei hij 'terug'?

'Patricia, ik weet dat je een verleden hebt in Calumet City. Dat staat in je dossier, dat ik gisteravond heb herlezen en buiten bereik van het OM, de FBI en Interne Zaken heb gehouden.'

'Ik, eh...'

'Bij nadere bestudering zag ik dat het een dossier is met meer dan één gat. Waarschijnlijk vond niemand die gaten tot nu toe belangrijk, maar dat verandert nu. Omdat in dit gesprek in de verste verte niet duidelijk is geworden waarom Danny del Pasco, motorrijder/huurmoordenaar, jou zou willen waarschuwen, in plaats van feest te willen vieren als er weer een smeris het loodje had gelegd, moet ik wel concluderen dat die gaten en Mr Del Pasco's verleden iets met elkaar te maken hebben.'

Plotseling is het erg koud in Armando's Pizza.

'Het enige wat ik zeker weet is dat jij en Mr del Pasco allebei in de jaren tachtig in een pleeggezin in Calumet City, Illinois hebben gezeten. Zonder al te veel onderzoek weet ik dat er maar twaalf van dat soort huizen waren in een stad met 30.000 of minder inwoners. Omdat alle dossiers nog vrijgegeven moeten worden, heb ik alleen jouw woord dat jij niet in *het* pleeggezin zat. Maar als je daar wel zat, wil ik verdomme alles weten wat jij weet en wel meteen.'

Ik heb maar net adem genoeg om 'Ik bel u terug' te kunnen zeggen.

7

Donderdag, dag vier
twaalf uur

Hoe lang weet Chief Jesse er al van? Wat weet hij? Ik zit alleen in mijn auto, met mijn vingers om het stuur geklemd. Hoe ver zou ik kunnen komen voordat ze... 'Rot toch op, Patricia, jij hebt niemand vermoord.'

Goed. Mijn dossier heeft gaten, ik heb geknoeid met mijn sollicitatie. Nou en?

'Goed, vul die gaten gewoon: Rolands "PTL-club" heeft me op alle mogelijke manieren verkracht en ik was zwanger op mijn vijftiende, liep weg, ging aan de drank, zwierf 49 maanden op straat.'

Nou en? Ben ik de enige die als tiener een drankprobleem had en nu bij de politie zit?

Mijn knokkels zijn wit.

'Maar wat deed je dan? Hoe ging je dan toch door, hoe betaalde je de huur? Vertel ze dan over die periodes van geheugenverlies, de verblijven in het ziekenhuis, je baby... Patti Black, heldin.'

Ik besef dat ik mezelf hardop antwoord geef, absoluut een teken dat ik nu echt begin door te draaien. Mijn mobiele telefoon trilt. Ik zie dat het het nummer van Chief Jesse is. Anderhalve kilometer later trilt het toestel weer. Dit keer is het Tracy Moens en ik neem ook dit keer niet op. Calumet City, ik ben er over minder dan een uur.

Zeventien jaar geleden en nu moet ik de confrontatie opnieuw aan. Het Old Crow-flesje aan mijn sleutelbos zegt wat het elke vrijdagavond zegt als het tijd is om naar Chinatown te gaan: dat dat niet nodig is.

Ik neem de I-80 in oostelijke richting, en hoop op veel verkeer. Dat is er ook wel, maar niet genoeg. Elke afrit ziet er beter uit dan die ervoor. Allemaal wijzen ze op een betere toekomst, doordrenkt met Old Crow. Opnieuw trilt mijn telefoon. Op de display zie ik een vreemd nummer, dus ik neem op.

Het is een meisje. 'Patti Black, alstublieft?' Misschien een vrouw die als een meisje probeert te klinken.

'Met Patti.'

'Agent Patti Black?'

'Ja.'

Ze schreeuwt: '*O, God.* De hemel zij dank. De hemel zij dank.' Geruis. 'Met Gwen...'

'Wie?'

'Kleine Gwen. Je zusje? Ken je me niet meer?'

Ik mis de auto in de baan naast me op een haar na. 'Wat!'

'Uit Calumet... Het spijt me, maar ik kan niemand anders bellen. Alsjeblieft, help me, Patti. Alsjeblieft. Hij heeft mijn zoon.'

Nu huilt ze. Snikt. Ik zie dat blonde kind van tien in elkaar gedoken, bijna onder de bank, terwijl Annabelle en Roland in de buurt rondlopen. Ik knijp mijn ogen dicht, doe ze dan wijd open.

'Alsjeblieft, help me. Hang niet op.'

'Kalm maar, schat.' Ik probeer haar door de telefoon wat te troosten. 'Wie heeft je zoon?'

Nu is het een gejammer. '*Hij.* Hij heeft mijn zoon!'

'Wie, Gwen, wie?'

Ze stottert, ik kan haar niet verstaan. 'Rustig nou, oké? Als het gesprek wordt afgebroken, moet je terugbellen. Wie heeft je zoon?'

'ROLAND!' Ze gilt het: 'ROLAND HEEFT MIJN ZOON..'

'*Roland Ganz?*' Ik zeg het, maar stort niet in. 'Heeft Roland Ganz je zoon?'

'Hij is hier. Hij wil ons allemaal.'

'*Wat?* Gwen?' De verbinding wordt verbroken Ik duw op het 'gesprek'-knopje. Niks. Ik rijd ergens in Will County waar geen dekking is. *Roland Ganz, dit gebeurt niet echt.* Getoeter van auto's. Een Camaro haalt me in, de chauffeur steekt zijn vinger op. De telefoon trilt in mijn hand. Auto's racen voorbij.

'Gwen? Gwen?'

'Alsjeblieft, hang niet weer op, alsjeblieft.'

'Ik had niet opgehangen, lieverd. Luister naar me, oké?' Mijn hart hamert in mijn borst. 'Ik ben de stad uit, en ben op weg. Bel het alarmnummer. Vertel ze het hele verhaal. Geef ze mijn nummer. Waar ben je?'

'Gaan... Gaan ze me arresteren?'

'*Nee.* Waarom?' Dat was vreemd. Dan bedenk ik ineens dat ze op het punt staat om ook mijn verhaal te vertellen, datgene wat ze weet. Maar voordat ik terugschrik en muren optrek, stel ik me haar zoon voor, zoals ik me mijn zoon voorstel. Shit, ik lieg, vlucht of Old Crow me wel door de repercussies heen. 'Waar ben je nu?' Stilte en geen geruis. Ik probeer rustig te klinken. 'Kom op, lieverd, ik wil je helpen.'

'Ik was ontsnapt in Arizona, maar hij had ons gevonden, had mijn zoon gevonden. Hij doet hem iets aan als ik niet terugkom. Geen politie, dat zei Roland.'

'Ga *niet* terug. Bel de politie. We helpen je. Ik help je. Waar ben je?'

'Kan de politie Roland vermoorden?' Ze klinkt bijna achterlijk, zo bang is ze dat haar zin onuitgesproken zaken bevat die ik voel in mijn keel. 'Kunnen ze dat? Zou dat mogen?'

'Waarschijnlijk wel, lieverd. Maar zij, wij, moeten eerst jou en je zoon vinden. Wij houden Roland wel op afstand.'

'Deze keer voor altijd? Dat lukte de vorige keer niet. Hij zei geen po...' En in plaats van me te vertellen waar ze is, hangt ze weer op.

'Hallo? Gwen?'

Ik duw op Gesprek. De telefoon gaat twintig keer over. Ik probeer het nog een keer. Na nog tien keer neemt een vrouw op, en zegt dat ze op een Exxon-pompstation staat aan Highway 30 tegenover St. Margaret Mercy Hospital in Lake County, Indiana, en nee, ze heeft geen meisje aan deze telefoon gezien.

Ik steek mijn hand omhoog om de telefoon weg te gooien. *Die klootzak van een Roland Ganz is niet dood.*

Ik heb lang geleden besloten dat Roland oud was en nu wel dood moest zijn. Hij kon toch onmogelijk dezelfde aarde bewandelen als ik. Maar hij is niet alleen *niet dood*, hij doet anderen nog steeds aan wat hij mij heeft aangedaan. Die *ongelooflijke klootzak* is nog steeds bezig. En mijn Celica is op weg naar Calumet City, de stad waar Roland vandaan komt, om naar foto's van zijn huis te kijken, van zijn meubelen, zijn bed, zijn...'

Ik rijd 150 en de motor gilt me weer bij mijn positieven, hou het stuur met allebei mijn handen in een bankschroef, met mijn rug in de stoel gedrukt. De auto begint te zwabberen, ik hou hem niet recht. De laadklep van een vrachtwagen komt razendsnel op me af. Ik stamp op de rem en slip op beide banen, gebruik de linkervluchtstrook en spuit het grind omhoog. STUUR BIJ, te veel, glijd over de weg de andere vluchtstrook op, SHIIIIIT en zit dan weer op de weg. Houden zo! Op de weg, alle vier banden. Recht.

Recht en smal. Eén baan.

Oké, oké... Haal diep adem, tong op je tanden, raak mijn pistool aan. Het gaat goed zo. Nu doorrijden, alleen wij en de I-80... Ik praat tegen mezelf alsof ik een kind van vijf ben. Mijn rug en schouders ontspannen zich, daarna mijn handen. Ik haal nog eens diep adem. Wees een smeris. Het is veiliger, wees een smeris. Werk. Werk heeft je gered. Roland is dader, geen persoon.

Maar dat is hij allebei niet. Roland Ganz is een monster. *En die klootzak leeft nog.*

KALM, rustig aan. Maar... iemand doodslaan met een schop is nieuw, *als* hij degene is die Richey heeft vermoord. En dat is niet de Roland die ik ken. Kende.

Goed, wees diender, geen slachtoffer. Los de misdaad op. Wees diender. Een vrachtwagen haalt me links in, als zijn aanhanger mijn spatbord passeert, zie ik een bord: I-394/94, Highway 6, grens met Indiana. Over dertig kilometer ben ik thuis. Rolands katoenen ondergoed. Jim en Tammy Faye. De benige hand van Annabelle. Mijn huid wordt rood. Als er een God is, moet ze maar de leiding nemen zodra ik in Calumet City ben. Patti Black is niet genoeg smeris om dit alleen te doen.

Sonny Barrett.

Ik druk op de snelkiestoets en hij neemt op. Zijn stem is... troostend, en niemand is meer verrast dan ik.

'Patti?'

'In levende lijve.' Ik glimlach gemaakt.

'Jezus, P., waar ben jij nou mee bezig?'

De glimlach trekt weg en ik neem mijn mobiel in mijn andere hand. 'Wat bedoel je?'

'Je spreekt toch nog steeds Engels?'

'Fijn dat je me hebt gemist.'

'Rot op, wat is er verdomme aan de hand? We hadden de hele ochtend de FBI op ons dak. En dat was *voordat* de burgemeester een compleet aan stukken gesneden hulpofficier op zijn gazon vond. Volgens de FBI ben jij de duivel.'

'Dat zei ik je.'

Sonny schreeuwt tegen iemand, en zegt dan tegen mij: 'Er is hier stront aan de knikker. De ayatollah laat de hele buurt demonstreren waar maar trottoir is.' Sonny schreeuwt nog een bevel, en dan: 'Ik sta achter je, dat weet je, hè?' Hij wacht niet op een antwoord dat hij niet nodig heeft. 'Kom naar de Ricobene's. We moeten praten.'

God, wat wil ik dat graag. Ik wil zeggen dat Roland Ganz terug is, maar ik doe het niet. 'Kan niet. Ik heb een zaak en...'

'Je moet naar me toe komen, dat moet je doen.'

Ik zoek mijn toevlucht bij steen in plaats van bij hulp en de muur staat er weer voordat ik hem kan tegenhouden. Het is geen tweede natuur, maar gewoon, mijn enige natuur. 'Dat gaat niet, ik voer een speciale opdracht uit, maar het komt wel. Zou je bij mijn buurvrouw langs willen gaan, om te zien of met Stella alles in orde is? Ze zou mijn meiden eten geven.'

'Patti...'

'Ik moet gaan.' Hoe langer ik praat, hoe moeilijker het wordt om deze reis tot een goed einde te brengen. 'Doe de groeten aan Cisco en zeg dat hij van de zusters afblijft. Ik neem contact op. En bedankt.'

Ik duw op de uit-knop en verstop de telefoon daarna op een plek waar ik hem niet kan voelen trillen. Gemaakte vrolijkheid is niet mijn specialiteit en liegen tegen mijn vrienden ook niet. Roland Ganz is terug. En ik heb niemand gewaarschuwd. Hij heeft Gwens zoontje. Hij heeft geprobeerd om Gilbert Court in brand te steken, samen met het lijk van zijn vrouw. Het is Roland Ganz... Gwen zei: '*Hij wil ons allemaal.*'

Ik probeer me in te beelden dat Richey grijszwart en in elkaar geslagen op het gezon ligt en ril. Dit is allemaal zo vreselijk dat het niet waar kan zijn. Het kan niet waar zijn.

Op het bord dat de zon afdekt staat: Calumet City, volgende afrit.

8

Over twee weken word ik twaalf. Ik ben bang, en ben voor het eerst in een rouwkamer. Het ruikt er naar de kerk, die waar mijn tante Eilis Black me mee naartoe nam, maar dit gebouw heeft gangen en kleine kamertjes en de plafonds zijn veel lager.

De onbekende die me vasthoudt is van de kinderbescherming, een zwijgende vrouw met de frons van een schooldirecteur en nog koudere handen dan die van mijn moeder. Ze draagt strakke kanten manchetten en haar haar zit nog strakker en ze weigert om te zeggen dat het allemaal in orde komt, hoe vaak ik het ook vraag. Mijn ouders zijn er ook, in die bruine doodkisten. Ze zijn verbrand in een autobrand die zij hebben veroorzaakt. Op een middag dronken achter het stuur, dat heeft hen, mijn enige tante en de chauffeur van de andere auto het leven gekost. Ik zie geen bloemen tussen hen en de vijf lege klapstoelen. Niemand weet of interesseert het iets dat ik niet bij hen in die doodkisten lig.

Zesentwintig jaar geleden. Calumet City. En nu ben ik terug.

Donderdag, dag vier
halfdrie 's midddags

De parkeerplaats van het politiebureau van Calumet staat vol politiewagens, veel meer dan een stad van deze grootte zou moeten te hebben. Heel modern ook, heel anders dan toen ik hier op straat woonde, nadat ik wegliep uit het pleeggezin, de jungle in. Het opzoeken van deze reïncarnatie van bruine steen, zonder ramen, kostte me het grootste deel van mijn moed en al de vloeken die ik kende. Ik reed alleen door straten die ik niet kende, ik reed niet langs het pleegtehuis, ging niet langs bij het Leger des Heils, geen ritje langs de Rondavoo en de Riptide Lounge op State Street en Sin Strip. Alleen vreemde straten en zweet, terwijl ik de keiharde belofte brak die me tot nu toe van de verdrinkingsdood in een oceaan van gekte had gered.

Bij de deur zet ik mijn smerisgezicht op, zo goed als ik maar kan. Wees smeris, geen slachtoffer.

Het gebouw is vanbinnen al even karakterloos modern als vanbuiten en dat helpt. De tweede agent die met me praat, is een rechercheur die het dossier van de Zwarte Maandag-moord en een boodschap van mijn werkgever voor me heeft: 'Bel het kantoor van de commissaris.' Hij trekt zijn zware wenkbrauwen op alsof hij vermoedt dat ik in de sores zit. Op de tafel naast die die hij me toewijst, zie ik een visitekaartje liggen. Ik zie duidelijk FBI staan op het kaartje. Ik hoef het niet te pakken om te weten dat het van Special Agent Stone is geweest.

Rechercheur Barnes, zegt: 'Komt nu plotseling half Illinois hierheen voor deze zaak?' en vouwt zijn armen om een doos met bewijs alsof hij hem wil uitbroeden. Ik ruik geen whiskyadem, hoewel ik mijn pensioen erom had verwed. Hij verspreidt een Aqua Velva- of Old Spice-lucht, ik ken het verschil niet, vermengd met de Dutch Masters panatella's in zijn zak. 'Het is achttien jaar geleden. Ik snap niet waarom dat nu nog belangrijk is.' De politie van Calumet City is duidelijk niet op de hoogte dat voormalig pleegkind Richard Rhodes een paar minuten geleden dood is gevonden

'Ze betalen me, rechercheur, dus als ze me opdragen om hierheen te gaan, dan ga ik, om daarheen te gaan: ik ga. Dezelfde ellende, een andere dag.'

'*Helemaal* mee eens.'

Hij is blank, maar spreekt gettospeak, net Sonny als hij een geintje maakt. Hij heeft beide armen nog steeds om de doos, zijn ogen op mijn borst. 'Over een uurtje ben ik vrij, ik wil je best even langs de plaats van het misdrijf rijden, misschien een biertje drinken op Hollywood, je een beetje rondleiden.'

Ik denk 'Cracker,' maar de tv-reclames uit Florida gaan rechercheur Barnes' petje te boven. 'Bedankt. Hoe sneller ik aan de slag kan, hoe groter de kans is dat je niet hoeft over te werken.' Ik geef hem de mooiste white trash-glimlach die ik me kan herinneren.

'Graag gedaan, agent Black,' en hij laat de doos naar me toe glijden, gesmeerd met een knipoog. Zijn tandenstoker valt tussen zijn lippen vandaan. Voor hem is de doos niet meer dan een kartonnen doos van voorgeschreven formaat. Tenzij hij zich in de zaak uit 1987 heeft gestort en met succes een aantal wetten van Illinois heeft overtreden, heeft hij geen idee wat die zaak voor mij betekent, wat die doos kan veroorzaken als ik hem open. Hij kijkt doordringend naar me, terwijl ik de buitenkant van de doos bekijk. Het is lastig om je voor te stellen dat de hel in een doos past.

Ik voel de talmende blik van rechercheur Barnes. Misschien weet hij toch iets. Of misschien staat hij voor mijn plezier met zijn lul te zwaaien. Ik doe alsof mijn telefoon trilt en neem op. 'Patti Black. Ja, meneer. Nee, meneer.' Ik kijk rechercheur Barnes aan, haal mijn schouders op en wijs op de telefoon. 'Mag ik eventjes? Het is de commissaris, sorry.'

Hij knikt en werkt zichzelf omhoog met behulp van de tafel. 'Geef maar een gil als je klaar bent.'

Achter me gaat de deur open en weer dicht. Ik ben alleen met de doos. Ik zet mijn formele gezicht op. Zo strak, dat m'n lippen omkrullen. Mijn halve linkerhand verstijft als ik het deksel optil. Chief Jesse wil alle informatie die hem, de politie van Chicago, de vrouw van de burgemeester, Richard Rhodes of Danny del Pasco in verband brengen met deze moord uit 1987. Chief Jesse maakt zich zorgen over politieke verdachtmakingen. Ik maak me zorgen over... alles.

Ik haal diep adem: zie het als mappen, stukken papier en zakken met bewijsmateriaal. Mijn rechterhand pakt een map, van geel papier en voorzien van ezelsoren, de eerste. Het is een bruin gevlekt overzicht van wat er in de doos zit, niet meer dan een vel papier, de sleutels tot het koninkrijk als het ware. Mijn ogen willen zich niet scherp stellen, maar toch doen ze het.

Volgens de lijst is map nummer 1 het algemene misdaadverslag. Van de patrouillewagen, de eerste agenten op de plaats van de misdaad. Het is aangevinkt en zou de buurtinterviews bevatten. Map nummer 2 is het arrestatieverslag, en is niet aangevinkt. Map nummer 3 is het verslag van de rechercheur van Moordzaken, daarbij staan een aantal vinkjes die me naar de doos doen kijken. Map nummer 4, een dikke, is de uitgeschreven ondervraging van het ene ongenoemde pleegkind dat een straat verder werd aangetroffen in een garage waar het zich had verstopt. Dat moet Richey zijn. Map nummer 5 is het verslag van de patholoog-anatoom. Map 7 bevat de foto's van het huis. Map 9 bevat foto's van de plaats delict.

Nummers 10 tot en met 15 zijn zakken met bewijsmateriaal. Kleding of spullen van de plaats delict die op de foto's staan afgebeeld. Als het om een hoofdwond gaat, is de pet aanwezig, als het een borstwond is, dan gaat het om het overhemd.

Ik zweet nu en heb het koud. Mijn linkerhand haalt map nummer 3, het verslag van de rechercheur, tevoorschijn. Dichtgeslagen op tafel lijkt die map helemaal niet zo beangstigend. Na twee minuten sla ik hem open. Het is geschreven in politietaal, zonder enige kleurrijke beschrijving, alsof je grijze letters op grijs papier leest, zo'n stijl. De pagina's zijn getypt. Er is niet helemaal netjes in de vakjes getikt, alsof het papier niet goed in de machine zat. De datum staat half in, half uit zo'n vakje: 19 oktober.

De verjaardag van mijn zoon. 19 oktober 1987, precies vier jaar nadat hij was geboren.

Ik pak de tafel vast. *Lees het. Het leven van een andere jongen staat op het spel. Die je kunt redden.* Door naar de muur te staren, kom ik weer wat tot bedaren. Een kind krijgen is net zo moeilijk als ze zeggen, hem afstaan is veel, veel erger. Maar vergeleken met dat besluit te moeten leven, zijn die eerste twee een makkie.

De tweede regel van het verslag vermeldt het belang van die datum: de *Wall Street Journal* noemde 19 oktober 1987 'Zwarte Maandag'. De aandelenbeurs daalde 508 punten, 22,9 procent, twee keer de crash van 1929.

Dat zei Tracy ook, maar ik heb geen herinneringen aan 1987, wil me er niets van herinneren.

Het verslag noemt het telefoontje van de buren naar de politie van Calumet City, de oproep van de centrale aan de rechercheur, daarna staat er het adres en de tijd, en de tijd dat de rechercheur ter plaatse kwam. Het vermeldt de namen en begint me in slaap te sussen door het saaie ritme. Ik heb zelf miljoenen van dit soort verslagen geschreven en gelezen. Het weer, de buitenkant van het huis, het goedverzorgde gazon, de staat van de deur... Allemaal saai, maar niet genoeg om onschadelijk te zijn. Ik herinner me het huis.

Ik herinner me de eikenbladeren op het gazon, ooit zo groen als de dakspanen van het dak. Nu zouden de bladeren bruin, dood en verschrompeld zijn. De gevlekte rode stenen en een zolder met één dakraam. Dat was voorzien van gordijnen, heel dikke die boven en beneden met punaises vastzaten, de zon en maan en het licht van de straatlantaarn zag je alleen aan de randen. Ik hoef het verslag niet te lezen om te weten hoe de garage, de omheinde achtertuin of de kelder eruitzien.

Ik herinner me de kelder nog. Ik ben blij dat ik niks heb gegeten en herinner me wat we aten. En ik weet me uitstekend in te houden en huil en krijs niet. Ik herinner me alles nog prima... Ik herinner me het tapijt. Hoe het rook, hoe het smaakte. Hoe Roland smaakte.

Ik laat de pagina vallen en bedek mijn gezicht met beide handen. Ik probeer adem te halen, smeris te zijn, iemand te zijn die hij niet had onderworpen, iemand die dit vol kan houden tot aan de tweede pagina. De deur achter me gaat open en ik kijk om. Het is een geuniformeerde agent die 'sorry' zegt en de deur weer dichtdoet.

Terug naar de pagina. Ik heb inmiddels een stijve arm. Terug naar het huis. Deze rechercheur van Moordzaken beschrijft de plaats van de misdaad. Dit gedeelte is makkelijk, omdat het niks met mijn leven te maken heeft. Hij gaat verder met het slachtoffer:

SLACHTOFFER:

Onbekende blanke man, 35-45 jaar, 1,70-1,78, 65-80 kilo, bruine ogen, bruin haar, geen opvallende kenmerken, littekens of tatoeages. Het slachtoffer was gekleed in een zwart, rubberen slipje. Het slachtoffer droeg geen andere kleding. Een hoeveelheid van wat kennelijk lippenstift is, was op een abnormale wijze rond de lippen van het slachtoffer aangebracht en wat kennelijk make-up is, was op het hele gezicht aangebracht.

VERWONDINGEN:

1) Slachtoffer had één enkele schotwond rechtsboven in de borst (geen uitgangswond) (dodelijk). Rond de ingangswond waren ingebrande kruitsporen zichtbaar.

2) Letsel was zichtbaar in de liesstreek, oorzaak onbekend ten tijde van het opstellen van dit verslag. Er werd een honkbalknuppel, zo'n twee meter ten noord-

oosten van het lijk aangetroffen en voor verder onderzoek ingeleverd bij de technische recherche.

Het verslag beschrijft de rest van het huis en neemt mij mee.

De overledene lag op de eetkamervloer, zo'n vijf meter ten zuidoosten van de keldertrap met zijn hoofd in de richting van het noordoosten en zijn voeten in zuidwestelijke richting. Rondom het lichaam lag een wasmiddelachtig wit poeder in een hartvorm. Zo'n meter ter linkerzijde van het lichaam lagen vier hoopjes, ook van de wasmiddelachtige poederige substantie. Zo'n halve meter ten noorden van de vier hoopjes stond een lege doos Tide-wasmiddel.
Er waren geen duidelijke tekens van een worsteling.
Een stuk tickertape en een hoeveelheid aandelen uit 1929 die was verknipt tot stukjes ter grootte van confetti, lagen overal verspreid op de benedenverdieping.
In de keuken zijn de kasten verdeeld in planken. Op één plank staat de naam 'Gwen' op een stuk afplakband en onder een andere plank staat de naam 'Richard', ook op een stuk afplakband. Er staat katten- en hondenvoer op die planken. Er waren geen huisdieren in de woning aanwezig. Bij nadere inspectie van het pand werden geen zaken, zoals bakken, halsbanden, riemen, etc., aangetroffen waaruit aanwezigheid van huisdieren blijkt.
Er werden geen kledingstukken aangetroffen in de kast in de grootste slaapkamer aan de zuidkant van de benedenverdieping, op de diagram van de plaats van de misdaad aangeduid als slaapkamer nummer 1. Twee ladekasten stonden tegen de zuidmuur. Alle laden waren leeg.
Er zijn twee slaapkamers op de eerste verdieping van het huis. De eerste slaapkamer bevindt zich bovenaan de trap en wordt hierna aangeduid als slaapkamer 2. Die heeft geen deur. De vloer is van hout. Voor het enige raam in de noordmuur hangen zware gordijnen. Er hangen zeventien ingelijste religieuze afbeeldingen van elk 28 x 36 aan de muur: vijf aan de oostmuur, vijf aan de westmuur, vijf aan de noordmuur en twee aan de zuidmuur, waar zich ook de toegangsdeur en een kast bevinden. Na inspectie bleek zich in de kast jongenskleding te bevinden, aan de linkerkant van de kast hingen broeken op hangers en aan de rechterkant van de kast hingen bloesjes op hangers. Tegen de westmuur stond een bed zoals in slaapzalen staan. Er stond een houten bureau met laden tegen de zuidmuur en er lag een honkbalhandschoen bovenop het bureaublad. In de kamer werden geen verdere zaken aangetroffen.

Het verslag gaat verder met slaapkamer nummer 3 en meldt dat die geen deur heeft en op slaapkamer 2 lijkt, behalve:

Na inspectie van de kast bleek die meisjeskleding te bevatten. Eén jurk ligt op de grond. Een bed, zoals in slaapzalen staan, bevond zich bij de noordmuur en een houten bureau met ladenkastjes staat tegen de zuidmuur. Op de spiegel boven de ladenkast zitten kennelijk vlekkerige 'kussen', gemaakt met wat lippenstift lijkt te zijn, of gemaakt door de lippen tegen de spiegel te duwen of ze zijn wellicht getekend.

Pagina 3 gaat naar de zolder. Dat wil ik niet lezen, en dus lees ik die pagina niet. Pagina 4 gaat naar de kelder. Dat wil ik ook niet lezen. Ik weet wat er zich in de kelder bevindt.

Ik pak het verslag van de patholoog-anatoom. Doodsoorzaak is de schotwond. Tijd: ongeveer vier uur 's middags. Het kruis was kapotgeslagen nadat de dood was ingetreden, door herhaaldelijk trappen met een zware schoen of met de honkbalknuppel die ter plekke is aangetroffen. Het hokje met de naam van het slachtoffer in het rapport van de patholoog is wel een schok:

ROLAND A. GANZ.

En nu weet ik het weer. Die avond dat ik hoorde over de moord... Ik ben al vier jaar en één dag moeder, vier jaar en één dag uit Rolands handen. Ik woon op straat, drink elke avond zoveel Old Crow dat ik me niks meer herinner. Het was een dag na mijn zoons verjaardag. Ik ben dronken in de Riptide Lounge, en zit achterin bij twee zestienjarige verslaafde prostituees. Ik weet nog dat ik stond te juichen en ronddraaide als een tol, en de tent uit werd gegooid, een steeg in...

ONGELDIG staat er onderaan de pagina geschreven. Patholoog-anatoom. Pagina 2 is een afschrift van pagina 1, behalve dat het hokje met de naam van het slachtoffer gecorrigeerd is en er nu BURTON E. OTTSON staat.

Ik ga terug naar het verslag van de rechercheur, naar pagina 5. Het slachtoffer werd drie dagen lang per abuis aangezien voor Roland Ganz, daarna correct geïdentificeerd als Burton E. Ottson, 41 jaar, eigenaar van Burt's Big & Tall, een kledingwinkel in Calumet City. Ik weet nog dat ik hoorde dat het slachtoffer Ottson was, niet Roland

Ganz, maar dat was een jaar later, toen ik al nuchter was, toen ik al uit het Leger des Heils was weggelopen. Op de een of andere manier hadden Rolands 'dood', het feestvieren op tafel in die bar, en het feit dat ik die steeg werd in gegooid me naar het Leger des Heils geleid. Ook vreemde, gestoorde eikels, maar geen seks, alleen veel religie. Daar raakte ik van de drank af, besefte waar ik was, en heb toen zo snel mogelijk de benen genomen.

Mijn eerste baan vond ik de dag nadat ik uit het Leger des Heils was weggelopen: dierenwachter in opleiding in South Holland. En dat beviel me, maar ze ontsloegen me omdat ik de dieren die ik ving naar de betere buurten reed en daar weer losliet. Daarna heb ik het toelatingsexamen gedaan voor de politie van Chicago, liet die 'gaten' in mijn verleden achter me en ben er daarna nooit meer mee geconfronteerd. Tot vandaag.

Haal adem. Nog eens. Mijn ene hand trilt niet meer. In het dossier van de rechercheur staat de geschiedenis van Burton E. Ottson:

Verhouding tot pleeggezin: geen directe.

Verhouding tot Roland en/of Annabelle Ganz: ging naar dezelfde kerk: Redeemer Methodist, dezelfde effectenmakelaar, First National Bank of Calumet City. Allebei de mannen hebben in 1987 geld gegeven aan PTL, aan het Republican National Committee, en aan de plaatselijke kandidaat voor het burgemeesterschap. Allebei waren ze, apart, in Branson, Missouri geweest.

In de marge staat een notitie, gedateerd 5-6-2003, maar er staan geen initialen bij: *In januari 2003 is Jim Bakker de eerste gast in een religieus radioprogramma in Branson, in het Studio City-café.* Ik knijp mijn ogen tot spleetjes, doe ze daarna weer dicht en zie dominee Jim en Tammy Faye op de tv, en Roland die doet alsof hij preekt, terwijl hij...

Het papier dwarrelt naar de vloer. Ik moet hier verdomme zo snel mogelijk weg.

Maar mijn zeventien jaar als smeris komen nu tussenbeide. *Wacht: Waarom heeft iemand in 2003 dit dossier gelezen?* Dat raadseltje helpt, net als de stem van kleine Gwen die nog naklinkt in mijn oor.

Op de volgende pagina staat meer geschiedenis. Zowel Ganz als Ottson heeft in 1986 uitstel gevraagd van hun aangifte van de inkomstenbelasting. Geen van beiden had een strafblad. In geen van beide woningen werd pornografie aangetroffen. Er staat nog een notitie in de marge, maar met andere inkt, geen datum of initialen: *Ganz en Ottson hebben samen onder een verzonnen naam een bankkluisje gehuurd (leeggemaakt op 20 oktober 1987) bij de Grand River S&L in Berwyn. Grand River is het jaar daarop failliet gegaan.*

Nou en?

Volgende alinea. Ottsons bankrekeningen waren interessant. In 1987 had hij de helft van zijn salaris aan PTL gegeven. Het zweet breekt me weer uit, maar ik besef al snel dat ik Ottson echt niet ken, hem nooit heb gezien, hij me nooit heeft aangeraakt. Voor het eerst hoor ik het getik van de klok aan de muur en lees verder. Voor zijn cheques kreeg Ottson een 'levenslang partnerschap' van PTL's Heritage USA Pentecostal Resort in South Carolina. Er staat nog een notitie, gedateerd februari 1989: *Jim Bakker trekt zich terug uit* PTL *na het schandaal met Jessica Hahn.* 19 maart 1987. Dominee Bakkers seksschandaal.

Een huiszoeking in het huisje aan het meer van het slachtoffer leverde precies honderd foto's van Tammy Faye op, allemaal met een handtekening en voorzien van een opdracht aan hem. Het handschrift op de verschillende foto's liep uiteen. Ik bekijk pagina 2 vluchtig en sla daarna weer terug. '*Blanke man was gekleed in een zwart, rubberen, slipje. Slachtoffer had één enkele schotwond rechtsboven in de borst. Rond de ingangswond waren ingebrande kruitsporen zichtbaar. Een hoeveelheid van wat kennelijk lippenstift is, was op een abnormale wijze rond de lippen aangebracht. Make-up was op het hele gezicht aangebracht. Rondom het lichaam lag een wasmiddelachtig wit poeder in een hartvorm. Letsel was zichtbaar in de liesstreek. Er werd een honkbalknuppel, zo'n twee meter noordoostelijk van het lijk aangetroffen.*'

Er zat lippenstift op de spiegel, het gezicht zat ook onder de lippenstift... Probeerden we een Tammy Faye te maken?

Man, ik moet hier weg, ik word hier gek van. Echt, ik weet het.

Een minuut waarin ik nietsdoe worden er vijf. Ik rol mijn schouders, kijk overal, behalve in het dossier, zeg rot ook op, en ga verder. Het verdoofde gevoel in mijn hand heeft zich naar mijn hoofd en longen verplaatst. Ik voel me beter.

Er is een getekende verklaring van een buurman.

'Het pleeggezin keek elke dag naar PTL met de vader. ELKE dag. Hij was een goede, godvrezende man. En daarna keken ze naar Wall Street Week, elke vrijdag om halfacht, maar Annabelle, de Here zegene haar, was dan nooit thuis. Zij en ik gingen naar de vesper, het was een speciaal moment voor de vader en de kinderen.'

Ik laat de pagina's vallen, *genoeg*. Uit de papieren vallen een paperclip en een los kaartje. Er staan de naam van een winkel op en een Tarotsymbool. Er staat: 'Tom, in verband met 19 oktober. Dat is een feestdag in het Romeinse Rijk waarop de god Mars wordt geëerd. De Armilustrium wordt gevierd: de wapens van de soldaten werden gereinigd en opgeborgen.'

Een vage herinnering. Heb ik dat ooit eerder gehoord? De deur gaat opnieuw open. Het is rechercheur Barnes.

'Zijn we klaar?'

Ik veins een menselijke kalmte. 'Nog niet helemaal. Nog een paar minuten. Ik geef wel een gil.'

'Bel ook je commissaris maar even. Zijn kantoor heeft net met de receptie hier gebeld.' Barnes' grijns is óf een grijns vol leedvermaak óf zijn tandenstoker is erg zwaar. Hij doet de deur dicht.

Ik ga staan, hoop dat mijn knieën het houden en denk dat ik een stukje moet lopen. Dat doe ik, terwijl ik mijn mobiel aanzet en Chief Jesse's nummer toets. Geen idee wat ik ga zeggen of wat hij gaat vragen.

Hij neemt op. 'Smith.'

'Hallo. Ik ben het.'

'Dat zie ik.'

'Sorry dat ik ophing. Ik...'

'Zitten we flink in de sores, Patricia?'

Alleen als hij vaderlijk doet, gebruikt hij mijn naam op die manier. Het duurt niet lang, maar het geeft wel een enorm veilig gevoel. Als hij hier was geweest, had ik hem bewusteloos geknuffeld. 'O, ik weet het niet. Niet zo heel erg, tot nu toe.'

'Een TAC-agent verbreekt in normale omstandigheden niet de verbinding met de commissaris.'

'Ja meneer, dat is ongetwijfeld waar. Ik bedoel: dat klopt. Meneer.'

'Voor de draad ermee, het verhaal van meneer Del Paso en zijn verhouding met jou.'

Diepe zucht. 'Nog niet echt... klaar om daarover te rapporteren, meneer.' Ik kan Chief Jesse door de telefoon zien knikken. 'Maar dat komt, als u me een dag of twee geeft om me voor te bereiden.'

'Een dag of twee?'

'Meneer, ik ben nu in Calumet City om het dossier over de moord uit 1987 te bekijken. Tot nu toe heb ik niets gevonden dat van belang is. Maar er is heel veel te bekijken en ik wil hier zo lang mogelijk blijven als is toegestaan. Als ik daarna wat mag slapen, dan schrijf ik daarna...'

'En dan heb je het om kwart voor tien op mijn bureau. Wil je dat?'

Ik leun tegen de muur. Het is uitstel, geen gratie, maar het is iets. 'O ja, dat zou geweldig zijn, meneer.'

'Kwart voor tien. Interne Zaken wilde je vandaag spreken. Ik heb dat tot morgen halfelf weten uit te stellen. De FBI was niet zo mild en heeft een formele klacht tegen mij, het OM en tegen de burgemeester ingediend.'

'Special Agent Stone?'

'Special Agent Stone. Hij heeft de officier van justitie gevraagd om je obstructie ten laste te leggen.'

'Danny D. wist niets van de ontvoering van de hulpofficier. De vakbond lust de FBI rauw, Chief. Meneer.'

'Misschien.' Chief Jesse klinkt helemaal niet zo overtuigd. 'Lees dat dossier zorgvuldig, agent Black. Schrijf twee verslagen: één over het dossier en één over jou. Begrepen?'

Ik moet even slikken. 'Ja, meneer.'

Klik.

Er is een hele doos die ik nog moet bekijken, inclusief de achtergronden van Roland en Annabelle. Ik kan het niet aan om dat te lezen, niet hier, en breng de pagina's naar een secretaresse, om ze te kopiëren. Dat doet ze terwijl ik wacht, glimlacht alsof ze me kent, en vraagt hoe het gaat.

Hoe het gaat? Alsof je op slippers door de hel gaat.

Terug in de kamer prop ik de kopieën onder mijn blouse, en scan daarna de samenvatting van het bewijs om er achter te komen waarom die tiener als hoofdverdachte werd aangemerkt. Zijn naam staat erbij, Richard Rhodes, maar zonder de middelste initiaal. Wat ik lees, lijkt te onbenullig om een jury te beïnvloeden, laat staan dat een hulpofficier hierin een winnende zaak zou zien.

En dat is vreemd, gezien het feit dat Richard Rhodes na achttien jaar nog steeds een verdachte is, zoals Chief Jesse zei. De map met foto's is hierna aan de beurt en is het afgelopen uur niet verdwenen. Ik reik om hem te pakken, maar mijn vingers glijden weg. Mijn hand aarzelt, elke reden om de map niet open te slaan is een goede, daarna gebruik ik beide handen en de map glijdt zonder moeite tevoorschijn. Daar ligt hij. Recht voor me.

Je zou kunnen vertrekken. Een andere baan zoeken. Je weer laten bezitten door Roland. Laat hem... preken... voor Gwens zoontje... Ik knars met mijn tanden en open een vampiersgraf, in plaats van een map.

De eerste foto is 20 bij 25 centimeter, genomen van recht boven het lijk. Een harde zwart-witfoto, net als miljoenen anderen die ik onder ogen heb gehad en niet veel anders dan wat je in tv-programma's ziet. Dat geldt ook voor de tweede, in kleur. Geen van beide laat veel van de kamer zien en ze raken me nog niet. Ik concentreer me op het lijk, een doodgeschoten kerel van middelbare leeftijd. Hij is beschilderd als een clown. De twee volgende foto's zijn van grotere afstand genomen en tonen het witte hart op de vloer. Iets diep in mijn buik klikt. En mijn hand verstijft weer.

De volgende foto is van links genomen en ik herken de stoel, het patroon van de meubelstof, de...

Ik realiseer me dat het niet de stoel, en niet het tapijt is dat ik herken. Het is de plaats delict zelf. Die heb ik... eerder gezien. In het echt. *Onmogelijk.* Ik kijk naar twee van de foto's die nog zijn overgebleven. *Zie je wel, nooit gezien, en dat, ook nooit gezien.* Wel, ik heb dit wel gezien. Alles, elk bloederig, krankzinnig detail.

Nee. Onmogelijk. Ik woonde daar toen niet. Ik was al vier jaar weg. Hoe...?

Ik duw de foto's van me af, alsof afstand helpt. Zover laten we het niet komen. Echt niet, verdomme. Ik staar naar de muur en voel de tranen op mijn wang. Ik zie alleen maar wit. Helderwit. Alles vervaagt, mijn voeten rennen. Ik snak naar lucht die er niet is.

Zo dronken dat ik mijn geheugen kwijt was... drie.

De crash van de effectenhandel... twee.

De verjaardag van mijn zoon... een.

O, mijn *God.* Ik heb het al die tijd geweten.

Patti Black. Moordenaar.

9

Donderdag, dag vier
zes uur 's avonds

Old Crow. Jack Daniel's.

Tony's Liquor Store. De parkeerplaats is halfvol, net als die bij de Whiskey Barrel, waaraan ik vijf straten terug ben ontsnapt. Mijn beide handen zijn vuisten. Mijn achteruitkijkspiegeltje wil dat ik nog eens goed kijk. Het Old Crow-uithangbord in mijn achterruit zegt dat ik niet hoef. Binnen heeft Tony alle antwoorden. Mijn .38 ligt in mijn schoot. Ik schiet óf mezelf neer, óf op het bord, óf op de eerste de beste die zijn mond opendoet. Dit... kan gewoon niet. Mijn vissen. De zwerfdieren die ik heb gered. De mensen die ik heb geholpen.

Kan het zover komen? Ik ben geen moordenaar.

Nee? Kijk verdomme in de spiegel. *Lang genoeg om te* ZIEN. *Kijk in de etalage van die slijter, stom wijf.* Patti Black. Moordenaar. Ze liep stomdronken dat huis in, op de verjaardag van haar zoon, schoot een volslagen vreemde dood en sloeg de rest van hem tot pulp met Richeys honkbalknuppel.

Met kracht draai ik het sleuteltje om, stamp op het gas zonder te kijken en het maakt me niet uit of de stoeprand de assen breekt. Ik ga bijna honderd als ik door het eerste licht rijd en honderdtwintig bij het tweede. De oprit naar de I-94 staat vol en ik neem de vluchtstrook met 150. Patti Black bekliederde zijn gezicht en maakte dat hart op de vloer. Ze is net zo gek als Roland en verdomme net zo gevaarlijk. Auto's vervagen. Patti Black, moordenaar.

Op de een of andere manier wordt de Dan Ryan niet mijn dood. Het verkeer is een walmende metalen buffer tussen mijn nieuwe besef van mezelf en vervlogen fictie. Een gevoel van verdoving vult mijn auto en duwt mijn schouders tegen de rugleuning. Twee handen die van iemand anders zijn, sturen me naar Wrigley Field. Claxons duwen me de straat in, naar de L7. Er zit een streepje spuug op mijn lippen. Ik ben weer in de Twilight Zone, alleen is het deze keer echt. Daarna sta ik in de bar en bestel een dubbele Old Crow zonder ijs. Ik heb het glas in m'n hand en het is vederlicht en ik proef de scherpe smaak als de whisky in de buurt van mijn lippen komt.

'O, shit. Sorry.'

De Old Crow klotst over de bar, over mijn hele arm. Zap gaat de zender en ik ben niet langer in de Twilight Zone. Julie McCoy zit op de kruk naast me en wenkt de barvrouw om een doekje.

'Weer een zware dag?'

'Hè?'

Julie klopt me op mijn schouder en zet mijn pet recht. De barvrouw arriveert, maakt de bar schoon en reikt naar de Old Crow om me opnieuw in te schenken. Julie schudt haar hoofd en zegt: 'Twee water, geen ijs', en kijkt daarna naar mij. 'Achttien jaar nuchter is heel lang. Wat er vandaag ook gebeurd is... Morgen kijk je er weer anders tegenaan.'

Ze knikt naar het wrak van de motor aan de muur achter de bar. Ik kan alleen maar mijn tanden op elkaar houden.

'Cello was alles wat ik had, elke dag sinds ik me kon herinneren, het enige waarvoor ik werkte en wat ik wilde doen. En ik gooide het weg omdat ik op een Ducati wilde rijden en stoer wilde doen voor een Frans meisje van wie ik me de naam niet eens herinner.'

Het publiek in de bar lacht om een grap op het podium. Hoe ben ik hier verzeild geraakt? Een meisje, een grappenmaker met een saxofoon, wijst naar haar hoofd en heupen. Julie steekt mijn arm door de hare. Ze houdt een visitekaartje tussen haar transparant gelakte nagels. Op het rechthoekige stukje papier staat *privédetective* en er staat een telefoonnummer in Chicago bij. Onderaan staat de naam: Harold J.J. Tyree.

'Die kerel is hier al twee keer langs geweest.'

Bij wijze van spreken kom ik weer een beetje bij en ik raak de bar aan om me ervan te vergewissen dat die er inderdaad is. Mijn kleren stinken, mijn linkerhand zit vast aan mijn arm. De spiegel toont hetzelfde uitgeputte beeld dat ze allemaal laten zien. De barvrouw brengt het water en kijkt me haast vanuit haar ooghoeken aan, kijkt daarna naar Julie en groet iemand die achter Julie staat. Mijn nek doet pijn. Ik bedenk dat ik moet blijven ademen.

Julie zwaait het kaartje heen en weer. 'Is al twee keer langs geweest. Hoor je me?'

'Eh, ja.' Ik knipper zodat ik haar weer scherp zie. 'En hij zei...?'

'Dat jij en hij eens moeten praten. Over R. en A. en Calumet City.'

Ik kijk nog eens naar het kaartje en concentreer me dit keer. 'Hoe wist eh... Harold dat ik hier was?'

Julie haalt haar schouders op. 'Drink je water. Er is iets wat ik je wil laten zien.'

Buiten valt de nacht over de Northside, de lucht is koel. Julie praat over de rugbywedstrijd tegen BASH, iets wat voor de vroegere ik misschien wel heel belangrijk geweest zou zijn. De nieuwe ik neemt nu meer trottoir in beslag dan nodig is. Julie lijkt het wel te merken, maar zegt er niets over. Ze praat maar door over BASH.

Ik heb het eerder gezien, ambulancemedewerkers, als ze slachtoffers zien doordraaien. Sommigen worden niet meer helemaal de oude als ze bijkomen uit een shock. Julies hand pakt mijn arm en trekt me mee, linksaf... Het is alsof we op het veld staan en ik bewusteloos geslagen ben, maar toch nog moet spelen. Goed, oké. Dit is bekend terrein. Wazig, versuft, en kom langzaam uit de mist.

En het is mistig. Opnieuw trekt ze aan me, deze keer voor een voorbijrijdende auto vandaan. Het lijkt allemaal zo gewoon, om aan je mouw meegetroond te worden. Ze zegt: 'Nog een straat', en bij de vijfde begin ik me minder een zombie te voelen. Nog drie straten in de frisse herfstavond en ze houdt stil bij een muurschildering die twee verdiepingen beslaat. Daarop staat een man met een boek. Maar een van de drie lichten die hem moet verlichten brandt. Julie houdt haar flinke hoofd omhoog en glimlacht.

'Carl Sandburg.'

Eerst kijk ik even goed om me heen, in alle richtingen. De zorg om mijn veiligheid komt ook weer terug. 'En dat is...?'

'Dat is een man die de hel heeft gezien en besloot die tocht niet te maken. Ik vond dat je moest weten dat je kunt kiezen.'

Hij misschien. Nu kijkt ze hoe ik naar de beschilderde bakstenen sta te staren. Ik heb sterk het gevoel dat Julie me wil zoenen, dus ik kijk niet naar haar. Dat hebben we al eens eerder meegemaakt. De man op de stenen doet niets, maar ik blijf maar kijken. Julie slaat één arm om me heen, en ineens voelt ze als een moeder, zoals mannen doen als ze hun vrienden die zeldzame nabijheid gunnen.

'Wil je erover praten?'

'Hè?' Ik was met mijn gedachten bij die vent die ervoor had gekozen om niet naar de hel te gaan en vroeg me af hoe en waarom hij mocht kiezen. Ik vraag het de grote blondine met haar arm om me heen.

'Dat weet je morgen, als je het tot dat moment de tijd geeft.'

Nu is het mijn beurt om te staren. Indringend als een smeris, om nog preciezer te zijn.

Julie glimlacht en haalt haar arm weg. 'Zie je wel? Je bent al op weg.'

Dus staan we daar, zij, ik en Carl op de muur, terwijl Chicago voorbijrijdt bij zo'n 16 graden en zonder getoeter. De esdoorns ruisen en ik ruik het meer. De Cubs staan maar twee punten achter op Houston. Mijn vissen houden van me. Julie weet niet wie ik ben, maar ze houdt van me.

'Ja, dat klopt.'

'Hè?'

Julie glimlacht alleen maar. 'Ik moet weer aan het werk. Ga je mee?'

'Straks. Ik ga misschien eerst nog even met Carl praten.'

Julie kijkt nog een laatste keer naar me, kust me op mijn wang en loopt terug. Carl kijkt niet naar haar kont en ik mag hem nog meer. Mijn hand zit in mijn zak en houdt de rand van Harold J.J. Tyree's kaartje vast. Schrik. Het zoontje van kleine Gwen. Denk aan hem, doe iets aan het gruwelijke hier-en-nu, later kun je die andere ellende nog verdrinken.

Ik haal het tevoorschijn en daarna mijn telefoon. Ik probeer Harolds nummer twee keer. Zijn antwoordapparaat zegt dat ik een boodschap achter moet laten. Ik laat mijn mobiele nummer achter en bel Sonny Barrett. Hij klinkt niet zo goed als de vorige keer.

'De hele dag verdomme, Patti. De hele dag. De FBI en Interne Zaken zijn helemaal gek geworden.'

'Die aanslag op de burgemeester?'

'Alles en iedereen. Eerst had je die aanslag op de burgemeester, daarna die hulpofficier die dood op zijn gazon lag en nu wordt die pleeggezinkindervoodooflauwekul in Calumet City in verband gebracht met het onroerend goed van zijn vrouw. Dit verhaal duwt de ayatollah en zijn activisten zelfs naar pagina 2. Shit, de FBI maakt er een miniserie van. Volgens een van hun woordvoerders heeft die aanslag en die hulpofficier te maken met de Outfit en de casinovergunningen, wat ik wel begrijp, en het OM zegt dat de politie al twintig jaar iets in de doofpot probeert te stoppen, iets wat nu aan het licht komt. *Wij*. Alsof wij dat wijf in die muur hebben gemetseld. Snap jij dat verdomme nou?'

'Wij, de politie van Chicago?'

'Wij, jij, ik, Cisco, zelfs de commissaris, iedereen met wie je contact hebt gehad sinds je in Chicago bent.'

Nog iets akeligs herinner ik me: morgen Interne Zaken en de FBI na Chief Jesse. En de verslagen voor Chief Jesse die ik niet kan schrijven. Patti Black, moordenaar.

Carl heeft kennelijk zijn handen van me af getrokken. 'Sonny, wil je me een lol doen?'

Stilte, behalve dat er op een tv op de achtergrond de plaats delict wordt beschreven waar Richard Rhodes lag.

'Sonny?'

'Ik ben er nog. Ik kijk nog even goed naar de vrouw en kinderen die ik nooit zal hebben.'

Er komen woorden uit mijn mond die er niet uit hadden moeten komen. 'Volgens Danny del Pasco staat er een prijs op mijn hoofd, van dezelfde lui die Gilbert Court en dat lijk in de muur in de fik wilden steken.' Mijn ogen gaan vanzelf stijf dicht. Je verstoppen in het donker, dat deed ik in Calumet City. Ik haal diep adem. 'Ik moet die lui snel vinden. Er is een Gypsy Viking die misschien kan helpen. Een vent met een meth-lab die misschien de namen en gezichten kent.'

'Heb je dat gemeld bij je... superieuren?'

'Nee.'

'En waarom niet, aangezien iedereen in deze stad op zoek is naar die eikels van Gilbert Court?'

'Ik heb alleen wat hulp nodig, Sonny. Hoe minder je weet, hoe beter.'

'In films klopt dat, ja.'

Meer stilte en tv op de achtergrond. Carl heeft nu helemaal zijn rug naar me toegedraaid. De auto's rijden langzamer voorbij sinds ik gezegd heb dat er een prijs op mijn hoofd staat. Op een *heel vreemde* manier voel ik me beter. Misschien dat die overlevingsinstincten me vanavond bij de slijterij vandaan houden. Zodat ik me op een missie kan richten om in leven te blijven en kleine Gwens zoon te vinden en haar met mijn wilskracht kan dwingen terug te bellen.

'Kijk, ik weet dat ik heel veel van je vraag. Maar het is nodig, anders vroeg ik het niet.' Alleen maar tv-antwoorden. Ik frons mijn wenkbrauwen en antwoord op zijn zwijgen. 'Niet dus? Is dat de situatie?'

Sonny gromt. 'Je staat voor eeuwig bij me in het krijt.'

'Naaktfoto's, minimaal. 111th Street en Cottage, zeven uur.'

'Dat is verdomme hun clubhuis, Patti. Dat kunnen we samen niet aan.'

'Zeven uur 's ochtends. Ik neem de foto's mee,' en ik hang op voordat hij zijn verstand weer terugkrijgt.

Of voordat ik dat van mij weer terugkrijg. *Naaktfoto's* was wel gek, net als een vent opbellen van wie ik niet zeker weet of ik hem nog wel vertrouw. Een SUV rijdt te langzaam voorbij en andere wagens toeteren naar hem. In het donker is het onmogelijk om te zien wat voor kleur hij is en hij is snel verdwenen. Carl en ik staan vol in de koplampen. Het haar in mijn nek gaat rechtop staan. Mijn hand is op mijn pistool en... En wat? De koplichten van de SUV passeren en ik ben alleen.

De FBI rijdt in SUV's. Ze hebben een budget dat net zo groot is als dat van de NASA. Interne Zaken rijdt Ford. Een Chevy SUV heeft Richard Rhodes ontvoerd en heeft ervoor gezorgd dat ik in het ziekenhuis terechtkwam.

Rustig. In Detroit rollen er maar drie SUV's per minuut van de lopende band. Was Roland Ganz misschien de chauffeur? Die arbeiders van Com-Ed waren jong, maar dat zijn de handlangers...

Op de een of andere manier zie je Roland nu overal. Overal. Geef het maar toe.

Nee. Loop weg. *Nu.*

Ik draai me om en ga op weg naar de L7. Ik probeer wel een nepverslag in elkaar te draaien of val gewoon in slaap en vertrouw erop dat Carl niet ladderzat was toen hij besloot dat het morgen wel beter zou gaan. Vier SUV's rijden voorbij, ik hou ze allemaal in de gaten, en vraag me af hoe lang ik al weet wie ik ben. De wind draait terug naar het meer. De laatste 24 uur waren een draaikolk zonder bodem. Ik steek een steeg tussen twee woningen over.

De koplampen verblinden me.

Een SUV raast de steeg in. Ik struikel naar achteren, zet dan een sprint in. De steeg is nauw. Vuilnisbakken stuiteren van de bumper van de SUV. Ik kan nergens heen. De motor brult. Deuropening, *shit, rennennnnn.* Telefoonpaal. Als ze die raken, zijn zij ook dood. Ik spring erachter en de SUV scheurt voorbij, remt en slipt in het water. De portieren gaan open. Ik schreeuw: '*POLITIE, KLOOTZAK.*' De silhouetten staan zo'n vijftien meter verderop en kunnen mijn pistool dat ik met twee handen op ze richt waarschijnlijk niet zien. '*OP DE GROND, NU METEEN.*'

De silhouetten aarzelen en springen daarna terug de SUV in. Die scheurt de steeg in. Mijn hart bonkt. Ik duik en draai me om vanwege het geluid van een rollende vuilnisbak achter me. Drie verdiepingen boven me steekt een vrouw in het dichtstbijzijnde appartement haar hoofd uit het raam. Het is voor haar te donker om me te kunnen zien. Ik hou mijn adem in die ik niet heb, wacht tot de auto opnieuw voorbijkomt, of meer GD-gangsters of meer SUV's.

Weer koplampen, tegenovergestelde richting.

Alleen de paal tussen hen en mij. Nog steeds geen vluchtweg. De koplampen rijden op me af en stoppen halverwege. Ze zetten het groot licht op, maar ook dat bereikt me niet helemaal. Ik zie alleen maar een verblindend licht. *Rennen. Stom wijf.* En dat doe ik, naar de T-kruising van de steeg, en ik ga rechts, zie een open doorgang en loop er voorbij, en kies de volgende. Een lange, smalle stoep leidt naar de straat. Het geluid van de motor wordt harder, en vlug hurk ik en gluur even. De T-kruising baadt in het licht. Ik kijk nog eens naar de stoep. De lichten aarzelen bij de T-kruising, slaan dan linksaf, gaan harder rijden en slaan op die straat dan rechtsaf.

Ik wacht op het geluid van voetstappen. Een briesje dwarrelt door de steeg en neemt stampende bastonen en gefrituurde aardappelen mee. Mijn hart bonkt. De FBI en Interne Zaken rijden hun verdachten niet omver... *Shit, Julie!* Ik ren over het trottoir naar de straat. Koplampen rijden voorbij. Het is een Corvette. Ik sprint zeven straten naar de L7. Julie staat buiten met een goedgeklede vrouw die met haar eigen haar speelt.

Ik hijg: 'Sorry', glimlach naar de jonge vrouw en verstop mijn Smith te laat. Julie kijkt over mijn schouder naar waar ik vandaan kwam. Ik voeg eraan toe: 'Het was even een gespannen toestand daar. Je kunt haar beter even mee naar binnen nemen. En hou je ogen open.'

Julie richt haar blik op mij en mijn Smith.

'Meteen maar.' Ik knipoog en probeer om er veel minder opgejaagd uit te zien dan ik ben. Ik loop een meter of drie achteruit naar mijn auto die ik alleen bij toeval zo had kunnen vinden. 'Ik bel je morgen. Denk eraan, hou je ogen open, en bedankt voor Carl.'

De jonge vrouw speelt niet meer met haar haar. Ik hou de Smith stevig tegen mijn dij en bekijk de straat nog eens. De vrouw volgt mijn blik. Ze is bang en daar kan ik me iets bij voorstellen.

Vrijdag

10

Vrijdag, dag vijf
ochtendgloren, zes uur

Met een schok zit ik rechtop, wakker, en tegen een gevoerd dak aan.

Ik heb een dwangbuis aan. Ik ontworstel me eraan en probeer boeien die niet aan mijn polsen zitten weg te halen. Plotseling zit ik niet in de crypte met Annabelle en Burton Ottson. De dwangbuis is mijn autohoes. Ver naar het oosten verlicht het ochtendgloren de hemel. Ik vertrek van de pijn omdat mijn knie tijdens mijn slaap in een vreemde positie heeft gelegen. Ik ben op een parkeerterrein, op de achterbank van mijn Toyota. Snel inspecteer ik de parkeerplaats in alle richtingen. Een blad wordt langs mijn voorruit geblazen en daarna nog eentje. District 6. Ik sta bij het kantoor, mijn oude kantoor. Koplampen rijden langzaam voorbij op Halsted. *Oké, oké.*

Nu weet ik het weer. Een hele nacht op de achterbank van een Celica. Met vermoorde geesten en een kluwen slangen om mijn nek. *Wat doe ik hier?* Plan B. Plan B. *Precies, precies.* Plan B. Je dacht dat je auto meer op zijn gemak zou zijn op een plek die hij kende. En proberen om de eigenaar van de auto omver te rijden op een politieparkeerplaats zou zelfmoord zijn. Ik scan het terrein op methverslaafden die een en ander niet op dezelfde manier zouden inschatten als standaardcriminelen.

Mijn gezicht is nat. Opnieuw zie ik de droomvisioenen van evangelisten met uitbundige kapsels, dreigend met de hel, en een gevangeniscel die hetzelfde biedt. God haat je, Patti Black. Je bent een moordenaar, ga naar een slijter.

Goed idee. Ik werp een blik op mijn pols. Elvis houdt zijn handen recht naar boven en naar beneden: over een uur is het licht. Mijn hartslag wordt weer normaal. Ik neem mijn .38 in mijn hand en wrijf mijn ogen om de beurt uit. Ik moet op pad voordat het daglicht de activisten van de alderman weer op de been brengt en voor de onvermijdelijke confrontatie met inspecteur Kit Carson. En die zet me dan enorm onder druk omdat zijn bazen en de media hem onder druk zetten. En ik wil de afgelopen drie dagen, en de nieuwe ik, ook niet aan mijn oude TAC-ploeg uitleggen.

Voorzichtig stap ik van de achterbank en kijk in alle richtingen en herinner me dan dat ik geen van beide rapporten heb geschreven die ik de commissaris had beloofd. En vandaag heb ik een afspraak met de FBI en ook met Interne Zaken. Maar ik ga vandaag, in alle vroegte, ook naar de Gypsy Vikings, met Sonny. Vind de handlangers, die brengen je naar Gwens zoontje. Ik haal diep adem. En naar Roland Ganz.

Ik rijd naar het zuiden en het getto ziet er, na drie dagen in het noorden te zijn geweest, nog hetzelfde uit. Ik ben niet meer dezelfde, en wordt ook nooit meer dezelfde. De privédetective, Harold J.J. Tyree, heeft een boodschap ingesproken op mijn mobiele telefoon. Die speel ik twee keer af. Beide keren klinkt het als een val, zoals de SUV in het steegje. Geen boodschap van Gwen en dat maakt me alert. Ik kijk nogmaals naar mijn telefoon en probeer met mijn wilskracht om haar te laten bellen. Toen ik bij de Dierenwacht werkte in South Holland kon ik soms met mijn wilskracht een stel een puppy laten adopteren voordat we op donderdag dichtgingen en voordat op vrijdag de moordenaars kwamen. Ik werkte op zondag in plaats van op vrijdag. Nooit op vrijdag.

Vandaag is het toch vrijdag? Ik hoor eigenlijk in Chinatown te zitten en naar het raam te kijken... in plaats van koffie te kopen op 104th Street en Western. De koffie smaakt bitter en ruikt ook zo. De donut is zo oud dat de suiker moeilijk smelt. Een Harley ronkt voorbij en ik kijk nog eens naar Elvis: 6.48 uur, geen geweldige tijd om op bezoek te gaan in een crimineel motorrijdersclubhuis. Wie wakker is, is waarschijnlijk de hele nacht al wakker. Wie dat niet is, heeft waarschijnlijk geen zin om al op te staan.

Zodra ik mijn koffie op heb, rijd ik Pullman in, een gotische roodstenen punt in het uiterste zuiden waar ze vroeger de chique treinwagons maakten. Toen het met de spoorwegen minder ging, was het afgelopen met de buurt. De plaatselijke straatgangsters kwamen en legden de helft van de historische gebouwen in de as. Een straat verder, op Cottage Grove, staat Sonny's auto stil op de hoek. Ik stop langszij, laat het raampje aan de passagierskant zakken en praat met een grote, ongeschoren Ier die niet al te gelukkig lijkt met de situatie.

'Hallo, brigadier.'

'Dit is verdomme een stom idee, dat weet je.'

'Ja, dat weet ik.'

'En toch doen we het?'

Klein glimlachje. 'Ik moet alleen naar binnen.'

Sonny schudt zijn hoofd en kijkt weg. Er gaan tien seconden voorbij en hij zegt: 'Blijf buiten, koste wat kost. Bel nu mijn nummer en hou je mobiel in je zak. Als ik schoten hoor, dan snap ik dat het niet goed gaat.'

Ik glimlach nog maar een beetje en zeg: 'Bedankt.'

Hij steekt zijn middelvinger naar me op. We rijden achter elkaar de semi-beschaving uit en het niemandsland van spoorwegemplacement en pakhuis op, thuis van de Gypsy Vikings en Charlie Moth, psychopaat, carrièrecrimineel.

Voor de goede orde, Chicago heeft nog twee criminele motorbendes: de Hell's Angels en de Chicago Outlaws. Allebei maken ze deel uit van landelijke, *shit*, wereldwijde misdaadorganisaties. Allebei hebben ze terechtgestaan en zijn ze veroordeeld voor alle zware misdaden die de mensheid kent, van slavernij tot aan massamoord. De Gypsy Vikings verschillen vergeleken met hen alleen wat hun kleur betreft en hun onvoorwaardelijke bereidheid om voor het recht op hun territorium te sterven, naast elke tegenstander die stom genoeg is om te proberen het te veroveren.

Terwijl ik om slecht opgeknapt asfalt heen zwenk op slingerend wegdek dat niet bedoeld is voor de machinerie die eroverheen rijdt, voel ik het gewicht van Sonny's advies: gewoonlijk neem je als je in deze buurt komt flinke vuurkracht mee als ruggensteun voor een kalm verzoek. Of een spervuur van kogels, en daarna het kalme verzoek.

Zoals de meeste slechte ideeën en goed advies, weegt het zwaarder naarmate je dichter in de buurt komt. Het slechte idee is in dit geval een bakstenen gebouw van twee verdiepingen, een oud wapenmagazijn dat van de weg af staat op wat op een dag een zwaar gesubsidieerde gesaneerde locatie zal zijn. Het gebouw heeft kalkstenen en bakstenen sierlijsten die allemaal zwart zijn geschilderd. Verroeste stalen platen bedekken de ramen en geven oranje vegen af op de stenen. Een gebogen dubbele deur recht voor me moet de ingang zijn. De deuren zijn samen aan de grond zo'n een meter tachtig breed en zijn gebarricadeerd met vergrendelde kruisbalken.

Tussen mij en de deuren staat een hek met gaas van zo'n vier meter hoog met bovenop rollen prikkeldraad, daarna zo'n twintig meter met olie bevlekt grind met autowrakken, schroothopen, roestige vaten van elk zo'n 200 liter en bijna dertig motoren. De motoren glimmen niet zo als het prikkeldraad, maar ze zijn goed verzorgd. Op een half openstaande laaddeur rechts van de motoren is een nazivlag van zo'n drie meter geschilderd. Die vlag is het schoonste hier.

Ik ken de films waarin het meisje in de hotpants op bezoek gaat in het motorrijdersclubhuis. Ik ben een meter of zes voorbij het open hek als ik de eerste rottweiler zie.

Grauwzwart, en kolossaal. En hij komt al op me af. Ik trek mijn wapen, de ketting aan zijn nek trekt strak, dank u God, zit aan een punt ergens achter de vrachtdeur vast. Hij weegt vast zo'n kilo of zestig, net zoveel als ik. Al snel zijn er nog twee, even groot en ze grommen. Op hetzelfde moment besef ik dat er geen sluitbaar hek in de omheining zit waar ik doorheen gekomen ben, alleen de opening. Als ik ervandoor ga, is het alleen ik en de drie honden, als een of andere gestoorde ze loslaat.

Danny D. heeft zeker niks gezegd over het neerschieten van een hond. Een stuk ketting ratelt en ik wankel achteruit. De dichtstbijzijnde rottweiler voelt dat hij meer ruimte heeft en tanden en speeksel komen op mijn gezicht af. Ik zet me schrap om te schieten. De ketting trekt strak, en zijn enorme kop blijft op een meter afstand van me hangen. De twee andere rottweilers doen een uitval, ik draai me om, knijp de trekker in, hun ketting trekt ze op hun achterpoten, met de borst omhoog, en ze klauwen in de lucht tussen ons in. Drie bekken proberen me aan stukken te scheuren.

Een gigantisch bovenlichaam komt achter de aanvallende honden tevoorschijn. GEWEER. Het handvat rust op smerige jeans ter hoogte van de heup, een vinger stevig aan de trekker. Hij is naakt tot aan zijn middel, afgezien van de tatoeages en baard. En schreeuwt over het lawaai van de honden en hun gekwijl heen:

'Ik zou me niet bewegen, kreng,' en knikt dan naar mijn voeten. 'Vooruit of achteruit en geen man heeft nog iets aan je.'

Ik denk alleen aan hondentanden en geweren, en overleef geen van beiden als...

De rottweilers stoppen met blaffen. Zware bastonen dreunen door de lucht. De vent werpt een blik het gebouw in en daarna weer naar mij en schreeuwt: 'Laat dat pistool vallen.' Zijn handen trillen misschien en niet omdat hij bang is.

'Politie. Politie van Chicago.' Alleen als zijn geweer compleet verstopt zit of volzit met luchtbukskogels heb ik op vijftien meter nog een kans.

'Laat vallen of ik stuur dat beest op je af.'

Twee mannen stappen achter hem naar buiten. Ze zijn allebei kleiner en dragen de kleuren van de Gypsy Vikings. De een is bijna honderd kilo. Hij heeft een vierde rottweiler. Deze zit aan een leren riem die hij om zijn onderarm heeft. Zijn partner heeft een pistool getrokken en de haan gespannen. De rottweilers zijn op zijn bevel doodstil. Ik laat mijn linkerhand zien en til daarna de ster uit mijn overhemd. De mannen verspreiden zich. De een van de leren riem stapt op me af en zegt: 'Vandaag neuken we geen ouwe wijven.'

Ik kijk naar zijn partner met het pistool, daarna terug naar de man met het geweer en daarna weer naar hem. 'Charlie Moth. Wil alleen maar met hem praten.'

'Nooit van gehoord.' Zijn spijkeroverhemd bedekt stukken van hakenkruisen links en rechts op zijn borst. Zijn rottweiler staat zo'n zes meter verder, en doet zijn best om dichterbij te komen.

Ik hoop dat Sonny de Viking links met het pistool kan zien. 'Danny D. wil dat ik met Charlie Moth praat. Ik kom net uit Stateville.'

'In je dromen, stomme kut.'

Ik span mijn Smith. 'Die hond redt je echt niet, grote kerel.'

Zijn hoofd is kaalgeschoren en zijn oren zitten plat tegen zijn hoofd. We staan dicht genoeg bij elkaar dat zijn hond hem zou kunnen redden en dat weet hij. 'Danny D. stuurt hier geen politiewijven heen.'

'Ik ben zijn zus.'

'Charlie Moth heeft geen zus.' Hij trekt de ketting van zijn hond strak door zijn arm te buigen. 'Jij gaat er verdomme aan, trut, precies op de plek waar je nou staat.' Hij denkt waarschijnlijk dat een scherpschutter zijn wapen op zijn hart heeft gericht, de trekker maar hoeft over te halen. 'Wij hebben ook scherpschutters.'

En ik ben ervan overtuigd dat dat waar is. En ik ben ervan overtuigd dat die nu wel wakker zijn, paranoïde en klaar voor een tweede Ruby Ridge. 'Ik ben de zus van *Danny D.*, eikel. En ik wil alleen maar met Charlie Moth praten, dat is alles. Wat jij verder doet, dat moet je zelf weten.'

'Geef me dat wapen.'

Ik schud mijn hoofd. 'Je weet dat het zo niet werkt.'

Hij staart me aan. 'De zus van Danny D.?'

Ik knik. 'Calumet City.' Dan pak ik de foto van Danny D.'s celmuur en zeil die naar hen toe. De rottweiler vliegt eropaf. De derde Viking richt zijn pistool op mijn hoofd. De ene die met mij praat, trekt zijn rottweiler dichter naar zich toe, doet een stap naar voren en raapt de foto op. Hij kijkt er niet lang genoeg naar om de knipsels achter Danny's schouder te lezen of de handtekening op de achterkant. Wel ziet hij de bliksemflitsen en de twee tranen in blauwe inkt. Hij zegt:

'Zo'n tien centimeter van je schoen bevindt zich een ontstekingsmechanisme. Als je je ook maar iets beweegt, ligt de helft van je in Indiana.'

Ik voel een enorme neiging om te kijken. Maar er zijn vier honden en twee wapens, dus ik hou die maar in het oog. Mijn gastheer draait zich om en loopt naar binnen. Zijn kameraden staan er nog steeds, met die wapens en de honden en die wilde fanatieke blik. Fanatiek, denk ik, want een wapen richten op een agent loopt meestal slecht af en het lijkt er niet op dat ze dat veel kan schelen.

Die bom voor mijn voeten heeft invloed op mijn evenwicht. Ik vraag me af hoe die honden er omheen lopen als ze worden losgelaten. Ik tuur naar het ontstekingsmechanisme. Ogen naar beneden als een groentje. Ik speur tussen het grind en het puin. *Rumoer.* Ik kijk op. Meer Vikings, veel meer, misschien wel twintig. Nog een man met een baard komt naar voren, maar deze is helemaal aangekleed. Hij heeft een groot blik Schlitz-bier in zijn hand en een machinepistool, misschien een M-11, aan zijn riem. Als die compleet automatisch is, is dat een federaal misdrijf. Hij is bijna twee meter, en weegt misschien zo'n 160 kilo. Ik weet zeker dat mijn .38 hem hooguit wat zou vertragen.

Op tien meter afstand blijft hij staan. 'Wie mag jij verdomme dan wel wezen?'

'Dat heb ik je vriendinnetje net verteld. Ik ben de zus van Danny D., en ik kom net uit Joliet om...'

'Jij bent dat gore smeriswijf Patti Black, of niet soms?' Hij maakt de ketting los van de rottweiler die het dichtste bij hem in de buurt staat, pakt de ketting tien schakels boven de halsband en loopt op me af. 'Ik heb je op tv gezien, onderscheiden en alles.'

Ik wil de hond niet doodschieten... Ik wil *wel* graag geloven dat dat bebaarde monster weet dat er een ontstekingsmechanisme ligt. Gelukkig zijn de ogen van deze vent geen biljartballen, zoals die van de eerste drie. Die van hem hangen, maar vuurrood, alsof ze de hele nacht hebben gebloed. Hij laat zijn hond trekken aan de riem, in mijn richting, naar het ontstekingsmechanisme toe.

Ik loop achteruit, maar stop op tijd. 'Eh... misschien moeten we...'

'*Misschien* moeten we trouwen, jij en ik. Dan kontneuk ik je een slag in de rondte.'

Dit slechte idee wordt er met de tijd niet beter op. Als ik nog een aanknopingspunt had, ergens anders heen kon, dan deed ik dat. Maar dat heb ik niet, dus ik zeg: 'Prima', en richt op zijn ballen. 'Als je na zes kogels nog steeds zin hebt om te neuken, dan hoor ik het graag.'

Hij reikt naar zijn M-11.

'Niet doen. Ik geloof niet dat dit nog goed komt.'

Hij stopt, gebruikt dan zijn andere hand om van zijn bier te drinken. 'Ik ben Charlie Moth.'

Ik snap niet waarom me dat verbaast. 'Gaan we praten, Charlie?'

'Dat is het enige wat ik doe.' Charlie komt misschien echt uit de Appalachen. 'Een gevecht was nu al voorbij geweest.' Hij gooit het bierblik in de richting van mijn voeten.

Met wijd opengesperde ogen volg ik het naar de grond. Het blik en ik gaan niet de lucht in. Ik haal diep adem. 'Nou... Danny D. zei dat jouw apotheker, Pancake, dingen wist die ik moet weten. Hij zei tegen mij dat ik jou moest vragen om vandaag een ontmoeting te regelen, nu.'

'O ja? Heeft Danny D. tegen jou gezegd om dat tegen mij te *zeggen*? Dat heb je nu gedaan. Sleep die magere reet van je nu maar weer terug naar Joliet en zeg tegen Danny dat hij een dikke kan krijgen.' Charlie Moth lijkt absoluut niet bang of van plan om me te helpen.

'Prima. Oké. Maar ik wil wel duidelijk zijn. Over wat je zei. Mijn broer wil straks wel weten waarom hij voor jullie tweemaal levenslang uitzit, terwijl jullie hem verneuken.' Ik werp een blik op de vent met het geweer. Hij ziet er niet uit alsof hij het een prettig gevoel vindt om Danny D. te verneuken. 'Dat wil hij straks wel weten.'

Charlie Moth zegt: 'Wie vertelt hem dat dan?'

'Zo ongeveer iedereen, Charlie, nadat jij en zijn zus in dit vuurgevecht zijn omgekomen.'

Eerlijk gezegd zou het me niet slecht uitkomen, om nu vandaag de pijp uit te gaan. Dat zou veel van mijn problemen oplossen. En Charlie merkt dat kennelijk. En zijn partners ook, en dat lijken me geen jongens die hierom in Joliet willen belanden en het aan mijn broer te moeten uitleggen.

'Geef die trut een kans, Charlie. Misschien is ze echt Danny's zus. *Shit*, misschien heeft hij haar echt gestuurd.'

Charlie Moth neemt niet de moeite om om te kijken. 'Als jij een smeris naar een drugslab wilt brengen, ga dan je gang. Ik heb er niks mee te maken. Ik heb geen zin om te zitten wegens samenzwering, of die eikel van een Danny del Pasco dat nou een goed idee vindt of niet.'

Ik zeg: 'Je hoeft me niet te brengen. Ik ontmoet Pancake wel. Kies maar een hoek uit. Dan doen we het daar.'

Charlie kijkt alsof ik hem een uitweg heb gegeven, kijkt daarna naar zijn hond en daarna naar mij. 'Western en de 95ste. Vier uur.' Hij legt zijn ene hand op de M-11 en wijst met de andere. 'Als dit misloopt, trut, dan is je familie dood voordat het proces begint. Geloof dat maar.'

Alle mannen en alle honden lopen weer naar binnen zonder mij nog een blik waardig te gunnen. Het is alsof mijn toekomst en die van hen zich niet langer kruisen, alsof mijn ster er tien minuten geleden niet toedeed en er nu nog niet toedoet. Ik slaak een diepe zucht en kijk nog eens goed naar de ontsteker. En daar is hij, zo'n halve meter van het Schlitz-blik, zilverachtig en strak, en precies waar ze zeiden dat hij lag.

Diegene die heeft beweerd dat crystal meth *alles* erger maakt, heeft niet gelogen.

Als je het spoor van Penn Central niet meetelt, is 103d Street en Beverly een hoek waar vijf straten bij elkaar komen. Het is er druk en lawaaiig om acht uur in de ochtend. Sonny Barrett zit achter het stuur van zijn Ford en ik luister vanaf het trottoir, met mijn armen over elkaar, leunend tegen het raam aan de passagierskant, maar ik hou het verkeer in de gaten. Hij is nog maar een uur aan het werk, maar razend nieuwsgierig. Hij wil een verklaring. Een paar eigenlijk: over Calumet City, over de burgemeester, over de vrouw van de burgemeester en over de dode hulpofficier Richard Rhodes.

'Nou even geen flauwekul. Vertel op.'

'Dat gaat niet.'

Sonny voelt met zijn hand aan zijn zout-en-peper stoppels en buigt het spiegeltje naar beneden, zodat hij zichzelf kan zien. 'Nee. Ik ben het.'

'Sonny, kijk...'

'Waarnaar? Spoken? Hij slaat tegen de passagiershoofdsteun vlak bij mijn handen. 'Dat is flauwekul. Jij zit tot aan je nek in iets wat jou, mij en iedereen die we verder nog kennen te gronde richt. Je bent het ons *verschuldigd*, Patti. Die jongens hebben een gezin. En je weet dat Interne Zaken en de FBI ze kapot maakt. Dat weet je.'

Hij heeft gelijk, maar ik kan het niet. Ik weet wat ik jaren geleden heb gedaan, maar ik heb geen idee waarom of hoe het nu relevant is.

'Zeg verdomme eens wat, ik heb niet de hele dag.'

'Sonny...' Mijn keel wordt dichtgeschroefd rond woorden die ik niet zeggen kan. 'Dit heeft helemaal niets met jullie te maken, oké? Of met de commissaris. Maakt niet uit wat je hoort. Echt niet.' Een traan rolt langs mijn wang en ik kijk te laat weg. 'Als dit het einde van mijn carrière betekent, dan ben ik de enige. Dat beloof ik. Ik sleur niemand mee.'

Sonny Barrett, bikkelhard, stapt uit zijn Ford, en een kleine bestelwagen *toeeeeeetert* en mist hem ternauwernood. Hij loopt om zijn voorbumper heen en staat dicht genoeg bij me om me te kunnen aanraken, maar dat doet hij niet. Ik concentreer me op zijn brede schouder, niet op zijn blik. Mijn ogen zijn vochtig. Dit is niet mijn normale, uitgestreken gezicht. Ik heb de laatste tijd wat moeite om dat op te zetten, sinds ik mijn nieuwe zelf ben.

Sonny heeft een prachtig gebit dat hij aan een ruzie heeft overgehouden en laat zijn tanden zien. 'We zijn toch vrienden?'

Ik zet mijn halfverkoolde Cubs-petje wat beter op mijn hoofd. 'Ja.'

'Dan is het simpel. Jij praat, ik luister. Daarna doen we wat we moeten doen. Is dat verdomme nou zo moeilijk?'

Ik wil niks liever dan dit overdragen aan iemand die het voor me oplost. Maar het enige wat ik kan zeggen is: 'Sorry.'

Sonny doet een oog dicht, steekt daarna als een brigadier zijn hoofd omhoog. Zoals alle brigadiers is hij geen fan van protest tegen simpele oplossingen: ga de confrontatie aan, zorg dat je wint, ga naar huis, doe morgen hetzelfde. Of ik geef hem een beter antwoord of...

'Sonny, dit is niet iets waar jij of Cisco me mee kunnen helpen.' Mijn voeten willen achteruit lopen. Leugens vragen ruimte. 'Wie weet wat de FBI weet.'

'Waarover?'

Ik haal mijn schouders op en huiver en het enige wat dat uitdrukt is: *arme ik*. 'Of wat ze uithalen.'

Sonny pakt mijn schouder en houdt een handvol van mijn jas vast. 'Wat dan bijvoorbeeld?'

Ik hou er niet van om vastgepakt te worden en dat weet hij. Maar dat houdt hem vandaag niet tegen. Dit is fase twee op zijn frustratie-index. Bij fase drie pakt hij je met beide handen vast en ramt hij je met je rug tegen een muur. Ik betwijfel of hij me dat zou aandoen, maar anderzijds is hij bij mij ook nog nooit in fase twee aangeland.

'Wat weet de FBI waarover? Geef antwoord.'

'Calumet City.' Zo, dat is eruit.

'Nou en?'

'De FBI was daar voordat ze in Joliet de confrontatie met me aangingen.'

'En?' Met zijn andere hand raakt hij mijn middel aan.

Ik kan onmogelijk antwoorden. Sonny ziet dat ik sneller adem, ziet dat ik me ertegen verzet, maar dat het me gewoon niet lukt. Het lukt me niet. Hij ademt uit in mijn gezicht, laat mijn schouder los, en wendt zich af. Hij knarst met zijn tanden. Hij staart totdat het duidelijk is dat ik geen antwoord geef, grauwt en draait zich om naar de straat, alsof hij van plan is om met de passerende auto's te praten... gooit daarna zijn handen in de lucht en draait zich weer om naar mij.

Zijn ogen zijn nu tot spleetjes geknepen, precies zoals hij doet voordat hij een gevecht aangaat, en hij begint te knikken, bouwt op naar iets. Drie, twee, een, daarna:

'De FBI zegt dat jij en commissaris Jesse baby's maken...' Hij slikt nadat hij het heeft gezegd, alsof zijn keel zeer doet. *'Alsof zij daar ver-*

domme iets mee te maken hebben.' Sonny wendt opnieuw zijn blik af, keert zich dan eindelijk weer terug naar mij. 'De FBI denkt dat jullie allebei te maken hadden/hebben met Danny D., ellende die al een lange geschiedenis heeft.'

Sonny houdt zijn mond, zodat ik een bekentenis kan afleggen.

Dat doe ik niet.

Hij loopt steeds roder aan terwijl hij wacht. De pezen in zijn nek zijn wit en hij gromt: 'Ze willen dat wij allemaal, ik, Eric Jackson, Cisco, proberen om het verhaal uit je te krijgen. Je uitlokken. Ze denken dat je misdaden hebt begaan met de commissaris, misdaden die op de een of andere manier samenhangen met de moord op de hulpofficier. De FBI heeft verdomme zelfs lui in pakken naar Cisco's ziekenhuis gestuurd, geloof je dat wel?' Sonny schudt zo hard met zijn hoofd dat hij zijn nek zou kunnen verstuiken. 'Ze zeggen dat ze een verband hebben ontdekt tussen jou en Chief Jesse en de burgemeester en dat wijf, dat *gore* huis van haar, en Richard Rhodes en wie-weet-wat-verder-nog. En omdat we al zeventien jaar met jou samenwerken, denken ze dat wij alles weten.'

Sonny's gezicht wordt vertrokken door emoties die ik nog niet eerder in zijn gezicht heb gezien. Het is vreselijk om mensen om wie je geeft te zien lijden voor jouw zonden. En nog erger om er dan niks aan te doen. Voor hen is het erger. Erger voor hen, ook erger voor jou, maar *jij* verdient het, meestal heel erg.

'Ik moet gaan, Sonny. Ik moet wel.'

Zijn handen ballen zich tot vuisten, een enorme man die machteloos staat. 'In godsnaam Patti...'

Ik zorg dat er tussen ons een meter ruimte is. 'Negen uur. Ik en de commissaris, daarna Interne Zaken en de FBI.'

Sonny kijkt me woedend aan, zucht dan, een zeldzame capitulatie. Hij spuugt zijwaarts, bekijkt me van top tot teen, en wendt zich dan van me af en zegt tegen het passerende verkeer: 'Fatsoeneer je tenminste even voordat je naar Metro gaat.'

Metro is het Metropolitan Correctional Center, de eigen gevangenis van de FBI, een flat van 26 verdiepingen aan Van Buren. Daar worden smerissen heen gebracht als het OM een aanklacht heeft ingediend waar het echt in gelooft. Sonny wacht even om te zien of ik toegeef, loopt daarna weer om zijn Ford heen, maar kijkt deze keer wel uit voor het verkeer. Bij het chauffeursportier spuugt hij nog eens en zegt tegen het interieur van zijn auto: 'Om vier uur help ik je met die methchemicus, als je dan nog geen federale boeien om hebt.'

Ik ben verbaasd, net als op de derde dag van de middelbare school, toen een jongen me mee vroeg naar het schoolfeest. *Jezus, heb ik dat nou?* Sonny start de motor van zijn Ford en ik vraag me af of ik me voor mijn vrienden in dit wespennest zou steken. Ik beeld me graag in dat ik dat zou doen, dat grote delen van mijn oude zelf geen leugen waren. Sonny verdwijnt in het verkeer en net als op die ene goede dag op de middelbare school wou ik dat ik bij hem hoorde. Of dat hij bij mij hoorde.

Maar bovenal wou ik dat ik iemand anders was.

Ik 'fatsoeneer' me niet, zoals hij me in overweging gaf, maar omdat ik maar zo'n vijf kilometer van mijn huis ben, is 'schoon' wel een redelijke eis na een nacht in de auto. Stella is het met me eens als ik aankom, maar verwacht klanten en kan niets anders doen dan klagen over de manier waarop ik me kleed. Terwijl ik mijn mobiel controleer, in de hoop dat Gwen heeft gebeld, zegt ze tussen neus en lippen door nog dat die zwarte man weer langs is geweest.

Die wat?

Dezelfde man die hier eerder is geweest. Ben ik gek geworden? Een zwarte vriend?

'Stell, lieverd, wacht eens even. Wat bedoel je, *eerder*?'

Stella schraapt haar keel en zet haar hoofd scheef op haar schouders die grotendeels uit schoudervullingen bestaan. '*Eerder*. Jezus. God. Ben je soms weer begonnen met drinken?'

Ik controleer elke kamer, en tel daarna samen met haar de Home Shopping Network-dagen af totdat we samen vaststellen dat 'eerder' de dag van de inbraak is.

11

Vrijdag, dag vijf
tien voor negen 's ochtends

Een zwarte man bij mijn huis. De voicemail van privédetective Harold J.J. Tyree klonk zwart.

Een blanke man uit Idaho of Arizona. Blanke brandstichters in kleding van ComEd. Die drie hebben iets met elkaar te maken, maar wat? Horen ze allemaal bij Roland Ganz?

Roland Ganz heeft Gwens zoontje. En nu heeft hij haar vast ook. Hij wil ons *allemaal*... Waarom heeft ze verdomme niet teruggebeld? Deze stad is te groot om zonder aanwijzingen iemand te kunnen vinden. Precies zoals bij Richard Rhodes. Tenzij ze ze op het gazon van de burgemeester gooien.

Ik ril.

Mijn Celica laat zich niet lekker besturen. Ik wissel van baan en werp een blik op de klootzak die toetert, en rol daarna mijn schone mouw op. De douche thuis voelde goed, maar ik voel me niet schoon. De spijkerbroek en de flanellen blouse zijn van mij. Jez en Batseba zagen er tevreden uit. De Cubs hebben gewonnen en de Sox hebben verloren. Ik ben nuchter.

Dit zijn mijn positieve gedachten voor nu. Beter gaat nu niet.

Ik rijd naar het centrum en hoop op moed om Jeanne d'Arc te kunnen spelen. Het is niet zo gemakkelijk als het er in de film uitzag en ik besef nu dat dat waarschijnlijk was omdat ik naar huis mocht toen de lichten aan gingen. Twee patrouillewagens scheuren gillend voorbij. Ze rijden voor een brandweerwagen uit naar het westen op 35th Street. Ik kan de ogen van de chauffeur zien. Ik kon Jeannes ogen ook zien, toen de vlammen aan haar kleding likten. Ze zou op de brandstapel verbrand worden zonder dat ze toegaf. Dat biedt me troost, plus het feit dat ze in Illinois nog maar zelden iemand verbranden. Maar mijn echte troost is dat ik niet geloof dat ik dit echt doe. De gevangenis klinkt beter. Mijn pistool in mijn mond steken klinkt... ongeveer hetzelfde.

Meer brandweerwagens rijden gillend in westelijke richting. Ben ik daar niet nodig? Elke straat in oostelijke richting gaat sneller dan die daarvoor. Alle stoplichten staan op groen. En daar staat het: vier verdiepingen op vier hectare. Het hoofdkwartier, het nieuwe gebouw op 35th Street en Michigan, nu dicht genoeg in de buurt van USCF Comiskey, om een homerun mee te pikken als de White Sox er eentje konden slaan. Het hoofdkwartier van de politie van Chicago is een nieuw gebouw in een slechte buurt, een nieuw gebouw dat er veel nieuwer uitziet dan het zich gedraagt.

Ik parkeer op straat. Hier bevinden zich ook de kantoren van Interne Zaken, de grootinquisiteurs met hun boeken met regels en nooit-afgevuurde revolvers. Elke smeris die hier over de drempel komt, voelt hun aanwezigheid, een belediging, als je het mij vraagt, voor de sterren die de wanden van de lobby op de begane grond sieren. Elke ster voor een smeris die tijdens de uitoefening van zijn beroep is omgekomen. Zo voelde ik me gisteren, voordat ik wist wie ik was. Nu weet ik waarom we Interne Zaken nodig hebben.

In plaats van dat ik naar de rij liften ga zitten kijken, loop ik langs de sterren en besef hoe trots ik ben, was, om bij deze mensen te horen, hoeveel het voor me betekende. Het is voor het eerst dat ik het dit jaar deed. Bobby Grapes stierf op 38th Street, terwijl hij twee zwarte kinderen redde van een vader met een geweer; John Sharpe, dood op Wilson Avenue. Ik ben met John naar de Academy gegaan, sloot mijn eerste nuchtere jaar met hem af op een parkbankje, terwijl we over de Cubs ruzieden. Na veertien maanden in zijn nieuwe uniform stierf hij, met het kortste kapsel dat hij ooit had gehad. Carl Medrano, dood op een gebarsten trottoir, drie deuren verwijderd van de slijterij die werd overvallen op Cicero.

Al deze kerels zijn beter dan ik. Allemaal.

Vooral deze twee, George Pulaski en Ierse Mike Constance. Ierse Mike was van Griekse afkomst en had therapeut of priester moeten worden. De GD's hebben hem twee keer neergeschoten. Eén keer in 1985, toen hij nog maar een groentje was, en een keer in 1997, nog voordat ze hem en George hadden vermoord in Gilbert Court, twee jaar geleden, erheen gelokt door een klein zwart meisje dat zei dat haar broer vastzat in een souterrain.

Ik herinner me de begrafenissen ook. De nerveuze voeten, de opwaaiende bladeren, de doedelzak net achter de heuvel en de kraaien op de grafstenen. Het is altijd winter tijdens de begrafenis van een diender en nergens is er een plek voor je woede. Het enige wat je kunt doen is volhouden en je vrienden niet verraden. Nooit. Ik probeer dat te onthouden, terwijl ik langs de troosteloze muurschildering op de zuidmuur van de lobby loop die de liften verbergt.

Het kantoor van commissaris Smith is op de vierde verdieping. De secretaresse die naar mij staart, en niet naar mijn kleren, is de secretaresse van de commissaris. Ze laat haar mening duidelijk merken. Gertruda Parsons vindt dat ik nu radioactief ben voor haar baas, en vindt dat ik dat altijd al ben geweest. Haar 'goedemorgen' was niet bedoeld om me op mijn gemak te stellen en haar vraag naar de rapporten die ik niet heb ook niet. Ze is een poortwachter en heel oplettend, met muisbruin haar en het postuur van een hoofdzuster. Op straat zou ze ontzagwekkend zijn. Hier binnen, omringd door de houten lambrisering en de macht van het ambt, is ze vaak het laatste licht dat een agent nog ziet.

'Gaat u daar alstublieft zitten.' Haar blik wijst naar de verafgelegen hoek, de tafel bij de keuken, als dit een restaurant was. 'De commissaris kan u zo ontvangen.'

De hoek heeft een lamp, maar die knip ik niet aan, wil mijn nervositeit niet extra zichtbaar maken. De beste rol die ik zou kunnen spelen is die van TAC-smeris, wat ik niet meer ben, die van de straat naar binnen komt om... *Onzin.* Iedereen in dit gebouw weet waarom ik hier ben.

'Commissaris Smith kan u nu ontvangen.'

Gertruda Parsons staat langs de gangmuur en knikt naar links. We lopen de hoogpolige blauwe loper af zonder een woord te wisselen. Bij een open deur klopt ze op de stijl en zegt: 'Agent Black.' Chief Jesse heeft geen jasje aan en staat met een telefoon stevig tegen een oor. Door het raam achter hem is het geld en de macht van het centrum zichtbaar. Ik ruik het bleekmiddel in zijn overhemd, zie de aderen in zijn nek en het gewicht van de baan onder zijn ogen. Zonder te glimlachen wijst hij dat ik binnen moet komen, maar hij wijst niet naar het chique meubilair om te gaan zitten. Natuurlijk weet hij dat ik geen rapporten heb. Ik kijk naar mijn sportschoenen. Hier zien ze er armoediger uit, net als mijn jeans. Ik zet het verkoolde Cubs-petje af en wou dat ik dat in de wachtruimte al had gedaan. En ik had nooit meer een vader nodig dan nu.

Chief Jesse buldert: 'Dat-gebeurt-niet.'

Niks rammelt. Dit kantoor was gebouwd op stevigheid. Alles hier is donker en gepoetst en geordend en Chief Jesse lijkt hier niet op zijn plek.

'Nee. En daarmee uit,' zegt hij tegen de telefoon.

Zijn schouders rollen terwijl hij luistert, zijn andere hand is een vuist op zijn bureau, het gewicht van zijn rechterkant leunt op de knokkels. Die zijn wit en de kleur trekt naar boven zijn arm in, voorbij de opgerolde manchet.

'Nee. Pat Camden van News Affairs. *Alleen* News Affairs.'

Hij luistert opnieuw en ik kijk nog maar eens naar het uitzicht vanaf de top, als je vier verdiepingen de top zou kunnen noemen. Intussen gieren de zenuwen door mijn keel, maar dat probeer ik voor hem en mezelf te verbergen.

'Waarom?' Chief Jesse is niet meer aan de telefoon. Zijn blik vuurt kogels op me af.

Ik geef hem de beste verklaring die ik heb: 'Hè?'

'Waarom?'

'Eh, ik eh... heb geen antwoord, meneer.'

'Je hebt ook geen baan.'

Dat is niet echt een heel grote verrassing, maar ik doe alsof. Erger: zijn 'waarom' zou op een aantal dingen kunnen slaan, niet alleen op die spookverslagen.

'Alle ogen zijn op deze zaak gericht, op jou. Veel van je vrienden, inclusief ikzelf en de burgemeester, niet dat hij je vriend is, hebben er een aanzienlijk belang bij dat deze zaak wordt gesust. Dat besef je wel, toch?'

'Ja, meneer.'

'Wil je me mondeling verslag uitbrengen, of is daar geen sprake van?'

'Nee, meneer.'

'Nee meneer, wat?'

'Ik kan... kan mondeling verslag uitbrengen. Meneer.'

'Doe dat verdomme dan.'

Ik vertel hem dat er niks in het politiedossier in Calumet City uit 1987 zit dat de aandacht richt op burgemeester McQuinn, de politie van Chicago, de commissaris, Danny del Pasco of... 'Mij' wil ik daaraan toevoegen, maar ik doe het niet. Ik leg uit dat het dossier vol staat met bijzonderheden over Richard Rhodes en dat hij als verdachte wordt aangemerkt.

'Heeft hij het gedaan?'

'Het ziet er niet naar uit alsof de plaatselijke aanklagers er veel in zagen, meneer.'

'Goed nieuws voor burgemeester McQuinn. Richard Rhodes was zijn protegé voordat die overliep naar de gouverneur.'

'Meneer, is de taskforce van de officier...?'

'Die is bezig met de Outfit en de casinovergunningen.' Zijn blik probeert me niet langer op te lossen en dwaalt af naar het raam. Hij aarzelt, terwijl hij naar de stad kijkt waarop hij het toezicht uitoefent, maar zegt dan: 'Er is iets heel erg mis met die combinatie en onze burgemeester heeft me niet verteld wat het is.'

Ik ben dolblij met de kans dat dit niet helemaal om mij en Calumet City draait. 'Zo erg mis, meneer, dat de Outfit de hulpofficier zou vermoorden en een aanslag zou plegen op burgemeester McQuinn?'

'Je hebt problemen met zijn naam, hè?'

Ik stotter, verrast, en zeg: 'Rhodes.'

De commissaris draait zich kwaad en gereserveerd af van het raam en zegt dat ik mijn *mondelinge* verslag moet afmaken. Ik maak mijn verhaal af zonder alle gevallen te noemen waarin ik niet heb voldaan aan al zijn en mijn verwachtingen. Maar aan het einde van elke zin heb ik een haast onbedwingbare neiging om eruit te gooien wat ik stomdronken op de verjaardag van mijn zoon heb gedaan. En als het telefoontje van kleine Gwen geen angstfantasie is, wat voor monster er nu vrij rondloopt.

In plaats daarvan ga ik verder met Danny del Pasco en leg uit dat, hoewel hij heeft gezegd dat hij niet met de FBI wil praten tenzij hij volledige kwijtschelding van zijn straf krijgt en op vrije voeten wordt gesteld, hij wel met mij heeft gepraat. Dat weet de commissaris al, van mij, van de FBI, en van de briefing van de taskforce van het OM waarvan hij deel uitmaakt. Ik draai eromheen en dat weet hij ook. Voordat hij bestuurder werd, was hij agent.

'Draai er niet om heen. Wat is jouw *directe* relatie met meneer Del Pasco?'

Ik staar.

'Je baan, je carrière, staat nu op het spel. Alles, alles waar je om geeft, afgezien van rugby en die twee goudvissen.'

Er komen geen woorden die het begin vormen van een zin die leidt tot het antwoord dat hij zoekt. Alleen een uitdrukkingsloze blik waar ik me voor schaam en die ik gelukkig niet kan zien. Hij ademt diep in. Zijn kaakspieren rollen en hij werpt een blik op zijn horloge. 'Eerst Interne Zaken, daarna de FBI. Een correcte inschatting van je situatie: je hebt geen kans om vandaag te overleven. Geen enkele.'

Mijn lippen trillen. Patti Black, schutter, verdwaald meisje.

'Wie van de bond vertegenwoordigt je?'

Ik haal mijn schouders op en schud mijn hoofd.

Hij leunt over zijn bureau naar me toe en zijn stem vult het kantoor. *'Heb je geen advocaat?'*

Ik probeer de draden in zijn tapijt te tellen en wou dat ik kon praten, iets kon zeggen, wat dan ook. Vreemd dat hij, toch een grote man, het hier zo warm heeft. Hij zegt weer iets, kennelijk tegen Gertruda, want zijn woorden zweven min of meer.

'Sorry, meneer. Wat zei u?'

Zijn nek is vuurrood, zijn gezicht ook. En hij gaat zitten. Ik wil ook gaan zitten, maar doe het niet. Hij kijkt naar zijn bureaublad. Ik neem ruimte in, zonder dat ik iets zeg, kijk uit zijn ramen, besluit niets. Ik begrijp niet waarom hij me er niet uit heeft gegooid. In de tijd voorafgaand aan de afgelopen drie dagen zou dit het allervreemdste moment zijn geweest: de onmogelijkheid om ongehoorzaam te zijn. Maar nu is het maar een van de vele onmogelijkheden die als een rivier lijken samen te stromen, allemaal verbonden in één grote, reusachtige, onbegrijpelijke vloed.

Zo, dat was een gedachte. Ik denk tenminste, maak onuitgesproken zinnen. Lieve God, ik hoop toch dat ze onuitgesproken zijn.

'De FBI kun je niet zonder advocaat te woord staan. Vertel hen en de officier van justitie dat je geen idee had waar de bijeenkomst over ging. Ze kan een nieuwe afspraak maken of een dikke krijgen.'

'Ja, meneer.'

De officier van justitie voor het noordelijke district van Illinois is Helen Holden. Al negen jaar is ze de aartsvijand van de politie van Chicago. Helen, afgestudeerd aan de lommerrijke, aan het meer gelegen Northwestern University, is zo dik met de Republikeinse gouverneur als je maar zijn kunt; ze eet nog net niet elke feestdag kalkoen met hem. Een adjunct van de politie van Chicago met een zeer uitgebreid netwerk onder de vorige regering zit dankzij haar in de federale gevangenis. En dankzij zijn eigen ambtsmisdrijf natuurlijk.

Het advies hoe ik met Miss Holden om moet gaan klinkt bijna vriendelijk, vaderlijk.

'Met Interne Zaken ligt het anders,' zegt hij.

'Ja, meneer.'

'Vertel me wat je verbergt en ik kan je misschien, *misschien*, redden.'

Allebei mijn handen trillen en ik knijp ze achter mijn rug zo hard in elkaar dat ze wit zien. Met een woeste blik kijkt hij me aan totdat ik het laatste beetje van zijn geduld en vriendschap heb verspeeld en met een handbeweging vol afkeer wuift hij me dan zijn kantoor uit.

De opknapbeurt voorafgaand aan het gesprek met Interne Zaken helpt niet. De vrouw die uit het tweede hokje komt, kijkt naar me, maar zegt niks. Ze controleert haar lippenstift in de spiegel waar ik niet in wil kijken, werpt nog een blik naar me, en vertrekt.

Om tien uur precies begint de bijeenkomst met Interne Zaken in een vergaderruimte zonder ramen op de vierde verdieping, met kantoorverlichting die in het verlaagde plafond is weggewerkt. De meeste straatagenten geloven dat Interne Zaken daar camera's verbergt, of dat nou toegestaan is of niet. Volgens mij zou Interne Zaken je liever de camera laten zien, en je laten weten dat je werd gefilmd, maar ik kijk toch even goed.

De rechercheur die tegenover me zit is respectvoller dan ik had verwacht. Hij bladert door mijn dossier, de notulen van arrestaties, prijzen, eervolle vermeldingen, en bedankbrieven van voor het merendeel zwarten, voor het merendeel burgers uit het getto. Hij glimlacht vanwege de omslagfoto van Paul Elledge, en laat die aan me zien, en stopt hem daarna voorzichtig terug in de map.

'Agent van het Jaar. Twee keer. Dat was nooit eerder vertoond.'

Ik glimlach en geef geen antwoord. Ik weet wel beter dan 'ja' te gaan zeggen op de gemakkelijke vragen. Dat merkt hij en gaat verder met het bekijken van pagina's waarvan ik niks te vrezen heb, niet dat je geen kritiek zou kunnen hebben als je dat zou willen, maar als hij daar tijd aan zou besteden, zou dat een zegen zijn waarop ik niet kan hopen.

'U hebt... zeventien jaar gewerkt in district 6?'

Ik knik.

Hij grinnikt boven de pagina's. 'U mag praten, agent Black, dat lijkt me logisch.'

Ik praat niet.

Hij gaat door en onderzoekt me met een neutrale blik, wendt zich dan weer naar het dossier, en bladert door ritselende pagina's die hij niet leest. De nieuwe klachten liggen naast zijn linkerhand en hij werpt een blik op de eerste pagina's. Die twee zijn vast ingediend door inspecteur van dienst Kit Carson. Daaronder liggen vast de klachten die zijn ingediend door alderman Leslie Gibbons.

De rechercheur tikt mechanisch met zijn potlood op de klachten, en pakt dan weer mijn personeelsdossier, pagina 1 dit keer, gaat achterover zitten alsof hij in de war is, en zegt: 'Er ontbreekt belangrijke informatie.' Hij kijkt naar me, nadat hij het heeft gezegd, alsof ik schuldig ben aan het niet leveren daarvan.

En dat klopt. Hij wil dat ik vraag: *Wat voor informatie?* Maar ik hou mijn mond, ik kijk hem met een strak gezicht aan en dwing mijn handen om niet te trillen.

'Er ontbreekt belangrijke informatie, agent Black.' Hij zegt het nogmaals, deze keer met nadruk, alsof ik hem mogelijk niet zou hebben verstaan in een kamer van drie bij drie. 'Waar bent u geboren?'

Op sommige vragen moet je wel antwoord geven... En zo doen ze dat. Je begint vragen te beantwoorden waarmee je geen last kunt krijgen en houdt je mond zodra dat wel het geval is. Dat is het moment dat ze de tandartsboor tevoorschijn halen, de motor aanzetten en zeggen: Mond wijd open, schatje.

Ik kijk op mijn horloge, kijk naar hem, en tik op het plastic.

Hij is onaangedaan en vraagt het me nogmaals.

'U kunt lezen en ik heb een zaak, en daarna een FBI-ondervraging.

Dus als u over de klacht wilt praten of over de klachten van de alderman, laten we dat dan doen.'

'Dat wil ik graag, ben dat van plan, maar het valt me op dat een belangrijk deel van uw dossier niet volledig is. Het is...'

'Laat dat maar aan het archief over. Ik ben hier om vragen te beantwoorden over de klachten en...'

'U bent hier om antwoord te geven op al mijn vragen.'

Hij ziet er niet minder vriendelijk, afgeschrikt, of geïntimideerd uit. Gewoon zakelijk, afgezien van het feit dat hij nog steeds tikt met het potlood, dat hij nu als een wip tussen twee vingers heen en weer beweegt. Hij draagt een trouwring om zijn ringvinger en er ontbreekt een knoopje aan de manchet van zijn jasje.

Hij houdt op met tikken. 'Goed, u uw zin. We beginnen met de klachten. Vertel me uw versie. De versie van luitenant Carson hebben we al.'

'Welke klacht?'

'Gilbert Court.'

God bestaat dus toch. We kunnen uit en te na praten over de schietpartij en toch kom ik niet in de hel of in de gevangenis terecht. Tenzij ze er een zaak van maken dat ik inbreuk op de burgerrechten van twee GD's heb gepleegd, terwijl zij een politieagent probeerden te vermoorden. Maar in plaats van dat ik een uur van de tijd van Interne Zaken verdoe door het verhaal nog eens te vertellen, word ik boos, want ik word boos als ik bang ben. 'Misschien kunt u *niet* lezen.' Ik werp een blik op mijn personeelsdossier waar mijn geboorteplaats en -datum zeker in staan. 'Na de ondervragingen heb ik rapporten geschreven. Die zitten er allemaal in.'

Hij knikt, opnieuw zonder uitdrukking en klikt dan met zijn potlood. 'Vertel het me of weiger het me te vertellen. Simpel. Het een of het ander.'

Dus vertel ik hem over Gilbert Court. Een halfuur lang. Hij knikt veel, maar nauwelijks waarneembaar en af en toe kijkt hij naar me. Ik begin het gevoel te krijgen dat hij zich verveelt. Zijn potlood houdt geen moment op met tikken, heel langzaam, *tik-tak, tik-tak.* Als ik klaar ben, zegt hij:

'Het gebouw aan de andere kant van de steeg... Bent u er ooit eerder binnen geweest?'

'Nee.'

'Al die zeventien jaar niet?'

Ik voel dat mijn hartslag verandert, maar ik blijf stilzitten in mijn stoel. 'Nee.'

'En de vrouw,' zegt hij, terwijl hij naar de klachten kijkt, 'Annabelle Ganz?'

Ik haal mijn schouders op.

'Neem me niet kwalijk, agent Black, ik hoorde uw antwoord niet.' Hij kijkt naar de plek waar zijn potlood mijn antwoord zal opschrijven.

'Ik heb geen vraag gehoord.'

Hij knikt. 'Kent u of hebt u Annabelle Ganz gekend?'

Een moment zwijg ik. 'Nee.'

Hij kijkt op van zijn papieren. 'Niet?'

Dit houdt allemaal geen verband met de klachten. Nauwelijks waarneembaar haal ik met getuite lippen mijn schouders op en schud dan mijn hoofd. Te veel bewegingen, als hij oplet. En dat doet hij. Hij blijft maar naar me staren.

'Kent u Annabelle Ganz niet?'

'Nee.' Geen moment van stilte. Alleen de leugen, de grootst mogelijke leugen die een meisje kan vertellen.

'Weet u dat commissaris Smith in dat gebouw heeft gewoond?' Voordat ik tijd heb om te antwoorden, voegt hij eraan toe: 'U hebt hem net gesproken, hè, voordat u hierheen kwam?'

'Ja, op beide vragen.'

Dat schrijft hij op, maar met te veel woorden. 'Kent u de vrouw van de burgemeester?'

'Nee.'

'Hebt u haar nooit ontmoet?'

Nu kan ik even schuiven op mijn stoel. 'Ja, ik heb haar ontmoet, maar ik ken haar niet.'

'Hoe hebt u elkaar ontmoet, en waar?'

Ik trek een frons en kijk weer op mijn horloge. 'Wat maakt dat uit? Ik ben geen politicus. Mij maakt het niet uit wie de verkiezingen wint. Laten we het over de klachten hebben of deze bijeenkomst opheffen.'

'Vertel het me of weiger om het me te vertellen.'

'Dat herinner ik me niet. Zou op allebei de Agent van het Jaar-uitreikingen kunnen zijn geweest. Misschien een derde keer toen de *Herald* over ons schreef, vanwege die honden in de rivier.'

'Dat was u alleen, niet *ons*, die de honden uit de rivier had gered.'

'Hoe dan ook.'

Hij kijkt naar zijn papier, kijkt er nog eens naar en fronst zijn voorhoofd. 'En uw relatie met de vrouw van de burgemeester?'

'Die is er niet. Dat heb ik u al verteld.'

'Helemaal niet?'

Hij maakt me kwaad en dat weet hij ook. Dus ik geef geen antwoord. Laat hij oprotten.

'Agent Black...? Weigert u om te antwoorden?'

'Ja, ik weiger. Tevreden? Als u over iets wilt praten wat ertoe doet, vraag dat dan.'

Hij knippert en probeert om mijn gezicht te lezen. 'Dit doet ertoe, agent Black.'

De deur achter me gaat open en allebei nemen we niet de moeite om te kijken. Een grotere versie van de zittende rechercheur loopt achter hem langs en gaat rechts van me zitten, vijftien centimeter van mijn elleboog. We worden niet aan elkaar voorgesteld, behalve dat we elkaar een blik toewerpen. Hij heeft een notitieblok met een spiraal en daaronder een lichtgele dossiermap met een verborgen etiket. De eerste rechercheur duwt een briefje naar de nieuwe man die reikhalst om het te lezen, laat niets merken, en herneemt daarna zijn militaire houding bij mijn elleboog. De eerste rechercheur gaat verder met praten, alsof we nog steeds alleen zijn.

'Danny del Pasco...'

'Er is geen klacht die verband houdt met Danny del Pasco of met de vrouw van de burgemeester.'

'Danny del Pasco...'

'Ik lieg niet. Praat over iets wat ertoe doet, iets wat in die klachten staat of ik ga weer aan het werk. Ik heb u al gezegd...'

'Het is mijn ervaring, agent Black,' klinkt de stem van die nieuwe vent zwaar en laatdunkend, 'en waarschijnlijk ook die van u, dat als iemand zegt "ik lieg niet," in de meeste gevallen het tegendeel waar is.'

Even kijken we elkaar op een bijzondere manier aan. Ik zeg: 'Probeer het maar.'

In plaats daarvan haalt hij een formulier uit zijn dossier. Hij vult de datum en zijn initialen in, en schuift het formulier dan naar de eerste rechercheur die als getuige optreedt. Het is een verklaring van afstand, die alleen een idioot of een smeris die niet bang was om te praten zonder advocaat zou tekenen. De eerste rechercheur schuift hem door naar mij. De nieuwe vent geeft uitleg.

'Leest u alstublieft de verklaring van afstand van rechten, zet dan daarna onderaan uw handtekening en de datum. Daar.' Hij wijst naar twee hokjes waarin ik een vinkje kan zetten, waarvan de een het begin is van de wandeling naar de gaskamer, zodra Illinois die heropent.

'Tot ziens.' Ik vink het hokje aan waarbij staat: 'Doe geen afstand', teken daarna onder aan het vel papier en ga staan. 'Ik ga bij de vakbond langs. Daar regelen ze een advocaat en dan praten we verder.'

'We zijn nog niet klaar, agent Black.'

'Zak allebei in de stront.'

Terwijl ik me omdraai, net buiten de deur, hoor ik een van hen zeggen: 'Als ze akkoord gaat met een deal van het OM zien we haar nooit meer terug.'

12

Vrijdag, dag vijf
middag

Twee jaar geleden, in augustus, heeft een beschaafde crimineel uit Mississippi geprobeerd om Alexander Calders zestien meter hoge *Rode Flamingo* op te blazen. Als hij niet was tegengehouden, zou zijn kunstmestbom van bijna drieëntwintighonderd kilo de hele straat met de grond hebben gelijkgemaakt. Behalve die Calder-sculptuur bestaat die straat uit twee wolkenkrabbers die op een kleinere versie van het World Trade Center in New York lijken. Het minst imponerende van de twee gebouwen is het negenentwintig verdiepingen hoge Dirksen Federal Building. Het gebouw biedt onderdak aan het federale gerechtsgebouw, de FBI, en alle 31 hulpofficieren van het noordelijke district van Illinois. Die zitten op de vierde verdieping, met uitzicht op het Berghoff-restaurant.

Helen Holden, *de* officier van justitie, vatte de bom persoonlijk op.

Helen heeft de neiging om een aantal dingen persoonlijk op te nemen, en verleent maar zelden vergiffenis aan hen die ze niet mag. En ze heeft een ongelooflijke hekel aan de commissaris. Volgens geruchten hadden ze het met elkaar aan de stok toen hij hoofd van de recherche was en zij zaken tegen de georganiseerde misdaad behandelde, maar niet de hele grote zaken. Chief Jesse won en maakte snel promotie naar de top. Helen zat acht jaar in Rockford, waar ze lui vervolgde die expres het identificatielabel van hun matras knipten.

Terwijl ik langs het Berghoff loop, vult het trottoir zich met mensen in nette pakken. Het toeval van de locatie valt me op. Afgelopen maandag toen ik hier was, had ik aangenomen dat Chief Jesse net van een etentje kwam, naar zijn auto was gelopen nadat hij handen had geschud en afscheid had genomen van zijn...

Mijn voeten houden in. Stel dat die bijeenkomst niet in het Berghoff was geweest? Stel dat het in het gebouw ernaast was, waar ik nu heen ga? Een avondvergadering in het Everett Dirksen Federal Building? De rechtszalen zouden gesloten zijn en het postkantoor dicht. Om 's avonds in en weer uit dat gebouw te komen, heb je een M-16 nodig, maakt niet uit wie je bent, *of* toestemming zwart op wit plus een begeleider van de FBI.

Chief Jesses auto stond in de richting van State, weg van het Federal Building. In de auto was het een en al schone leren bekleding en... een spoor van sigarettenrook? Een geur die blijft hangen en hij rookt niet. Of was het een sigaar? En *parfum*, er hing een parfumlucht, toch? Een vrouw botst met haar koffertje tegen me aan en ik ben weer terug in het heden, op de uitkijk naar een SUV. Op Adams Street rijden bussen en taxi's.

Mijn gezicht gloeit. *Chief Jesse heeft enorm zijn best gedaan om je te beschermen en is dit zijn beloning?* Het Dirksen Federal Building boven me is het met me eens en het lijkt wel of de achtste verdieping grijnst. De vrouw met wie ik hierna een afspraak heb, heeft een aantal kantoren op de achtste verdieping.

Om daar te komen, moet ik ook echt naar binnen. En daarna met succes mijn weg vinden door de lobby, iets wat wel wat weg heeft van langzaam verteerd worden. Als je op bezoek gaat in een van de gebouwen van de FBI, waar ze zelf zitten, dan krijg je pas echt een goed idee van hoe ze denken: de 'wij tegen de buitenwereld'-fort-mentaliteit is er net zo sterk als in een gevangenis. En ik moet sterk aan een gevangenis denken, terwijl ik in de lift sta, met mijn BEZOEKER-plaatje en lege holster. Mijn begeleider drukt op 8 en zegt: 'Eerst foto's', en verder niks.

De FBI heeft één agent die fulltime de politie van Chicago onderzoekt. Fulltime, een enorm budget, dat is het enige wat hij doet. En als je er als bezoeker komt, vrijwillig of na een dagvaarding, brengen ze je naar een kamer waarin ze criminelen fotograferen. 'Kijk naar de camera. Voeten op die stippen, profiel, gezicht.' Ze proberen je gek te maken voordat je wordt ondervraagd. En zij geven geen antwoord op jouw vragen.

Hun ondervragingsruimte lijkt erg op die van Interne Zaken, maar dan groter. Ik krijg het gevoel dat ze me hier belangrijker vinden en dat is geen goed gevoel. Special Agent Stone deelt een ovale tafel van een meter of drie met twee mannen in zwarte pakken. De rest van de stoelen is leeg. Voor een van de stoelen ligt een stapeltje mappen, staat een koffiekopje en er ligt een rolletje Lifesavers.

Special Agent Stone zegt: 'Moeten we op uw advocaat wachten?'

Ik staar naar hem, in plaats van te antwoorden.

Hij trekt zijn lippen tot een streep bij wijze van glimlach. 'Dan beginnen we zodra...'

De deur gaat open en een lange, knappe vrouw in een streng pakje komt binnen. Alle drie de mannen komen omhoog en zij maakt een gebaar dat ze moeten blijven zitten voordat ze staan. Ze steekt me haar hand toe. 'Jo Ann Merica, hulpofficier,' en geeft me haar kaartje. 'Hebt u geen advocaat, agent Black?'

Ik bestudeer haar kaartje en zeg dan: 'Nee.'

'Goed, laten we dan maar beginnen.' Haar glimlach is meer een reflex en maar marginaal stralender dan die van agent Stone. 'U werkt momenteel als *tactical officer* in district 18 of bent u uitgeleend aan de *Intelligence Unit* van de commissaris?' Haar geverniste glimlach verbreedt zich. 'We hebben de laatste tijd moeite om u bij te houden.'

Ik zie de grap er niet van in. 'Waar gaat dit om? Waarom ben ik hier?'

'Pardon?'

Ik staar. Net als hulpofficier Jo Ann Merica. De FBI-agenten doen met haar mee. Ze werpt een blik op haar papieren, en schiet dan met één perfecte paarlemoeren nagel de Lifesavers over tafel. We zien de rol snoep rollen totdat ze bij mijn handen zijn.

Geinig. Ik heb wel zin in Evergreen, dus ik maak het rolletje open en stop er twee in mijn mond, terwijl ze allemaal toekijken. Daarna staren we weer. Uiteindelijk zegt Jo Ann Merica: 'Ik ben van plan om u in staat van beschuldiging te stellen wegens belemmering van de rechtsgang en medeplichtigheid aan de dood van hulpofficier Richard Rhodes.'

'*Werkelijk?*' Ik kauw een Lifesaver stuk. Iedereen ervaart het als een onderstreping van wat ik zeg.

'Werkelijk.' Jo Ann Merica heeft een ijskoude blik onder lange wimpers en zelfvertrouwen dat ze heeft verdiend. 'Ik wacht wel, terwijl u de vakbond belt.'

'Ik heb geen zin om te wachten of te praten, Jo Ann.'

Zonder enig vertoon slaat ze een tweede map open, kijkt op haar horloge, kijkt daarna naar agent Stone en zegt: 'We hebben onweerlegbaar bewijs dat er sprake is van georganiseerde misdaad binnen de politie van Chicago.' Ze toont me een vel papier dat ze tussen twee vingertoppen vasthoudt. 'Het oude eerste Ward en het kantoor van de burgemeester. Een lange geschiedenis van corruptie die ik zal vervolgen met de RICO-wet. Met u als doelwit of getuige. Dat mag u zelf bepalen.'

Ik kan het papier van deze afstand niet lezen en probeer dat ook niet, hoewel ik dat wel graag zou willen. De pagina is niet leeg, maar het zou net zo goed bewijs tegen haar stomerij kunnen zijn. 'Of geen van beide.'

Jo Anns kapsel van honderd dollar beweegt nauwelijks. 'Sorry. U bent er te zeer bij betrokken.' Voor mij laat ze even een moment stilte vallen. 'Net als uw vrienden. Een aantal van hen heeft al getuigd. U kunt wel raden welke kant ze hebben gekozen.'

Ik doe net alsof ze dat niet heeft gezegd en grijns. 'Ja, ja.'

'Ik raad u ten sterkste aan om een advocaat in de arm te nemen. Zij zal u helpen om...'

'Moet je eens luisteren, Jo Ann. Ik vertel je hetzelfde als wat ik agent Stone in Joliet heb verteld. Ik werk voor de commissaris. Als je iets op je hart hebt, moet je met hem praten.'

'We zijn hier, agent Black, om *over* hem te praten.'

Ik sta op om te vertrekken. 'Niet met mij.' Een van de FBI-pakken gaat staan, alsof hij van plan is om de deur te versperren. Ik ben de enige die het ziet.

Jo Ann Merica zegt: 'U kunt bevestigen wat ons inmiddels al is verteld, en daarna een microfoon en zendertje dragen, of u draait de gevangenis in. Uw dagen als "Patti Black, Agente van het Jaar" zijn voorbij.'

'Ben ik gearresteerd? Want anders vertrek ik nu.'

'Dat moet u weten. Maar bedenk wel: dat ontbrekende dossier in

Calumet City komt boven water, en dan verdwijnt *iedereen* die erin staat de gevangenis in.'

Ik haal voor het eerst weer echt adem als ik buiten sta, voor Calders rode sculptuur. Twee akelige echo's klinken nog na in mijn oren: 'Over *hem*' en 'ontbrekend dossier'. Chief Jesse als doelwit van een RICO-aanklacht. *Jezus Christus.* Wat een grote hoop onzin.

Echt?

Weer moet ik blozen, schaam me weer, en loop een hele troep duiven in zonder dat ik er eentje zie. Met explosief lawaai fladderen ze rondom me op. Ik sta temidden van die beesten en denk: 'Is Chief Jesse hier op de een of andere manier bij betrokken? Was het niet gewoon toeval, dat hij te maken had met Gilbert Court? En 'het kantoor van de burgemeester' ook? Zelfs als dat mogelijk zou zijn, en dat is niet zo, waarom zou ik dan een microfoontje moeten dragen? Ik weet nergens iets van, behalve van Calumet City.

Dat is die andere echo. Het 'ontbrekende dossier'. Dat kan niet het dossier zijn van de politie van Calumet City. Het kaartje van agent Stone lag op tafel toen ik aankwam... Hij moet alles gezien hebben wat ik heb gezien. Dat doet me *rillen.* De duiven strijken weer neer en dan snap ik het: het 'ontbrekende dossier' moet wel het dossier zijn over het pleeggezin van de kinderbescherming van Calumet City. Iemand heeft dat gepikt.

Jo Ann Merica en de FBI hebben het niet, is dat niet geweldig? En Interne Zaken ook niet, of anders hadden we al wel elke zin gespeld waarin mijn naam voorkwam. Wie heeft het dan wel? Misschien is het wel verloren gegaan, shit, ik ben drieëntwintig jaar geleden weggelopen en die Zwarte Maandag-moord is achttien jaar geleden. In die tijd waren computers... sinaasappelkistjes vergeleken met nu. Het zou met gemak verloren kunnen zijn gegaan.

Of het ligt in een dossierkast. Maar waarom?

Een schoenpoetser, een jongen, kijkt naar mijn voeten, daarna naar mij, alsof hij iets aan mijn gymschoenen zou kunnen doen. Zijn gettoblaster achter hem speelt Muddy Waters in plaats van 50 Cent. Er komt een bus voorbij met een advertentie voor een film die de hele zijkant van de bus bedekt. Er wordt een pistool op het oor van Denzel Washington gericht en er staat een koffertje bij zijn voet. Hij staat achter de titel: *Shakedown.*

In een flits zie ik de notities in de marge van het politiedossier over Jim Bakkers nieuwe radioprogramma in Branson. En voor de eerste keer zie ik een opvallende gelijkenis tussen Mr. Washingtons situatie en die van hulpofficier Richard Rhodes. Wie die notitie heeft gemaakt, wist waar Richard Rhodes zijn jeugd heeft doorgebracht.

Maar als het een *shakedown* is, als het om chantage gaat, waarom zouden ze hem dan vermoorden?

Het is vijf voor vijf, nog steeds geen telefoontje van kleine Gwen, en ik sta met mijn rug tegen het spatbord aan de chauffeurskant van Sonny's auto op de gerenoveerde hoek van 95th Street en Western. Het is druk op die hoek en het is het hele uur dat we al staan te wachten steeds druk geweest. Sonny wacht in zijn auto. De luchtverplaatsing van vrachtwagens is de enige wind en het lawaai blijft door de vrachtwagens constant. Net als de stank van uitlaatgassen. Ik trommel met mijn vingertoppen op Sonny's spatbord. Deze bijeenkomst, als Pancake komt opdagen, gaat over de boeven, lui die mij willen aandoen wat ze Richard Rhodes al hebben aangedaan. Boeven die me naar kleine Gwen en haar zoon kunnen brengen, als ze nog leven... Als ik niet op de een of andere manier heb gedroomd dat ze me belde.

Ik ben ongerust, over deze ontmoeting, over dat Gwen maar een waanidee was, en over Sonny, maar ik zit niet in de bak, de stedelijke of de federale, en daar ben ik heel blij om. Sonny ook, toen ik hier aankwam, hoewel hij al gehoord had dat Interne Zaken van plan was om me morgen terug te laten komen. Dat wist ik nog niet, maar het was geen verrassing. Interne Zaken is waardeloos, maar de FBI wordt de genadeklap. Al lukt het me behoorlijk goed om aan Pancake te denken in plaats van aan hen.

Sonny schreeuwt uit zijn raam en laat me zijn horloge zien. 'Het is bijna vijf uur, P. Ik wacht niet nog een uur.'

We weten allebei niet wat we moeten zeggen en dat is de echte reden dat ik buiten tegen zijn spatbord sta te leunen en hij niet. 'Ben je bang dat je *Barney Miller* mist?'

Een heel dunne, bleke blanke man houdt me vanaf de overkant van de straat in de gaten. Hij is alleen en ziet er niet tevreden uit. Ik zwaai naar hem en zeg uit mijn mondhoek tegen Sonny: 'Kijk uit, hij heeft vast hulp in de buurt.'

'Pff.'

Ik duw me van het spatbord af en jog het verkeer door. De vent blijft ineens stokstijf staan. Dan kijkt hij over zijn schouder, alsof hij ervandoor wil gaan, maar dat doet hij niet. Ik kijk naar zijn handen, niet naar zijn gezicht, kijk dan wat er achter hem gebeurt, vanwege de vijftig procent kans dat hij net zo gestoord is als zijn zakenpartners. Hij gaat achter een parkeermeter staan, en zorgt dat die tussen ons in blijft, en zegt: 'Zo is het goed', als ik aan zijn kant van de straat arriveer.

We staan zes meter van elkaar af. 'Ik ben niet besmettelijk, Pancake.'

Zijn hoofd draait, maar dan als dat van een hagedis, het beweegt stotterend, frame voor frame, en klikt. De pet van de spoorwegen die op zijn zonnebril rust, is een maat te groot en volgt elke keer te laat. De dreiging van Charlie Moth doemt tussen ons op.

'Alle smerissen liegen. Jullie zijn allemaal besmettelijk.'

Ik kan hem nauwelijks horen en doe een stap dichterbij. Hij stapt achteruit. Ik probeer het nog eens en hij struikelt over zijn legerschoenen, of anders was hij al weg. 'Rustig, oké? Danny D. zei dat je me kon helpen.' Ik doe mijn jas open. 'Ik ben niet aan het werk.'

Hij verbergt zo'n groot mogelijk stuk van zijn gezicht als maar mogelijk is onder zijn pet en blijft maar met zijn hoofd draaien, tot zestig graden, aan beide kanten ten opzichte van dat van mij.

'Danny D. zei dat er een prijs op mijn hoofd staat en jij weet wie daar achter zit en waarom. Vertel het me, dan sta ik bij je in het krijt.'

'Ja, ja. Een blanke vent, uit Arizona of Idaho huurt misschien hulp in.' Pancake schokt met zijn hoofd en kijkt over zijn schouder, kijkt daarna weer terug en steunt daarna met zijn hand op de meter. 'Brandstichters, misschien anderen. Hij betaalt ook voor jouw werktijden, telefoonnummers, huisadres, namen van vrienden, wat dan ook.'

Pancake kijkt opnieuw achter zich, legt ook zijn andere hand op de meter, en praat een stuk sneller.

'Hij koopt crystal en had het over jou direct na die schietpartij van maandag. Waar en wanneer je werkt, zegt dat hij de hoofdprijs betaalt.'

'Hoe heet hij? Hoe ziet hij eruit?'

'Hoe hij eruitziet? Hoe hij eruitziet? Jong, blank. Ik heb hem nooit gezien, Idaho Joe.'

Onwillekeurig zucht ik. Dan kan het Roland niet wezen. Maar omdat Pancake die jonge, blanke Idaho Joe 'nooit heeft gezien', dan is deze getuigenverklaring op zijn *minst* uit de tweede hand. In combinatie met drugs en angst kun je onmogelijk zeggen hoe ver we ernaast zitten. Als die SUV me niet van de sokken had proberen te rijden in die steeg in de buurt van Julie, dan had ik willen geloven dat Danny D. het bij het verkeerde einde had.

'Stel dat je iets over me te verkopen had. Hoe vind je Idaho Joe dan?'

Pancake verschrompelt in zijn jas en pet, maar zijn zonnebril blijft steeds op mij en op de straat achter me gericht. Hij geeft antwoord door een hand die is gebleekt door chemicaliën en industriële zeep. 'Idaho Joe komt in een bar. Die is ergens in de *twenties*, net ten noorden van waar de zwarten wonen op State in de buurt van 26th Street. Daar komt hij twee keer per dag.'

Ik ken de bar, de Cassarane, het is de eerste blanke club ten noorden van het Harold Ickes Home-huisvestingsproject. De bar ligt in het stadsvernieuwingsgebied, het gedemilitariseerde gebied tussen het ergste getto in de stad en Chinatown.

Pancake begint achteruit te lopen en zegt nog: 'En hij is heel geïnteresseerd in jouw kind. Johnny Nog iets... Dezelfde naam als dat boerenjoch uit Indiana.'

'Wat? Wat zei je?'

Hij zet zijn zonnebril nog eens goed en springt nog een stap achteruit. 'Je weet wel, net als die zanger. Cougar, Johnny Cougar. Idaho Joe heeft veel belangstelling voor jouw zoon, nog meer dan voor jou. Voor zijn nummers, adressen... betaalt hij dezelfde prijs.'

Wat? Ik doe een uitval, maar hij is er al vandoor. Snel. We sprinten een hele straat door, maar ik krijg hem niet te pakken. Sonny's Ford probeert hem klem te rijden op 96th Street, maar Pancake gaat er als een haas vandoor en verdwijnt op het parkeerterrein van Evergreen Plaza. Ik sta daar, knipper naar de zee van auto's, en mijn jachtige ademhaling wordt niet alleen veroorzaakt doordat ik één straat heb gerend.

Sonny rijdt naar me toe en schreeuwt: 'Kom op.'

'Mijn zoon,' breng ik hijgend en haperend uit. 'Hij zit achter mijn zoon aan.'

'Je hebt geen zoon. Stap in de auto.'

Die gore klootzakken zitten achter mijn zoon aan...

'Hé, Patti. Stap verdomme in. Dan rijden we het hele terrein over.'

Ik stap niet in. Sonny reikhalst vanaf de bestuurdersstoel. Mijn hand grijpt het rechterportier als steun. *Mijn zoon. De duivel zit achter mijn zoon aan. Ze kennen zijn naam.*

'Stap nou verdomme in de auto.'

Dan zit ik in de auto en rijden we over het terrein, auto's, vrachtauto's, mensen, maar geen pet van de spoorwegen, geen sprinters. Sonny zegt: 'Een kind? Van wie?'

'Hè? Eh, nee, ja.' De schok is te groot om te liegen. 'Van mij.'

'Onmogelijk. Dat zou betekenen dat je een relatie hebt gehad.' Hij lacht omdat hij denkt dat ik een geintje maakte.

'Nee, helemaal niet.'

Hij staart, gaat dan langzamer rijden en stopt als zijn twintig jaar politie-ervaring de overhand krijgt. Hij weet wat 'kind maar geen relatie' betekent en zegt: 'Echt?'

Ik kijk uit het raam, zie het gezicht van mijn zoon, het gezicht dat op mijn kussen ligt. Nu heeft dat gezicht te maken met deze ellende, in plaats van met het grote huis in een buitenwijk, en het gelukkige gezin dat ik me bij Johnny had voorgesteld, heeft te maken met deze ellende in plaats van met bomen met bladeren die nooit vallen en huisdieren die nooit doodgaan. Nu is hij hier, bij mij, en bij *crystal meth*, en de Gypsy Vikings MC.

'Patti.' Sonny krimpt bijna ineen als ik me omdraai. 'Jezus, P., dat wist ik niet.'

Mijn stem is monotoon. Die past bij het keurige schoolmeisje dat nu voorin Sonny's auto zit en praat voordat ik besef dat ik dat doe. 'Niemand weet het. Ik ben verkracht... Jarenlang.' Ik voel hoe Sonny naar een doodsbange, verstijfde en eenzame tiener staart, die naar de rand van Rolands zoldergordijnen kijkt. *PTL* is afgelopen, voor vanavond zijn we klaar in de kelder.

Een spook fluistert in mijn oor: 'Maar deze keer is het anders. Dat zei Pancake.'

Ik draai me verder dan Sonny's starende blik om te zien wie dat zei. Ik zie Chief Jesse en alle jaren dat hij me advies gaf. En het spook zegt het nog eens en deze keer is het de stem van een klein jongetje, het is mijn zoon en hij is bang, even bang en nat en vernederd als ik was. Schaamte kruipt naar boven naar mijn schouders naar Rolands handen. Een gigantische golf van woede zet me met een dreun terug in mijn stoel. Ik knijp mijn ogen dicht en flap eruit: *'Eén miljoen, 999...'* Die vloed is Chinatown, het gif dat nooit het licht mag zien. Maar ik ben mezelf niet meer, dus ik kan het niet tegenhouden. Ik ben een moordenaar en wil het niet tegenhouden. Deze nieuwe persoon voelde zich niet afgestompt en overweldigd. Ze hoeft niet meer te tellen, ze voelt zich... alsof...

'Patti?' Ik kijk op en deze keer krimpt Sonny echt ineen. 'Alles in orde, schat?'

Ik zei 'Prima', maar het lijkt wel of de huid rond mijn mond te strak zit.

'Je ziet er niet prima uit.'

'We nemen mijn auto,' de monotone toon in mijn stem is verdwenen en ik maak me geen zorgen meer om Sonny's tegenstrijdigheden, 'en gaan naar de Cassarane Bar zodra die opengaat. Als Idaho Joe binnenkomt, dan...'

Sonny wordt opgeroepen en antwoordt de centrale, en daarna mij. 'Ik moet hier opaf. Ga mee, dan gaan we daarna naar de bar. We moeten hierover praten. Over jou... en je kind.'

'Gaat niet. De Cassarane gaat niet voor zeven uur 's avonds open. Ik moet nog bij een paar plekken langs. Ik spring de auto uit voordat hij me kan ontvoeren. Hij heeft die blik. Of een of andere blik.

'Waar? Wat voor plekken?'

Ik lieg: 'Chief Jesse. Ik bel je daarna en dan gaan we naar die bar.'

Sonny fronst. 'Lieg je, Patti?'

'Vertel wat ik heb gezegd alsjeblieft niet verder, oké?'

'Wacht even. Kom op, we moeten praten...'

'Niet doorvertellen, oké?'

Sonny's radio snerpt. Hij laat zijn tanden zien, maar geeft dan voor de tweede keer op één dag toe. 'Doe geen domme dingen.'

'Begrepen.' Ik kus mijn vingers en klop op zijn auto, twee dingen die ik nooit eerder heb gedaan. Hij scheurt met een noodgang weg in zuidelijke richting en zet de sirene aan. Ik ga naar het noorden. Naar een gebouw in Evanston waar ik op de verjaardag van mijn zoon altijd heen ga. Tot vandaag aan toe heb ik nooit de moed gehad om naar binnen te gaan, maar nu ligt dat allemaal anders. Zo anders dat ik niet zeker weet of ik dat meisje in mijn flanellen blouse ooit wel heb ontmoet. Ze is niet op dezelfde manier bang zoals ze de hele dag al was, niet dezelfde schim.

Een SUV komt voorbij en mindert dan vaart.

Ik neem mijn Smith in mijn hand en hoop dat die klootzak stopt. Het telefoontje van kleine Gwen was geen waanidee. Roland Ganz, de man die me heeft gedood, verkracht, me als tiener heeft vermoord, wil onze zoon.

Hij heeft altijd achter onze zoon aan gezeten. Zodat hij tegen John net zo kan preken als hij tegen mij heeft gepreekt.

13

Vrijdag, dag vijf
zes uur

Tijdens de tien kilometer die ik de stad in rijd vraag ik me af: Hoe roei je een ziekte uit?

Een monster dat dood was en nu niet dood blijkt te zijn, een man van wie je had besloten dat hij wel *dood moest zijn*, zodat jij verder kon met je leven. En hoe gestoord is Roland Ganz inmiddels, na achttien jaar dooretteren onder dat boekhouderspak? Hoeveel kinderen sinds mij? Kinderen voor wie ik geen vinger heb uitgestoken.

Aan de binnenkant van mijn voorruit vormt zich een beeld. Een beeld dat ik tot aan vandaag alleen maar in Chinatown toeliet. Nog steeds een meter tachtig, dikke lippen, en katoenen ondergoed dat van voren te vol is. Vlekkerige, warme huid, zijn adem nat en muf door het eten, lijzige stem, en lange, veeleisende vingers. Hij is ergens in de buurt, en ademt de nacht in die valt in Chicago, met alleen de tv aan, kneedt zijn katoenen slip, en leest de Bijbel voor aan de zoon van kleine Gwen.

Roland Ganz heeft me dingen aangedaan die ik niet kan beschrijven. Hij deed ze zo vaak en op zoveel manieren dat ik ophield me te verzetten en op commando naar de kelder of de zolder ging. Ik droeg wat me werd opgedragen, deed en zei wat me werd gezegd, en verloor langzamerhand alle contact met alles behalve met Rolands en

Annabelles wensen. Hun tehuis was een gewelddadige, ijskoude woestenij en leek in zekere zin op de vloedgolf van Old Crow die op mijn dwalende, verwarde vlucht volgde. De twee reizen duurden acht jaar en geen van beiden heeft me iets geleerd, behalve hoe gruwelijk mensen tegen elkaar kunnen zijn en dat je altijd dieper kunt zinken.

Ik hou beide handen aan het stuur. Hij is het brein achter de SUV die me miste in de buurt van de L7, en achter de inbraak bij mij thuis. Hij zit *wel* achter Gilbert Court, heeft Annabelle vermoord en heeft haar daar achtergelaten en hij heeft Richey wel doodgeslagen. Het gore monster is terug. Ik zit en ril in mijn stoel.

Slachtoffers rillen. Jij bent een smeris met een wapen.

En Roland heeft een aanslag gepleegd op de burgemeester. Onzin, absoluut niet. Daarvoor moet je een grote jongen zijn en Roland Ganz is een monster op leeftijd, geen Outfit-moordenaar. Ik probeer me te concentreren op het verkeer op de Kennedy Expressway. Hij heeft niks te maken met de moordaanslag, maar dat gore monster zit *wel* achter onze zoon aan. Ik voel dat zo sterk dat het wel waar moet zijn. Ik rijd langs het centrum naar Armitage. De afrit is langzaam, kort en druk. Eens per jaar, precies zoals vandaag, neem ik deze afrit.
Tien kilometer verder naar het noorden leidt die naar Howard Street, waar ik rechts afsla, bijna vijf kilometer van de voordeur van Le Bassinet.

Le Bassinet is een adoptiebureau. Ik heb mijn baby aan hen afgestaan, zodat Annabelle en Roland hem niet zouden krijgen. Drieëntwintig jaar geleden heb ik ze laten beloven dat Roland mijn baby niet zou krijgen. Nu moeten ze me vertellen wie mijn zoon is, zodat ik hem kan redden. Dat zullen ze wel niet willen en ze zullen me ook wel niet willen geloven. Ze zullen in feite alle moeite doen om me tegen te houden. Het is hun werk om nieuwe levens tegen de oude te beschermen, ongeacht wat voor versie van 'noodsituatie' ze wordt verteld.

Ashland wordt Clark Street, bij 5900 north. Ik rijd langs de goedkope, felle kleuren van een Mexicaanse buurt die wordt bevolkt door sleutelkinderen en overspoeld door harde muziek. De winkelpuien zijn handbeschilderd: *Super Mercado* en *Taqueria*. Bruine mannen in T-shirts dragen witte boodschappentasjes. Parkeerplaatsen vol gestolen wagens bieden hen voor vierhonderd dollar auto's aan en doen beloften in het Spaans. Ik ben al zeventien keer door deze straat gereden, en herinner me er niets van, tot aan vandaag. Ik was altijd in trance, reed langzaam dichter naar mijn zoon toe en herleefde zijn meest recente jaar.

Elk van zijn jaren heb ik me voorgesteld. Tijdens de middelbare school heb ik van hem een footballspeler gemaakt met modderige ellebogen en verwarde haren. Hij was een gemiddelde leerling die best beter had gekund, heeft nog steeds het vriendinnetje op wie hij al sinds de tweede klas dol was, en een jonger zusje dat hij helpt met haar huiswerk. John werd in de herfst geboren, dus besloot ik dat de herfst zijn lievelingsseizoen was. Zijn moeder is ook dol op de herfst en harkte en verbrandde elke zaterdag samen met hem de bladeren toen dat nog mocht van de gemeente. Dan stonden ze daar, leunend op hun hark, moeder en zoon, gekleed in een vest, in de frisse herfstlucht. Tussen hun glimlachende gezichten alleen de zoete rook van eikenbladeren.

Halloween werd groots gevierd in de buitenwijken, twee avonden in plaats van eentje, en het was niet eng.

Elk jaar dat ik deze rit maakte, werd mijn beeld van John een jaar ouder. Nog steeds jongensachtig, ik denk dat hij dat altijd zal blijven, maar toch ouder. Vier jaar geleden besloot ik dat hij naar Northwestern ging, om dicht bij huis te zijn en omdat dat de beste universiteit in Illinois was. In mijn droom studeerde hij afgelopen mei af, met de baret en de toga. Er waren vrolijke foto's van hem en zijn familie, een dag waarvoor ze allemaal hadden gewerkt. 's Nachts voel ik soms de warmte van zijn wang tegen die van mij.

Omdat hij me niet kent, hoeft hij nooit iets te weten over zijn echte vader, wat hij was. Hij zal zich nooit hoeven afvragen, zoals ik heb gedaan, of hij iets van die gekte heeft geërfd. Hij zal nooit in de kranten hoeven kijken of de arrestatierapporten hoeven controleren om te zien of een van onze jonge criminelen op dezelfde manier te werk gaat als Roland Ganz destijds. En John zal zich nooit hoeven verontschuldigen, tegen de spiegel of tegen iemand anders, omdat zijn moeder was wie ze was: ik.

Ik rijd door groen op Howard Street, Chicago's grens met Evanston. Op Howard zijn deze twee steden identiek. Hoe noordelijker je komt, hoe meer ze verschillen. Ik weet maar twee dingen over Evanston. Tegenover het kleine parkeerterrein van Le Bassinet staat een iep. En vanonder die boom, starend naar Le Bassinets halfronde voordeur, lijkt Evanston veilig en schoon en de beste plek waar John op kon groeien. Het is zo ver van Calumet City dat ze niet eens op dezelfde kaart staan.

Maar nu moet ik die deuren door lopen en het risico nemen om Johns verleden en misschien zijn toekomst te vergiftigen om hem te redden. Mijn carrière als agent zal kort na dat gesprek ook ten einde komen, als ik ten overstaan van Interne Zaken en de FBI alles beken wat ze willen weten voor de eerste helft van hun aanklacht. Geen prijzen en eervolle vermeldingen meer en schouderklopjes van de jongens met wie ik werk. Geen waardering meer van de burgers die ik help, alleen advocaten en rechtbanken... Misschien de gevangenis. En ik heb het verdiend.

Nadat ik mijn zoon heb gered, vermoord ik Roland Ganz. Zonder dat ik door de drank niet meer weet wat ik doe. Ik zal niet om kracht of vergeving vragen. Ik heb de naam Roland Ganz nooit genoemd en hij zal de wereld nooit vertellen dat hij Johns vader is. Roland en ik maken er een einde aan, waar we elkaar dan ook ontmoeten.

Binnen ziet Le Bassinet er helemaal niet uit zoals ik me had voorgesteld. Een babyvleugel, waarover een felgekleurde katoenen doek ligt, neemt het grootste deel van de piepkleine lobby in beslag. Op de schoorsteenmantel links van de vleugel staan babyfoto's. Op de houten vloer ligt een tapijt en er staan twee tweezitsbankjes. Ik ruik kaneel en zie een receptioniste die in een klein hokje verscholen zit. Er staat een kerstboompje van zo'n halve meter op haar balie en haar grijze haar is met een lint bij elkaar gebonden. De muren rondom haar zijn van stemmig kalksteen, maar niet kerkachtig. Bing Crosby's zachte gezang zweeft een gang uit waar nog meer foto's hangen.

'Eh, hallo. Hebt u een afdeling Nazorg... of zoiets?'

Ze reageert niet zoals ik had verwacht, gezien mijn kleding, mijn Zuid-Chicago accent en een vraag die vrijwel altijd moet komen van vrouwen of mannen die lang geleden afstand hebben gedaan van hun verantwoordelijkheden. In plaats daarvan glimlacht ze breed, zoals oma's op tv doen, steekt één vinger omhoog en reikt naar haar telefoon. Onder mijn blouse breekt het zweet me uit. Ze houdt de hoorn wat lager en zegt: 'Miss Meery komt zo naar u toe.'

De vrouw die me begroet, en me in haar kamer een stoel aanbiedt, is precies hoe ik me had voorgesteld. Ik wilde dat ze vriendelijke ogen zou hebben en handen die langzame gebaren zouden maken, en die heeft ze. Ik wilde ook dat ze over een intens gevoel voor rechtvaardigheid zou beschikken en de kracht om vraagtekens te plaatsen als die rechtvaardigheid ontbrak. Ik wilde dat ze John bij het juiste gezin zou hebben geplaatst. Al die jaren was ik te weinig op mijn gemak om mijn auto uit te komen, en koos er in plaats daarvan voor om te blijven zitten en te hopen. Ik voel me nu niet onbehaaglijk. Ik ben op een andere manier bang. Ik ben ook heel, heel boos.

'Ik ben Patti Black.' *Begraaf de woede, verberg het.* 'Op 19 oktober, 23 jaar geleden, heb ik mijn zoon afgestaan. Ik moet hem vinden. Hij verkeert... in ernstig gevaar.'

Miss Meery knikt nauwelijks merkbaar en houdt haar handen gevouwen.

'Ik werk bij de politie van Chicago, Miss Meery. We hebben informatie dat John, dat is mijn zoon, het doelwit kan zijn van een poging tot ontvoering of poging tot moord.'

Miss Meery spert haar ogen open. 'Goeie genade. Maar de politie heeft geen contact met ons opgenomen.'

Ik kijk weg en wou dat ik dat niet had gedaan. 'Het gaat om een onderzoek van de plaatselijke politie en de federale autoriteiten dat niet openbaar mag worden totdat de daders zijn gepakt. U hebt misschien iets in de kranten gelezen, eerder deze week.'

'*Nee, maar.* Ik bel de directeur.'

Ik steek mijn hand op. Die van haar aarzelt boven haar toestel, maar ze houdt haar blik op mij gericht. Nu komt het erop aan, of ik het kan. Het einde van mijn carrière, het begin van mijn gang naar de gevangenis. Ik haal diep adem... Ik vertel Miss Meery mijn verhaal, die stukken die ik hardop kan zeggen en vertel die afwisselend tegen mijn schoenen en mijn handen, de muren en de achterkant van mijn oogleden. Bij sommige stukken fluister ik en op andere momenten zijn het gebroken zinnen.

Ik doe mijn ogen open en Miss Meery is niet achter haar kleine bureau dat ons scheidt vandaan gekomen. Als ik even stilval om adem te halen, om mezelf te dwingen om verder te gaan, zie ik haar gezichtsuitdrukking, die ik ook gezien heb op het gezicht van familieleden van kinderen die niet meer thuiskomen. Ze doet erg haar best om te luisteren, maar zonder te onderbreken en dat kan ik haar ook niet kwalijk nemen. Zodra ik mijn verhaal verteld heb, kan ik haar niet aankijken. Over mijn wangen biggelen stille tranen, maar ik veeg ze niet weg. Ik zit rechtop en haal diep adem totdat het huilen ophoudt. Het is belangrijk dat Miss Meery gelooft dat ik niet gek ben, en van het grootste belang dat ze meewerkt aan dit misdrijf, dat mogelijk en waarschijnlijk een einde maakt aan haar carrière hier, en waardoor ze in de gevangenis belandt als ik Roland Ganz vermoord.

De stilte tussen ons duurt totdat ik die breek met een blik. Het is geen hatelijke blik, hoewel die bestaat uit evenveel haat, schaamte en angst. Miss Meery zit ver achterover in een stoel die nu te groot voor haar lijkt, alsof ze één keer is geslagen en er misschien nog meer klappen volgen. Wat ik heb gezegd of hoe het klonk, kan ik niet meer veranderen. Ik kan alleen maar proberen om er 'goed' uit te zien, terwijl ik weet dat dat niet zo is.

'Ik vind het heel, heel erg,' zegt Miss Meery.

Kalm, vriendelijk, niet gek... 'Ja, nou ja, zo zit het.'

'Als het een anonieme adoptie was, dan kunnen we onmogelijk...' Miss Meery glimlacht een oprechte lach waardoor de hulpeloosheid uit haar ogen niet verdwijnt. 'En ik denk dat u dat weet.'

'Wat weet ik?'

'Ik vind het heel erg wat er is gebeurd, maar de wet van Illinois staat niet toe...'

'John loopt gevaar. *Echt* gevaar. Geen "wet" beschermt hem tegen...'

'Ik kan het navragen bij de juridische afdeling. De rechter zou misschien...'

'Dat helpt niet.' Mijn stem heeft te veel kleur, te veel straat. Ik had mijn ster niet moeten laten zien toen ik zei dat ik een agent was. 'We moeten nu handelen.'

Miss Meery schuift haar stoel iets bij haar bureau vandaan, eerder door mijn toon dan door mijn woorden. Ik leun dichterbij, naar voren, te dichtbij, zoals een waanzinnige, wanhopige vrouw zou doen. 'Luister naar me, oké? Dat verhaal... Ik heb het nooit aan iemand anders verteld. Het is voor u misschien niks nieuws, maar...'

'Het is niet nieuw... agent Black... Patti.' Miss Meery glimlacht treurig en nauwelijks waarneembaar en komt niet dichterbij. 'Behalve de huidige dreiging natuurlijk. Er komen ons bedreigingen ter ore, heel beangstigende af en toe, maar voor zover ik weet, worden die nooit...'

Links van me verschijnt een vrouw in de deuropening, alsof ze in de gang heeft staan luisteren. Ze is twintig jaar ouder dan Miss Meery en glimlacht, terwijl ze naast me komt zitten. Haar kleren zijn duur, haar gedrag aristocratisch, maar niet opdringerig, en haar bril bungelt aan een zilveren ketting op haar borst. Miss Meery stelt haar voor als haar bazin, Mrs. Trousdale, een van de twee directeuren van het bureau. We schudden elkaar de hand en ik begin het verhaal opnieuw.

Het is de tweede keer niet makkelijker. Mrs. Trousdale onderbreekt me halverwege met een veelbetekende glimlach en legt haar hand op die van mij. 'Ik weet het, lieverd. Ik weet het.'

Ik glimlach, weet dat dat niet zo is, maar ik ben blij dat het goed gaat.

'Dat mogen we niet doen.' Het is ineens een Prozac-glimlach. 'Als agent,' ze werpt een blik naar Miss Meery, 'begrijpt u dat natuurlijk.'

Mijn handen bevrijden zichzelf. Van de twee glimlacht Miss Meery het beste, maar ze zegt niets. Ik dring te veel aan: 'Ze gaan John *vermoorden*, Mrs. Trousdale. Dat is erger dan wat voor geheimen u en ik John liever zouden willen besparen. De dood is definitief.'

'Het spijt ons heel erg.' En Mrs. Trousdale staat op om te vertrekken. Ik grijp haar pols. Ze geeft een ruk, maar ik laat niet los. 'Toe, agent Black. U doet me pijn.'

Ik ga staan en pak haar steviger beet, wat de spieren in mijn onderarm doet rollen. 'Roland Ganz gaat John vermoorden. Nadat hij dezelfde God- en zaadfantasieën op hem heeft uitgeleefd als destijds op mij. Dat laat ik niet gebeuren en u ook niet.'

Mrs. Trousdale probeert afstand te creëren, en strekt haar arm, tot aan haar schouder. Miss Meery staat op om te hulp te komen. 'Toe, Patti. Agent Black...'

Mrs. Trousdale geeft weer een ruk. Aangezien dat haar pols niet bevrijdt, schreeuwt ze: '*Donna! Donna, bel het alarmnummer.*'

Miss Meery maakt kalmerende gebaren in mijn richting. 'Laat haar los. Dan praten wij verder, jij en ik.'

Maar dat doe ik niet, maar daarna wel, en Mrs. Trousdale struikelt achteruit tegen de deur aan en houdt haar pols vast. Miss Meery gebaart dat ze weg moet lopen, voordat Mrs. Trousdale kan uitspreken wat er op haar gezicht te lezen staat. Mijn pistool is duidelijk zichtbaar aan mijn riem, maar mijn ster ook. Geen van beide ziet er geloofwaardig of veelbelovend uit, als je gewoonlijk alleen maar beleefde rechercheurs en agenten in keurige uniforms ziet. Miss Meery staart naar het pistool.

'Ik ben TAC-agent, en dat had ik moeten zeggen. In het getto draag ik geen uniform. Ik wil uw baas geen pijn doen, ik *ga* haar geen pijn doen, ik wil alleen John vinden. Meteen. Vandaag.'

Miss Meery maakt opnieuw kalmerende gebaren en doet haar best om me in een stoel te werken. 'Toe. Toe.'

Waarschijnlijk is de politie van Evanston onderweg. Ik moet een knoop doorhakken. Nu.

Miss Meery voegt eraan toe: 'Ik weet wie je bent, echt. Het artikel in de *Herald* van dinsdag. Heel vleiend, ook al was de foto dat niet.' Ze schenkt me een angstige glimlach. 'Ik zal proberen om je te helpen. Maar dat kan morgenochtend vroeg pas. En je mag tegen niemand iets zeggen. Dan raak ik mijn baan kwijt.'

'Nee.' Ik sta weer. 'Sta op. Het moet nu.'

'De archiefruimte is al op slot. Niemand hier heeft een sleutel...'

'Nonsens.' Mijn hand is heel dicht bij de Smith.

Miss Meery doet schichtig een stap opzij. 'Het is de waarheid.' Ik werp haar mijn gettoblik toe, weet dat mijn tijd al op is, en lieg niet. 'Als ik u vertrouw en dit is onzin, dan gaat mijn zoon eraan. Begrepen? Dan ben ik straks de waanzin voorbij en u bent...'

Ze knikt op zo'n manier dat het nauwelijks te zien is en zegt: 'De beveiliging van het archief is, is... Als een bank. Een van onze directeuren neemt de sleutels mee naar de buitendeur. Zij en Pinkerton hebben de enige combinatie die voorrang geeft op het tijdslot.'

Ik staar totdat ik besluit om haar te geloven. 'Hoe heet de andere directeur?'

'Mrs. Elliot. Marjorie Elliot.'

'Hoe laat morgenochtend?'

Miss Meery schrikt opnieuw terug. 'Negen uur?'

'Dit is het belangrijkste, het *enige* belangrijke wat ik ga doen voordat het verhaal dat ik u heb verteld me het functioneren onmogelijk maakt. U moet nu beslissen of u liegt. En dan moet u met iets beters komen, want anders loop ik de gang in en krijgt uw bazin het op haar brood.'

Geen aarzeling, geen wegkijkende blik. Ik geloof haar als ze zegt dat ze me gaat helpen. 'Toe, agent... Patti. Over veertien uur gaat de kluis open, nog twee uur om aan de veilige kant te zitten, drie op z'n hoogst. Bel me eerst.' Ze geeft me trillend een kaartje met haar rechtstreekse nummer erop. 'Je kunt beter gaan. Ik geloof dat Mrs. Trousdale de politie belt als Donna dat nog niet gedaan heeft.’

‘Waar is de kluis?’

Miss Meery schudt haar hoofd. ‘Dat gaat echt niet. Die zit op slot. Drie deuren, geloof ik.’

‘Waar?’

‘In de kelder.’

‘Heeft de kelder een deur naar buiten?’

Miss Meery schudt haar hoofd. ‘Het gaat niet. Niemand komt er voor morgen in.’

Ik hoor de woorden en neem genoeg tijd om te beseffen dat ze gelijk zou kunnen hebben. Waar ze zeker gelijk in heeft, is dat haar baas de politie heeft gebeld. ‘Oké.’ Ik geef haar weer de gettoblik en stop. We delen het ogenblik totdat ik mijn mond opendoe: ‘Bedankt. Ik weet dat u uw nek uitsteekt. Ik zal doen wat ik kan om u te helpen, maar... Ik red mijn zoon. Eerst red ik mijn zoon.’

De twee secretaresses in de receptieruimte staan bij een openstaande deur naar buiten te praten en staren naar de gang, naar mijn overhaaste vertrek. Ze leunen tegen de deurpost, maar kijken niet weg. Dus weet ik zeker dat de politie onderweg is en dat Mrs. Trousdale inmiddels vertrokken is. Ik wil dolgraag de kelder zien, maar ik heb mijn vrijheid en mijn tijd harder nodig.

Ik blijf de blauw-witte patrouilleauto van de politie van Evanston minder dan een minuut voor. Ze scheuren voorbij, terwijl ik door groen rijd bij Church Street. Ik ben te kalm, te koel om helemaal in orde te zijn: een vreemde kent mijn verhaal. Ik ken mijn verhaal. Langzaam verander ik in iemand die ik niet ken. In mijn spiegeltje blijven de patrouillewagens maar komen. Mijn telefoon trilt. Ik trap op het gas en neem op. Het is die privédetective, Harold J.J. Tyree.

Harold zegt dat hij en ik moeten praten, meteen.

‘Waarover, Harold?’

‘O, dat weet je toch, schatje.’ Harold zet een zoete pooierstem op. ‘Dat weet je wel.’

Ik ga drie gewone auto’s voorbij die met de toegestane snelheid rijden. ‘Ik weet van niks, Harold. Behalve dat jij in de L7 langskwam, en dat niet lang daarna een SUV me klem wilde rijden in een steeg.’

‘Schatje, daar weet ik niks van.’

‘Juist.’ Ik kijk in de spiegel. ‘Nou, wat wil je dan?’

'Je weet wel.'

'Harold, ik rijd op topsnelheid met een langzame auto en moet me concentreren. Vertel me wat ik wel weet of ga een andere blanke meid lastigvallen.'

'Annabelle en Roland.'

Ik klem mijn kaken op elkaar en kijk in de spiegel. Harold is ineens een belangrijke speler geworden. 'Kom over een uur naar de hoek van 44th Street en Halsted, bij het Amfitheater. Alleen, met je handen uit je zakken.'

'Waarom daar? Het kan ook...'

'We ontmoeten elkaar waar ik zeg of je rot maar op. Amfitheater over een uur. *Alleen*, Harold, of ik zorg ervoor dat die buurt straks van jou een nieuwe Rodney King maakt.'

Harold stemt in.

Met al die adrenaline in mijn bloed bel ik Sonny. Nu weet ik zeker dat Harold J.J. Tyree achter die inbraak in mijn huis zit en van plan is om weer een poging te doen om me klem te rijden/te ontvoeren. Hij en Roland en die blanke, 'Idaho Joe', willen me ontvoeren omdat ze denken dat ik weet waar John is. Twee vliegen in één klap, moeder en zoon.

Maar die klootzakken vergissen zich. Via Harold spoor ik Roland Ganz op en vermoord hem voordat de FBI besluit om me te arresteren omdat ik niet ben komen opdagen voor hun ondervraging, voordat ik in de gevangenis beland vanwege de Zwarte Maandag-moord in Calumet City. Mijn zoon komt nooit te weten dat al die dingen zijn gebeurd.

Sonny neemt op. 'Heb je het gehoord?'

'Hè?'

'Chief Jesse. Hartaanval na het eten. Hij ligt op de intensive care in Mercy Hospital.'

Ik durf geen adem te halen. 'Haalt hij het?'

'Ga er niet heen, hij mag geen bezoek.'

'Redt hij het?'

'Wie zal het zeggen. Hij had jouw dossier op schoot, P.' Lange stilte, en dan: 'Interne Zaken en de FBI zijn van plan om meer tijd van je in beslag te nemen, de komende dagen.'

Dat is een beleefde manier om te zeggen dat opsluiting waarschijnlijk en arrestatie vrijwel zeker is. Dan is het gebeurd met iedereen die me helpt, en die merken het op z'n minst in hun pensioen. Ik wil en heb hulp nodig, maar kan het Sonny niet vragen. Dat met de Gypsy Vikings was al meer dan redelijk. 'Sonny, er is een privédetective, Harold J.J. Tyree. Als ik morgen dood ben of word vermist, dan heb je hier zijn nummer. Sla hem op zijn minst compleet in elkaar.'

Stilte. En dan: 'Hulp nodig?'

'Die heb ik.' Als een goddelijk visioen zie ik Tracy Moens maar op een telefoontje afstand, net zo duidelijk alsof ze naast me stond. 'Ik neem contact met je op en bedankt dat je mijn...'

'Ik ben bij de Cassarane langsgegaan en heb mijn nummer achtergelaten voor Idaho Joe.'

Dat voelt als een kus op mijn lippen die ik al een hele tijd niet heb gehad en opnieuw komt het uit een totaal onverwachte hoek. Ik ben blij dat Sonny me niet kan zien blozen. 'Sonny, je moet je hier nu buiten houden, oké? Ik zit straks in de sores, waar ik niet meer uit kom.'

'Is dat iets nieuws?'

'Dit is anders. Voor het weekend ligt mijn achtergrond op straat.'

Sonny's stem verandert. Niet vreemd, maar wel een beetje. 'De Cassarane heeft mijn nummer al. Als Idaho Joe belt, bel ik jou. Hou je gedeisd, P. Ik en Eric en Cisco en de rest van de ploeg steunen je, hoe dan ook.' Stilte. 'De hele ploeg. Hoe dan ook.'

Ik wil het geloven en de tranen in mijn ogen zijn het bewijs. 'Dag.'

Vrijdag, dag vijf
kwart voor acht 's avonds

Tracy Moens is absoluut verbaasd als we elkaar aan mijn kant van de rivier ontmoeten en ik haar het aanbod doe: 'Je krijgt nu delen van het verhaal en het hele verhaal als dit achter de rug is.' Ze ziet eruit als een gestroomlijnde witte haai die zojuist meer eten heeft gezien dan hij voor mogelijk had gehouden, en die razendsnel ronddraait op een dubbeltje zoals je op Discovery Channel ziet, zo snel dat de vis van zo'n 1400 kilo in twee richtingen tegelijk lijkt te zwemmen.

'Afgesproken.'

'Dit kan je dood worden, Tracy. En zo niet: beide delen van het plan kan je in de gevangenis doen belanden.'

Tracy doet een halve stap achteruit, geen hele stap. 'Hoe groot is de kans... dat dit mijn dood wordt?'

Vanuit de schaduw hou ik het verkeer in de gaten. Er rijden zoveel SUV's op straat dat het onmogelijk is om *de* SUV aan te wijzen, tenzij de ontvoerders het op de zijkant zouden schrijven. 'Die is groter dan als je je hier helemaal buiten houdt.'

'Maar dan heb ik geen verhaal.'

'Ja. Dat is de prijs van veiligheid.' Ik heb voldoende hekel aan Miss Sportief om haar hierin te betrekken. En ik verwacht niet dat ze me verraadt, tenzij het *inderdaad* een zaak van leven of dood wordt. Journalisten zijn net zo vraatzuchtig als ze door Hollywood worden afgeschilderd, bijna net zo gestoord als die lui die hun parachute zo lang mogelijk dichthouden. Tracy ziet een boekcontract en een nieuw huis in Lincoln Park. Ik zie een vuurgevecht, gevangenis en misschien een begraafplaats.

Een kwartier later volgen de koplampen van Tracy's rode Jaguar me.

Ik sla rechts af en haar Jaguar volgt. We zijn net ten westen van de Deuce, in het tweede district, de enige gewelddadigere plek in deze stad dan waar ik werk, en rijden op Halsteds smalle vierbaans door lichte regen, wind en het duister. De donder dreunt en doet mijn autoramen rammelen. We passeren winkelpuien van baksteen en felverlichte benzinestations met omheiningen die zijn afgezet met rollen prikkeldraad. Voor de omheining staan verkenners van straatbendes die nerveus naar de lucht kijken, in plaats van naar twee auto's met blanke vrouwen achter het stuur.

Deze rit naar het duistere hart van de stad is het eerste avontuur van Tracy's vereiste 'twee delen'. Ze heeft eenvoudige instructies voor Deel Een: 'Kom je auto niet uit, ongeacht wat je ziet. Als het misgaat, bel je het alarmnummer.'

Terwijl we 44th Street vanuit zuidelijke richting naderen, verandert de buurt in arme, blanke mensen, lege pakhuizen en prairies, de naam die Denny Banahan gaf aan de gapende gaten waar vroeger gebouwen stonden. Een zwarte man wacht onder een lantaarn op de hoek. Hij staat in de regen, met achter hem een negen meter hoge, verbleekte bakstenen muur. Zijn zwarte Nike-jumpsuit glanst nat om zijn smalle schouders. Een afro-coupe glinstert waar het onder een Sox-petje tevoorschijn komt. Zijn te grote handen verbergen maar een deel van een mobiele telefoon en hij lijkt zenuwachtig, aan de buitenste rand van Canaryville. Als hij alleen is, zoals ik hem had opgedragen, dan hoort hij ook nerveus te zijn.

Hij staart als hij mijn auto ziet. Ik stop bij de stoep aan de overkant, duw het chauffeursportier open en schreeuw: 'Rennen, Harold.'

Harold J.J. Tyree steekt swingend Halsted over, en let op alles waar hij op kan letten. Als hij de middenstreep voorbij loopt, stap ik uit met getrokken pistool en wijs hem om over de motorkap te gaan liggen. Hij weigert.

'Op de motorkap, Harold. *Nu.*'

'Man...'

'*Nu.* Klootzak.' Ik pak mijn Smith met beide handen vast, zodat hij tussen mij en de motorkap in staat. '*Vooruit.*'

Harold geeft toe. Ik beklop hem. Van dichtbij ruikt hij naar babypoeder en haarolie. Hij heeft een .32 verborgen bij zijn rechterenkel.

'Dat is een misdrijf.'

'Ik heb een vergunning.'

'Natuurlijk. Als ik een zender op je vind, dan ben je er geweest.' Mijn stem klinkt als van een vreemde.

'Nee, man. Geen zender.'

Ik pak zijn mobieltje, controleer of dat uit staat en kijk dan of Tracy wel achter ons geparkeerd staat. 'Ga op het trottoir staan.'

Harold loopt naar het trottoir. Ik glijd achter het stuur en leg mijn hand met de Smith achter de hoofdsteun van de zitting naast me. 'Stap in. Handen op het dashboard. Als je ze daar weghaalt, schiet ik.'

'Shit...'

'Instappen of niet, Harold.'

Hij stapt in nadat hij Halsted nog eens heeft bekeken. Ik moet de loop tegen zijn achterhoofd zetten voordat hij zijn handen op het dashboard legt. '*Kalm, man, kalm.*'

'Hou ze daar.' Ik duw de loop stevig tegen zijn hoofd, en sla dan op Pershing rechtsaf. Harold kruipt weg tegen het raam.

'Waar gaan we heen?'

Ik duw Harolds wang tegen het raam, in de absolute zekerheid dat Harold de beste kans is die Patti Black heeft om Roland Ganz te vermoorden. En vanavond is dat mijn beste kans om mijn zoon te redden. Ik sla rechts af de Dan Ryan op en Tracy's koplampen rijden met ons mee.

Harold werpt een slinkse blik naar me en zegt: 'We kunnen hier ook praten, schatje. We hoeven niet naar het zuiden te rijden.'

Ik denk na over Harold en zijn afro, dan weer over zijn grote handen, en overweeg om zijn gebit tegen het raam te schieten. Mijn nieuwe ik vindt dat aanvaardbaar. Harold merkt dit kennelijk en vraagt nog eens waar we heen gaan. Hij zal het antwoord even onprettig vinden als ikzelf.

'Calumet City.'

14

Vrijdag, dag vijf
negen uur 's avonds

Het regent harder. Harold J.J. Tyree heeft een wapen tegen zijn oor, zit in een auto die niet van hem is met een heel gevaarlijk blank wijf achter het stuur. Maar hij is niet op de juiste manier nerveus. We hebben al zes kilometer Dan Ryan achter ons en Harold heeft nog steeds niet geprobeerd om uit te leggen waarom we moesten praten.

Ik weet wel twee redenen waarom hij nog niets heeft uitgelegd, en kijk naar de vlekkerige koplampen achter ons of ik een SUV zie. Er rijden er drie dicht in de buurt, maar geen van drieën hebben ze de juiste kleur. Ik kijk nog eens naar Harold. Hij ziet er niet uit alsof hij erg behulpzaam is. Dat is voor ons allebei jammer. Het is belangrijk dat Harold en ik op dezelfde golflengte zitten voordat we het over 'Idaho Joe' gaan hebben.

Ik geef een ruk aan het stuur en we rijden de oprit van 75th Street op. Nu zijn we in mijn deel van het getto. Als een blanke man uit Idaho in een SUV ons hierheen achterna komt, is hij straks het lijk en niet de moordenaar. Ik stuur naar rechts, daarna naar links en een dode zijstraat in die meteen meer ravijn is dan straat. Aan beide kanten steken skeletten van uitgebrande gebouwen af tegen de avondlucht. Ik rem door de plotselinge, complete duisternis. Alleen krachtige graffiti op de benedenverdiepingen is zichtbaar in onze koplampen. Tien jaar langzaam stedelijk verval vervuilt de straat. We staan bij een zes verdiepingen hoge begraafplaats van de Gangster Disciples, een plek om iedereen die niet beter weet te verkrachten, te beroven en te vermoorden. Tracy's Jaguar parkeert te ver weg.

Ik geef Harold met het pistool een duw en zeg: 'Stap uit.'

Harold stapt uit, loopt niet ver bij de auto vandaan en bekijkt zijn omgeving. We staan tegenover elkaar in het wazige duister van Tracy's koplampen, hij en de nieuwe ik, twee mensen met een beperkte toekomst.

'Jij weet veel van mijn situatie, Harold.'

Hij knikt.

'Hoe komt dat?'

Harold schudt zijn hoofd. De donder dreunt boven de uitgeholde gebouwen en de gettostank slaat ons in het gezicht. De regen is ook onze redder: gangsters houden niet van regen. Er is maar een kleine kans dat Harold dat niet weet.

'Ben je soms bij mij thuis langs geweest, Harold? Inbraak op klaarlichte dag? Daar moeten we het eens over hebben.'

Harolds uitdrukking is zo professioneel nietszeggend als hij maar kan.

'Wat zocht je? Hoe hebben jij en Idaho Joe me gevonden?'

Het licht van Tracy's koplampen wordt gefilterd door zijn schuddende afro. 'Ik niet, schatje.'

Ik knik opnieuw en voel mijn gezicht rood worden, dus ik richt op zijn voet. Dat merkt hij niet. Trekken die ik vorige week nog niet kon voelen, knijpen mijn ogen samen en verharden mijn mond. Ik vind het geen fijn gevoel om hem neer te schieten nu ik op het punt sta. Hij lijkt meer geïnteresseerd in de auto die zijn rug verlicht.

'Mijn vriendin.' Ik wijs met mijn hoofd naar de koplampen. 'Heb je de film *Monster* gezien? Aileen Wuornos. Geen lekker wijf. Heeft er een stuk of tien, twintig vermoord. Mijn vriendin is net zo.'

Ik laat Harold knikken.

'Ik heb haar medicijnen in mijn zak. Als ik haar die niet geef, scheurt ze je verdomme zo aan stukken. Dan kunnen de Blackstones en GD's je als taco's verkopen.'

Harold houdt op met knikken en staart me aan. 'Schatje, jij bent niet de eerste *powerpot* die me bedreigt.'

'Heeft een van hen je ooit neergeschoten?'

Een scherpe flits knettert diep ons ravijn in. Harold krimpt ineen en ik ook. De bliksem boort zich in het meer en toont ons de skeletten van de gebouwen. Een donderend geluid volgt en vijf stenen trillen los en vallen op straat. Harold maakt een plotselinge beweging door het lawaai, herstelt zich dan, terwijl zijn afro begint te verflensen.

'Dit is een slechte plek, Harold, om alleen achter te blijven, met een kogel in je voet, in elkaar geslagen door mijn waanzinnige vriendin. Dat trainingspak zit een kwartier nadat ik je hier achtergelaten heb al in een plastic bewijszak.'

'Ik ben eerder in het getto geweest, schatje. Ik ken die jongens. Ik spreek de taal, weet je wel?'

We staren naar elkaar, tot mijn lippen over mijn tanden krullen. Weer flitst de bliksem en ik span de haan. Dat merkt Harold. Ik richt het pistool op zijn ingewanden, zodat ik niet kan missen. 'Jouw klant probeert mij en mijn kind te vermoorden.'

'Wat?'

'Probeert mij en mijn zoon te vermoorden.' Meer donderend geluid en ik praat harder óm daar tegenop te kunnen. 'Jij en ik hebben de ayatollah niet nodig, Harold. Al dat gezeik over burgerrechten is zo passé.'

Harold steekt beide handen omhoog. 'Ho, schatje. Kalm even. Ik heb daar niks mee te maken.'

'Idaho Joe wel.' Harold wordt zo neergeschoten, krijgt geen genade. Tracy is straks getuige voor het OM. 'Laatste kans: Hoe weet je wat je weet?'

Harold zegt: 'Patti Black, heldin van het get-*to*.'

'Die is dood.' Ik doe een stap achteruit en richt op zijn hoofd.

'Niet doen. Niet doen.' Harold struikelt achteruit tegen mijn spatbord dat hem voor vallen behoedt. 'De kinderbescherming van Calumet City. Ik ken iemand bij de kinderbescherming van Calumet City.'

Een centimeters diepe frons rimpelt mijn nieuwe gezicht. *Wie had dat gedacht.* De kinderbescherming van Calumet City. Dossiers, voor altijd verzegeld om hen die misbruikt en onschuldig zijn te beschermen. Zonder mijn toestemming spant mijn vinger zich om de trekker.

'Wil je dood, Harold?'

'Echt niet, schatje. Verdomme, nee.' Harolds opgestoken handen zitten tussen ons in. 'Er is een vent met wie ik samenwerk. Hij heeft allerlei dossiers die hij heeft gestolen.'

Ik denk aan John, over wat er in dat dossier staat, en weet absoluut zeker dat dat het dossier is waar hulpofficier Jo Ann Merica achteraan jaagt. 'Dit zou een heel slecht moment zijn om te liegen, Harold.'

Harold heeft zijn handen op het dashboard en hij leeft nog steeds. We zijn ten zuiden van het getto op de Dan Ryan, die overgaat in de Bishop Louis Henry Ford Freeway, waar hij een scheiding vormt tussen het Sanitary District en de haven van Chicago. De Port is een dikke twintig kilometer lang, met ratten vergeven landhoofd dat Chicago, via de Calumet River, verbindt met de staal-, zink- en loodscheepvaart op de Great Lakes.

Mooi is het niet, zelfs niet in het donker.

Maar het is niet donker, dat is het nooit in een stad met een staalindustrie. De hoogste toppen van de zestig meter hoge bakstenen schoorstenen in de verte spuwen vuur, het 'Smokestack Lightning', beroemd gemaakt door Howlin' Wolf. Ze verlichten de zuidoostelijke hemel op een vreemde, vlekkerige manier. Ik proef het metaal in de lucht. Het smaakt net als vroeger, net als het bloed smaakte in de buurt van de plek waar het vee stond toen Chicago nog de 'varkensslachter van de wereld' was. Maar deze geur is anders. Hier is het verbrande erts en stookolie, en het bijt.

Als je hier eerder bent geweest, dan weet je dat Calumet City en Gary dicht bij elkaar liggen. Op de dagen dat de wind uit het zuiden en oosten kwam, was dat het enige wat ik rook, in de kelder of de zolder, ongeacht wat er zich voor mijn gezicht bevond.

De herinneringen doen de Celica om me heen krimpen. Harold zegt iets en kijkt naar me, en wendt dan snel zijn blik af. Misschien heeft de nieuwe ik een spiegelbeeld. Ik heb het nog niet gezien, maar ik kan me er iets bij voorstellen. We nemen de afrit bij Dolton. Die daalt af naar State Street, voordat State overgaat in de povere restanten van de vroeger zo beruchte Sin Strip. Het grootste deel van de tijd rijden we in het donker en zonder ander verkeer, met Tracy achter ons, totdat we over de eerste spoorlijnen rijden. Harold zegt: 'Rijd naar het zuiden,' en dat doe ik, weg van de pakhuizen en de sporadische natte hoer die onder een overhangende dakrand staat te schuilen en met haar tas zwaait.

In de buurt die we inrijden staan lage bungalows uit de jaren veertig en vijftig. De regen verdoezelt hun staat. Er staan auto's geparkeerd aan beide kanten van de straat die donker is, afgezien van onze koplampen en de vage gloed van de met gordijnen bedekte ramen. Ik zet de auto neer op de enige oprit die we passeren, twee betonnen bandensporen die modder en door olie gedood gras scheiden. Ik bel Tracy en zeg dat ze in haar Jaguar moet blijven met draaiende motor.

De veranda is droog. Harold J.J. Tyree grotendeels niet. Hij klopt. Een zwak verandalicht gaat aan en ik ga achter hem staan met de Smith in zijn rug. De deur gaat open. Ik buk me en geef Harold een rugbyduw naar binnen. Hij struikelt naar binnen. Ik loop achter hem aan en trap de deur achter ons dicht. De grote, middelbare blanke man hervindt zijn evenwicht, staart naar me en reageert maar halfverbaasd op mijn pistool.

'Ga zitten.' Ik wijs hem met het pistool naar een halfronde bank. 'Is hier verder nog iemand?'

Hij aarzelt en ik geef hem met mijn andere handpalm een harde duw. *'Zit.'* Dat doet hij, onvrijwillig, en Harold volgt hem. 'Wie is hier verder nog?'

Hij schudt zijn hoofd en fronst naar een schimmelige woonkamer, die eruitziet alsof hij erin is getrokken toen zijn moeder stierf, en verschilt maar weinig van die van Annabelle en Roland. Op de muren zit verschoten behang, bloemetjes met golvende nicotinestreepjes. Ik proef stof. Er branden vier schemerlampen. Het oude meubilair eronder absorbeert het weinige licht dat aan de lampenkappen ontsnapt. Of hij heeft zijn moeders huis niet opnieuw ingericht of hij heeft de smaak van een oude, blanke vrouw.

'Is je moeder hier?'

Zijn blik verhardt en hij schudt opnieuw zijn hoofd.

'Weet je wie ik ben?'

Hij werpt een blik naar Harold, kijkt daarna weer naar mij en haalt zijn schouders op, niet zo bang voor mijn toestand of mijn pistool als ik zou zijn. De twee minuten ondervraging, terwijl ik mijn pistool op hem heb gericht, gaan niet goed. Ik krijg het gevoel dat het moment dat ik in het ravijn spring steeds dichterbij komt: mijn zoon gaat niet dood.

De eigenaar van de bungalow zegt dat zijn naam DeLay is en ontkent dat hij voor Roland Ganz werkt of met hem samenwerkt. Meneer DeLay zegt dat hij altijd ambtenaar is geweest, vroeger gevangenbewaarder was bij de dodencellen in Joliet, en nu bij de kinderbescherming werkt. Harold knikt met zijn afro. Beide mannen houden vol dat ze 'Idaho Joe', een blanke man of jongen, nooit hebben gezien, gehoord of hebben gesproken.

Ik probeer ze op drie manieren klem te zetten, maar hoe langer ik naar hun geouwehoer luister, hoe meer ik vermoed dat deze twee zich tegen hun werkgever of klant, die ze niet willen noemen, hebben gekeerd en hem nu chanteren. Of hem extra informatie willen verkopen voor meer geld, een misdrijf dat ze nu van me zou kunnen redden.

'Ik ben het beu, jongens. Ik schiet jullie neer, hier, op jullie gore bank, tenzij ik *een*: de naam en verblijfplaats van jullie klant hoor; *twee*: het complete dossier van het pleeggezin en die vier kinderen krijg; en *drie*: een lijst krijg van iedereen die dat dossier heeft gezien.'

DeLay zegt: 'Ik weet niet waar je hebt over hebt. Maar als je dat ding gebruikt,' zegt hij spottend met een blik op mijn Smith, 'dan kom je in Stateville terecht. Dat weet ik zeker.'

Ik knik naar hem, en gok dat een deel van zijn massieve borst en dikke polsen spieren zijn. 'Harold hier denkt dat jij dat dossier hebt.'

'Misschien moet je bij hem thuis zijn en hem bedreigen.'

'Ik begin met je voet.'

DeLay reikt naar een sigaret of een wapen dat ik niet kan zien. Harold wendt zich snel af. Ik sla DeLay zo hard ik kan tegen zijn slaap, en zijn bovenmaatse hoofd slaat opzij.

'Aaaau!' Hij grijpt naar zijn oor en met zijn rechterbeen trapt hij tegen mijn scheen.

De pijn schiet naar mijn heup, en ik val op één knie, kom daarna weer snel en onvast omhoog. 'Ik maak geen geintjes, DeLay. Geef me dat dossier. Nu.'

Uit zijn neus stroomt bloed op zijn cowboyoverhemd. Als hij de vlek ziet, schieten zijn ogen vuur en schuift hij een versleten brogue naar achteren om de rest van hem overeind te werken. In een gevecht met alleen mijn handen kan ik onmogelijk van hem winnen, laat staan van hem en Harold samen. Terwijl hij overeind komt, trap ik hem in zijn buik. Door die trap valt hij terug op de bank. Harold draait zich zijwaarts om de vallende honderdtien kilo te ontwijken. DeLay hapt naar adem terwijl hij landt, met beide handen beschermend over zijn ingewanden. Ik geloof niet dat ik deze lui wil doodschieten, maar de nieuwe ik zal ze waarschijnlijk vermoorden als ze de kans krijgt.

In plaats daarvan trap ik DeLay tegen zijn schenen. '*Shit,*' schreeuwt hij en rolt bovenop Harolds benen en probeert zijn buik en schenen te beschermen. 'Hou daar godsamme mee op.'

'Geef me het dossier.' Ik trap DeLay nog eens, deze keer tegen de hand die hij voor zijn scheenbeen houdt.'

'*Aaaaau.*'

Ik ram de loop van het wapen hard naast zijn bloedende oor en schiet. Hij slaat achteruit van het lawaai, schreeuwt en grijpt naar zijn oor.

'Het dossier.'

'*Eetkamer. Onder de dozen.* Onder de dozen.'

Ik zie dat Harold zich beweegt. Zijn arm eindigt onder een kussen en de rugleuning van de bank. Ik richt voordat hij kan richten. 'Langzaam, Harold. Heel langzaam.'

De grote, zwarte hand komt tevoorschijn met een klein, zwart pistooltje.

'Je bent nu bijna dood, Harold. Verpest het nou niet voor ons. Laat vallen op de vloer.'

Dat doet hij niet.

'Laat vallen op de vloer, Harold. Of ik schiet je oog eruit.'

Het pistool stuitert op het tapijt. Ik loop op hem af en schop het pistool de kamer door. 'Handen bovenop je hoofd, Harold.' Dat doet hij en ik loop achteruit de eetkamer in om het dossier te halen. Dat is maar een paar centimeter dik. Niet veel voor de hel die het vertegenwoordigt. Beide mannen staren naar me, DeLay met een vertrokken gezicht, en wachten op een fout die hun broodwinning kan redden, maar geen van beiden heeft zin om dat met de dood te moeten bekopen.

'Ik denk dat jullie voor het dossier en de chantage nu zo'n drie tot vijf jaar in Stateville zouden krijgen. Mijn broer zit daar nu tweemaal levenslang uit. Jullie hebben het dossier gelezen, hè? Negen moorden?'

Geen antwoord.

'Misschien hebben jullie het gemist. Mijn broer is Danny del Pasco. Ik ben zijn lievelingszus. Mocht ik nou last van jullie krijgen of mochten jullie tegen me getuigen of tegen mijn zoon, *om wat voor reden dan ook*, dan vertel ik hem over jullie avontuur met het dossier en de chantage: hallo, Danny D.'

Alle drie houden we ons stil. Ik vraag of er nog vragen zijn. Die zijn er niet en ik span de haan van mijn Smith. 'Wie is jullie klant? Dat is de laatste keer dat ik dat vraag voordat een van jullie eraan gaat. Waar is hij en hoe worden jullie betaald?'

Harold kijkt naar zijn bloedende, halfdove partner, denkt aan mijn pistool en hoe ik eruitzie en slaat door zonder het gevaarlijke gevecht dat privédetectives altijd aangaan in fantasieland. Hij verklaart dat hij niet de privédetective is die de zaak had gekregen, maar dat hij maar een handlanger is die gewoon wat geld wilde verdienen. Harold denkt dat de *echte* privédetective van alles weet over de klant.

'Goed, dan gaan we nu naar hem toe.'

'Eh, hij zit in Arizona, Phoenix, geloof ik, Delmont Chukut.' Harold spelt zowel zijn voor- als achternaam en geeft me een telefoonnummer met regiocode 602. DeLay hoest, nog steeds ineengedoken, houdt nog steeds zijn buik vast, en zegt dat hij ook met iemand samenwerkt, een smeris van Calumet City die hij moet betalen, de rechercheur die ik woensdag heb ontmoet. DeLay wil weten wat hij tegen rechercheur Barnes moet zeggen.

Dat is een goede vraag, omdat rechercheur Barnes me op heel korte termijn aanzienlijke problemen kan bezorgen. Gelukkig heeft de politie van Calumet City een reputatie, zeker die uit het verleden, en snappen ze daar twee dingen heel goed: dood door een pistoolschot en federale gevangenis. Ik denk aan de eerste optie.

'Zeg maar tegen rechercheur Barnes dat er zo'n 13.500 agenten zijn in Chicago. Uit die groep komen er tussen de tien en de vijftig hierheen om hem te vermoorden als mij iets overkomt. En dan is er nog mijn vriendin.' Ik kijk even naar Harold. 'Harold weet het nodige over haar.'

Harold en DeLay werpen elkaar een blik toe. Het is een vreemde blik en ik stel mijn vraag. Ze leggen het niet uit, maar ik zie het antwoord wel min of meer, maar ook weer niet. Het is alsof ik in het raam in Chinatown zit en de weerspiegeling niet goed kan zien...

Roland Ganz moet die 'privédetective' wel zijn. In het dossier van de kinderbescherming lees ik straks wel wat Roland en zijn medewerkers weten, maar ik ben niet echt opgeschoten met het redden van mijn zoon, behalve dan dat 602-telefoonnummer. Ik vraag het nog eens. Geen van beide geeft uitleg. Ik doe een stap opzij en deel een zwaaistoot uit aan kinderbeschermer DeLay, deze keer met twee handen en het pistool. Door de klap ligt hij half van de bank. Ik land schreeuwend in zijn gezicht: *'Iemand probeert mijn kind te vermoorden!'*

De haan van de .38 is nog steeds gespannen, maar mijn vingers zijn nu glibberig van DeLays bloed. Zijn ogen zijn honkballen en hij mompelt. Harold sprint ineens naar de deur. Ik draai me om, schiet en versplinter de deurpost. Harold valt op de houten vloer en bedekt zijn hoofd. Ik schreeuw tegen DeLay van vijftien centimeter afstand: *'Mijn zoon vermoorden!'*

DeLay duikt nergens heen. 'De privédetective! De privédetective weet er meer van.' DeLay werpt een vlugge blik naar Harold. 'Maar wij weten niks.'

'Waarom niet, verdomme?'

Hij hoest bloed op.

Ik zwaai weer naar hem, maar mis. *'Waarom niet, verdomme?'*

'Ik weet niet...'

De deur zwaait open en ik schiet Tracy Moens bijna dood. Harold krimpt ineen alsof ze Godzilla is. Dat is Tracy niet gewend en kijkt naar Harold, daarna naar de deurpost boven hem, daarna naar het wapen in mijn bloederige hand en de grote, bloedende blanke man die half op en half naast de bank ligt.

'Jezus.' Ze slikt een grimas weg. 'Is hij... eh, dood?'

Ik kijk DeLay woest aan, zeg: 'Straks wel,' stap achteruit en pak Harolds wapen. 'Ik ga een van jullie vermoorden. Diegene die me het wie en waarom van Arizona uitlegt, blijft leven.'

Tracy verstijft. Geen geluidje komt er uit wit of zwart. Harold weet het meeste over me, bloedt niet en denkt dat hij de meeste speling heeft. Harold weet wat ik te verliezen heb met dit gedrag, maar hij lijkt in de war, en dat zou logisch zijn. Hij kent de nieuwe ik niet.

Tracy fluistert: 'Alles in orde, Patti?'

'Absoluut. Alles in orde.' Ik zeg tegen Harold: 'Wie het me uitlegt, blijft leven.'

Tracy raakt mijn arm zo voorzichtig aan zoals ze ooit iets in haar leven heeft aangeraakt. Als ze mijn biceps voelt reageren, pakt ze die stevig vast en trekt. 'Kom. We moeten gaan. Echt.'

We gaan, nadat een van hen heeft gepraat.

'Patti.' Tracy ziet het dossier en trekt harder, leunt daarna naar me toe en fluistert: 'Die schoten. Je hebt het dossier. We kunnen altijd terugkomen.'

Ze heeft gelijk, om alle drie redenen, maar dat doet er niet toe. Ik wil die antwoorden nu, ook al weten die twee ze niet. Harold krimpt ineen, maar bekent niets. Misschien weet hij niet meer. Ik zou hem in elk geval niets vertellen als hij voor mij zou werken.

Ik hoor mezelf dat denken en knipper. Gearresteerd worden door de politie van Calumet City schiet niet op. De werkelijkheid worstelt met mijn woede. 'Houden jullie van Chinees?'

Beide mannen kijken verward. Alsof ze dat woord nog nooit gehoord hebben.

'Ben je deze week nog in Chinatown geweest, Harold?' Nog harder: 'Ben je daar nog geweest om iemand te ontmoeten sinds je begon met deze zaak?'

Harold leunt zover achteruit als de deurpost toestaat. Tracy pakt me harder beet en ik sla haar hand weg. 'Geef me *antwoord*, Harold. Chinatown. Wanneer ben je daar voor het laatst geweest? De laatste keer.' Ik stap dichter naar hem toe. 'Je bent er deze week nog geweest, hè? Nadat je bij mij had ingebroken, *gore klootzak*.'

Harold wijkt achteruit totdat de muur hem tegenhoudt.

'GEEF ANTWOORD.'

Mijn wapen is vlak bij zijn gezicht. Ik wil Harold vermoorden, zijn gore gezicht over de eiken planken schieten, dan kan hij met me mee naar Chinatown. Elke vrijdag verdomme. Dan zitten we samen drieëntwintig jaar hel uit.

'Patti!' Tracy schreeuwt mijn naam. 'Patti.'

'Klaar, Harold?'

'Ze weten het niet! Patti, ze weten het niet!'

Zaterdag

15

Zaterdag, dag zes
één uur 's nachts

Het is al voorbij het spookuur. Onder de geleende badjas ben ik naakt. En uitgeput. De föhn die trilt in mijn hand is van Tracy.

Ze heeft me hierheen gebracht, langs het meer en door het slechter wordende weer, naar haar huis in Lincoln Park, wat bewijst dat Tracy stalen zenuwen heeft nadat ze in Calumet City heeft gezien hoe ik echt ben. Ik heb beide mannen in leven gelaten, maar dat was toeval, geen besluit... Johns moeder voelt zich niet goed.

Voor Tracy's Style Pro, met tien standen, heb je Stella's opleiding tot schoonheidspecialiste nodig, dus ik geef het op. Ik had al evenveel succes toen ik onderweg hierheen de privédetective in Arizona, Delmont Chukut, probeerde te bereiken. Mijn hand doet pijn omdat ik de telefoon tegen het dashboard heb geslagen.

De drie keer dat ik hem heb gebeld, leverde niets op, alleen voicemail. De laatste twee pogingen waren eenvoudiger dan de eerste keer: ik had geen zin om Rolands stem weer levend en wel in mijn oor te horen en gelukkig hoefde dat ook niet. De boodschap op de voicemail was niet door Roland ingesproken, dus nu kan het zijn dat Roland de privédetective niet is. Niet waarschijnlijk, maar het kan. En als Roland zich niet voordoet als Delmont Chukut, dan is die privédetective een stommeling met een heel ernstig probleem als hij ongewapend is als ik hem vind. Ik ben er nog niet uit hoe ik dat moet aanpakken, maar het duurt niet lang meer.

Tracy polst even hoe het met me staat: 'Ik heb Julie gebeld, terwijl jij onder de douche stond.' Om te zien welke Patti Black ze in huis heeft. 'Julie denkt dat BASH tot morgen wordt uitgesteld.'

De bliksem flitst. De regen slaat tegen de ruiten achter Tracy. Tussen de ruiten bevindt zich een schoorsteenmantel met rugbytrofeeën erop. Tracy heeft het over rugby. Dat betekent dat het vandaag zaterdag en het *morgen* zondag is, *verdomme.* Miss Meery van Le Bassinet wist dat het vrijdag was toen ik daar was. Ze wist ook dat ze tot maandag dicht zouden zijn. Twee feiten die ik had gemist toen ik niet sliep en nog minder at. Genoeg tijd om me te laten arresteren voordat ik een van haar collega's iets aan zou doen. Ik ren naar de deur en struikel.

Tracy schreeuwt: 'Hé.'

De deurknop draait niet, het slot geeft niet mee.

'Je moet een pet op. Broek, je weet wel, schoenen en zo.'

Onder mijn handen die worstelen met de deurknop zie ik blote voeten. Ineens voel ik de last van de hele zaak, van alle fouten en leugens en... Mijn knieën knikken. Plotseling heb ik tranen op mijn wangen en de woede en angst is omgeslagen tot een en al vermoeidheid. Ik leun tegen de deur, staar in het niets, en voel hoe mijn ene schouder langzaam naar de vloer schuift. De deurmat voelt fijn. Ik krul me op, zo klein als ik kan, net zoals ik vroeger deed na de kelder, en verdwijn.

Zaterdag, dag zes
negen uur 's ochtends

Een donderslag blaast mij en een deken van de vloer. Ik sta voordat ik weet hoe en waggel tegen de trapleuning aan. De grote schoorsteen wordt omhuld door somber daglicht. Regen trekt strepen op de monumentale ramen. Tracy zit op het kleed, met stapels papieren in een waaier voor zich. Er is een koffiekopje vlakbij haar mond, en een geschrokken uitdrukking op haar gezicht. 'Hallo?'

Ik knipper totdat ik weet waar ik ben. '*Jezus.*'

Tracy staart, maakt die beweging met haar haar waar ik de pest aan heb en waar mannen van houden, glimlacht en vraagt of ik koffie wil.

'Hoe laat is het?'

Ze draait haar pols. 'Kwart over negen.'

'In de ochtend?'

Ze zet een weer wat bezorgdere blik op die ik me van gisteravond herinner. Mijn telefoon ligt op de bank. Ik grijp hem en toets het nummer van Le Bassinet in. Maar ik weet het nummer niet en probeer het informatienummer. 'Kom op, kom op.' Ze hebben het nummer. Ik bel nogmaals. Ik krijg een bandje: *dicht, maandag om negen uur weer open.*

'Verdomme!' Ik beweeg mijn hand al naar achteren om de telefoon neer te gooien... Er is een andere manier om John te redden: *Marjorie Elliot.* Dat was de naam van de andere directeur, die met de sleutels... Een nieuwe telefoniste kan Marjorie Elliot niet vinden in de stad of in de voorsteden. Ik zeg: 'Probeer ene mevrouw Trousdale. Hoeveel Trousdales zijn er in Evanston?'

'Geen enkele.'

'En ergens in de buitenwijken?'

Stilte... daarna: 'Mogelijk vijfentachtig, negentig.' Weer zwijgt ze, en ze zegt daarna: 'En nog meer in de stad.'

Te veel. Te veel. 'En met een geheim nummer?'

'Nee. Het spijt me.'

Ik grom 'bedankt' door op elkaar geklemde tanden en verbreek de verbinding.

Mijn hoofd begint te bonzen. De bovenkant van mijn voeten bieden geen oplossing en het plafond ook niet. Ik moet een van die vrouwen vinden. Dan is het ontvoering en bedreiging met de dood. Minimaal tien jaar als niemand gewond raakt.

Tracy houdt me in de gaten en concentreert zich daarna weer op de papierkring die om haar heen ligt. 'Drink koffie. We komen er wel uit. Ik heb ideeën.'

'Ik wil het internet op.'

Tracy wijst zonder commentaar naar links, naar een hok met een flatscreenmonitor en een achteroverhellende stoel. Ik google 'Le Bassinet Trousdale Elliot Evanston'. Een kwartier lang lezen over hen en hun missie levert niets op met betrekking tot hun woonplaats. Mijn gezicht is warm. Ik moet even stoppen, ik help hulp nodig, iets.

'Er is koffie in de keuken. En bagels.'

Rot op met je bagels. Ik wil verdomme haar toetsenbord aan gort rammen. En de monitor. Ik graaf mijn nagels in de badjas. Tracy kijkt niet naar me en houdt haar kritiek voor zich en dat is goed want... Door haar op de grond met al die papieren begrijp ik het ineens: ze is de hele nacht wakker gebleven terwijl ik sliep en heeft het dossier van de kinderbescherming gelezen en haar dossiers, en wat voor bronnen ze verder nog heeft om me te helpen. Mijn vuisten ontspannen zich langzaam en voor de eerste keer deze eeuw, of de vorige, ben ik genoodzaakt om toe te geven dat Miss Sportief misschien ook een goede kant heeft.

Haar keuken verandert dat. Die heeft twéé zaken die in haar voordeel spreken en het zijn allebei goudvissen. En haar keuken ruikt naar een bakkerij... Vreemd hoe dat je kan kalmeren en ik kijk naar de goudvissen tot ik iemand ben die ik herken. De koffiemachine bij de Star Trek-oven is een van die onbegrijpelijke modellen die de meeste restaurants niet kunnen betalen. Nieuwe frustratie steekt de kop op, maar er is nog koffie en ik schenk die in een mok waarop in bloedrode hoofdletters BITCH staat. Ik wil melk. Haar koelkast heeft drie roestvrijstalen deuren. De eerste deur is een vriezer waarin alleen ijs ligt en drie flessen Grey Goose-wodka. Er is maar erg weinig te eten achter deur nummer 2 en 3, maar wel melk.

Haar uienbagels zijn Northside-vers, nog warm, en ik eet er twee, kijk rond zonder verder te kijken dan mijn eigen giftige gedachten en de twee tevreden goudvissen. Boven de koelkast hangen foto's, zoals de foto's op mijn spiegel. Ik sta ook op die van haar, en Julie ook, en een aantal mannen die filmsterren zouden kunnen zijn. Het zijn vast buitenlanders, want anders had ik hun naam wel geweten. Hier lijk ik haar toch minder te haten. Komt vast door de goudvissen. Of misschien maakt een keuken een mens van je. Ik verzet me tegen de drang om het te bewijzen en haar wasgoed te bekijken.

Bij het fornuis staan professionele zout- en peperstrooiers. Peper is Mike Tyson. Zout is... Ik moet hem optillen om het te lezen: mijn oude vriend Carl Sandburg. Links van het fornuis hangt een ingelijste pagina aan de bakstenen muur. De lijst is gehavend en gaat dus al heel lang mee of de schoonmaakster heeft er een hekel aan.

'Patti?' klinkt Tracy's stem uit de woonkamer. 'Neem de koffie maar mee.'

Na nauwkeuriger onderzoek zie ik dat de pagina uit *Hamlet* afkomstig is. Dat weet ik alleen maar omdat dat onderaan de pagina staat. Een deel van de eerste regel is: 'Dit boven alles: blijf trouw aan jezelf...'

Ik vraag me af hoe goed dat heeft gewerkt voor meneer Hamlet en neem de koffie mee.

Terwijl ik koffie in Tracy's mok schenk, kijk ik naar mijn pleeggezinverleden op de grond. Tracy zegt: 'Ik heb de privédetective in Arizona elke twee uur gebeld. Er werd niet opgenomen. Er is ook niemand aanwezig in de kantoren van de staat of de stad. Die zijn waarschijnlijk tot maandag gesloten. Ik heb een journalist gebeld die ik ken van de *Phoenix Sun*. Hij trekt Delmont Chukut, die privédetective, na.'

De donder doet Tracy's huis schudden. We jongleren allebei met onze koffie om die niet op de papieren of het tapijt te morsen. Ik kijk de kamer rond in plaats van naar de papieren te kijken. Hier woont een volwassene. Op het lage tafeltje rechts van me ligt een exemplaar van het enige boek dat Tracy geschreven heeft: *A Killing Condition*, een bestseller waarvan ze dit huis heeft betaald. Het is non-fictie over een serie rituele moorden die zich in veertig jaar voltrok en die de stad vijf jaar geleden in een angstgreep hield.

'Mooi huis.'

Tracy laat me een pagina zien uit de stapel uit het dossier. 'Jullie waren met z'n vieren in het pleeggezin?'

Vier. Met kleine Gwen meegeteld. Ik zoek steun bij de muur. Roland Ganz heeft haar ook. De situatie waarin zij en haar zoon nu zitten, is zo erg als je je maar kunt voorstellen. En mijn John is de volgende. Mijn hand vliegt naar mijn mond om te zorgen dat hij dicht blijft, en ik trek mijn buikspieren strak en knijp mijn ogen dicht. Als ik ze opendoe, zie ik dat Tracy zich voorbereidt op een volgende crisis. Met mijn blote voeten land ik net naast haar en ik grijp een stapel. 'Wat staat er in dat dossier over John?'

'Wacht, Patti!' Ze geeft mijn arm een mep. 'Gooi ze niet door elkaar.'

'Wat staat erin?'

'Kalm. Kalm... kalm.' Ze vindt een papier dat ze apart had gehouden en steekt dat naar me omhoog. Johns geboortebewijs is een schok. Het is een kopie van het South Holland-ziekenhuis waar ik heen was gevlucht, het ziekenhuis waar ik me voor Roland had verborgen en waar ik contact met Le Bassinet had gezocht. Ik zoek verwoed of Le

Bassinet erop vermeld staat. Niet hier, ik controleer het nogmaals en slaak een zucht van verlichting als ik niks vind. Deze is identiek aan het exemplaar dat ik thuis heb.

Schok van paniek. Maar als Johns geboortebewijs in *dit* dossier zit, het dossier van de kinderbescherming, dan kent Roland op zijn minst het ziekenhuis waar ik ben bevallen... En...

Mijn hart bonkt. Mijn hart bonkt. Nou en?

Ik staar naar het geboortebewijs en probeer erachter te komen of Roland de puntjes kon verbinden. Als Harold en DeLay alles in het dossier hadden doorgegeven, dan zouden Roland en/of de privédetective in Arizona, *aangenomen* dat ze niet een en dezelfde zijn, al in het South Holland-ziekenhuis zijn geweest, in het ziekenhuisarchief zijn geslopen of zich met steekpenningen toegang hebben verschaft, daar papieren hebben gevonden waarin Le Bassinet *wel* werd genoemd, en zouden daarna naar Evanston zijn gegaan. Slik. Le Bassinet zou een bloedbad zijn geweest.

Wat tot aan afgelopen vrijdag niet het geval was.

Opnieuw een zucht van verlichting. *Maar waarom niet?*

Omdat hij de puntjes niet kon verbinden, daarom. Harold en DeLay hebben misschien niet het complete dossier doorgebriefd aan de privédetective in Arizona, Delmont Chukut, in de hoop er meer geld uit te slepen. Of toch *wel*, maar heeft Chukut niet het verband gelegd tussen het ziekenhuis en het adoptiebureau. Mijn schouders ontspannen zich. Drie seconden.

Maar stel dat Delmont Chukut *wel* weet van Le Bassinet?

Maar er is nog niemand naar Le Bassinet gegaan... Dus als Chukut het weet, dan heeft *hij* het niet aan *zijn* klant, Roland Ganz, verteld, want Roland zou met een kettingzaag Le Bassinet zijn in gemarcheerd. Chukut zou ook een spelletje kunnen spelen, net als Harold Tyree en DeLay, chantage of hij eist meer geld voor zijn informatie. Dan zit hij Roland Ganz dwars.

Tracy zegt: 'Hallo, Patti?'

Mogelijkheden te over. Meer dan één oplichter in dezelfde zaak, dat gebeurt zo vaak in het riool. Ik kijk op een klok zonder cijfers aan Tracy's muur. Over minder dan 48 uur gaat Le Bassinet open. Aangenomen dat niemand die kluis opblaast, is John tot dat moment veilig. *Slik*, denk ik. Maar Gwen en haar zoon niet. Ze hebben Rolands volledige aandacht... In een of andere te warme kelder. Ik voel het gif naar boven komen en ren naar een deur die toevallig de badkamer is.

Het noodweer is niet gaan liggen en als ik terugkom, zit Tracy nog steeds waar ze zat. Als rugbyspeelster en journaliste heeft ze vreemd gedrag gezien, een deel daarvan ongetwijfeld in haar eigen huis. Ik verontschuldig me en ze grinnikt om ons allebei op ons gemak te stellen. Ze ziet er eerlijk gezegd sympathiek uit en heeft niet die gemaakte uitdrukking op haar gezicht die ze heeft als ze iets wil. Hoewel ik weet dat ze iets wil. We hebben een afspraak gemaakt: het leven van mijn zoon voor dat van mij.

'Klaar om erover te praten?'

'Heb je een emmer?'

'We beginnen voorzichtig.' Ze schuift met papieren. 'Danny del Pasco vertrok en jij bleef daar... nog vier jaar?'

Ik ga op de grond tegenover haar zitten. 'Vier jaar, tien maanden. Mijn ouders zijn in '79 overleden. Ik ben begin '84 gevlucht.'

'Richard Rhodes... Hij was acht of negen, jij...'

Dit was nog maar de tweede vraag en ik wil nu al dat ze haar mond houdt. 'Ik was twaalf toen ik daar kwam, zestien toen ik vluchtte.'

'Dat andere meisje, Gwen... Smith?'

Ik antwoord niet.

'Die jou had gebeld.'

Ik weet wie dat is. 'Gwen wist haar achternaam niet. Ze kwam net voordat ik voor de tweede keer vluchtte... Uit het ziekenhuis... Na de baby.'

Tracy kijkt naar me op, verrast door de toon. 'Hier staat dat ze acht was toen ze in '84 kwam. Richard Rhodes zou toen, wat, twaalf of dertien zijn geweest?'

Dat kan me niet schelen en ik geef geen antwoord.

Tracy zegt: 'Hé, we zijn partners, toch? Niet anders dan in je TAC-unit.' Ze trekt haar kastanjebruine wenkbrauwen op om te onderstrepen wat ze zegt. 'Ik steek mijn nek uit, fysiek en juridisch gezien, om je te helpen je zoon te vinden.' Ze zwijgt. 'Voordat Roland Ganz hem vindt. Als tegenprestatie beantwoord je de vragen die ik stel, zoals afgesproken.'

Even hangt er een korte, gewelddadige stilte, onderbroken door Tracy's mobiel.

Ze draait zich om, fronst naar het schermpje en zegt dat het haar assistente is, die eindelijk terugbelt op het middernachtelijk telefoontje op haar vrije dag. Tracy vertelt haar assistente dat het niet langer haar vrije dag is, dat ze naar het centrum moet gaan om de naam, het nummer, telefoonnummer, en alle mogelijke andere informatie van privédetective Delmont Chukut uit Arizona na te trekken.

Tracy klapt haar telefoon dicht en staart opnieuw naar mij. Ik vermoed dat de assistente gebruikmaakt van wat kranten ook hebben om een verhaal te maken en die bronnen moeten wel lichtjaren beter zijn dan waarover ik op dit moment beschik. Zelfs zonder de krant heeft Tracy bronnen waar spionnen en incassobureaus een moord voor zouden doen. 'Harold Tyree en DeLay waren voor zichzelf begonnen, hè?'

Dat is een verrassing. Tracy doorgrondt me beter dan ik voor mogelijk had gehouden. Dat en ze koestert waarschijnlijk argwaan jegens alle levende wezens. Tracy toont me de telefoon die ze net heeft gebruikt. 'En je vertelt het me, hè? Want we zijn partners.'

Ik haal mijn schouders op. 'Als je iets vindt wat je klant wil weten, vertel je hem de helft en vraag je meer geld. Volg altijd het spoor van het geld.'

Ze werpt een blik op de papieren in haar hand, en daarna weer op mij. '*Als* privédetective Delmont Chukut in werkelijkheid Roland in vermomming is, dan huurt Roland/Chukut die Harold Tyree en kinderbeschermer DeLay in om jou en je zoon te vinden in Chicago. Roland/Chukut huurt ook die brandstichters in Gilbert Court in om zijn verleden te zuiveren omdat...' Haar blik wordt glazig, daarna weer scherp. 'Omdat Roland, na achttien jaar vermist te zijn geweest, weer terugkomt.' Ze knikt. 'Maar Tyree en Delay in Calumet City besluiten dat het winstgevender is om hem met de informatie te chanteren en...'

'Nee.' Ze heeft gelijk, maar mijn eerste reactie is verdedigend, om me te verbergen voor het licht. 'Waarom zou Roland Richard Rhodes publiekelijk vermoorden als hij bezig is om zijn verleden te zuiveren?'

Tracy bijt op haar onderlip, een beweging die jonge mannen gek maakt. 'Het lijk van een hulpofficier op het gazon van de burgemeester achterlaten is niet "zuiveren". Misschien ligt het toch voor de hand en was Richard Rhodes betrokken bij de casinovergunningen en de verkiezingen. En was de timing met het lijk van Annabelle alleen maar toeval.'

Ik kijk op de klok en wou dat die cijfers had, wou dat die sneller zou gaan of helemaal zou stoppen, en denk er daarna weer anders over. Misschien komt Miss Sportief met een invalshoek waaraan ik nog niet heb gedacht. 'Nee, je hebt gelijk. Roland veegt zijn straatje schoon, er staat voor hem iets op het spel. En als dat niet het geval is, dan zit er ook iets achter hem aan.'

Tracy's gezicht klaart op. 'Laten we daar eens van uitgaan.' Ze geeft de voorkeur aan kinderseks en moord dan aan casino's en verkiezingen. Haar enthousiasme loopt terug en ze kijkt naar haar papieren. 'Maar waarom nu die zuivering?' Ze doet haar ogen dicht en noemt de feiten hardop: 'De vrouw van de burgemeester heeft het gebouw verkocht aan een commanditaire vennootschap die het eigendom van Roland Ganz is, toch? En in datzelfde gebouw is Annabelle Ganz begraven.'

'Is Roland Ganz eigenaar geweest van dat gebouw? *Onzin*.'

Tracy glimlacht en haar wimpers filteren de lofuitingen. 'We hebben de belastingaangiften van hem en die van Annabelle bekeken. Roland had de belastingpapieren van drie commanditaire vennootschappen. Een van die commanditaire vennootschappen was eigenaar van Gilbert Court van 1976 tot 1983, waarna het is verkocht aan een trust die door de LaSalle-bank in de stad werd bestuurd.'

'Echt? Was hij de eigenaar?'

Tracy wijst naar een stapel papieren. 'Toch moeilijk om je voor te stellen dat hij in het getto investeerde. Of dat hij geld had.'

Roland werkte met cijfers en rekenmachines, maar ik heb geen idee hoe hij aan dat geld zou zijn gekomen. Ik weet nog minder van belastingtrucs, behalve dat die eind jaren tachtig populair waren, bij iedereen, van agenten tot aan serveersters.

'Toen ik in '88 in dienst kwam, was het een gemengde buurt, maar balanceerde het op de rand. Nog voor het grootste deel blank en nog niet zo arm. Je had er winkels en stoplichten en...'

Tracy doorzoekt het dossier nogmaals. 'Roland was accountant, hè? Bij ziekenhuizen. Hij verdwijnt in 1987, en stel dat hij verhuisde naar het gebouw aan Gilbert Court. Dat is maar vijftien kilometer van Calumet City, maar wel in een metropool met drie miljoen inwoners. Precies wat hij nodig had.'

Ik maak haar gedachte af, alsof we getrouwd zijn. 'En als hij te maken heeft met Annabelles moord in '93, dan woonde hij verdomme zes jaar in Gilbert Court terwijl ik in dat district werkte.'

'*Misschien* woonde hij daar. Maar op z'n minst gebruikte hij het huis. Maar wat deed hij de hele dag?'

Ik stel me voor wat Roland de hele dag in mijn district zou doen. Mijn maag speelt op, maar de spieren steken er een stokje voor. Ik zie hem, zoals ik hem soms thuis zag, gebogen over zijn bureau, het papier van de rekenmachine gekruld tot op de grond... 'Hij werkte op een administratiekantoor. Er waren er twee, op Halsted bij Jewel, Jackson Hewit Belastingservice en Flannigan's.'

Tracy wijst. 'Geef me het telefoonboek.'

'Die zijn minstens tien jaar geleden over de kop gegaan, waarschijnlijk al langer geleden.'

Tracy omcirkelt een datum in de papieren. 'Wanneer is commissaris Smith verhuisd uit het gebouw?'

Ik schrik. We hebben het niet over Chief Jesse alsof hij bij deze zaak betrokken is.

Tracy merkt hoe ik me voel. 'Je wilt je zoon toch vinden? Dan moeten we alles onderzoeken wat we moeten onderzoeken.'

We staren weer naar elkaar, ongeveer zoals op het veld. Ik geef toe, omdat het om mijn zoon gaat. Ik kies John boven een vaderlijke vriend en mentor die alleen maar goed voor me is geweest.

'Hij zei in de jaren zeventig.'

Tracy maakt aantekeningen en onderstreept dat twee keer. Ik kan niet ondersteboven lezen en vraag: 'Wat?'

'Wanneer ben jij geboren?'

'December 1967.'

'En je zoon is geboren in... 1983?'

'Oktober.'

'*Verdomme.*' Ze fronst en gooit haar potlood neer. 'De oplossing is hier, en die heeft met Gilbert Court te maken. Ik *weet* het. We zien het gewoon niet.'

Boven ons rolt de donder, maar minder bedreigend dan een uur geleden. De ruiten zijn nog steeds ondoorzichtig door het water. Ik beschouw het als camouflage, niet als een herfststorm en ga staan.

'Kom. We gaan erop af en proberen in de buurt zijn sporen te vinden.'

Tracy werpt een koele blik naar haar ramen, dan naar mij, en dan naar de papieren.

Wachten op het weer is voor mij geen optie. 'Misschien herinnert een van mijn contacten in district 6 zich nog iets. Jij kunt nadenken terwijl ik rijd.'

'Eh...' Tracy ziet er niet enthousiast uit. 'Eh... van wat ik lees en hoor zijn de bewoners daar niet al te blij met je.'

Ik mijd de alleswetende, Northside, liberale uitdrukking op haar gezicht, ren dan met twee treden tegelijk de trap op naar mijn kleren, terwijl ik bedenk dat deze partnerschap misschien niet een van mijn beste ideeën was.

Boven bel ik het Mercy-ziekenhuis, terwijl Tracy droge kleren zoekt die me passen. Volgens een verpleegster blijft de toestand van Chief Jesse kritiek. Ze is niet bemoedigend en geeft niet veel details, maar hij leeft. En FBI of niet, ik ga vandaag langs.

'Langsgaan' levert problemen op, zoals Sonny zei, nu de eerste adjunct-commissaris James Colin Braith uitvoerend superieur is. Hij heeft niet Chief Jesse's affectie voor mij, of voor TAC-agenten in het algemeen, en zegt vaak dat wij niet passen bij het beeld dat hij van de politie heeft. Hij weet niets van mijn *Intelligence Unit*-missie voor Chief Jesse en van de verslagen die ik niet heb ingediend, maar zodra Braith bij zijn positieven komt, zal hij wel bellen. Dan heb ik geen antwoorden, maar dat zal hem niet beletten om me te bellen.

Zaterdag, dag zes
twaalf uur

Tracy en ik zeggen onderweg naar het centrum niet veel. We nemen mijn auto, ik in een Levi's van Tracy, een New Zealand All Blacks-sweatshirt, en een regenjas die net zo veel kost als mijn maandelijkse hypotheek, maar die mijn Smith niet verbergt. Als er geen verkeer is, duurt het twintig minuten om van Lincoln Park naar het getto te komen. Twintig minuten maar, maar eenmaal daar verandert alles, de lucht, het ritme, je hartslag, zelfs die van mij, na zeventien jaar.

Halsted ligt vol papier en karton. Als we parkeren regent het niet meer, maar het blijft koel. Mensen wandelen op straat, onzeker over Gods plannen, maar buiten en op zoek. Het is lunchtijd in het weekend in deze klotebuurt, en we zijn net 82nd Street voorbij, twee wandelende blanke vrouwen die niet voor een straatbende tippelen. Niet iets wat meer opvalt dan een hoop biljetten van honderd dollar. Tracy is nerveus en gelijk heeft ze, aangezien we ons bewegen tussen de capuchons, zwijgende harde blikken en, af en toe, een 'Hé, Patti, hoe gaat het, Pep?'

Ze vraagt naar 'Pep'.

Ik leg uit dat 'Pepper' mijn straatnaam is, omdat Angie Dickinson in de jaren zeventig Pepper speelde, in een politieserie. Tien jaar geleden noemde een Blackstone Ranger, een gangster, me zo. Ik ben de enige smeris in district 6 die een straatnaam heeft, behalve Denny Banahan, die 'Zorro' werd genoemd. Sommige bazen vonden Pepper niet grappig. Binnen een maand had ik dankzij die bijnaam mijn eerste afspraak bij Interne Zaken.

Twee Gangster Disciples houden ons vanaf de oostelijke kant van Halsted in de gaten. Tracy is niet meer van mijn zijde geweken sinds de eerste GD veel harder dan normaal tegen haar aanbotste. Toen hij mij herkende, hield hij zich in, maar hij toonde geen angst en deed geen stap opzij. Hij en ik weten allebei dat ik mijn boekje te buiten ga. Hij weet niet waarom of dat ik het expres doe, misschien om ze uit te lokken, hij weet alleen dat ik op dit moment alleen ben. En dat geeft hem een voorsprong, als hij zou willen.

Tracy fluistert min of meer: 'Heb je die blik gezien?' Ze wacht totdat hij drie meter achter ons is, kijkt over haar schouder en zegt: 'Na een dag of twee zou dit toch wel gaan vervelen.'

Net voor ons blokkeren negen vriendjes van de GD haar stuk van het trottoir. Ik trek haar naar mijn andere kant en werp de mannen een harde blik toe. Zwakte wordt hier beschouwd als een uitnodiging. Hun pose stelt me op de proef. Omdat je er niet vandoor kunt gaan of de melkboer kunt roepen, kun je maar één ding doen, het wordt instinct, net zoals bij hen, dus ik ga breeduit staan en schreeuw al:

'Nemen we vandaag Pepper te grazen? Heb ik de flyer gemist?'

Vijf van de negen mompelen wat om hun gezicht te redden. Eentje die ik niet ken (toch?) ziet eruit alsof hij toch een stapje verder wil gaan. Ik wil dit *niet*, maar heb geen keuze want hij doet zijn hand al achter zijn rug. We gaan van uitdagen naar complete bedreiging. Zoals dat zo vaak gaat. Je bent met iets anders bezig, je bent niet klaar voor het getto, en dan ben jij of je partner dood. Ik trek, ik richt, en een GD duikt vlug naar links.

'*Terug, Jim, verdomme.* We gaan niet worstelen.'

'Ja. Ja. Dat secreet heeft Robert en Carlos doodgeschoten.'

Uit de groep hoor ik: 'Schiet je ons ook dood? Pep schietgraag.'

De ene die me met zijn blik gevangenhoudt, geeft niet toe. Ik kan nog steeds zijn hand niet zien. Elk van zijn negen vriendjes kan me neerschieten zonder dat ik het wapen zou zien. Tien tegen één. 'Zet *verdomme* je handen tegen de muur. *NU*.'

Dat doet hij. Ik kijk dreigend naar de anderen, gooi dan mijn boeien naar degene links van hem. 'Boei hem. Stevig.'

'O, kreng, ik ga niet...'

'Wil je ook mee? *Sla die klootzak in de boeien.*'

Dat doet hij. Ik duw de gevangene tegen de muur, duw met mijn hand midden op zijn rug en richt mijn Smith op zijn partners. Ze lopen drie meter achteruit. '*Achteruit, verdomme.*' En ze slenteren nog een dikke tien meter verder. Niets hieraan is goed. Ik fluister naar Tracy: 'Bel het alarmnummer, roep hulp in.' Mijn gevangene kronkelt als hij hoort dat we alleen zijn. Dat we geen lokvogels zijn. Ik stap vlug achteruit, zodat hij me geen kopstoot kan geven.

'Gezicht verdomme naar de muur.'

Hij kijkt naar zijn vriendjes, en daarna naar de Smith, die ik nu in zijn gezicht houd, en naar mij achter het wapen. Ik ga aan de ene kant van hem staan om de ene vluchtroute te blokkeren. Er is hier iets mis. Hij is klaar om aan te vallen of om ervandoor te gaan. Nu komt hij me bekend voor.

'Gezicht verdomme naar de muur.'

Tracy stapt mijn gezichtsveld in, op zoek naar een minder bedreigende plek waar ze kan staan dan alle plekken die er zijn. Ze heeft haar telefoon gepakt en houdt die bij haar gezicht. Mijn gevangene kijkt naar haar en ik draai hem terug, met zijn gezicht naar de muur. 'Beweeg-je-niet.' Ik duw de Smith in zijn nek. 'Hij is gespannen. Als je je beweegt, ben je er geweest.'

Hij beweegt zich niet en ik begin hem te bekloppen. Niet dat ik dat wil, ik wil zijn partners in de gaten houden. God glimlacht vanaf de rijstrook van Halsted die in zuidelijke richting leidt. Een patrouilleauto komt razendsnel tot stilstand. Ik stop met fouilleren tegen de tijd dat de chauffeur is uitgestapt. Het is een van Kit Carsons enorme 'bodyguards', en hij heeft zijn pistool getrokken. Hij kijkt naar de negen GD's, zodat die zijn wapen kunnen zien, en buigt zich daarna naar de arrestant. 'Kom jij uit Englewood, klootzak? Wat doe je dan hier?'

De gevangene mompelt iets en kijkt weer naar zijn vriendjes.

Kits lijfwacht vraagt in zijn kraagmicrofoon om assistentie, en zegt dan tegen mij: 'Dat daar zou Wardell Scurr wel eens kunnen zijn. Er gaat een gerucht dat Wardell in district 6 is, op zoek naar iemand in het bij-zon-der.'

Wardell knippert niet en lijkt niet te weten naar wie hij op zoek is, als hij al naar iemand op zoek is. Zijn vriendjes gaan er nu snel vandoor. *Niet goed.* Ik speur de straat af op zoek naar een langsrijdende wagen van waaruit geschoten zou kunnen worden.

'Je hebt geluk, P., deze crimineel wordt zwaar gezocht.' Kits lijfwacht pakt met één hand Wardells boeien en verandert min of meer van onderwerp. 'Inspecteur Carson zegt dat je zwaar in de sores zit, agent.'

'Ja, nou ja, logisch dat hij dat zegt.'

Twee patrouillewagens komen gillend tot stilstand en een Crown Vic zwenkt eromheen. Een brigadier in uniform stapt uit, kijkt onderzoekend naar Tracy terwijl hij langsloopt, loopt mij voorbij zonder iets te zeggen en komt pas tot stilstand als zijn borst die van Wardell raakt.

'Zocht je mij soms, nikker?' De brigadier staat op uitbarsten. Ik heb dit eerder gezien, meestal na begrafenissen. *'Mij?'*

Wardell en de brigadier zijn even groot en Wardell beantwoordt zijn woeste blik, oog in oog.

'Doe hem die boeien af. Wardell, die gore neger, die moordenaar en ik nemen het nu tegen elkaar op.' De brigadier duwt Wardell hard tegen de muur. 'Geef hem een wapen. *Hé*,' schreeuwt de brigadier tegen de andere GD's, 'een van jullie negerpooiers, geef hem een wapen. Ik maak die klootzak hier af.'

Ik kom tussenbeide en de brigadier duwt me weg, zo'n anderhalve meter. Ik kom opnieuw tussenbeide. '*Brigadier, brigadier.* Hé man, kom op.' Hij grijpt me opnieuw en ik grijp zijn overhemd met twee handen vast zodat hij me niet weg kan duwen. 'Toe. Brigadier. Kalm. Kom op.'

'Wardell, gore klootzak.' De spuug van de brigadier zit helemaal op mijn voorhoofd. 'Jij gaat eraan, nikker. Geloof dat maar. Van-DAAG is verdomme jouw dag.'

Patrouillewagens komen op heel Halsted gillend tot stilstand. Plus nog twee TAC-wagens. Geüniformeerde agenten klimmen helemaal over hun brigadier heen, trekken hem achteruit, en mij met hen. Ik vang een glimp op van Tracy, die journalist probeert te zijn en toch niet dood wil. De brigadier laat los. Ik val. Sonny Barrett, met een nieuwe pet op en Cisco's aftershave, grijpt me vast. Hij is gladgeschoren, sterk genoeg om een vrouw van zo'n zestig kilo met één hand vast te houden en zegt: 'Ken je deze eikel nog? Uit Art's?'

Dat is het. Ik zie Wardell aan het tafeltje, glashelder, terwijl hij zich naar me toedraait.

Sonny trekt me naast zich en zijn ogen schieten vuur naar Wardell. 'Ze hebben Bristol doodgeschoten.' Bristol is de jongere broer van de brigadier, een beginnende agent in district 7. 'Wardell heeft hem vier uur geleden vermoord.'

16

Zaterdag, dag zes
één uur 's middags

De arrestatie is achter de rug, maar nog steeds hangt er een opgewonden sfeer op Halsted Street, dat niet op z'n gemak is met het staakt-het-vuren.

Tracy belt met haar mobieltje. Ook zij is niet op haar gemak. Sonny Barrett en ik hangen samen tegen zijn gedeukte spatbord en kijken allebei naar de straat zonder onze gebruikelijke steken over en weer. Auto's rijden voorbij en mensen staren. Drie straten verder naar het zuiden, waar district 6 begint, staan de activisten te schreeuwen. Na een lange stilte spuugt Sonny min of meer in de richting waar Tracy staat en herhaalt het nog eens, omdat ik de eerste keer alleen maar knipperde.

'Wardell Scurr is de neef van Robert, de GD die we maandag hebben omgelegd.'

Ik had Sonny de eerste keer al gehoord. Ik denk aan Bristols vrouw en zijn ouders, zijn kinderen, als hij die had. Ik denk aan de cyclus die nooit stopt, aan Ruth Ann op haar veranda als ze hoort dat haar familie een smeris heeft vermoord, denk aan hoe het uiteindelijk altijd neerkomt op wij tegen hen. Op de manier waarop dit nu gaat, is dit een heel slechte week om blank, zwart of blauw te zijn in deze stad.

'De GD's hadden gisteren allebei de begrafenissen. Veel mensen in

Oakwoods. Die klootzak van een alderman Gibbons was er, is het niet ongelooflijk? Voor een stel straatgangsters. Hij stak een preek af. Je kunt wel raden wie de duivel was.'

Ik kijk op naar een heel vermoeide, boze man, die tot aan zijn grenzen gefrustreerd is door problemen die hij niet kan oplossen, maar dat probeert te verbergen. Zo had ik hem nog nooit bekeken, dat hij het probeert te verbergen. En opnieuw vind ik dat vreemd. De pet, dat hij zich heeft geschoren en de aftershave vind ik nog vreemder.

'Wat zei hij dan?'

'Tv-praatjes. Dat het de schuld is van de burgemeester.' Hij valt even stil en staart naar Tracy's aanwezigheid in het getto, en wendt zich dan weer tot mij. 'Chief Jesse had wat dat betreft misschien toch gelijk.'

Tracy komt op ons af, en ik gebaar dat ze weg moet gaan.

Sonny merkt het en dreunt een lijst voor me op: '*A*, je werkt hier niet meer en de helft van de functionarissen in dit district proberen je achter de tralies te krijgen; *B*, je hebt de Pink Panther bij je; *C*, zonder assistentie houd je iemand aan die een agent heeft vermoord. Is er verder nog iets met je gebeurd, behalve dat je gek bent geworden?'

Ik twijfel tussen twee vreemde, tegenstrijdige gevoelens en besluit voor de veiligste te kiezen: 'Ik wil dat je iets weet, oké?'

Sonny kijkt naar mijn jeans en sweatshirt, en daarna naar mijn gezicht. Dat is wat hij gewoonlijk doet als hij op een bekentenis wacht of op orders van de inspecteur die hij belachelijk vindt.

'Ik ben eh... niet zo goed als je misschien dacht en niet zo slecht als je straks zult denken. Oké?'

Sonny schudt zijn hoofd en zijn pet valt in zijn handen, een beweging die hij nog niet onder de knie heeft. 'Meiden zijn gek op raadsels, hè?'

Het is een oprechte verklaring, en van hem zou het een compliment kunnen zijn. Zijn gebruikelijke meningen over vrouwen zijn veel minder vleiend. Deze opmerking, de nieuwe pet en de aftershave roepen nog steeds vraagtekens bij me op, maar ik vraag niks. Dat wil ik wel, ik weet niet waarom, maar ik wil het wel.

'Ben je nog gebeld door Idaho Joe?'

'Welnee.' Sonny kijkt naar een Chevy die ons in de gaten houdt. 'Dat betekent dan zeker dat de criminelen al weten wat ze moeten weten.' Hij kijkt weer naar mij om zich ervan te verzekeren dat ik het

snap: dat ze mij stevig op de korrel hebben, wie het ook mogen zijn.
'Nog iets over mij uit Evanston?'
Sonny blaast uit door zijn tanden. 'Wat heb je verdomme in Evanston gedaan?'
'Ben langsgegaan... bij een plek... waar ze mij kennen. En mijn zoon.' Ik haal diep adem. 'Een adoptiebureau dat misschien weet hoe we hem kunnen vinden. We kregen een woordenwisseling en misschien heeft het bureau de politie gebeld.' Ik trek een grimas en zie hoe de situatie op Halsted weer terugkeert naar normaal, voor het getto dan. 'Eerlijk gezegd hebben ze de politie gebeld. En ze kennen mijn naam.'
'Mooi. Is er iemand... gewond?'
Ik schud mijn hoofd. 'Als er papieren waren gekomen, dan had je ze al gehad.'
Sonny spuugt. 'Wees daar nou maar niet zo zeker van. Zoals ik gisteren al zei: iedereen die je kent, is radioactief. Je weet niet wat ze mij niet vertellen, ons niet, de ploeg.'
Tracy komt onuitgenodigd naar ons toe, met uitgestoken hand en wapperende haren. 'Hallo, Tracy Moens.'
'Sonny Barrett.' Door zijn bariton schieten haar wenkbrauwen omhoog en ze bekijkt haar hand zodra ze die terugkrijgt. Op zijn ster staat 'brigadier' en dat leest ze, neemt daarna zijn lengte in zich op, daarna zijn gezicht.
'Bent u Patti's baas?'
'Dat was ik.'
'Ik zou u graag een paar vragen willen stellen over vandaag, dus als u het niet erg vindt...'
'Ik vind het wel erg.' Sonny duwt zich van het spatbord af, draait zijn rug toe naar de knapste vrouw die ooit tegen hem zou praten en zegt tegen mij: 'Denk eraan, P., Kit Carsons slaapt in jouw kastje.' Hij valt even stilt, kijkt over zijn schouder naar Tracy en zegt: 'Te veel toeval, dat wij in stilte onderzoek doen naar Farrakhan en Gibbons, en dat daarna dit gebeurt. Ik wed dat Wendell Scurr echt niet in district 6 op zoek was naar Bristols broer. Hij was hier vast voor jou. En hij zat in Art's, voor jou.'
'Waarom ik? Shit, ik heb die twee niet doodgeschoten.'
'Het was jouw huiszoekingsbevel. Het was jouw zaak, jij was op het zesuurjournaal.'

'Hou nou toch op...'

'Iets zit je op de hielen, P.' Sonny staart naar me alsof hij me probeert te doorgronden. 'Het is verward, gestoord en komt steeds dichter in de buurt. Je moet me vertellen wat er aan de hand is. Nu.'

'Ik heb je verteld wat ik kan.'

Sonny knijpt zijn ogen tot spleetjes, terwijl hij wacht. Zijn gezicht en nek worden roder. 'Ik heb het nu bijna helemaal met je gehad, dame, als een van de weinige vrienden die je nog hebt.'

Ik staar totdat hij zich op zijn hakken omdraait. Tracy en ik zien hem vertrekken, en daarna zijn zij en ik alleen. En Halsted Street. En het getto. Ze probeert stoer te doen, wat werkt op het rugbyveld, maar hier niet. 'Zou niet zeggen dat hij schattig is, maar hij heeft dat *je ne sais quoi*. Jij en hij...?'

Ik rol met mijn ogen.

'Ik heb het verhaal over de arrestatie doorgebeld. Ze zeiden dat die agent, Bristol...'

'Posner. Bristol Posner was een mens.'

'...Posner vijf keer is geraakt bij een stoplicht. Hij had geen schijn van kans. Ik wil graag alle persoonlijke...'

'*Hij was verdomme iemand, Tracy.* Een mens, verdomme. Geen verhaal. Ik heb hem gekend. Ik heb gezien hoe hij koffie kocht voor zwervers en dakloze crackhoeren. Een mens, oké?'

Mijn handen trillen. Mijn tolerantie voor dit soort gezeik is de afgelopen zes dagen verdwenen. Ik ben, en dat weet ik behoorlijk zeker, mijn herinnering aan de oude ik aan het verliezen, het meisje dat bijna een meisje was. Weerspiegeld in Tracy's gezicht zie ik de nieuwe ik: gestoord, gedreven, en gaat over lijken om dit te winnen.

Tracy zegt: 'Kijk Patti, ik...'

'We zijn hier om sporen van Roland te zoeken. Val die dienders nou *niet* lastig om de manier waarop ze Wardell Scurr hebben opgepakt. Laat ze verdomme nou eens een keertje, oké? Zij, jou, mij, en deze mensen,' en ik zwaai met mijn arm richting de straat, 'hebben nu niet nog meer benzine nodig.'

Tracy likt de gettolucht van haar lippen, denkt er over na, en omdat ze een goede daad wil doen of omdat ze haar kans op de Pulitzer niet wil verspelen, belt ze met de *Herald* en zorgt dat het verhaal uit de krant blijft. Ze kijkt toe hoe ik probeer om te ontspannen van confrontatie tot... iets minder. Ze heeft geen idee dat ze hier bijna was achtergelaten als voer, en zegt: 'Je staat bij me in het krijt.'

Ik draai me naar de winkelpuien en keer terug naar de vragen die we moeten stellen over Roland Ganz en mompel: 'Achteraan sluiten, schat.'

Aan Tracy is te zien dat ze niet heeft geslapen en zich voortdurend bedreigd voelt. Ik word steeds zenuwachtiger. Tegen halfvier hebben we dezelfde beschrijving aan iedereen in twee straten aan beide kanten van de oude belastingkantoren voorgelegd: 'Een blanke man van middelbare leeftijd. Een belastingadviseur Roland, met een vrouw Annabelle en hun blonde dochter, Gwen. De dochter zou elf zijn geweest toen ze hier kwam wonen en een jaar of zestien toen ze vertrok.'

We vragen het dertig mensen, in en voor winkels. Als we antwoord krijgen, luidt dat altijd hetzelfde: 'Nee.' Ik kan blijven vragen en 'nee' aan blijven horen, of mijn tanden knarsen, en wachten tot Tracy's contacten met Delmont Chukut op de proppen komen. En hopen dat dat nog gebeurt voordat Le Bassinet opengaat. Maar ik moet iets doen... Ik ga bij Chief Jesse langs in het ziekenhuis.

Een straat naar het zuiden, aan de overkant van de straat komen twee mannen en vijf vrouwen een winkel uit. Ze dragen allemaal een wit overhemd en een donkere broek. De laatste man is de Afrikaanse prediker van Ruth Anns trapje. Hij aarzelt, draait zich dan om en loopt de andere kant op. Maar het is het gebouw, niet hij, dat me opvalt... Ik rijd hier om de dag voorbij, maar ineens zijn we weer zeventien jaar terug, toen ik nog maar net in dienst kwam. Toen was het een evangelische missie en kliniek die ik altijd meed. De deuren deden me aan het Leger des Heils denken, en dat waren geen herinneringen die ik wilde bewaren.

Nu zit er in die winkel de 'Lazarus Tempel'. Het heeft een toren van triplex, zo'n tweeënhalve centimeter dik, dat telkens wordt overgeschilderd wanneer een ander kerkgenootschap-met-één-lid een nieuwe kerk begint. Voor het gebouw staat een tuintafel met een lege stoel met flyers over goed en kwaad en Afrika. Ik heb in deze straat minstens tien criminelen gearresteerd, maar ik ben er nooit binnen geweest.

We lopen de tuintafel voorbij en stappen naar binnen. Het lage plafond is wit, net als de muren en alle banken. Het middenpad vormt de scheiding tussen de banken die keurig netjes in rijen achter elkaar staan. Een oudere vrouw veegt de vloer die al kraakhelder is. Als ze in brand had gestaan, zou ze niet meer zijn opgevallen. Ze draagt een lang gewaad, met een Afrikaanse print, dat boven haar smalle enkels ophoudt en haar gymschoenen laat zien. Op haar hoofd draagt ze een hoge en kleurige tulband, net als Jamaicaanse vrouwen op Travel Channel. Ze ziet me dichterbij komen en ik zie herkenning in haar ogen voordat ik haar naar Roland en zijn gezin kan vragen.

'Mijn zuster, zij woont bij die jongen die jij hebt vermoord. Zou ook verbrand zijn, zo is het.'

'Is alles in orde met uw zuster?'

'Prima. Prima. Oude vrouw, die benzine blijft maar hangen in haar neus.'

Ik glimlach en vraag naar Roland en zijn gezin. Ze veegt, zodat ze niet hoeft te antwoorden, tilt dan haar kin langzaam boven de bezemsteel uit, met toegeknepen ogen boven een neus die meer dan eens gebroken is geweest.

'Met die moeder was iets behoorlijk mis. Een godvrezende vrouw, maar... Dat ze haar in die muur hebben gevonden, *Jezus, Maria en Jozef.*' Met haar rechterhand bekruist ze zich. 'Mijn zuster schrok zo dat ze meteen *weer* in de kerk zat.'

'Hebt u Annabelle Ganz *gekend*?'

Een nauwelijks waarneembaar, streng knikje, en een blik op Tracy die op de dichtstbijzijnde bank in haar mobieltje zit te praten. 'Maar ze heetten niet Ganz. Man was de boekhouder van de kerk en kliniek, hier in deze ruimte. Heeft nooit iets lelijks tegen me gezegd, maar die vrouw...' De vrouw verplaatst de bezem en veegt verder in het middenpad, waardoor Tracy een stuk moet opschuiven. 'En dat meisje,' haar bezem stopt en ze draait zich weer naar mij om, 'was het allerknapste blanke meisje dat je ooit had gezien. Speelde elke dag met haar, leerde haar zingen. Heer, Heer.' De vrouw lacht nu. Haar tanden steken grijs af tegen haar verbleekte huid. 'Ging daar staan en deed alsof ze preekte. Dat kind was een zonnestraaltje.'

Tracy richt zich met een ruk overeind en wil gaan staan, en zwaait met haar telefoon naar mij. Ik gebaar dat ze moet wachten.

De oude vrouw praat tegen het versleten linoleum dat ze elke dag schoonmaakt. 'Toen *poef*, en dat zonnestraaltje was verdwenen. Naar Idaho of Utah of zo.'

'Idaho of Utah?' *Idaho* kan geen toeval zijn.

'Ik weet het niet meer. Mormonen, denk ik. Utah. Mijn kleine blanke meid en haar papa... Moest wel met haar papa zijn geweest, want haar mama was nog hier. In de kelder.' Ze tilt beide plukjes wenkbrauw op en slaat weer een kruis. 'Dachten dat ze de gave hadden, dat dachten ze.'

'De gave?'

'Preken.'

In een flits zie ik Roland en onze PTL-club...sessies. Mijn knieën knikken, maar houden me overeind. Het opnieuw beleven van de hel gaat me al beter af. De oude vrouw bestudeert mijn gezicht, alsof ik het minder goed doe dan ik denk.

'Ooit nog iets van ze gehoord? Vanuit een of andere plek in Idaho of Utah?'

Ze schudt langzaam haar hoofd. 'Geen woord, en dat meisje was net mijn eigen kind.'

Tracy, nog steeds aan de telefoon, loopt weg om het gesprek te beëindigen.

'Heel mooie vrouw met rood haar. Hoort ze bij de *po*-litie?'

Ik geef haar een gekunstelde glimlach. 'Een vriendin, en bedankt voor uw hulp.'

'Heel mooie vrouw.' Ze knikt bij wat ze zegt, wijst met de bezemsteel naar mij. 'Laat je niet stoppen door die gangsters. We weten dat je het goede doet. Om het goede te doen, moet je durven. Hou vol, meid.'

Dat is het aardigste wat iemand de afgelopen 48 uur tegen me heeft gezegd. Ik geef haar een zoen op haar wang en ze deinst niet achteruit.

Buiten is het anders. Daar is de oorlog nog gaande en oordelen de voorbijgangers veel harder over me. Mormonen? Jaren geleden en het is maar een mogelijkheid. Een wilde gok. Ik kijk naar mijn horloge, moet iets doen. Tracy komt voor me staan, maar niet vlakbij, veegt haar haar naar achteren en duwt haar telefoon in haar zak. Ze staat met haar rug naar de straat, iets wat ten noorden van de rivier kennelijk aanvaardbaar is. 'Dat was mijn assistente. De privédetective in Arizona bestaat echt.'

Bingo. Ik moet mijn handen dwingen om haar niet vast te grijpen.

'We trekken hem nu na, en iets wat de "Pentecostal Ranch" heet.'

‘En verder?’ Ik grijp haar nu wel vast. *‘Is dat alles?’*

Ze ontwijkt mijn handen en loopt achteruit, plotseling enorm geïrriteerd. ‘Ja, nou ja... we weten het nog maar net. Geef me een uur of twee op kantoor, dan komen mijn assistente en ik wel meer te weten. Misschien kun je de politie hem ook laten natrekken.’

Ik zwijg even en probeer haar toon te interpreteren. ‘Misschien.’

‘Mooi. Mooi. Kom, dan gaan we. Zet me af bij een taxi. Ik bel je.’

Plotseling gaan we onze eigen weg.

En ze houdt ruimte tussen haar en mij die ze tien minuten geleden kennelijk nog niet nodig vond.

17

Zaterdag, dag zes
vijf uur 's middags

In de auto herhaalde Tracy dat ze twee uur nodig zou hebben om de Pentecostal Ranch en Delmont Chukut na te trekken, en pleegde daarna een aantal telefoontjes waarbij ze haar gezicht naar het raam had gedraaid en niet met mij hoefde te praten. Ik zette haar af in de Loop bij het *Herald*-gebouw en zag hoe ze verdween achter twintig collega's die naar huis gingen en ik vroeg me van alles af.

Vroeg me van alles af en wachtte. Onzin, ik moest iets *doen.* Ik herneem mezelf en bel Sonny, stamel alsof ik gepakt ben voor winkeldiefstal en vraag zijn voicemail om Delmont Chukut na te trekken.

Wat is er met me aan de hand?

Mijn auto antwoordt niet en rijdt me naar Chief Jesse's ziekenhuis.

Vanaf 26th Street is Mercy Hospital een aantal op elkaar gestapelde kubussen met grote ramen. Het is er erg druk. Het domineert een buurt met bakstenen gebouwen van twee of drie verdiepingen, waarvan een deel er al staat sinds de brand van Chicago. De late middagwind komt vanaf het meer en ruikt koud. Of er komt meer regen of de winter komt vroeg.

Ik loop de volle parkeerplaats over en zie geüniformeerde agenten buiten die me niet kennen en een journalist die me wel kent. Ik ben eerder bij de lift dan hij, ga tot twee verdiepingen boven de intensive care met een zwijgend Hispanic gezin en hun rozenkransen omhoog, en neem dan de trap naar beneden. Een verpleegster die haar ogen niet half dichtknijpt tegen het felle licht wijst me naar de intensive care, als ik de bordjes kan volgen. Door het doolhof is het drie keer afslaan en twee keer dubbele deuren door. Hoe dichter ik bij de intensive care kom, hoe minder druk het wordt in de glanzende linoleum gang. Mensen huilen in de kamers die ik voorbijloop.

De groep dienders in de wachtkamer van Chief Jesse bestaat voor tachtig procent uit straatagenten en twintig procent uit de hogere rangen, ongeveer het grootste compliment dat je elke commissaris uit een grote stad zou kunnen maken. Alleen al om dit te horen, zou hij moeten blijven leven. Plus dat ik me mijn wereld niet zonder hem zou kunnen voorstellen.

Echt niet? Nou, de nieuwe jij moet daar maar aan wennen. Nu wou ik dat ik niet gekomen was, dat ik niet zo egoïstisch was geweest. Ik loop langs de ingang van de wachtkamer en kijk de andere kant op. Chief Jesse heeft geen vrienden nodig die binnenkort moordenaars zijn. *Binnenkort?* Dat is min of meer gelogen hè, als je Rolands vriendje in Calumet City meerekent? En God, de FBI, en het OM doen dat.

Voeg die gore Roland Ganz maar aan de aanklacht toe. Moord met voorbedachten rade als ik hem vind voordat hij mij en John vindt. En dan ben je veranderd in alles wat je haat. Dan is de cirkel rond. Je kunt niet meer terug, omdat je nooit weggaat. Ik bots tegen een verpleegster aan die een pirouette moet draaien om op de been te blijven. 'Sorry.' Mijn handen pakken haar schouders beet. 'Sorry.'

Ze hervindt haar evenwicht en zegt: 'Alles in orde... Miss?'

'Ja, eh... prima. Prima.'

Ze loopt verder en ik zucht en zie de dubbele deur naar de intensive care. 'VERBODEN TOEGANG is de boodschap. Ik doe alsof ik niet kan lezen, haal mijn ster die om mijn nek hangt tevoorschijn, duw een van de deuren in de verkeerde richting open, en glip naar binnen.

Binnen is de intensive care in wezen een observatiepost met een arts en een verpleegster, omringd door kamers met enorme verduisterde ramen. Achter elk raam speelt zich een drama af op leven en dood, tot aan een ontknoping. De bezoekregels zijn dat er niet meer dan twee familieleden tegelijk mogen komen, en alleen als de intensive care artsen of verpleegsters het goedvinden. Zij zijn de speciale troepen van het ziekenhuis, dus hoewel het sterftecijfer hier alleen lager ligt dan op de eerste hulp, is dit de allerbeste plek.

Ik loop zes meter voordat ik word tegengehouden. Ze is midden dertig, knap, maar ernstig. 'Pardon. Komt u voor de commissaris?'

Het klinkt alsof hij niet langer hier is en dat houdt me tegen. Maar de wachtkamer is vol. Als hij d... zou zijn, zouden zij niet... 'Ja. De commissaris.' Ik kan niet voorkomen dat mijn gezicht vertrekt en wacht op de klap.

Ze past zich iets aan. 'Hij is stabiel. Nog steeds kritisch, maar stabiel.' Haar handpalm duwt tegen mijn schouder. 'U zult buiten moeten wachten.'

'Kan ik hem zien, eventjes maar?'

'Nee. Toe. Wacht buiten, bij de anderen.' Ze duwt harder, beleefd, maar harder.

Een redelijk jonge, zwarte arts komt van achter haar op ons af. Hij heeft die blik die ze op tv hebben als het leven van de ster op het spel staat en ze verliezen. Tegen en over haar schouder zegt hij: 'U bent Patti Black, nietwaar?'

'Dat klopt.'

'Kom mee.' Hij reikt langs de verpleegster, bedankt haar, en trekt me naast zich terwijl we lopen. Hij zegt niets, kijkt de kamers in die we voorbijlopen en die allemaal zijn uitgerust met monitoren met kleine rode lampjes en groene hartslagen: *Star Trek* met gevolgen. Bij de vijfde kamer houden we in en daar is hij, Chief Jesse, in het donker, alleen, met draden, slangen en monitoren en...

'Hij ligt in coma, en is steeds in coma geweest. De schade was te overwinnen, maar hij reageerde niet goed. Als hij wil leven, dan redt hij het misschien. Soms weten ze niet wat ze willen.'

Ik staar naar de arts, die naar Chief Jesse staart. Ik huil. Het glas tussen Chief Jesse en mij is net als in het mortuarium, als het familielid langskomt om het slachtoffer te identificeren. De arts neemt me bij mijn arm en leidt me de kamer in en legt mijn hand op die van Chief Jesse. De warmte lijkt net... lijkt net op bloemen en ik glimlach, als een schoolmeisje dat niet beter weet. Ik grijp zijn hand met mijn beide handen en houd hem tegen mijn gezicht, vlecht mijn vingers door die van hem en smeek God om nog een gunst. Nog ééntje.

'Hij heeft naar je gevraagd.'

De woorden schieten mijn arm in. Eerst dacht ik dat God ze had uitgesproken, een heftig gevoel dat ik nooit eerder heb gevoeld. Ik slik de adrenaline en de implicaties weg en antwoord, niet zeker dat God ze *niet* heeft gezegd.

'Naar mij?'

'Gisteren had hij hoge koorts. Was twaalf minuten bij bewustzijn, wist waar hij was... en vroeg naar jou.'

Mijn keel zit dichtgesnoerd en ik kan niks uitbrengen.

De arts draait zich na misschien een minuut naar me toe: 'Ik ben in de Dime opgegroeid.'

Dat is een verrassing. 'Echt?' De Dime is de naam van de GD voor vier straten waar de GD's de baas zijn: Drexel, Ingleside, Maryland en Ellis. Dell's, de politiebar waar Sonny de confrontatie aanging met Kit Carson, is op Maryland en de 79ste straat. Niet zo veel artsen hebben in de Dime gewoond, hebben ervan gehoord of zijn langs de Dime gelopen.

'Ik had een hond, een patrouillewagen had hem aangereden en...'

'Elfego Baca.' Ik glimlach door mijn tranen heen. 'Packy Rodgers had hem aangereden op Drexel, had zijn rug gebroken.'

'En ze stonden op het punt om hem dood te schieten, om hem uit zijn lijden te verlossen. Jij tilde hem op en nam mij mee en bracht ons met je sirene naar het ziekenhuis, en vroeg een arts op de eerste hulp om zijn leven te redden. Jij betaalde dat, plus de nazorg. Dat moet een behoorlijk bedrag zijn geweest, denk ik, in 1989, voor een geüniformeerd agent.' Er staat trots in zijn ogen. 'Baca heeft daarna nog negen jaar geleefd. Door dat voorval ben ik geneeskunde gaan studeren. Ik vond het magie, wat artsen konden.' Hij knikt naar wat ons omringt. 'En door ouders in de Dime die dachten dat ik het hier kon redden.'

Ik knijp in Chief Jesse's hand en hoop dat hij dat heeft gehoord, heeft gehoord dat hij en ik zaadjes hebben gezaaid die tot een van die 'kleine overwinningen' zijn uitgegroeid. Chief Jesse was destijds brigadier en zat achter het stuur van de auto waarin Elfego Baca had liggen bloeden. Er werd tegen ons allebei een klacht ingediend en we werden een dag geschorst door de inspecteur van onze dienst.

De arts kucht, kijkt over zijn schouder en zijn toon verandert. 'De FBI en hoe je jullie lui van Interne Zaken ook noemen, denken dat jij en de commissaris betrokken zijn bij de aanslag op de burgemeester.'

Hè? Hoe kon deze arts dat weten?

Hij leest mijn gezicht. 'Ze wilden vragen stellen. Ze waren bang dat de commissaris dood zou gaan. Ik stond het toe, maar wist dat hij geen antwoord kon geven. Ik bleef tijdens de ondervraging in de kamer.'

Het enige wat ik bijeen kan rapen is een lege verbaasde blik en een hele hoop nieuwsgierigheid.

'De vragen gingen over jou en Calumet City. Over een pleeggezin daar en een moord uit 1987. Het klonk alsof ze denken dat hulpofficier Richard Rhodes, de commissaris en jij gechanteerd worden door de georganiseerde misdaad, en dat dat al enige tijd aan de gang is.'

'Wat? Wat een giller.' Ik had waarschijnlijk beter mijn mond kunnen houden.

'Blijkbaar heeft een federale kamer van inbeschuldigingstelling het personeelsdossier van jou en de commissaris opgevraagd. De officier van justitie denkt dat hij bewijs heeft.'

'Zij.' Ik schud mijn hoofd. 'Zeiden ze verder nog iets?'

Hij schudt zijn hoofd ook, niet banger dan eerder. Ik blijf maar in Chief Jesse's hand knijpen, alsof dat helpt. Ik word niet gechanteerd, dus de FBI zit op een heel verkeerd spoor. Het slechte nieuws is dat ze mijn waarheid vroeg of laat *wel* zullen ontdekken of op z'n minst dicht genoeg in de buurt zullen komen. En hoewel ze Chief Jesse niet in verband kunnen brengen met Calumet City, kunnen ze mij wel gebruiken om hem te ruïneren.

Ik kijk naar de arts. Maar als ik Roland vermoord, *flauwekul*, zodra ik Roland vermoord, en hij komt op een opvallende manier om het leven, dan krijgen Roland en ik en zijn griezelkabinet de volle aandacht en laten ze de commissaris met rust.

De opluchting duurt een hele seconde, want zo werkt het niet. Iedereen die iets met me te maken heeft, krijgt last, tenzij ik hier *Taxi Driver* van kan maken, waarin de psychopaat de verkeerd begrepen held wordt. Maar het zou kunnen, toch? Politici spinnen fantasieën uit tot complete carrières van vijftig jaar. Religies maken er heilige gewaden en vergulde boeken van.

De arts onderbreekt me met zijn blik. Die springt over mijn schouder, de gang in en landt op de verpleegster die me had tegengehouden. Ze praat met een man in een blauw pak, Special Agent Stone. Agent Stone glimlacht naar me. Ik heb geen idee hoeveel deuren er zijn naar de intensive care, maar tussen agent Stone en mij is er maar eentje, die van Chief Jesse's.

'Zijn er nog andere uitgangen?' vraag ik de dokter.

'Een aantal, als je langs hem kunt komen.' Hij werpt een blik naar links en glimlacht met zijn ogen. 'Daarachter in de verre hoek. De deur is open.'

Ik klop op Chief Jesse's hand, wil hem op zijn wang kussen, maar dat doe ik niet, nu de FBI toekijkt. 'Zorg goed voor hem, hè? Hij was die dag je chauffeur, van jou en Elfego Baca.'

De arts is oprecht verbaasd en begint dan als een klein, zwart jongetje te grinniken. 'Karma.'

In de gang staat Special Agent Stone tussen mij en mijn ontsnappingsroute, omdat hij weet waar die is of omdat hij van plan is om me te arresteren. We staren. Hij zegt: 'Maandag word je aangeklaagd.'

Le Bassinet gaat maandag open. Ik geef geen antwoord en probeer niet langs hem te lopen. Hij lijkt verrast.

'Obstructie, knoeien met het bewijsmateriaal, en er komt nog meer bij voordat het weekend voorbij is.'

Hij heeft gelijk, maar weet niet waarom en heeft nog niets over Evanston gezegd. Niet dat mijn tafereeltje daar iets federaals had, maar als hij het had geweten dan had hij het genoemd. 'Je hebt een hele dag, Special Agent Stoere Vent. Zet 'm op.'

'Neem een advocaat... Of we kunnen naar Dearborn gaan om een regeling proberen te treffen.' Hij kijkt langs me Chief Jesse's kamer in.

Mijn gezicht loopt rood aan, mijn nek ook. Ik voel het in mijn benen, de spieren spannen zich. 'Jullie zijn een stel ontzettende klootzakken, weet je dat? Je wilt dat ik hem verraad, mijn vriend, terwijl hij dood ligt te gaan. In wat voor klotewereld leef jij eigenlijk?'

Hij wacht om te zien of ik stom wil doen en hem wil slaan. Dat doe ik niet en hij zegt: 'De echte wereld.'

De afstand tussen ons is zo'n dertig centimeter en we staren elkaar aan. Hij heeft geen hulp en heeft zijn handboeien niet tevoorschijn gehaald, dus ik bluf terug. 'Ben je klaar? Ik moet nog ergens anders heen.'

'Vandaag kan ik je helpen. Maandag, zo tegen het middaguur, kan niemand dat nog.'

Een harde zoemer doet drie verpleegsters opstaan uit hun stoel. Ik draai me om naar Chief Jesse's raam. Twee verpleegsters lopen langs ons heen, de laatste zegt: '*Wegwezen. Nu,*' en ze pakt ons allebei beet. Special Agent Stone heeft zijn telefoon tevoorschijn gehaald en volgt haar, en ziet niet dat ik me niet heb bewogen. Meer verpleegsters voegen zich bij de zwarte arts bij een andere deur en ze worden allemaal als in een afvoer naar binnen gezogen. Ik storm langs de balie naar de linkerhoek, vind de deur, trap tegen de stopper, zodat de deur zich achter me sluit en ren de trap af. Twee verdiepingen lager krijg ik kramp in mijn dijspier of mijn mobieltje trilt. Deur. Begane grond.

Buiten, waar de lampen het trottoir niet verlichten, is het parkeerterrein donker. Ik ren naar mijn Celica en probeer minder op te vallen dan ik doe. Met wat geluk denkt agent Stone dat ik op het toilet zit of dat ik in Chief Jesse's kamer ben en tegen die tijd zit ik al op de snelweg. Contact. Versnelling. Gas. Maar waarheen? Evanston? Gaan we toch nog inbreken, terwijl we niet weten hoe dat moet? Mijn dij trilt weer. Ik neem mijn mobiele telefoon op, doe mijn licht aan, en draai Michigan op in zuidelijke richting.

Het is Tracy, nerveus, maar precies op tijd. 'Kom naar Midway.'

De ambulance die op me af raast, wisselt van rijbaan. 'Wat? Op het vliegveld?'

'General Aviation Terminal. Nu.'

'Waarom?'

'Ik heb groot nieuws over de privédetective. Als we snel zijn en geluk hebben, leeft je zoon morgen misschien nog.'

18

Zaterdag, dag zes
halftwaalf 's nachts

Duivels en ranches en dood door verbranding en ik schrik wakker. Vliegtuig. *Klein* vliegtuig: handen wit op de leuningen, wang koud tegen het raam, knipper, kijk...

Wordt de aarde door gigantische schroeven bij elkaar gehouden? De schroef ontbreekt en het gat staat in brand. Snelle blik in de cabine: Tracy zit in haar stoel en kijkt uit het raam. Doe verdomme even rustig.

Even rustig. Dankzij wanhoop en een halve slaappil zit ik in dit vliegtuig, en we gaan nu landen, niet neerstorten, in de Sonoran-woestijn. We vliegen boven de ontbrekende schroef. Ik reikhals naar voren. Het ronde gat heeft een grootte van zo'n vijftig of zestig straten, de grootte van de Loop in Chicago. Het gat heeft aflopende ribbels waar de gigantische schroef was weggehaald en wat er over is, gloeit paarsgoud in het maanlicht. We vliegen er recht boven en naderen de landingsbaan. Ja, ja, ik herinner me het plan: naar Ajo, godvergeten gat, in Arizona.

De lichten van Ajo's vliegveld razen op ons af. Ik hoor Tracy zeggen dat het vliegveld een combinatie is van schietbaan, country club, rodeoring en start- en landingsbaan. Het landingsgestel zoemt en het vliegtuig schokt zijwaarts. De vleugel helt aan mijn kant naar beneden. Minder dan zo'n anderhalve kilometer verder, en veel te dicht bij de ontbrekende schroef, brandt een miniatuurbergformatie, maar zonder vlammen. De gehele formatie is paarsig goud, net als het gat van de schroef, maar met een witte fosforescerende ader die zo groot en lang is als de Navy Pier.

Ik controleer dat ik nuchter ben, laat de leuningen los, veeg de slaap, de nachtmerrie door de slaappil, uit mijn ogen, en werp dan weer een snelle blik op Tracy. Miss Sportief ziet er nog steeds zenuwachtig, gespannen uit, niet beter dan toen we instapten, en misschien heeft ze gelijk, als ze weet wat ons wacht. Ik wilde meer weten, maar van het weinige dat ze onderweg heeft verteld, kon ik maar weinig chocola maken. En dat is niet goed, gelet op wat er op het spel staat en de moeite die we erin hebben gestoken. 'Wat er op het spel staat' maakt mijn knokkels wit. Ze wist wel wat ze moest zeggen om me te laten instappen.

Zes uur geleden had Miss Sportief deze King Air, die acht passagiers kan vervoeren, van de *Herald* geregeld voor een nachtvlucht naar Why, Arizona. Why, met 56 inwoners, is een buitenwijk van Ajo dat, volgens Tracy, tot twintig jaar geleden een mijnstadje was. Ik voel me licht in mijn hoofd door de cabinedruk en de slaappil, en wil net Ajo's ontbrekende schroef en de brandende bergen aan mijn lijst met onbeantwoorde vragen toevoegen als we op de landingsbaan dreunen. Ik knijp mijn mond en ogen stijf dicht. We gaan niet dood, niet door de dreun, vuur of door de botsing en razen de donkere landingsbaan af totdat we langzamer gaan, daarna draaien en naar het silhouet van een metalen gebouw met twee lichten taxiën. Een heer over wie ik twee zinnen heb gehoord, ene 'Bob', wacht op het spatbord van een Cadillac Seville uit 1979 die nieuw al lelijk was.

Tracy en ik stappen het vliegtuig uit, de frisse nachtlucht in en eindelijk kunnen we rechtop staan. 'Bob' grijnst als Tracy ons aan elkaar voorstelt. Ik grijns niet, en stap ook niet in 'Bobs auto' voordat hij uitlegt wie hij is.

Bob zegt dat hij dat hij verslaggever is van de *Phoenix Sun* en dat hij Tracy al kent 'sinds dat gedoe in Costa Rica'. Ik gok dat Bob halverwege de vijftig is en ik gok dat Tracy hem iets meer heeft beloofd dan de Wild Turkey in zijn hand, want anders zou hij hier niet staan, zo tegen middernacht. Dat, of hij heeft haar goed kunnen bekijken tijdens de Miss Costa Rica-schoonheidswedstrijd.

Ik vraag waarom de bergen Technicolor-kleuren hebben en waarom de grote schroef ontbreekt. Bob wijst naar de bergen die er nu vanaf de grond meer uitzien als de kantelen van een fort: 'New Cornelia Mine. Koper.'

'Is dat een mijn?'

Bob knikt: 'Mijnbouwafval. Zo'n tweehonderd miljoen kubieke meter vergif. De grootste door de mens aangelegde dam. Heeft het *Guinness Book of Records* gehaald.'

In Chicago hebben we niet veel mijnbouwafval, maar ik proef het metaal aan de randen van mijn tong. 'En het gat?'

Bob neemt een slok Wild Turkey en vervalt in dialect: 'Dat is de mijn, juffie. Driehonderd meter diep, anderhalve kilometer breed. *Mondo bizzaro*, hè? *Boerrrrrr.* Alsof het schroefdraad van een schroef die ribbels in de wanden heeft gesneden, hè?'

Tracy krimpt ineen bij 'juffie', strekt daarna haar spieren om zichzelf en Bob te plezieren en gaat dan voorzichtig op de passagiersstoel van de Seville zitten. Ik kijk eens goed naar Bobs ogen. Ik heb erger gezien en ga achterin zitten. De achterbank heeft tenminste een gordel en twee ontsnappingsroutes, mochten we een ongeluk krijgen. Bob start de Seville en rijdt dan hobbelend langs de hekloze afscheiding van het vliegveld en de tweebaans, misschien anderhalfbaans snelweg naar Ajo op. Zijn koplampen verlichten kilometer na kilometer niets, niet eens hekken, voordat ze de stad Ajo verlichten. Met negentig kilometer per uur, in het donker, lijkt Ajo te zijn opgetrokken uit grind, sloophout en caravans. Zo'n anderhalve kilometer volgen we spoorrails die volgens hem bij de mijn horen en stoppen niet bij de 'American Citizen Social Club', hoewel het daar volgens Bob best leuk kan zijn. De stad duurt nog zo'n tien tot twintig seconden, voordat we omringd zijn door fel gloeiende rotsen aan beide kanten van Highway 85, rotsen die op de een of andere manier in brand staan, maar dan zonder vlammen.

Dit gaat verder dan Rod Serling en herhalingen van *The Twilight Zone*. Het is Jules Verne, *Reis naar het midden van de aarde*. Bob ratelt maar door, terwijl hij zo'n vijftien kilometer naar het zuiden rijdt, naar Why. Grotendeels over de geschiedenis van het gebied, de indianen, bandieten, en cactussen. Als de vlammenloze gloed van de bergen mijnafval en slakken achter ons verdwijnt, wordt de Sonoranwoestijn donker. Bob zet midden op de weg de auto stil, op een lage rand, houdt zijn mond, en het wordt doodstil in de woestijn. Een echte 'doodse stilte' brengt je meer uit balans dan Chinatown.

Ik ril. Denk niet aan Chinatown. Nu even niet.

Mijn ogen passen zich aan en het land licht hier en daar *zilverachtig* op, alsof het licht dat uit de grond komt wordt gedimd. Heel vreemd. Het staat ook vol met stekelige, groene cactussen van zo'n zevenenhalve meter hoog. Die heb ik in de vroege Clint-films gezien. Tracy noemt ze *saguaro* en laat de 'r' rollen, alsof ze nog steeds ruggelings badpakken showt in Costa Rica.

Tracy heeft nog steeds niet naar me gekeken sinds we uit het vliegtuig zijn gestapt.

Bob draait van de bestrating af, een verharde zandweg op. De felle lampen van zijn Seville maken geen onderscheid tussen woestijn en weg. Tracy stelt voor dat Bob me het 'verhaal' vertelt.

In plaats daarvan vertelt Bob me zijn achternaam. Die luidt Cullet, Frans, zegt hij, via Gibraltar en zijn moeders verstandshuwelijk met een autoverkoper uit Phoenix. Bob Cullet is ook dronken. Hoe dronken is de vraag, de andere vraag is of er ravijnen zijn in de Sonoran-woestijn. Vanaf de achterbank kan ik aan geen van beide iets doen, behalve stuiteren en luisteren. En me proberen voor te bereiden op nog een gang naar de kelder met Roland Ganz.

Tot nu toe heb ik die gedachte geblokkeerd en gewacht tot Bob Cullet uit zou leggen wat Tracy niet kon of niet wilde. Maar ze was te weten gekomen dat deze buitenpost van Roland was en dat dit waarschijnlijk zijn schuilplaats was, omdat hij Annabelle in die muur had gestopt. Dat was de reden dat ik in het vliegtuig was gestapt.

Bob rijdt nog een minuut in stilte, zegt dan: 'De Pentecostal Ranch heet nu His Pentecostal City.' Hij boert opnieuw en voegt eraan toe: 'Griezelig,' alsof hij een vraag beantwoordt, en neem daarna langzaam een slok. 'Ze roken naar zwavel, en naar gekte, allemaal zonder uitzondering...' Hij zwijgt even. '...allemaal woonden ze nog vijftien kilometer dieper in het niets van de Sonoran-woestijn en het indianenreservaat. Tweeënhalve vierkante kilometer paradijs, een dikke tweehonderdvijftig hectare, grotendeels niet-omheinde woestijnranch, gebouwd door dominee A. A. Allen, *Triple A*, net als het luchtdoelkanon.'

Bob stuitert over een rots, waardoor Tracy tegen het dashboard wordt gegooid en zich schrap zet. Dit is geen fijne plek om pech te krijgen. Hij pakt het stuur met twee handen vast en rijdt verder.

'Aan het eind van de jaren vijftig was Triple A een evangelist die in een tent optrad, een godvrezende idioot uit North Carolina die moeite had met het accepteren van de kerkhiërarchie. En hij had problemen met zijn voortplantingsorganen. Er deden geruchten de ronde over kroost.'

Mijn tanden knarsen. Hé, wat origineel.

'Maar Triple A vond water zonder arsenicum en fluor, en dat is verrekte belangrijk in het *res* of erbuiten, en in het jaar negentig-en-nogwat was dat niemand anders gelukt. Hij had het gevonden, zei hij, "dankzij Gods voorbeschikking".' Bob wijst met zijn kin uit zijn zijraam. 'Vergeleken met zijn 250 hectare zand en struikgewas was Triple A's "heilige" bron het dubbele of driedubbele waard.'

Ik vraag: 'Wat is een res?'

'Reservaat. Indianen.'

Voor Bobs ruit doemen lage bergen op en verduisteren de hemel. Ze lijken nu aan alle kanten op te rijzen, maar verschijnen en verdwijnen terwijl we door struikgewas en maanlicht hobbelen. Ik ril en besef voor het eerst dat het koud is, aangenomen dat ik niet droom. Dofzilver licht klaart alleen hier en daar stukken op. De sterren staan op maar een paar kilometer afstand en komen dichterbij. Ik probeer me water met arsenicum voor te stellen en dat je het toch zou drinken. Om nog maar te zwijgen wat de berg mijnafval met je dagelijkse mineraleninname doet. Bob is zich nergens van bewust, krijgt de smaak van zijn rol als verhalenverteller of van de Wild Turkey goed te pakken.

'Dominee Triple A doopte mensen in de woestijn. Met de winst van het "Heilige Water" uit zijn bron bouwde hij de drie huizen van houtskelet, *cobertizos* met schuine daken, zoals je in het reservaat ziet, slaapbarakken die God nodig had om de pelgrims onder te brengen die onderweg niet waren bezweken.' Bob stopt met zijn uitleg en buigt zich over het stuur, reikhalst dan boven zijn mollige handen uit om iets te zien. '...verloren zielen die bleven, die elders geen vaste baan konden krijgen. Niet dat er hier werk voor ze was. Er is niks in dit stuk van Sonoran, Arizona. Alleen rotsen en vergif.'

Dat is niet moeilijk te geloven en noch Tracy noch ik spreken hem tegen.

'Voor zijn *belangrijkste* klanten was de doop een korte bedevaart,' en Bob werpt een blik op Tracy, '...net zoals de Yankees die langs Route

66 stoppen om onze driekoppige slangen te bekijken en het bewijs te hopen vinden dat UFO's bestaan, hartelijk dank.'

Ik kom er maar niet uit of Bob nou een echte zuiderling is of een dronken pummel, dus vraag ik het. 'Hoe lang drinken we vandaag al, Bob?'

Hij kijkt op een horloge dat hij niet kan zien. 'Voor zover ik weet, juffie, is de dag nog maar net begonnen.'

Het is onwaarschijnlijk dat een vrouw deze week al een pistool in Bobs oor heeft gestoken. Dat gaat veranderen als hij doorgaat met dat 'juffie' of als hij nog slechter gaat rijden. We draaien van de maan af en Bob houdt weer eens zijn mond, deze keer drie kilometer en tien minuten in het eindeloze, met sterren bezaaide duister. Totdat hij midden in de woestijn en het Wild Turkey-niets (Bobs uitdrukking) weer begint te praten.

'De jaren zeventig en tachtig waren minder godvruchtig, waarschijnlijk door de cocaïne, zei Triple A, en de dominee moest het inkomen van zijn ranch aanvullen door op tournee te gaan. Hij reed langs de mijnstadjes aan de Colorado River. Nevada, oud Californië en Utah, preekte over verschijningen in de woestijn en beloofde verlossing voor diegenen die de reis ondernamen.

Het ging weer een stuk beter met Triple A toen hij begin jaren negentig een prediker uit Utah inhuurde die ruzie had gekregen met de Mormonen. Die kerel bracht ook een dochter mee, en Triple A zette ze allebei aan het werk bij het verspreiden van het Woord. Die dochter werd heel populair, volgens de bewoners, maar ze was haast een gevangene. Triple A maakte enorm veel reclame voor haar, net zoals hij met die kind-evangeliste, Marjoe Gortner, had gedaan. Heel erg, een angstig kind dat op een spectaculaire manier het woord van God bracht. Excusez le mot, maar ik vond het gelul.'

'*Prediker met een dochter.*' En ik zie ineens weer de schoonmaakster in de Lazarus Tempel die kleine Gwen beschreef: '...deed alsof ze preekte. Dat kind was een zonnestraaltje.'

'Toen hij eenmaal beter verdiende, liet Triple A aannemers komen uit Yuma, nadat Highway 8 klaar was. Die bouwden een huis voor hem met sanitair. Wat dacht je daarvan? De aannemers bleven een jaar, verdubbelden de capaciteit van de generator en installeerden een raamairconditioner in twee van de *cobertizos*.'

Bob zwijgt even, alsof hij nadenkt, en een gedachte probeert te formuleren die hij maar niet te pakken krijgt. 'Toen begonnen er rare dingen te gebeuren.'

Tracy draait zich naar Bob. Hij tuurt uit zijn zijraampje, alsof er in het donker iets is wat ons probeert bij te houden.

'De mensen uit Why begonnen te kletsen. In de woestijn kletsen ze, God zegene ze. Eerst luisterde niemand: het waren klachten van burgers die *vrijwillig* in een oven wonen. Zo ver van de beschaving dat de Amerikaanse regering dit land bijna niet eens aan de indianen kon slijten.'

Bob kijkt weer naar Tracy en schrikt als hij haar ontevreden blik ziet omdat hij niet erg opschiet.

'Maar de brave burgers van Why hielden vol. Ze zeiden tegen iedereen die het maar wilde horen: "Er gingen verdomme mensen naar die ranch en ze kwamen nooit meer terug. *En* ze waren *daar* ook niet, vraag het maar aan de sheriff. En ze trouwden met elkaar, broeder en zuster, vader en dochter. En de zoon van de prediker, nou, dat was wel het bewijs, hè? Volwassen en zo dom dat hij na een bijeenkomst in Idaho pas na twee jaar de weg naar huis wist te vinden."'

Ik luister naar Bobs tweede imitatie terwijl we nog geen kilometer hebben gereden, en voel Roland in zijn woorden tot leven komen, ik zie zijn gezicht in het donker, hoor zijn adem op mijn schouder. Hoe meer ik hoor, hoe meer deze bizarre plek zijn thuis wordt.

Bob gaat verder: 'Triple A was niet dom. Hij kocht spullen en betaalde op tijd en dat bezorgde hem medestanders in Why en Ajo, hoewel het zwijgende medestanders waren. Maar niet de baptistische weduwe die huidkanker en "die goddeloze kwakzalvers" had overleefd. Ze had een neef uit Fort Thomas die één termijn lang volksvertegenwoordiger was geweest en ze oefende druk uit op haar neef totdat hij ervoor zorgde dat de staat erbij betrokken werd.'

'De politie ging naar de ranch, dit gebeurde in 1994, en vond niets gekkers dan wat je op zo'n plek zou verwachten, maar zette Triple A toch onder druk om meer informatie te verschaffen dan hij wilde geven. Zijn reactie was dat hij de ranch/kerk verplaatste naar de stad en een privédetective in de arm nam om zijn criticasters te onderzoeken. Die privédetective was een indiaan uit de Tohono O'odham-natie, ene Delmont Chukut.'

Tracy kijkt voor het eerst over haar stoel naar mij en zegt tegen Bob: 'En over hem vertelde je dat hij op deze snelweg was aangehouden met een minderjarige, ene Gwyneth?'

'Precies. Dat is de kindprediker over wie ik het had. Daardoor was hij bijna zijn vergunning kwijtgeraakt.' Bob zwijgt even voor een slokje waardoor zijn stem de hoogte in schiet. 'Toen, wonder boven wonder, werd het onderzoek van de staat gestaakt.' Bob klopt op het dashboard op de manier waarop een oude goudzoeker zich misschien op zijn dij zou slaan. 'Twee jaar gaan voorbij. Triple A blijft bezig: God vertelt hem dat tv het antwoord is. Rechtstreeks vanaf de ranch. Triple A sluit een contract af met een bedrijf in Tucson om een kleine satellietzender te installeren, een metalen toren en een satellietschotel met een eigen generator. Maar plotseling verkoopt hij alles, neemt van niemand afscheid en verdwijnt. Zijn zoon blijft, die ene die in Idaho was geweest. De toren en de schotel zijn nooit afgemaakt.'

Tracy kijkt weer over haar schouder, knijpt dan rimpels in haar neus om op een beleefde manier haar argwaan te tonen. Net zo'n reactie wanneer je het alibi hoort van een man wiens echtgenote wordt vermist.

'Toen de prediker was verdwenen, kozen His Pentecostal City en Why ervoor om samen door te gaan. Pais en vree, de afgelopen zes jaar. Maar opnieuw waren er incidenten, met kinderen deze keer,' volgens de baptiste en ze diende opnieuw een klacht in bij de politie van de staat.

Delmont Chukut keert terug om in de zaken van de weduwe te snuffelen, en in die van haar vrienden en familie. Haar klacht heeft geen resultaat en in april van dit jaar dient ze de klacht nogmaals in. En deze keer is de staat *wel* geïnteresseerd, en de media ook. Met name ik. Dus een collega en ikzelf worden gedoopt en betalen voor elkaar. Het was een heel warme doop, mag ik wel zeggen en werd uitgevoerd door een jonge vrouw in het wit die of met voodoo in trance was gebracht of die te vaak met God had gesproken. Mijn collega en ik keren terug naar de *Phoenix Sun* en schrijven een verhaal dat volgens een concurrent van de *Tucson Star* wel "erg veel op Waco en Ruby Ridge lijkt, maar dan met cactussen".'

Bob lacht. Ik merk dat zijn intonatie het eentonige door de drank en het provinciale missen.

'Een aantal staatsinstanties raakte erbij betrokken, maar wilde zich er eigenlijk niet mee bemoeien, en deden maar alsof. Zo gaat dat hier. Maar de roddelprogramma's van de tv van Tucson springen erbovenop en dat dwingt twee van de instanties tot een serieuze aanpak.' Bob aarzelt, kijkt over beide schouders om het effect van zijn woorden te peilen. 'En toen, tien dagen geleden, was het hele huis ineens leeg. Poef, alsof ze er nooit waren geweest.'

In het vliegtuig had Tracy die laatste regel bijna letterlijk herhaald en had gezegd dat we de rest van het verhaal pas konden horen als we waren geland, had daarna een klein kussentje tegen het ovalen raampje gelegd en was in slaap gevallen of had gedaan alsof. Ik dacht aan een uittocht die pas tien dagen geleden had plaatsgevonden en zag voor me hoe ratten een leeg schip verlieten dat de haven binnen dobberde. Door uitputting en de slaappil vielen mijn ogen eindelijk dicht, maar toch kreeg ik een nachtmerrie over Rolands vampierkasteel in de woestijn. Op dit moment zie, hoor of ruik ik niets wat op een kasteel lijkt en besef dat ik Bobs Wild Turkey ook niet ruik.

Bob Cullet gaat langzamer rijden en we nemen een steile bocht naar beneden en steken een brede greppel over die ze hier een 'ondiepte' noemen, in plaats van wat het is, een drooggevallen rivier. Hij kijkt beide kanten op, alsof hij iets verwacht, en zegt tegen zijn voorruit: 'Dus ze hebben hier vorige week een begraafplaats gevonden, de Pima County lijkschouwer. Aan de hand van het lijk dat ze opgroeven, schatte hij de begraafplaats op zo'n veertig jaar oud. Maar verder geen details. Liet vier onderzoekers in het huis de papieren bekijken, terwijl wij met camera's bij het hek stonden. Maar het onderzoek en het gegraaf hield op toen de media wegliep. Als er bewijs is, dan heeft niemand dat gevonden, tot mijn grote verdriet.'

En daar drinkt Bob op.

'Maar shit, we hebben meer caravans dan boeken in Arizona. Je weet niet wat een slimme kerel zou vinden.'

Ik tik Bob op zijn schouder. 'Geef die Wild Turkey eens door.'

Bob schrikt terug van mijn verzoek. Tracy beweegt haar hoofd met een ruk naar mij toe en geselt de stoel met haar rode haar. Ik grijp het halveliterflesje voor haar, en knoei bourbon op haar hand en op de camera die ze aan het instellen was. Absoluut bourbon. Nu ruik ik het en geef het terug. Bob is in de war en kijkt naar Tracy die haar camera afdroogt en kijkt daarna weer over zijn schouder naar mij. 'Of een slimme vrouw natuurlijk... Maar het waren een stel idiote klootzakken. Dat is zeker, de dominee *en* de gemeente. Dood *of* levend.'

Wolken schuiven voor de maan en het wordt donker in de Cadillac, op het dashboard na. Steeds hoger rijden we, dicht langs de rand van een diepe scheur in de woestijn: het ravijn waar ik me al een uur zorgen over maak. Bob stampt op de remmen waardoor ik met beide handen tegen zijn rugleuning smak. Een stofwolk omhult de auto en wervelt in het licht van de koplampen. Een metalen hek met een hangslot, hoog en onverwacht in het struikgewas, blokkeert de weg. De tape van het *Sheriff's Department* dat aan het hek vastzit, wappert in de wind. De bries is koud. 'HIS Pentecostal City' staat er in een boog op het ijzeren hek. Ik ril, haal diep adem, en voel naar mijn Smith. Tracy buigt zich over de zitting en zegt iets.

Ze herhaalt het: 'Kun jij een slot openmaken?'

'Nee.'

Bob Cullet gooit zijn automaat in z'n vrij. Dit voelt verkeerd, ik trek de Smith. Bob stapt uit en loopt wankelend de koplampen in. Bij het hek kijkt hij in de diepte en naar boven, doet daarna een tovertruc die ik niet kan zien en de zware ketting ratelt op de grond.

Ik verstevig mijn grip op mijn Smith. Bob lijkt me nou niet echt het type dat kan 'toveren'.

Terug in de auto zet hij de auto in z'n vooruit, en legt niets uit terwijl we door het hek rijden. De woestijn loopt iets omhoog, zodat we niet ver vooruit kunnen kijken. Niemand zegt iets en we stuiteren naar de top van het heuveltje en eroverheen, en zien dan drie gebouwen afgetekend tegen de laagstaande sterren. Rechts van de gebouwtjes staat de onafgemaakte zendtoren. Hij roest en hoort daar duidelijk niet. Ik ril opnieuw en ga achterover zitten tegen een koudere plek op de achterbank. De weinige horrorfilms die ik heb gezien, zie ik nu in onze autoruiten. Ik reik naar de deurknop, het opgesloten zitten is...

HOU OP. Als hij hier is, of als hij hier mensen heeft, geef ze dan niet jouw angst als wapen. Jij bent je nieuwe ik, niet de oude. Hij kan je dit keer niets maken, behalve je vermoorden. Ik pak de Smith stevig in mijn hand. De wagen hobbelt naar voren en naar boven, waardoor ons uitzicht weer wordt geblokkeerd. Ik hoor een heftige beweging langs mijn open raam, te snel en te schimmig om te kunnen onderscheiden wat het was. Bob beweegt zijn hoofd met een ruk naar het geluid, waardoor zijn pet losraakt van zijn hoofd.

Tracy wijst naar de voorruit: 'Daar beweegt iets.'

Bob gaat langzamer rijden en reikhalst over het stuur. 'Waar?'

'*Daar, verdomme.*' Tracy wijst met haar camera, en flitst dan. Met een ruk beweeg ik me, nachtblind, naar achteren. De auto stuitert naar links, draait omhoog en stopt zes meter van het dichtstbijzijnde gebouw. Tracy flitst opnieuw. Ik storm de auto uit en ren blind het struikgewas in. We zitten in een nachtelijk vuurgevecht zonder het lawaai. Autoportieren gaan open. Mijn gezichtsvermogen komt half terug. Tracy staat recht voor het gebouw en flitst als mitrailleurvuur. Bob krimpt zijwaarts ineen. Ik ren naar links van de schaduw in de koplampen die niet aanvalt, daarna naar rechts naar een ander gebouw zo'n vijftien meter verderop, daarna naar achteren, naar de woestijn en hol een heuvel af, totdat het donker is.

Tracy zegt: 'Wat was dat?'

Ik draai me om naar haar stem, met beide handen nog steeds stevig op de Smith. *'Jij hebt het gezien.'* De grond is tegelijkertijd droog en zompig.

'O ja?' Tracy schraapt haar keel. 'Ja, dat is zo.'

'En?' Van zo dichtbij lijkt het hout van het dichtstbijzijnde gebouw wel rood. De wind fluit nauwelijks waarneembaar en ruikt naar een uitgedroogde cederhouten kist.

'Ik weet het niet.' Tracy probeert nog steeds iets te zien wat ze niet kan zien. '*Iets* rende langs.'

'Poema.'

We draaien ons allebei naar Cowboy Bob Cullet, die onvast op zijn benen staat.

'Wat?'

'Vast een welp, of een Collared Peccary, die in het vuilnis zat te wroeten dat de mensen hier niet hebben verbrand.'

Ik weet niets van poema's of 'Collared Peccary's'. Voor zover ik weet, is een 'Collared Peccary' een hagedis. Een hagedis zo groot als een draak als Tracy hem in het donker kon zien rennen. Tracy en ik bewegen ons voorzichtig verschillende kanten op. Ze vraagt Cowboy Bob hoe groot poema's in de Sonoran worden.

'Zo'n vijfentwintig tot dertig kilo.'

We kijken allebei even snel naar de grond bij onze voeten. Ik wil hem vragen wat Rolands kasteel verder nog bewaakt. Bob legt uit dat een Collared Peccary een wild zwijn is. Met slagtanden die je kunnen verwonden als het dier geen uitweg ziet. Ik stap achteruit en mis op een paar centimeter na een donzige cactus. Bob zegt dat je die ook moet vermijden.

'Jumping cactus, Cholla. Heel onaangenaam.' Hij knikt naar mijn pistool. 'Er is hier niemand. Tenminste niemand die ons interesseert.'

'En hoe weet je dat?'

Bob fronst en voelt naar zijn fles. 'De grens staat onder druk bij Sonoita. Immigranten die het lukt om de grens te passeren, blijven op de 85 totdat ze in Phoenix zijn. Inwoners van Ajo en Why komen hier 's nachts niet, tenminste niet toen we hier eerder waren.'

Ik heb mijn pistool nog niet laten zakken. 'En waarom is dat?'

'Shit, juffie, je zit hier twee keer zes blikjes bier bij God *of* zijn tegenstrever vandaan.'

Tracy merkt hoe dicht ze bij het dichtstbijzijnde gebouw staat en loopt naar Bob: 'Geef me je zaklantaarn.'

Bob houdt een grote in zijn hand waarmee hij niet zijn whisky vasthoudt. Hij weigert Tracy's verzoek en zegt: 'We kijken eerst in het huis', maar hij verzet geen stap.

Ik ook niet. Roland is daar binnen geweest. Ik wil Roland niet weer ruiken. Dat vindt mijn maag ook en ik dwing hem tot kalmte. Of dingen aanraken die hij heeft aangeraakt. Of zijn waar hij is geweest. De woestijnbries koelt opnieuw mijn nek en ik kijk vlug achter me. Bob en Tracy staren heuvelop, naar wat het huis moet zijn. Diepe schaduwen verhullen een waarneembare veranda met een laag dak.

Bob wijst naar links en zegt: 'Begraafplaats.'

Mijn blik blijft op de veranda gericht maar ik loop naar de begraafplaats en de schaduwen daar. Net als in Chicago ben ik niet bang voor donkere begraafplaatsen. Hun geesten zijn mijn vrienden. Bob volgt me naar de begraafplaats, in plaats van naar het huis te lopen. Tracy merkt dat ze alleen is en haast zich om ons in te halen. Ik kan niet zien hoe bang ze is, alleen dat ze in tweestrijd staat tussen paniek en de begerige journalistenhouding. Het is zoals junks zich voelen: we krijgen geen genoeg van die troep waaraan we onderdoor gaan. Totdat we eraan onderdoor gaan.

Om de begraafplaats staat een kniehoge, wit geschilderde omheining van schroot. De omheining heeft scherpe randen en paarse stenen liggen opgestapeld langs de onderkant, waar een tuinarchitect bloemen zou planten. De rest van het stuk grond bestaat uit zand. Elf kruisen staan scheef en er valt geen bepaalde orde in te ontdekken. Achter de kruisen, recht tegenover ons, ruist een uitgedroogde acacia. Onder zijn takken steekt een kruis van zo'n een meter tachtig omhoog uit pokdalig beton. De voeten van Christus ontbreken, de enkels zijn verschoten rood.

Van de graven zijn er twee geopend. Ik herinner me dat me was verteld dat er maar één graf was geopend, niet twee, en zie sporen, brede groeven in de aarde.

Bobby zegt: 'Grijper', slikt Wild Turkey door en wijst dan voorbij de twee open graven naar een groepje van drie kruisen. 'Dat daar waren de oudste, hun stoffelijke resten waren zonder kist begraven. Nadat het eerste lijk in delen naar boven was gekomen, liet de lijkschouwer de anderen door Mexicanen met de hand opgraven. De brave burgers van Why konden dat niet aan.'

Ik werp een langdurige blik op Rolands huis rechts van ons, wijs Bob en zijn zaklantaarn dan naar een verse hoop aarde bij het eerste gat. Het is zo'n een meter twintig diep en de randen zijn ingestort. 'Wie waren die twee?'

Bob zegt: 'Wie weet?' en schijnt op de kruisen in plaats van op het gat. 'Mensen, allemaal volwassenen volgens de inscripties. We hebben een en ander nagetrokken bij de burgerlijke stand, maar dat leverde niks op. De sheriffs in Ajo hebben de database met vermiste personen nagetrokken en dat leverde een treffer op.' Bob verplaatst zijn licht naar het verst afgelegen gat. 'Joseph V. Smith. Maar hoeveel Joe Smiths zijn er, op de hele wereld?'

'Waarvandaan?'

'De Mr Smith in *dit gat*... Wie zal het zeggen? De J.V. Smith die we vonden kwam uit Blythe, bij Californië, een deserteur uit het korps mariniers in de jaren zeventig.'

De wind fluit doordringend. Tracy en ik draaien ons met een ruk om in de richting van Rolands huis. Bob merkt het niet omdat hij zijn licht al op het huis richt. In plaats van dat hij het licht heen en weer beweegt, houdt hij het op de deur gericht, zo lang dat hij kennelijk iets verwacht.

Met een lage kreun houdt de wind op met fluiten en het wordt kouder. Tracy doet alsof ze vol zelfvertrouwen zit en zegt: 'We spelen over twaalf uur tegen BASH, dus laten we even doorbijten', en ze loopt de heuvel op naar het huis. Bob volgt haar. Mijn voeten bewegen zich niet. De begraafplaats wil me houden. Mensen zijn uit deze gaten in stukken naar boven gekomen...

Tracy en Bob en zijn licht zijn verdwenen. Er beweegt iets laag in het donker, en verandert de schaduw, net achter het hek. Ik knijp mijn ogen tot spleetjes en mijn hart bonkt, zie niks en ren de heuvel op. Rolands huis houdt me tegen. Het heeft een aparte kamer. Roland staat niet op de veranda zijn katoenen onderbroek te kneden. De deur staat open, hongerig. In de kamer bevindt zich ook speciaal gereedschap, speciale speeltjes.

Mijn voet wil niet de veranda op. Ik dwing hem, daarna de andere. De houten plank kraakt en kondigt mijn aanwezigheid aan. De open deur zuigt me de drempel over. Binnen is het, is het... Ik voel hem hier niet. Ruik hem niet. *O, man, dat is goed.* Zo goed dat ik er duizelig van ben. Maar het klopt niet. Hij zou me helemaal moeten omringen, me moeten doen kotsen. En dat is niet zo. Tracy en Bob staan bij een stapel dozen. Ik sta stokstijf stil, tolereer de kamer, wacht tot die me overweldigt.

Kom op klootzak. Kom me maar halen... Als je kunt... Ik klink als een kind van veertien in mijn hoofd, niet iemand die gewapend en gevaarlijk is.

Ik kijk links, daarna naar rechts, en vecht tegen de herinneringen die ik heb opgeroepen. Dit is geen zwart kasteel, het zijn maar muren. Ramen. Meubilair. Wees een smeris. *Vermoord die klootzak.*

Roland heeft hier niet gewoond. *Wat?* Als hij hier woonde, waar is hij dan? Ik voel hem niet, helemaal niet...

'Moet je dit zien.'

Ik draai me met een ruk opzij, maar schiet Tracy niet neer. Ze kijkt naar Bob en ziet niet wat ik deed. Bob staat voor een open dossierkast. Zijn zaklantaarn schijnt op een vel papier dat hij boven een doos achtergelaten papier houdt.

Tracy zegt: 'Patti, kom hier', zonder achter zich te kijken.

Ik dwing mijn voeten om zich te bewegen. Ik gluur over haar schouder. Bobs whiskyhand laat het licht beven. Een vel papier met een getypte tekst. Op de vloer ligt nog een vel, handgeschreven, van een kind of een gek:

The Cradle Will Fall.
The Cradle Will Fall.
The Cradle Will Fall.

'Mijn god,' mijn knieën knikken en ik graai naar de pagina. 'Het gaat over een wieg.'

Tracy ziet het papier en grijpt mijn arm. 'Kalm Patti.'

Ik reken als een bezetene, data, tijden...

'Als Roland het wist, dan was hij er meteen heen gegaan nadat ze hier waren gevlucht.'

Bob zegt: 'Als hij wat wist? Wie?' Hij schijnt zijn licht weer op het handschrift. 'Wat?'

Tracy houdt mijn arm stevig vast en glimlacht als voorbereiding op een leugen. 'Bob, lieverd. We zijn partners, toch?' Ze raakt zijn bovenarm aan. Nu houdt ze ons allebei vast. 'Jij krijgt die baan in Chicago nadat we dit verhaal hebben afgerond, afgesproken, maar we moeten dit op mijn manier doen.'

Bob ziet er niet uit alsof hij haar vertrouwt of alsof hij geil is. Hij kijkt naar mij, maar ik schuil in de schaduw. Ik begin te ontspannen. Tracy heeft gelijk, als dit betekent wat ik dacht dat het betekende, dat Roland tien dagen geleden al van Le Bassinet wist, dan zou John al dood zijn. Maar hoe *weet* je dat dat niet zo is? Je hebt hem niet gezien. Door die gedachte struikel ik achteruit in een stoel, waardoor de poten piepen op de houten vloer. Wij alle drie schrikken van het lawaai en Bob schijnt het licht vol op me.

Ik herstel me. 'Sorry. Dat komt vast door de... shit, ik weet niet wat het is. Alles is in orde.'

Bob kijkt naar me, en begint dan, langzamer dan noodzakelijk, een verhaal over hoe het huis in elkaar zit. Hij heeft nieuw respect voor mijn gebrek aan zelfbeheersing. Met zijn lichtstraal schijnt hij de kamer rond, een korte gang in, en een raam uit. 'De slaapkamer is daar achter. Er zijn er twee. De sheriff vond papieren over de zoon van de oorspronkelijke eigenaar, de zoon van Triple A, die ene die was verdwaald uit de kudde en in Idaho de weg was kwijtgeraakt.'

'Wat bedoel je?'

'Drugs. Op weg naar de wedergeboorte is de zoon van de dominee slachtoffer geworden van verboden verdovende middelen en vrouwen van lichte zeden. Zijn terugkeer werd als bijbels beschouwd: de verloren zoon die terugkeerde.'

'Wat voor drugs?'

Bob zegt: '$C_{10}H_{15}N$,' zoals ik mijn sternummer zou opdreunen.

Ik staar. Het duurt veel te lang voordat Bob beseft dat ik wacht op de vertaling.

'Methamfetamine hydrochloride. Arizona's exportproduct. Een sheriff zei dat er een periode was, niet zo lang geleden, dat er vermoedens waren dat er op de Pentecostal Ranch wellicht crystal meth werd geproduceerd. Voor de verkoop. Populair bij de indianen en bij privédetective Delmont Chukut.' Bob wijst met zijn kin naar het reservaat. 'Nu niet meer zo.'

Nou, daar heb je het. Gypsy Vikings, Pancake, de meth-chemicus en een *blanke uit Arizona of Idaho* in de Cassarane Bar die *brandstichters aan het werk zet.* Ik weet het antwoord al, maar vraag het toch maar.

'Hoe heet hij, de zoon?'

'Balanter Joseph Allen, zoon van dominee A.A. Allen.'

Idaho Joe. Een kind van een jaar of tien had dat meteen begrepen toen Bob voor het eerst over Idaho begon. Dus Idaho Joe heeft samen met Roland hier de benen genomen... een vrolijke gore gruwelfamilie.

Tracy vraagt: 'Hoe zit het met zijn vader, Triple A?'

Bob zegt: 'Geen nieuws, al jaren niet. Geen belastingaangiften, geen claims bij de ziekteverzekering, geen creditcards, geen telefoon. Niets.'

'Hij is dood,' zeg ik.

'Absoluut,' zegt Bob, terwijl hij naar de eindeloze woestijn achter het slaapkamerraam knikt: 'Absoluut.'

'Aan wie heeft de dominee... zijn nederzetting verkocht?' vraag ik.

Bob en Tracy kijken elkaar veelbetekenend aan. Tracy zegt tegen hem: 'Zover ben ik in het vliegtuig niet gekomen. Viel in slaap.'

Bob wendt zijn blik naar mij, staart, maar geeft geen antwoord.

De vent die uit de schaduw stapt zegt: 'Hij heeft alles aan jou verkocht.'

Zondag

19

Zondag, dag zeven
net na middernacht

'BEWEEG JE VERDOMME NIET.'

Dat doet de verschijning niet. 'Handen op je hoofd. Langzaam.' Dat doet hij. 'Draai je om. Met je gezicht naar de muur.' Dat doet hij. Ik kijk Tracy en Bob kwaad aan, kijk daarna weer naar de schouderbladen van de verschijning. 'Wie ben jij, verdomme?'

Hij haalt adem en laat me wachten. 'Een collega van Bob, bij de *Sun*.'

Ik hou de Smith op zijn rug gericht en kijk de gang in naar kamers die ik niet kan zien. 'Klopt dat, *Bob*?'

Bob geeft geen antwoord, maar ik voel dat hij knikt. Mijn stem klinkt nu dreigend, passend bij mijn bonkende hart en de kamers die ik niet kan zien. 'Is er verder nog iemand hier, Bob? Want dan ga jij en zij eraan.'

Tracy zegt: 'Kalm, Patti. Kalm.'

'Nou, Bob? Verder nog iemand?'

'N...nee.'

Ik heb zes kogels, meerdere plekken waar het gevaar vandaan zou kunnen komen, en geen keuze: 'Bob, als die klootzak die je in het donker had verstopt een wapen en een insigne heeft, ben ik heel erg teleurgesteld.'

Tracy zegt poeslief: 'K...kalm, Patti. Kalm.'

'Oké, collega-van-Bob. Ik ga nu achter je staan en doe je boeien...' Hij draait zich om. Ik vuur twee keer. De kamer licht op. Hout en pleisterwerk versplinteren. Bobs partner valt op de grond. Ik trap hem zodat hij nog platter op zijn buik ligt, hoor hoe hij uitblaast, zet een knie in zijn rug, en richt de Smith op Bobs gezicht. Bob staat doodstil. Ik zwaai met mijn wapen naar de kamers die ik niet kan zien, er komt niks, ram de loop dan in de nek van die vent. 'De haan is gespannen, klootzak. Jij mag beslissen.'

Hij beweegt zijn rechterhand langzaam naar zijn achterzak. Ik doe hem een handboei om, ram zijn arm onder mijn knie, grijp de andere hand en boei die ook. Ik ga staan om me om te draaien naar Bob en mijn goede vriendin Tracy Moens en ben van plan om ze één voor één neer te schieten.

Tracy heeft het in de gaten. 'Kom op, Patti. Niet doen. Je maakt me bang.'

Ik spring zijwaarts om de gang voor me te houden. *'Ik maak jou bang?'* Ik werp Bob een woedende blik toe en kijk dan weer naar Tracy. '*Gore teef.* Wat heeft dit te betekenen?'

'Ik had geen idee. Echt niet.' Ze trekt een grimas en kijkt hoe Bobs partner over de grond rolt. 'Dat hij... hier was. Ik dacht dat hij op het vliegveld zou zijn. Ik wilde je het net vertellen...'

'Wat wilde je me vertellen?'

'Bob vertrouwde je... niet helemaal. Omdat jij de echte eigenaar van dit... gebouw bent.'

Bob staat plotseling zo ver bij me vandaan als de muur maar mogelijk maakt. Ik richt de Smith op hem en fouilleer zijn partner met één hand. Een pistool... handboeien en een ster. Politie van Phoenix. Ik klem mijn tanden op elkaar. 'Nou, *Bob*, ik ben benieuwd naar die verklaring over je collega.'

Bob is kortademig. Ik stap bij zijn partner vandaan in zijn richting. Bob besluit om te antwoorden. 'Ik was eh... bezorgd... Omdat jij de eigenaar bent die...'

'*Ik ben nergens eigenaar van.* Ik heb niemand uitgekocht. En ik wil dat verdomme niet meer uit jouw bek horen.' Ik kijk hem woedend aan. 'Vertel op, wie is die vriend van je?'

'Een agent, dat is alles. Doe alsjeblieft even kalm aan. Hij was hier alleen maar om ervoor te zorgen... dat jij me niks aan zou doen, ons niks aan zou doen.'

Ik kijk naar de man op de grond. Of het is een groentje, of een dronkenlap zoals Bob, of hij heeft dat insigne uit de kast van een echte smeris gejat. Ik denk dat hij dronken is. Tracy onderbreekt mijn beoordeling.

'Patti, volgens de papieren die we hebben gevonden, ben jij eigenaar. Daarom zijn we hier. Een van de redenen.'

'*Ik ben nergens eigenaar van.* Hoeveel Patti Blacks zijn er in Amerika, denk je?'

Tracy doet haar best om er begrijpend uit te zien in de schaduw van de zaklantaarn. Bob probeert zich onzichtbaar te maken. Ik kijk de donkere gang in en naar de kamers verderop, kniel daarna om de mobiele telefoon en portemonnee van Bobs partner te pakken. Ik geef Bob en hem opdracht om voor een van de palen te gaan zitten, alsof het een kampvuur is. Dat doen ze. Op mijn aanwijzingen maakt Tracy Bob en zijn partner aan elkaar vast, met alle twee de handboeien, zodat ze met hun armen een kring vormen om de paal. Uit Bobs zak valt een mobieltje. Tracy gooit het op tafel waar ik het mobieltje van zijn partner heb neergelegd. Ze vallen allebei op de grond en de telefoon van de smeris valt aan stukken. Ik open bijna het vuur.

Ik haal diep adem. 'Luister goed, Bob. Als iemand zich nog verstopt in de gang of in de andere gebouwen, dan is dit je laatste kans om me dat te vertellen. Als ik ze vind en het overleef, dan ga jij eraan.'

'E...er is verder niemand.'

'Als er nog iets anders is wat ik zou moeten weten, zeg het dan nu.' Ik kijk naar Tracy. '*Mijn vriendin* en ik stelen je Cadillac, rijden naar het vliegveld en vliegen naar huis. Over zes uur bellen we op en laten we jullie bevrijden.' Ik geef de agent een klein glimlachje. '*Door de plaatselijke inwoners*, zodat je je niet kapot hoeft te schamen omdat je je wapen bent kwijtgeraakt. Dat ligt op de tafel. Als jullie niets zeggen, doe ik het ook niet.'

Geen van tweeën geeft antwoord. Tracy probeert voorspraak voor ze te doen. Ik zou haar maar wat graag hier neerschieten en begraven. Dat ziet ze aan mijn gezicht en stopt midden in een zin. Ik kijk weer naar de mannen.

'Vertel het eens, *Bob.* Nog meer verrassingen? Ik kijk de gang in, terwijl hij zijn hoofd schudt. 'Goed dan. Wat moeten we verder nog zien?'

Bob werpt een blik naar de deur en jankt bijna: 'Er ligt een fles Turkey in de achterbak. Denk je dat ik die kan krijgen?'

Ik ken de totale vergetelheid die een fles kan brengen. 'Zou kunnen. Als ik tevreden ben nadat we klaar zijn met de inspectie.' *Fles* en *vergetelheid* blijven langer dan gewoonlijk hangen in mijn hoofd... als een stel foto's van een plaats delict in Calumet City...

O, mijn God, ben ik hier *wel* eerder geweest? Ik struikel naar de muur. Echt niet, echt niet...'

Bob begint te praten, en vertelt ons waar we heen moeten en waar we naar uit moeten kijken. Maar ik hoor *vergetelheid* en *ben hier eerder geweest.* Ik bijt op mijn lip totdat ik het bloed proef. Echt niet, ik ben hier nooit geweest. Echt niet...

'Patti?'

Ik draai me om met de Smith in mijn hand. Tracy krimpt ineen. Ik doe alsof ik onverstoorbaar ben en wijs naar de gang. Ben hier nooit eerder geweest. Nooit. Verdomme niet één keer. Tracy staart nog steeds. Ik moet deze kamer uit en wijs weer naar de gang.

Tracy gaat voor met Bobs zaklantaarn. Elke stap is Halloween. Er zijn twee slaapkamers, een badkamer en geen kelder.

Hoe kan ik dat weten? Ik ben hier nooit geweest.

Met mijn hand voel ik even aan het pistool van de agent in de band van mijn Levi's. Tracy's Levi's eigenlijk. Ze botst tegen een stoel, ik proef de stof die in de lichtbundel van haar zaklantaarn danst.

Alles is nieuw. Ben hier nooit geweest.

Elke slaapkamer levert niks op, afgezien van een snelle pols en het gevoel dat dit huis van iemand anders was dan van Roland Ganz. De badkamer is de laatste ruimte. Die is muf en smerig. Er liggen twee dode muizen in de hoek. Dit gebouw is veilig. Ik haal lang en diep adem en ontspan mijn schouders, maar mijn Smith niet. 'Er is ergens anders nog een huis.'

Tracy stopt halverwege een pas terwijl ze de eerste slaapkamer uit loopt. 'Nog een ander huis?'

'Roland is hier niet.'

Ze schijnt het licht in de buurt van mijn gezicht maar er niet middenin. 'Precies. We weten dat hij hier niet is. Hij is in Chicago.'

Ik schud mijn hoofd, en voel hoe mijn kaakspieren zich spannen. 'Dit huis... ik voel hem niet. Dit is niet van hem.'

'Hoe weet je dat?'

'Hoe *weet ik dat.* Ik ben verdomme een meisje. *Ik weet* dat.'

Tracy wendt zich af en loopt in de richting van de slaapkamerdeur naar de veranda. 'Je hebt gelijk, prima. Mooi. Laten we dan naar de andere gebouwen gaan kijken.'

Een gedachte doet me mijn pas inhouden. Ik besef net dat ik zei dat ik een meisje was. In een huis dat, zeggen ze, eigendom was van Roland Ganz. Ik, een meisje. Ik glimlach bijna en daardoor botst Tracy tegen de achterdeur aan. Ze rommelt achter zich met de deurknop en loopt achteruit naar buiten. Blijft achteruitlopen totdat ze zo ver weg is als ze durft zonder wapen.

Ik loop de donkere slaapkamer door en het maanlicht in. Tracy staat voor een lastige keuze: alleen die gebouwen doorzoeken of met een krankzinnige vrouw die in het verleden al veel black-outs heeft gehad. Tracy blijft voor me uit lopen met de zaklantaarn, we praten niet, want ik ben geconcentreerd om de volgende verrassing neer te schieten voordat het mij verrast. We vinden niks, afgezien van meer stof en weggeteerde muizen, zoals Bob al had voorspeld, en houden halt onder de onvoltooide zendtoren. Allebei kijken we langzaam om ons heen en kijken naar de grond en de lucht daar net boven.

Tracy kijkt met een onderzoekende blik waar we net zijn geweest en fluistert half: 'Er gebeuren hier vreemde dingen, dat is zeker.' Ze klopt op het metaal. 'Maar dit hebben de smerissen waarschijnlijk gemist.'

Ik maak mijn rondje af, maar voel me niet veiliger, en had ook niet over de toren nagedacht en vraag hoe iemand die zou *kunnen* missen. Haar ogen volgen het metaal naar de hemel. 'Niet fysiek, maar financieel. Want hier zit het geld. Alles.' Ze klopt er nog eens op, alsof het ijzer contact met haar heeft via golflengtes die zij begrijpt. 'Als je een bedrijf wilt runnen dat verlossing, doop en bedevaart verkoopt, dan heb je distributie nodig: tv. Met deze toren was het net alsof je de eigenaar was van een bank.'

Terwijl ze haar zin afmaakt, hoor ik de PTL CLUB op Rolands Magnavox. Het is 23 jaar geleden en Tammy Faye smeekt om geld. Roland is... *Ik ben hier niet geweest.*

'Dit is totaal onlogisch.' Tracy staart naar de kabels die ongebruikt op de zompige grond liggen. 'Die prediker Triple A had de spullen, maar gebruikte ze niet.' Ze is diep in journalistengedachten verzonken en is niet meer bang voor me of wat er hier in het donker verder nog is, mens of dier.

'Hij liet die toren bouwen, maar hield ermee op voordat Roland hier kwam, hè?'

Ze knikt op mijn verklaring, terwijl ze rondkijkt.

'Of misschien... *toen* hij hier aankwam,' zeg ik, in diendergedachten. Tracy wendt zich weer naar mij, staart me met beide ogen aan, en dan zien we het allebei. Tv betekent misschien wel geld, maar ook bekendheid. En dat kunnen sommige mensen zich niet permitteren.

Ze zegt: 'Jij en Bob hebben gelijk, de prediker is dood. Die prediker heeft Roland meegebracht uit Utah. Roland en kleine Gwen hielpen hem om ervoor te zorgen dat zijn zaken beter liepen, en toen de prediker de satelliet op wilde, heeft Roland hem vermoord.'

Weer kleine Gwen, hier gevangen in... dit... gore vampierkasteel. Ik moet er haast van kotsen, maar het klopt. 'Daarna is hij... al die jaren gebleven, tot nu toe. Toen de laatste ploeg onderzoekers tien dagen geleden kwam snuffelen, is hij 'm gesmeerd. Maar waarom terug naar Chicago? En waarom zit hij weer achter mij en John aan?'

Tracy bijt op haar lip. 'Je had echt geen idee dat jij hier eigenaar was... Hè?'

Ik kijk weg en hoor mijn tanden knarsen. *Je bent hier niet geweest, nooit. Punt uit.* Terwijl ik niet naar haar kijk, zie ik de schaduwen bewegen. Ik spring achteruit om te schieten... Maar het zijn wolken die voor de maan schuiven. Licht dat je in een stad niet zou zien, maar dat je hier je kapot laat schrikken totdat je in de gaten hebt wat het is. Ik volg een schaduw die bij ons wegrent, een pad op dat ik nog niet eerder had gezien. De schaduw beweegt rond een lage heuvel en het donker in. De toppen van grotere heuvels tekenen zich hoger af tegen het pad en de hemel. Ik kijk hoe Tracy naar hetzelfde kijkt.

Ze stapt behoedzaam vooruit: 'Ik vraag me af wat er daarginds is.'

Ik denk: *secreet*, en zeg: 'Jij hebt de zaklantaarn.'

'Het spijt me, oké? Ik wilde ons, jou alleen maar helpen. Tot maandagochtend is er toch niets wat we kunnen doen.' Tracy strooit met het beetje toverstof dat ze heeft. 'Hier is geen FBI, dat is toch iets waard?'

Miss Sportief wil dat er iemand met een pistool meegaat op haar pad. We gaan, maar ik laat haar voorgaan en hoop op een hongerige poema. Ik wuif haar vooruit zonder erbij te zeggen wat ik ervan vind en ze loopt voorzichtig richting het pad. Ongetwijfeld heeft de politie deze plek ook al bij daglicht onderzocht zonder iets te vinden. We lopen hoger, lager, het wordt donkerder, weer lichter, en het pad eindigt abrupt op een plateau. We staan zo'n dertig centimeter van de rand. Heel, heel ver in de verte twinkelen kleine lichtjes in het zwart. Misschien vijftien kilometer verderop, misschien vijfenzeventig, misschien is het Mexico of het indianenreservaat of wat er op de bodem van het schroefgat verder nog woekert.

Tracy ziet de lichtjes ook en zegt: 'De commissaris is een indiaan, toch? Wat voor indiaan?'

Ik geef antwoord: 'Hohokam', maar alleen omdat ik geconcentreerd ben op dit maanverlichte oneindige westernlandschap. Ik zie het voor het eerst, en het landschap werkt als een soort bloeddrukpil... en misschien is dat de reden waarom hier mensen wonen.

Tracy stapt bij de rand van het plateau vandaan, werpt een blik op mij, en daarna naar beneden, bij de dichtstbijzijnde rand. 'Als je iets zou moeten verbergen op deze ranch, waar zou jij dat dan doen?'

Volgens Bob is de ranch zo'n 250 hectare. Acht stadstraten in elke richting. Dat allemaal doorzoeken is onmogelijk, en dat zeg ik.

Tracy knikt. 'Wat is hier het waardevolste?'

Ik ben straatagent, geen rechercheur, maar hierop heb ik ook nog wel een antwoord. 'Water. De bron. Je sterft niet van de dorst en het brengt geld in het laatje.'

Tracy zegt: 'Kom op.'

'Alsof de staatspolitie daar niet aan heeft gedacht.'

Ze houdt haar pas in, struikelt en zoekt haar evenwicht, en valt van het plateau. De zaklantaarn valt ook, en ik hoop dat zij net zulke radslagen maakt als die zaklantaarn. Ik hoor haar landen, maar zie niks. Als ze niets roept, kijk ik voorzichtig, omdat ik er meer belang bij heb om niet ook te vallen dan haar te redden. Door mijn schoen ploffen er stenen langs de rotswand en ik spring naar achteren. Met een gedempte plof raken ze de bodem.

'Hé, hou verdomme eens op.' Miss Sportief-behalve-bergbeklimmer heeft het overleefd.

'Alles in orde?' Ik glimlach zelfs, en dat voelt net zo als het landschap eruitziet, en ik meen me te herinneren dat Clint alle gewonden doodschoot die de reis niet konden volbrengen.

'Help me eens.'

'Hoe dan? Ik zie niks.' Ik hoor stenen bewegen en Tracy vloeken. Na twee minuten vol klautergeluiden komt de bovenkant van een roodharige vrouw tevoorschijn. Ik zet een voet achteruit en reik naar voren om te helpen. Ze komt dichterbij en ik stap weer naar achteren, met uitgestoken arm. Zodra ze een elleboog op de vlakke bodem zet, stap ik naar voren, grijp haar kraag, en sleep haar vloekend naar een 'veilige' plek.

De zaklantaarn is nog aan en ligt op de bodem, maar ik vraag of zij die heeft. Ze zit, wrijft haar knie, spuugt woestijn en geeft geen antwoord.

'Je zei iets over de bron toen je viel.'

Ze bedankt me voor mijn hulp. Ik vraag of ze kan lopen. Ze gaat met moeite staan en veegt haar designerjeans af, die bij beide knieën gescheurd is.

'Er is daar iets.'

'Ja, onze zaklantaarn.'

'Rot op, Patti. Weet je dat? Rot een eind op.'

Dat is ook voor het eerst dat ik Miss Moens boos heb gekregen.

'Er *is* daar iets beneden.'

'Ik heb vorig jaar *Tom Sawyer* voor het eerst gelezen, die had ik gekocht in plaats van jouw boek. Als je de zaklantaarn wilt, ga dan je gang.'

Tracy loopt bij de rand vandaan en loopt op het pad terug naar de eerste heuvel en de beschaving die verderop ligt, maar stopt dan abrupt. Ik bots niet tegen haar aan, omdat ik geen stap heb verzet. Ik ken dit van haar, heb het op het veld gezien en langs de lijn. Ze draait zich snel om en zegt: 'Ik ga weer naar beneden.'

Als ik een man was, dan zou dit mijn aanwijzing zijn om haar te helpen en in de leeuwenbek te springen. Ik blijf staan terwijl ze me voorbijloopt. En ik doe ook mijn mond niet open als ze over de rand van het plateau kruipt en in de schaduw verdwijnt. Ik hoor stenen bewegen en stel me voor dat haar vingers net zo bloederig zijn als haar knieën. Dit is een goed moment in een vreselijke week.

De lichtbundel van de zaklantaarn beweegt en ze gilt van onder het plateau: 'Moet je dit zien.'

Uit het niets landt 'dit' bij mijn voeten en ik spring opzij. Ik voorkom dat ik over de rand val door op één knie te vallen en me met mijn schiethand op te vangen. Niemand ziet het, alleen ik, en ik bijt op mijn tanden om het niet uit te schreeuwen.

'Dit' ligt bij mijn schoen. Het is een tinnen blik en van dichtbij staat er... Ik kan het niet lezen. Een ander blik landt achter me, en daarna nog een. Ik vraag me af waarom die het waard waren dat Miss Sportief weer helemaal terug de rots of ravijn, of wat het ook is, af klauterde.

Ze beantwoordt mijn niet gestelde vraag op een gedempte, omslachtige manier, en praat tegen zichzelf. 'De politie van de staat of de sheriffs hebben hier niet gezocht. Waarom zouden ze? Niemand had bewijs dat hier iets is gebeurd, behalve dat de mensen van de ranch zijn vertrokken. Dus kijken ze rond, nemen ze de papieren door, sommige papieren, en schrijven het af als een weekend vol persaandacht. Als de autoriteiten naar huis gaan, gaan de camera's uit.'

Hoewel ik geen partner ben in het gesprek, ben ik met haar eens dat het hout snijdt. Niet genoeg om naar beneden te klimmen, maar het snijdt hout en vanuit het donker beneden gaat ze verder.

'Ze openen dat ene graf, maken er een show van, maar waarom zouden ze meer geld van de county besteden aan een misdaad die niet heeft plaatsgevonden?' Ze is even stil, en zegt dan met overtuiging: 'Ze hebben niet in de bron gekeken. Ze hebben vast een paar kilometers gereden, maar zijn nergens uitgestapt.'

Ik heb een stel rechercheurs een plaats delict door hun voorruit zien bekijken, waarna ze hun rapport schreven. Sommige wel een kilometer of acht verderop, met een bourbon-met-water in de hand. Die opmerking over dat 'ene graf' blijft in de lucht hangen en ik vraag me af of ik de enige ben die tot twee kan tellen. Ik geef hard antwoord, in wat klinkt als een zes meter diepe kelder. 'Nou en? De politie van de staat is lui en jij hebt de vuilnisbelt gevonden.'

'Ik heb een kluis gevonden.' Het woord *kluis* echoot na. 'Onder al die troep, precies waar iemand uit Waco of Ruby-Ridge die zou verbergen.'

Ik beweeg me voorzichtig dichter naar de rand en tuur voorbij de uitstekende rand en denk na hoe een stadssmeris naar beneden zou gaan. Blikjes en troep rammelen in het donker. Weer haar echoënde stem.

'En hij is open.'

Mijn afdaling is ook niet atletisch. Ik kom geschaafd en vol zand beneden in een ravijn vol vuilnis, maar het voelt niet als een kelder. Tracy's kluis is groot, oud en verzonken in een betonnen gewelf, zoals ook de lijken op de begraafplaats hadden moeten liggen. Ze heeft de lagen verbrande vuilnis en woestijn weggeveegd om de metalen deur van de kluis te kunnen bereiken. De deur is grijs-zwart geschroeid en staat zo'n vijftien centimeter open, en kan niet meer dicht. Wie de kluis ook heeft geopend, die heeft niet de moeite genomen hem weer dicht te doen of te verstoppen. Dat kleine beetje troep waaronder de kluis lag verborgen nadat zij klaar waren, is er waarschijnlijk op terechtgekomen door Bobs wilde zwijn dat in het afval wroette, totdat Tracy naar beneden schoof en de hoop omgooide.

Ze concentreert haar lichtbundel op de kluisdeurkruk. Het beetje licht dat we hadden op de vuilnisbelt is weg. Nu staan we tot aan onze knieën in een donkere vuilnisbelt met wat voor woestijndieren hier dan ook eten en slapen. Die gedachte geeft me genoeg beweegredenen om de deur open te gooien, en ik gebruik beide handen als eentje niet voldoende blijkt.

In de kluis hangt een vreemde lucht. Er staan metalen boxen ter grootte van een envelop en er liggen losse papieren. Allebei wachten we beleefd tot de ander zijn hand naar binnen steekt. Als dat niet gebeurt, zoek ik naar een stok, maar vind die niet, haal diep adem en steek mijn hand naar binnen.

Aanvankelijk is er niets wat me bijt, dus ik grijp een box, en daarna de zaklantaarn van Tracy voordat ze kan protesteren. Dit laat haar handen vrij en ik schijn mijn zaklantaarn weer naar binnen. Ze aarzelt, alsof ze maar niet kan beslissen welke kers ze zal plukken, en pakt er dan een. Haar hand komt terug met net zo'n box als ik vasthoud, en een duizendpoot van een centimeter of vijftien. Door dat beest gooit ze de kist neer, en ik schrik. Het is nu weer mijn beurt, we gaan nu kennelijk om de beurt, maar eerst bekijk ik het donkere metalen gat zo grondig mogelijk.

We reiken om de beurt naar binnen, totdat we vier metalen kistjes hebben en een stapel losse papieren. We werpen nog één laatste blik om er zeker van te zijn dat de kluis leeg is. Wat er ook verder nog in die kuil zit, verborgen onder de troep die rondom onze voeten ligt, slaapt zeker om twee uur 's nachts. Alleen is Tracy daar blijer om dan ik. We klauteren met onze kisten naar boven, naar het plateau, en nemen dan om beurten de zaklantaarn en bekijken onze benen en de contrabande of we beesten zien.

We gaan zitten als indianen, met de kistjes tussen ons in. Tracy pakt de zaklantaarn en schijnt op het kistje dat het verste van haar af staat.

Het ontgaat me niet hoe vreemd dit is. Ik ben de ene van twee stadse meiden die op een laag plateau zitten in de Sonoran-woestijn, in het doffe zilverachtige licht dat iemand uit Chicago alleen maar van openluchtconcerten kent. Dit is nog vreemder dan toen we gisteren na de regenbui *tippelden* in het getto.

Jezus, was dat *gisteren*?

Tracy heeft minder aandacht voor onze omgeving en zegt: 'Maak open.'

Dat doe ik. Het is een kist vol...

Horloges. Misschien vijftig. Oude horloges. Ik denk meteen: dode mensen. Souvenirs van een seriemoordenaar. Heeft prediker Triple A dit gedaan? Maar waar zijn de vijftig lichamen dan? Vooraan liggen maar elf duidelijk herkenbare graven en die waren opvallend, waarschijnlijk onderdeel van de nieuwe pelgrimstocht. Ik werp een blik op de woestijn die achter onze lichtbundel ligt en nog eindeloos doorgaat: een begraafplaats die geen psychopaat in één leven zou kunnen vullen.

Dat is het antwoord op de vraag *waar*, maar waarom zou je je pelgrims vermoorden?

Tracy hengelt in de horloges, bekijkt er twee, en daarna een derde. Geen van drieën bijt haar.

Ik beantwoord mijn eigen vraag. 'Misschien heeft hij ze niet vermoord. Misschien is het wel: lever je horloge in, kom op de ranch wonen, laat de maatschappij toch stikken. Een symbool, snap je? Die nepkunstenaars zijn gek op dat soort flauwekul.'

Tracy leest een inscriptie en zegt: 'Hè?' Ik herhaal beide gedachten: dode mensen door een seriemoordenaar of alleen maar een symbool van het doorsnijden van maatschappelijke banden.

'Hij... hebben ze al die mensen vermoord?' Ze aarzelt bij die gedachte, probeert dan om haar schouders te draaien en helemaal om zich heen te kijken. Daarna wendt ze zich dan weer naar mij en herhaalt het nog eens, maar met minder journalistenvreugde.

'Zou kunnen.'

'Dat zou... goor zijn.'

We proberen de inscripties te lezen. Maar twee hebben een inscriptie, en allebei geen namen. Ik gooi de laatste Timex weer terug in het kistje, het is een heel erg oude, met een bandje van nepkrokodillenleer. Tracy reikt naar het volgende kistje. Dat is steviger dan de andere en leeg, afgezien van twee verkreukelde vellen en een steen. Nee, geen steen, een klomp bestaand uit blokvormige steentjes. Allebei denken we op hetzelfde moment aan de legende van de *Verloren Goudmijn*, en ik denk ineens aan de kalender die boven Rolands dossierkast hing. Stom genoeg zeg ik dat hardop.

Ze lacht spottend en zegt: 'Ver weg, ten oosten van Phoenix', maar ze blijft die klomp onderzoeken. Het glinstert in het licht en ze zegt: 'Het zou kunnen,' en overhandigt het daarna aan mij om hem in het donker te keuren. Ik doe een poging, terwijl zij met al het licht een van de papieren leest.

'Het is het rapport van een keurmeester: "Pyriet." Klatergoud.' Ze werpt me een afkeurende blik toe, terwijl ik het 'pyriet' tot gouderts probeer op te poetsen. 'Dat is waarschijnlijk waarom ze door het "heilige water" allemaal naar zwavel stonken.'

Ja, ja. Ik denk: Ik moet dat papier zelf even bekijken. Ze leest mijn gedachten, want dat kreng kan dat kennelijk en geeft me beide vellen papier, en de zaklantaarn. Op pagina een staat wat ze al zei en die geef ik terug, maar ik hou de steen... klomp. Dat merkt ze. Ik lach haar missverkiezingslach.

Pagina twee is interessanter. Er staat dat pagina één misschien niet klopt. Helaas is het briefhoofd van het papier verdwenen, net als de onderste helft van de pagina, dus het is lastig om te raden wat die alinea zonder context betekent. Ik doe de steen en de twee papieren terug in het kistje en zet die bovenop de kist met horloges.

Metalen kist nummer drie is stevig vastgemaakt met leren riemen. Tracy worstelt om het open te krijgen, terwijl het briesje overgaat in echte wind en het nog kouder wordt. De timing bevalt me niet en ik kijk naar de gedimde fosforescerende woestijn die zich helemaal uitstrekt naar Mexico en misschien wel tot in het heelal.

Voodoo.

Dat is mijn eerste gedachte als ik me terugdraai, nadat ik in kistje nummer drie heb gekeken en Tracy's gezicht wit heb zien wegtrekken. *Voodookistje.* In de derde kist zitten bleke botten, misschien voeten met vier tenen, snijtanden, één lange en scherpe, twee klauwen met roodachtige punten, een gebogen ruggenwervel van een centimeter of twintig, en nog een klomp. Achter de klomp zit een kompas en daaronder een stuk rode stof dat net zo glanst als fluweel als het nat is. Tracy trekt eraan en de helft van de stof verpulvert tot rode vlokken. De stof is zeker heet, want ze laat hem uit haar handen vallen, herstelt zich, haalt daarna haar schouders op. 'Ik snap er niks van...'

Ik hou niet van herinneringen waar je nergens iets aan hebt, vooral hier. 'Relikwieën.' Mijn borst voelt ingesnoerd en ik heb het tegelijkertijd warm en koud. 'Circustrucs, als je godsdienst wilt verkopen. Maak je "heilige artefacten" van rare lichaamsdelen van dieren.'

Tracy imiteert mij en vraagt om de kist. 'Hebben we de Lijkwade van Turijn gevonden, maar dan van His Pentecostal City?'

Dat wilde ik niet horen. Ik heb absoluut de pest aan de hoop die georganiseerde religie biedt. Zo erg dat het me soms tot geweld drijft. Ik *wil* dat de lijkwade echt is, en geloven dat God echt bestaat en dat Zij met ons begaan is. En op een plek als deze is dat makkelijker. Op de een of andere manier suggereert de geheimzinnigheid, de magnifieke... leegte dat Zij zou kunnen bestaan. Maar al die neprelikwieën veranderen geen dag met Roland, verdomme nog geen minuut van zijn handen en...'

'Patti? *Patti.*'

Opeens ben ik weer met mijn volle aandacht bij Tracy die het licht in mijn ogen schijnt. Ik maak een afwerend gebaar en wend me af. Ze richt haar licht lager, maar blijft wel op mij schijnen.

'Gaat het?'

'Hou verdomme dat licht uit mijn ogen.'

Dat doet ze, maar blijft naar me staren, en verbaast zich over mijn toon. Die zijpaden die ik telkens eventjes insla zijn kennelijk van mijn gezicht af te lezen. Als dat waar is, en dat is het, dan moet je toch toegeven dat het Miss Sportief siert dat ze bij me blijft.

Ik sla een wat lichtere toon aan. 'Alles in orde.'

Ze schijnt het licht weer op de kist, maar haar blik blijft op mijn ogen gericht, en volgen dan uiteindelijk het licht. Ze doorzoekt de kist, haalt weer haar schouders op en geeft de voodookist dan aan mij. Die stapel ik op voor later, of nooit, en wacht op kistje vier. Het wordt echt kouder, ik verbeeld het me niet. De wind heeft nu ook een andere geur, een of andere bloesem. Zoet maar scherp, net kruiden gefruit in een pan. Ik glimlach. Julie liet ooit een souschef van Charlie Trotter een 'kruidendemonstratie' houden in de L7 voor het goede doel. Ze lette meer op Julie dan op de kruiden in de pan, kreeg de volle laag en was helemaal verschroeid.

De L7 en Julie. Mijn oude leven. Misschien als ik John red, kan ik me hier naderhand verstoppen... in dit niets. Mijn rug spant zich zo hard dat het pijn doet. Ik besef dat ik over mijn toekomst nadenk. Een toekomst die ik niet heb. Dit is niet echt, niet voor mij, ik ga Roland Ganz vermoorden en als ik win, ga ik voor altijd naar Joliet.

Tracy zegt: 'Nou, dat is eh... *anders*?'

Ik kom weer bij na mijn laatste zijpad en zie dat ze van zo groot mogelijke afstand in kist vier kijkt, zo ver als haar rug en nek zich maar kunnen strekken. Ik leun naar haar toe. Zij leunt achterover en houdt de kist van zich af.

'Wat?' Ik zie dat de kist anders is dan de andere. Nieuwer. 'Wat?'

Tracy blaast lucht uit tussen haar lippen. 'Doe rustig aan, hè?'

Ik staar.

Ze houdt de kist nog steeds voor zichzelf. 'Goed?'

Ik knik. 'Ja, ja, goed. Wat...?'

Ze overhandigt het kistje, dwars door ons niet-bestaande kampvuur heen, en volgt het daarna met het licht. In het kistje zitten twee handen en onderarmen. Kleine handjes met boeien.

'Oooooo, *shit*.' Ik laat het kistje vallen en draai me af. '*Die gore klootzak*.' Ik spring op. '*Smerige klootzak*.' Mijn rechterhand heeft een pistool vast. Tracy schrikt achteruit, alsof ik in brand sta. En ik sta ook in brand, *verdomme*, ik sta in brand.

Ik ga inbreken bij Le Bassinet, ook al moet het met dynamiet. *John zal niet in zijn handen vallen*. Ik draai me om en zet het op een rennen. Het pad leidt naar een auto die me naar een vliegtuig brengt waardoor ik mijn zoon kan redden van het lot dat hem ten deel valt als ik niets doe. In een flits zie ik de handen en besef dat die van Gwens zoontje zouden kunnen zijn...

'Wacht. Patti, wacht.'

Na twee struikelpartijen en één keer gevallen te zijn, ben ik haast buiten adem en loop het huis voorbij. Uit het huis klinkt het geschreeuw van Bob Cullet om Tracy. Ik kom bij de auto en... Geen sleuteltjes. Bob heeft de sleutels. Ik heb het wapen van zijn partner. Ik heb Tracy nodig om onze piloot te vinden. Ik heb allerlei dingen nodig en kan beter kalmeren totdat ik alles heb. Ik haal diep adem. Nog een keer. Woestijnlucht, neem nog wat. Dat doe ik en leun tegen Bobs sedan. Ik kan me niet herinneren wat Gwen zei...

Tracy komt met veel moeite met de kistjes en zet ze op de motorkap. Bob schreeuwt opnieuw. Ze haalt de sleuteltjes tevoorschijn en maakt de achterbak open. Ze haalt de fles Wild Turkey eruit die ik Bob had beloofd, veegt haar gezicht af en werpt een steelse blik naar mij. Ze besluit dat ik niet te gevaarlijk ben om aan te spreken.

'Die... handen en boeien maken dit tot een plaats delict waar een moord is gepleegd, dat zou tenminste kunnen, gelet op wat we weten over Annabelles lichaam en...' Ze neemt even de tijd om erover na te denken, 'en over jou. Bellen we de plaatselijke politie of niet?'

Dat is een vraag voor een echte diender. Dat ben ik niet meer. 'Zet dat allemaal maar in de achterbak. We lezen de papieren wel tijdens de vlucht naar huis. Geef me de fles.'

Binnen is Bob niet blij om me te zien. Dit is een veelzeggend moment voor zijn toekomst, als ik inderdaad bij de ranch hoor. Ik zie de verse groeven op de paal en de bloederige polsen van beide mannen. Bob kan niets doen, alleen maar afwachten of ik van plan ben om hem te executeren of niet. De agent begint te praten, maar ik maak een wegwuivend gebaar met Bobs fles. De smeris is blij dat ik zijn wapen op tafel leg in plaats van dat ik het tegen zijn hoofd houd. Ik zet de fles tussen hen in, zodat Bob er bij kan, met hulp van de agent.

'We hebben dingen gevonden die Tracy morgen zal uitleggen. Ze wil dat jullie op zoek gaan naar het lijk van de prediker, Triple A, de oorspronkelijke eigenaar. Ik neem de papieren mee waarop staat dat ene Patricia Black een spookstad bezit, zodat ik kan bewijzen dat ik niet de eigenaar ben. We nemen contact op. Over een uur of zes ongeveer. Spitten jullie tweeën maar eens goed door de rest van deze troep, terwijl jullie wachten.'

Bob is zo blij als een kind en richt zich helemaal op de fles.

Ik loop naar de papieren waar mijn naam op staat en hoop dat er niet nog meer zijn, en zet alle andere kistjes binnen Bobs bereik. Een opengebroken EHBO-doos valt uit de laatste en daaruit vallen injectienaalden en rollen gaas. Die laat ik ook binnen Bobs bereik. De kistjes hebben nu plotseling energie. Dit huis voelt nu meer alsof het van Roland is en ik wil weg. Maar dat gaat niet. Nog niet.

'Delmont Chukut. Vertel me wat je in de auto niet kon vertellen.'

Bob kijkt naar zijn partner van de politie van Phoenix, stottert vanwege de adrenaline en zijn hartslag, likt zijn lippen en zegt: 'Eh... eerdere aanklachten vanwege crystal meth, zoals ik al zei, en smokkelen: marihuana en illegalen, maar geen veroordelingen.' Tweemaal diep ademhalen en hij spreekt weer een stuk vloeiender. 'Werkte tijdelijk bij de Army Rangers, daarna bij de politie van Tucson, nadat hij het reservaat uit was getrapt.' Bob kijkt naar me om te zien of dat me tevredenstelt. 'Meer dan één gerucht over moord, meest recentelijk op iemand die op borgtocht vrij was. Die man nam de benen en hij ging hem tot in Mexico achterna. Hij is een Hohokam, "de Verdwenen Nomaden", dus de woestijn is...'

'*Wat zei je daar?*'

Tracy vult de deuropening en cowboy Bob krimpt door mijn toon ineen. Hij kijkt naar haar, daarna weer naar mij, maar veel langzamer, en herhaalt dan wat hij zei. Ik draai Bob mijn rug toe en kijk haar aan. Ze gebruikt de deurpost als steun en zegt het rustig, en heel zorgvuldig, maar herhaalt wat ik haar al had verteld.

'Commissaris Jesse Smith is een Hohokam.'

20

Zondag, dag zeven
tien uur 's ochtends

Turbulentie. De King Air duikt. Ik sla mijn ogen open terwijl we lager rond een berg van wolken vliegen. Ik wrijf mijn ogen uit en kijk naar mijn pols. Littekens van handboeien, geen horloge. Verkeerde hand. Aan mijn linkerpols is het tien uur 's ochtends. Zondag. Nog 23 uur tot ik de directe confrontatie met Le Bassinet kan aangaan.

Het wolkendek breekt eindelijk open en ik zie het netwerk van beton van het Midway-vliegveld. We zijn zes uur in de lucht geweest, de laatste twee stuiterend in de richting van 'onaangename weersomstandigheden' die Chicago in de schuilkelders zouden doen belanden, had piloot Tim ons in Arizona gewaarschuwd. Ik was toch aan boord gestapt, te bang voor Johns toestand om dat niet te doen. En Tracy stapte in omdat ik dat deed. In de lucht pleegde ik twee telefoontjes naar Delmont Chukut die hij niet opnam. Daarna verborg ik mijn gezicht in een kussen en sliep, en was verbaasd dat ik dat kon.

Ik wrijf opnieuw in mijn ogen. Als wakker zijn zo voelt, dan heeft slapen niet geholpen. Tracy kijkt me aan vanaf de andere kant van een klaptafel. Zij en ik hebben niet over 'Hohokam' gepraat of over de misselijkmakende implicaties. Ontkenning is mijn lievelingskostje. Noch hebben we over de *echte* reden gehad waarom ze deze reis met me heeft gemaakt. Waarom niet nu?

'Waarom dit uitstapje? De echte reden. En geen flauwekul.'

Het vliegtuig maakt een slinger en Tracy grijpt een stoelleuning. 'Je moest de dingen in de juiste verhoudingen zien, nog steeds, en het voorkwam dat je hier iets stoms zou doen. Want je stond op het punt, en zeg niet dat dat niet zo was. Twee: ik dacht dat het zien van de ranch genoeg schok zou zijn om de waarheid onder ogen te kunnen zien. En misschien wel te vertellen.' Ze leunt naar achteren terwijl ze haar zin afmaakt.

Ik leun niet weg. 'Ja? Wat voor waarheid dan?'

Haar ogen zijn een combinatie van ongerustheid en vriendschap. 'Jij bent de eigenaar van Rolands Pentecostal City, Patti. Sinds 1996. Ik heb gecontroleerd wanneer jij de afgelopen jaren vakantie had. Je was vrij in dezelfde week dat de papieren zijn getekend. We hebben de handtekeningen op de eigendomsakte nog niet gecontroleerd, maar als die van jou blijken te zijn...'

Ik strek mijn armen uit voordat ik het in de gaten heb en het vliegtuig raakt de landingsbaan, waardoor mijn hand van haar nek schiet. Zij steekt haar beide handen omhoog, en nu wordt het een eerlijk gevecht.

'*Hoe kom jij aan mijn dossiers?* Wie... heeft me verraden? Sonny? Kit Carson, die...'

Het vliegtuig slingert heen en weer alsof het verandert in een te snel rijdend voertuig.

'Maakt niet uit. Ik heb ze, en je was vrij. En als ik die spullen heb, dan heeft de FBI ze ook, zodra ze weten dat jij in Rolands pleeggezin hebt gezeten.'

'Denk je nou *echt* dat ik eerder in Arizona ben geweest? Dat ik... dat ik *hierbij* betrokken ben?'

Tracy laat zich niet wegjagen, maar ze zit zover mogelijk weg. 'Je *bent* hierbij betrokken. Denk nou eens na. Probeer het je te herinneren. Probeer...'

'Herinneren is niet nodig!' Het vliegtuig remt hard en duwt me in mijn gordel. '*Ik leef elke dag met die gore klootzak.*'

'Heb je in 1996 iets getekend, iets wat op een akte leek?'

'Ik ben *verdomme* nog nooit in Arizona geweest. *Nooit.*'

Het vliegtuig komt weer in evenwicht en het lawaai van de motor wordt minder. 'Zeker weten?'

Het is net alsof ze niet wil ophouden met me lastig te vallen. Ik ben *er nooit geweest.*

'Geef antwoord, Patti. Weet je dat zeker?'

'Zodra we uit dit vliegtuig zijn, trap ik je helemaal in elkaar.'

'Misschien. Maar je moet toch antwoord geven op die vraag... Aan iemand. Waarom niet aan mij? Ik help je toch? Ik zet mijn carrière op het spel. Shit, mijn leven.'

De piloot zegt iets tegen de achterkant van Tracy's hoofd, terwijl hij mij zijn maatschappelijkwerkerglimlach schenkt. Hij kan ons niet horen, maar hij kan mijn uitdrukking en houding zien. Tracy blijft me aankijken, totdat ik de vraag of ik iets heb getekend zonder nadenken beantwoord:

'Ik heb mijn helft van de twee onder één kap van Stella gekocht.'

'Wanneer?'

'Negentien... tweeënnegentig.'

'En Arizona?'

Ik buig me weer naar haar toe, maar langzaam deze keer. 'Dat heb ik je al verteld. Ik ben nooit in Arizona geweest. Of in Utah. Of in Idaho.'

Tracy knippert één keer, wendt dan haar blik af, terwijl ze journalistengedachten denkt. Als ze weer naar me kijkt, zijn haar ogen nog steeds van het toverhazelaargroen waar Julie maar niet over ophoudt.

'Goed, ik geloof je.'

'Hoera.'

'Je hebt geen dag gedronken sinds we elkaar kennen en dat was al voor de verkoop. Als het niet iets is wat je tijdens een black-out hebt gedaan, dan is de grote vraag: waarom?' Ze glimlacht, verrast, en laat haar handen op het tafeltje vallen 'Waarom, net buiten Why?'

Niet erg grappig, maar op dat moment, tussen ons, is het hilarisch, en we lachen allebei. Voorlopig gaan we niet op de vuist. Tracy haalt een Mont Blanc-pen tevoorschijn en schrijft een naam en een telefoonnummer op.

'Cindy Olson Bourland. Een advocaat, die ene die van het OM heeft gewonnen in de *Killing Condition*-zaak. Ze heeft al vijfduizend vooruitbetaald gekregen, voor tien uur. Vertel haar over de FBI en Interne Zaken.'

Meiden zoals ik krijgen niet zo vaak cadeautjes van vijfduizend dollar, dus is het verstandig om het te vragen, of je ze nu wilt houden of niet: 'Is ze mijn advocaat of die van jou?'

'Van jou. Met een vakbondsadvocaat zit je straks met een gevangenisstraf.' Tracy laat een lange, berekenende stilte vallen. 'En als je vriend de commissaris hierbij betrokken is, dan krijg je met een vakbondsadvocaat straks misschien de doodstraf.'

'Illinois heeft op het moment geen doodstraf.'

'Ja. *Illinois* niet.'

Ik verdring de implicatie, omdat... omdat ik niet weet hoe ik met zulk verraad om moet gaan. Een doodsbedreiging die zo vernietigend is dat ik niet kan en wil accepteren dat Chief Jesse een bom in mijn zak is. Maar Tracy en ik weten allebei dat dat het geval is. We horen de bom tikken.

Flauwekul. *Commissaris Jesse is niet betrokken bij Roland Ganz en Delmont Chukut, niet betrokken bij...* En plotseling denk ik aan mijn ontmoeting met de commissaris buiten het Berghoff, het parfum in de auto, nog geen 150 meter van het kantoor van het OM, van het kantoor van een vrouw. Daarna mijn opzichtige ontbijt in Canaryville en de fotograaf. Mijn bezoekje aan Chief Jesse's kantoor op het hoofdbureau, de twee telefonische overplaatsingen in twee dagen... Niemand ziet de commissaris zo vaak, afgezien van zijn secretaresse of zijn vrouw. En hij heeft geen vrouw.

Tik. Tik. Maar de burgemeester wel.

Tracy staart naar me. Het vliegtuig staat stil en zij toetst op haar mobiele telefoon een nummer in. Over een uur zijn Cowboy Bob Cullet en zijn maatje vrij. De piloot loopt langs ons heen in het nauwe middenpad en maakt de deur open. Hij glimlacht en wacht tot we zijn uitgestapt. Tracy glimlacht terug, wenkt dat hij kan gaan, en wendt zich tot mij.

'Ik heb de papieren gelezen, terwijl je sliep.' Ze overhandigt me twee pagina's. 'Hierin is sprake van een testament, het testament van Roland Ganz, maar een exemplaar ervan zit er niet bij. Er staat ook iets in over de LaSalle Bank. De bank bestuurt de trust die eigenaar is van Gilbert Court, weet je nog?'

Dat weet ik nog.

'Moet je horen. Jij bent eigenaar van de ranch, maar als hij jouw handtekening heeft nagemaakt om het te kopen, dan heeft hij ook een koopakte, ook met jouw *bijpassende* valse handtekening. Hij kan niet op eigen naam eigenaar zijn, dus gebruikt hij jouw naam. Jouw naam is alleen maar een makkelijke dekmantel, net als die LaSalle-trust is voor het eigenaarschap van Gilbert Court, alleen veel, veel luguberder.' Tracy valt even stil, probeert zichzelf te overtuigen dat het niet zo is, maar doet het niet. 'Tien tegen één heeft hij jouw koopakte ingebracht in de trust om het bij zijn dood pas openbaar te maken. Belastingontduikers en oplichters doen dat voortdurend.'

Ik knik, blij met elke haven in een storm. Ze gaat verder.

'Dus als hij uit Arizona vertrekt en hiernaartoe komt omdat hij wordt opgejaagd door de onderzoekers van de staat, grist hij alleen die papieren mee die hij nodig heeft en...'

'Nee. Er is geen sprake van *grissen*.' Ik werp een blik op de kistjes die in de stoel tegenover me zitten vastgegespt. 'Als hij de tijd had gehad, en dat had hij volgens Bob Cullet, niet maar een paar minuten of seconden, dan zou Rolands kluis leeg zijn geweest. Dan zou er op die ranch geen enkel spoortje te vinden zijn geweest van Roland Ganz. Hij is een boekhouder, Tracy. Een Pietje Precies die zijn sporen heeft uitgewist en de afgelopen dertig jaar God weet hoeveel lijken heeft verstopt.'

Tracy kijkt uit het raam. 'Dan zit er ook iemand achter hem aan. We dachten al dat dat een mogelijkheid was. Hij zuivert zijn verleden niet om opnieuw op te duiken, maar hij ruimt bewijs op. Het is... het is...'

'Chantage.' Ik herinner me de zijkant van de bus met Denzel die achter de titel staat, de nieuwe aantekeningen in de marge van het politiedossier in Calumet City. 'Het moet wel chantage zijn. Op de een of andere manier is Roland dader *en* doelwit.'

Tracy leunt achterover in haar stoel, schudt haar hoofd. 'Als dat zo is, dan zijn het niet die twee lichtgewichten uit Calumet City die Delmont Chukut voor meer geld onder druk hebben gezet, of Chukut die Roland Ganz chanteert. Denk Hohokam, Patti. Denk aan commissaris Jesse Smith.'

'Absoluut niet.'

'Wel een enorm groot toeval dan. Ongeveer zo groot als Rhode Island.'

Ik wil haar weer slaan. 'Journalisten zijn altijd op zoek naar een groter verhaal, hè? Wat dacht je dan hiervan, omdat je al drie dagen blind voorbijloopt aan *dit* toeval: vergeet nou heel even wie er in Gilbert Court *woonde*. Wie was de *eigenaar*? Wie moet het wel aan Roland Ganz hebben verkocht? En waarom?'

Tracy's gezicht wordt uitdrukkingsloos. Hier heeft ze al eerder over nagedacht. Nu probeert ze te zien wat ik zie, wat mij nu zo voor de hand liggend lijkt, het grote reclamebord dat iedereen over het hoofd heeft gezien. Ze knijpt haar ogen tot spleetjes en zoekt mijn blik. Daarna staart ze, en daarna valt haar mond open als ze het in de gaten krijgt.

'Goeie genade. Die drie schoten waren niet voor burgemeester McQuinn bedoeld. Maar voor zijn vrouw.'

Tracy kijkt nog steeds wezenloos voor zich uit. Er is geen school voor journalisten die je voorbereidt op dit soort momenten. Aan de Northside noemen ze dat een *openbaring*, een soort plotselinge helderheid waardoor je alles ineens snapt. Ze verklaren vaak het daarvoor onverklaarbare, maar zorgen voor nieuwe verwarring, om het moment weer te bederven. En dat hebben we: een heel stel nieuwe mogelijkheden. Maar ze geven niet het gevoel dat ze mogelijk zijn, ze voelen waarschijnlijk. Ze hebben gewicht. Het is verwarrend, maar in deze wirwar, en nu voor het eerst, weet ik dat de vrouw van de burgemeester hierbij betrokken is. Ik *weet* het.

Chief Jesse is een ander verhaal. Volgens de FBI is hij betrokken bij chantage, moord en corruptie, en dat al sinds Calumet City. Ik kan daar gewoon niet aan denken. En als dat vandaag mijn dood wordt, dan zij dat zo. Tracy ziet dat anders. Met haar meedogenloze inslag richt ze zich helemaal op de intensive care. Dat kan ik niet tegenhouden. Wat ik wel kan doen, is Sonny uit bed halen op zijn vrije dag om te horen wat hij in Chicago over Delmont Chukut en Idaho Joe te weten is gekomen. Dan kan ik ook aan de slag met de charmante en getalenteerde Mary Kate O'Banion McQuinn.

Tracy schudt haar hoofd en tikt met haar vingernagels op het vliegtuigtafeltje. 'Mary Kate, Mary Kate... Waar ben je mee bezig, meid?' Ze glimlacht weer, kijkt daarna op haar horloge en weet me weer te verrassen: 'Speel jij, straks?'

'Hè?'

'BASH. Om twaalf uur. Doe je mee?'

Net als bij Julie gaat Tracy's toewijding aan rugby het gezonde verstand te boven. Hetzelfde is wel over mij gezegd, maar dat ging over de oude 'ik'. 'Eh... de kleine kans in aanmerking genomen dat er geen druk was aan jouw kant van de cabine... Ik ben hier nogal mee bezig.'

'Hier is mijn sleutel. Breng die kistjes naar mijn huis. Ik zie je meteen na de wedstrijd.'

'Je maakt zeker een grapje?' Dit moet een of andere truc zijn.

'Tim, de piloot, zorgt voor een Town Car.' Schoonheidskoninginnenglimlach. 'Ik denk na over Mary Kate.' Tracy tikt op mijn hand, terwijl ze langs me heen loopt in het middenpad. 'En ga niet naar Evanston, dat wordt niks. Eerst vinden we Delmont Chukut, hij is onze toegang, en hem zetten we vanmiddag of vanavond onder druk, en daarna praten we ons bij Le Bassinet naar binnen, zodra ze maandag opengaan.'

Ik staar en ze stopt, omdat ik niet antwoord.

'Beloof het me, Patti.'

Alsof dat iets zou betekenen.

'Beloof het me, Patti.' Haar hoopvolle toon stopt. 'Of alles stort in, en dan gaan we er allebei aan onderdoor.'

Ze heeft waarschijnlijk gelijk en ik lieg, zodat ze zich beter voelt: 'Beloofd.'

Zondag, dag zeven
elf uur 's ochtends

Het leer van de Town Car is schoon en koud. Ik spreek Sonny via mijn mobiele telefoon en hij is niet blij: 'De ayatollah bemoeit zich ermee, en vraagt waarom je Wardell Scurr eigenlijk aanhield.'

Ik heb vandaag geen zin in alderman Gibbons en zijn activisten en Sonny is het met me eens en zegt dat hij daar ook geen zin in heeft. Vervolgens geeft Sonny me een sneer vanwege die 'privédetective/Pentecostal City-opdracht' die ik gisteren op zijn voicemail had achtergelaten. Daarna komt hij weer terug op Wardell Scurr. 'Toen we hem oppakten, had Wardell een stuk servet in zijn sok en daarop stond met blauwe inkt "10026" geschreven.'

De vijf cijfers op mijn nummerplaat zijn 10026. Opeens zie ik die GD weer voor me, bij Leon's RideBrite, met zijn mobiele telefoon dicht bij zijn mond, zelfs met mijn pistool op hem gericht.

Sonny valt even stil om die '10026' in te laten werken, alsof ik die extra nadruk nodig had, en zegt dan in gettotaal: '*Die die vent, die gore Delmont Chew-cut.*'

Rolands kistjes stuiteren naast me op de achterbank: de handjes met de handboeien. Ik duw ze naar het portier en kijk naar de achterkant van het hoofd van de chauffeur.

Sonny zegt dat het hem niet erg zint om het volgende verslag te doen en dat ik moet vergeten van wie ik het heb gehoord. Dat beloof ik.

'*Delmont Chew-cut.* Oppassende burger. De indianen gooiden hem het reservaat uit na een aanklacht wegens verkrachting waarvoor hij nooit is veroordeeld. Was een tijdje diender, totdat de politie van Tucson het zat was om hem te verdedigen tegen aanklachten wegens mishandeling. Maar hij heeft wel een eervolle vermelding van de Army Rangers gekregen. Hij is betrokken bij twee moorden, heeft twee pagina's met mishandeling die verband houden met handhaving van borgtocht, en als hij niet betrokken is bij drugs en smokkel, dan zou hij daarmee moeten beginnen, gezien alle tijd die de FBI in hem heeft geïnvesteerd.'

Een oneffenheid in de snelweg schokt de telefoon bij mijn gezicht vandaan en ik zie in het spiegeltje dat de chauffeur zijn blik op mij gericht houdt.

'Dus vertel me nou nog eens, P., waarom jij zo geïnteresseerd bent in Mr Chew-toy?'

'Ik kan nu niet praten, ik zit in een huurauto.'

'Makkelijk.'

'Wil je de chauffeur even spreken?' Ik duw de telefoon tegen de wang van de chauffeur en vraag hem om Sonny even gedag te zeggen. Dat doet hij en ik trek mijn mobieltje weer terug.

'Zo tevreden, klootzak?'

'Ben *ik* nou een klootzak? De vent die zijn nek op het hakblok heeft gelegd en die de FBI op zijn hielen heeft? Nee, ik lijk wel gek, Patti. Dat is iets anders.'

Sonny heeft wel gelijk. 'Sorry. Nog nieuws over Idaho Joe en de bar?'

Stilte. Daarna: 'Stop en bel me... het nummer op de zevenentachtigste en Hamilton. Over vijf minuten.'

Dat is een vaste lijn, een telefooncel die we gebruiken als mobiele telefoons niet veilig genoeg zijn. Ik zeg: 'Begrepen', en zeg tegen de chauffeur dat hij van de Stevenson af moet. We zitten in Cicero en ik vraag hem om in de auto te blijven en de motor te laten draaien. Het is niet druk bij het Exxon-pompstation, maar de telefooncel buiten heeft een halve kap die te veel van mijn gezichtsveld blokkeert. Ik gooi er twee kwartjes in, hou de straat in de gaten, zelfs op Cicero wemelt het van de SUV's, en toets het nummer van de 87ste in.

Bij de zevende keer dat de telefoon overgaat, neemt Sonny op.

'We hadden het over de bar en Idaho Joe.'

'Dat zou iets kunnen zijn. Ik en Cisco, hij is uit het ziekenhuis en te stom om zich hier niet mee te bemoeien, hij en ik hebben de bar-eigenaar onder druk gezet en zijn vergunning nagetrokken. Hij heeft een stille vennoot die hij niet zou moeten hebben, een brigadier uit district 7. We hebben hem uitgelegd dat zijn vergunning en de ster van die brigadier op het spel stonden. Allebei waren ze doodsbang, bekenden en zetten hun barman onder druk. Bingo, een signalement.'

'Was Chukut Idaho Joe?'

'Nee. Mr *Chew-cut* is zo'n een meter negentig, en 115 kilo, als hij nog steeds goed eet.' Sonny zet zijn gettostem op om te vertellen wat de barman zei: '"Idaho Joe", dat is een blanke, weet je? Uit Arizona, misschien 25... en uitgeteerd, met zo'n nerveuze blik, zoals die motorrijders.' Sonny lacht om zijn imitatie. 'Die stomme barman is zo wit als jij en ik, maar hij klinkt als Ice T.'

'Ik kom er net vandaan.'

'Waarvandaan?

'Arizona. Er wordt daar een prediker vermist, die waarschijnlijk is vermoord, voor wie Delmont Chukut als privédetective aan de slag was. De prediker heeft een zoon, Joe, die aan jouw signalement beantwoordt. Balanter Joseph, achternaam Allen, A-l-l-e-n. Kun je die natrekken?'

Stilte. 'We krijgen nog last met dat natrekken van al die lui. Ik moet wel een heel goede verklaring hebben.'

Drie meter verderop slaat de motor van de Town Car af. Ik zie dat de chauffeur naar mij kijkt, in plaats van naar de omgeving. Sonny heeft gelijk, dit is niet eerlijk. 'Laat maar, oké? Als ik nog steeds in *Intelligence* zit, dan kan ik hem zelf natrekken. En zo niet, dan vind ik wel een andere manier.'

'Vergeet het maar.'

'Hoezo?'

‘Ze hebben je vanmorgen geschorst.’

Ik blaas uit. Mijn schouders zakken en ik leun tegen de kap over de telefoon. Dit is geen verrassing, maar meer de steak in de dodencel, de laatste bevestiging dat je angsten realistisch zijn. En dat je straks dood bent. Net als degene of diegenen die je hebt vermoord, waardoor je nu zit waar je zit.

‘Zeiden ze waarom?’

‘Niet tegen TAC. Maar de First Deputy heeft niet al te veel met ons op. Ons team heeft maandag nog een ronde met Interne Zaken, en daarna hebben Cisco en ik weer een gesprek met de FBI.’

‘Shit, Sonny, ik vind het heel erg...’

‘Geloof me, je bent niet de enige.’

Er is niets wat ik zeggen kan, niets waar hij of Cisco of Chief Jesse iets aan heeft. ‘Hoe is het met de commissaris?’

Ik hoor Sonny ademen en een vrachtwagen die voorbijrijdt. ‘Weet je het dan niet?’

Ik zet me schrap, maar kan mezelf niet ertoe brengen om te antwoorden.

‘De FBI zegt dat ze hem te grazen hebben. Lekten het naar de *Herald*, van “hooggeplaatste bronnen binnen het OM”.’

‘Maar hij leeft?’

‘Hè? O ja. Shit, ik dacht dat je dat wel wist. Ja, het gaat ook beter met hem. Niet goed, maar hij is twaalf uur geleden bijgekomen uit coma en de FBI heeft geprobeerd om hem te dagvaarden. Klootzakken. Tommy Moore en Babe Catenzo zaten daar in de wachtkamer. Je herinnert je Catenzo toch wel? Groot, kolossale spaghettivreter, was lang geleden geüniformeerd agent in district 6. Hij en Tommy Moore hebben die FBI-ers bijna afgemaakt, hebben ze flink in de kreukels geslagen en ze daarna de lift in gegooid.’ Deze keer klinkt Sonny’s lach zo goed dat ik helemaal opleef. ‘Daar komt nog wel herrie van. Maar het zijn nu allebei legendes. Die krijgen allebei chique kantoorbaantjes als ze de bak uit komen.’

‘De FBI bluft niet, hè?’

Sonny’s toon verliest al het triomfantelijke van de straatagent. ‘Ze pakken je morgenochtend op. Dat is geen flauwekul, lieverd. Als Arizona je een beetje beviel, zou ik teruggaan.’

Op dit moment, en God weet dat ik niet weet waarom, wil ik Sonny het hele verhaal vertellen. Zodat tenminste iemand om wie ik geef ervan weet. Niet alleen Tracy, en die dingen die zij weet, maar het hele verhaal en wat ik ervan vind, wat ik hoop te doen. Een bekentenis, denk ik, voordat ik het ravijn in stap. Ik geloof dat ik nog één keer de oude 'ik' wil zijn. Die aan de goede kant staat.

'Sonny, ik...'

Maar ik stop, omdat ik *haar* niet meer ben, en niet meer aan de goede kant sta. Ik ga mijn zoon redden, en Gwen en haar zoon, als die nog leven. Ik ga Roland Ganz vermoorden, omdat niemand anders het zal doen of al gedaan heeft.

'Patti? Ben je daar nog?'

'Ja. Bedankt. Luister, eh... Zoals ik al eerder zei: als je kunt doen alsof je niks met mij te maken hebt, doe dat dan. Ik voel me niet gekwetst en ik begrijp het, zelfs als niemand anders het begrijpt. Zeg dat ook tegen Cisco en Eric. Ik ga tot het uiterste bij die vent die achter mijn zoon aan zit. Maakt niet uit hoe hij en ik elkaar ontmoeten: hij is er geweest.'

'Shit, Patti.'

'En wat betreft Chief Jesse, luister naar me, oké? Ik wil niet dat hij vuile handen heeft. Ik wil niet dat hem ooit iets ergs gebeurt. Nooit. Hij is mijn vader, of tenminste wat er nog het meest bij in de buurt komt.' Ik heb nu wel erg weinig lucht in mijn longen. 'Maar...'

Ook aan Sonny's kant van de lijn wordt het stil. Zelfs geen vrachtwagens en claxons. Niets. Ik zou niet moeten zeggen wat ik nu ga zeggen.

'Die privédetective, Delmont Chukut, en Chief Jesse horen bij dezelfde indianenstam. Ik heb er maar twee keer in mijn leven van gehoord. De Hohokam. Ze komen uit de Sonoran-woestijn in Arizona en Noord-Mexico, ik citeer: "De Verdwenen Nomaden". Geen wonder, want er is daar helemaal niets, alleen de hemel en cactussen. Chief Jesse heeft in het gebouw aan Gilbert Court gewoond. We hebben het lijk van mijn pleegmoeder daar in de kelder gevonden. De twaalf jaar nadat zij in die muur is verdwenen, verbergt haar echtgenoot zich in Hohokam-gebied.'

Ik kan met geen mogelijkheid zeggen hoe vreselijk ik het vind om te zeggen wat ik zeg. Ik heb er verdomme de pest aan, en mijn hand ramt twee keer tegen de kap boven de telefoon. Maar ik ga door, en giet benzine op de toekomst van mijn mentor.

'Chief Jesse stuurt mij, een TAC-agent, naar Joliet en daarna naar

Calumet City. En daarna word ik twee keer per telefoon overgeplaatst en heb ik een bespreking met hem in zijn kantoor, en daarna nog eens in Canaryville, met een fotograaf erbij. En heel toevallig staat er nog een fotograaf me op te wachten als ik bij Ruth Anns veranda kom. Chief Jesse houdt van me, maar het klopt niet, Sonny. Ik vind het heel erg om het te zeggen, maar het klopt niet.'

'Heb je dit aan iemand anders verteld?'

'Kom op.'

'Die journaliste?'

'Waarom zou ik?'

'Dat weet ik niet. Waarom nam je haar mee naar district 6?'

Het haar in mijn nek gaat rechtop staan en ik voel het prikkelen op mijn onderarmen. Op de een of andere manier heeft Tracy die gegevens over mijn vakanties van de Personeelafdeling gekregen. Ik draai me om, laat de telefoon vallen en trek de Smith. Niets, alleen lucht. Zelfs geen zwerfhond of een blad of een...

Uit de bungelende hoorn klinkt een lichaamloze Sonny die mijn naam roept.

'Sorry.' Ik begin uit te leggen dat ik van iets was geschrokken, maar doe dat niet. 'Ik liet de hoorn vallen.'

'Wat ga je doen?'

'Doen? Shit, ik ga Roland Ganz vermoorden. Er is niks anders wat ik *kan* doen.' Dat hardop zeggen, door de telefoon, is net zo'n schok voor mij als voor Sonny.

'Dat heb ik niet gehoord. Komt zeker door de slechte lijn. Laten we elkaar ontmoeten om er even over te praten als we tegenover elkaar zitten. Het kan zijn dat je advies nodig hebt dat je nu niet krijgt.'

Ik was van plan om hem te ontmoeten, maar nu niet meer. 'Blijf uit mijn buurt, oké? In mijn buurt gaat niets goeds gebeuren. En dat verhaal over Chief Jesse... Ik heb het verteld omdat ik wil dat jou niets overkomt. Kwets hem er alsjeblieft niet mee als je...'

Sonny's stem zakt twee octaven. 'Als ik wat?'

Het haar in mijn nek staat nog rechtop. Deze man heeft mijn leven gered en heeft me zeventien jaar lang in situaties van leven of dood terzijde gestaan. Ik heb nooit, nooit meegemaakt dat hij iemand in uniform heeft genaaid. Nooit. Hij heeft er een paar in elkaar geslagen, ja. Ze bekritiseren en beledigen terwijl hij dat niet had moeten doen, ja. Maar hij heeft ze nooit verraden. Nooit. En dat zegt mijn instinct me nu. Geen verklaringen, alleen mijn instinct. Ik wil hem vertellen dat datzelfde instinct *weet* dat de vrouw van de burgemeester er ook bij betrokken is. Maar dat doe ik niet.

'Ik moet gaan. Hou van je. Dag.'

Ik loop naar de auto en hoor wat ik daarnet heb gezegd. 'Hou van je. Dag.' Ik ben gek geworden. Geen twijfel mogelijk. En waar ik nu heen ga, is dat een pluspunt.

21

Zondag, dag zeven
één uur 's middags

Om 13.16 uur, Central Time, begonnen de Chicago Cubs aan hun laatste wedstrijd van het seizoen, een wedstrijd waarmee ze de playoffplek als NL-wildcard te pakken zouden kunnen krijgen. Ten noorden van de rivier, niet ver van Tracy's huis en de L7, was de stad al in de olie.

Om 11.16 uur, Arizona-tijd, groeven topreporter cowboy Bob Cullet en een ploeg ambtenaren uit Arizona op hun vrije dag de eerste van vijf lijken op die samen in His Pentecostal City begraven lagen. Het graf was niet gemarkeerd, afgezien van de kleine scheur die was veroorzaakt door een aardbeving van 2,6 op de schaal van Richter die in dat gebied niet ongewoon was. Eén lijk had twee schotwonden in de slaap en één in het borstbeen. Door de eerste twee kogels was de halve schedel en waren alle boventanden verdwenen. Alle drie de kogels kwamen uit een revolver die in het graf werd aangetroffen.

Voordat Bob Cullets telefoon in beslag werd genomen, belde hij twee keer naar Tracy Moens. Tracy's mobieltje was aan, maar zat in haar plunjezak die veilig was opgeborgen in de achterbak van Julie McCoys auto, terwijl ze zich opwarmden voor de wedstrijd tegen BASH. Voor alle betrokkenen een jammerlijk samenspel van omstandigheden.

Ik ijsbeer heen en weer voor Tracy's plasma-tv. De Cubs zijn op tv, maar mijn blik dwaalt steeds af naar Rolands kistjes. Het zijn geen gewone kistjes, ik weet wel beter. Het zijn kleine metalen demonen. Het gaat niet goed met de Cubs. Tracy's telefoon in de keuken gaat. Ik ijsbeer door haar woonkamer, in plaats van dat ik de telefoon opneem, loop ik met een bocht om de kistjes heen naar de badkamer en mijd de spiegel. De badkamer ruikt als een duur warenhuis en voelt als een cel. Ik loop de badkamer uit en hou mijn pas in.

De spiegel mijden? Waarom? Je bent een geest, weet je nog? Het meisje dat nooit heeft bestaan. Spiegels doen er niet toe. Ik kijk naar mijn handen, maar weet niet precies waarom. Waar ben ik toch met mijn gedachten?

De vrouw van de burgemeester.

Waarom bij haar?

Voodoo. Ze is de kleindochter van de beruchte gangster Dean O'-Banion.

Rolands kistjes. Delen van beesten, horloges, klompjes... denk niet aan de geboeide handjes. Kijk niet naar je polsen.

Dus ze is de kleindochter van Dean O'Banion. Nou en?

Horloges, stenen en botten. En boeien. Ik open het kistje met horloges.

Die schoten waren voor haar, Mary Kate, de burgemeestersvrouw bedoeld. Chief Jesse heeft in Mary Kates gebouw aan Gilbert Court gewoond. De burgemeester, haar echtgenoot, heeft Jesse, een straatagent, tot commissaris benoemd. Het horlogekistje ziet er hier anders uit dan in de woestijn. Ik bevoel elke horloge met mijn vinger en staar, vraag me nog steeds af of het een dood iemand vertegenwoordigt, en verwacht nog steeds dat er eentje gaat praten, om me te vertellen hoe ik dat monster kan vinden dat achter mijn zoon aan zit.

Eenendertig horloges, geen vijftig, en niet één praat. En niet één loopt.

Mary Kate O'Banion McQuinn.

Casinovergunning.

Kleindochter van een gangster.

Nou en?

Ik kijk naar de klok. De FBI en de officier van justitie hebben hun bevel over twintig uur, Le Bassinet gaat over negentien uur open. Dat wordt een directe confrontatie met de twee co-directeuren van Le Bassinet terwijl ik ze onder schot houd. Het is een eitje om ze doodsbang te maken, maar de benen nemen voordat de secretaresse de politie van Evanston belt niet. Ik moet heel 'rustig' naar binnen gaan, en daarna zorgen dat ik...

Shit, dat lukt nooit. De eerste secretaresse die me ziet, belt meteen het alarmnummer. Met beide handen. Parkeerterrein. Ik grijp mededirecteur Marjorie Elliot zodra ze haar auto uit stapt. Alleen weet ik niet hoe ze eruitziet. En hoe zat het met Pinkerton? Zei Miss Meery niet dat ze het slot samen openmaken, of hebben ze alleen een methode om in geval van nood de kluis te openen?

Ik probeer het me te herinneren, maar dat lukt niet.

Waar komt de burgemeestersvrouw vandaan? Van de Northside, net als haar gangster grootvader Dean?

Oké. Plan B. Ik grijp de andere directeur, Mrs Trousdale, spring bij haar in de auto zodra ze het parkeerterrein op rijdt. En ik blijf bij haar totdat Marjorie Elliot en/of Pinkerton de kluis openmaakt. Als zij weggaan, lopen Mrs. Trousdale en ik naar binnen, lachen naar de camera's en de secretaresses en lopen naar de kluis. Tien jaar in Stateville, minimaal.

Ja, maar als ik Evanston uit kan komen, heb ik voldoende tijd om John te waarschuwen...

Even sijpelt de werkelijkheid naar binnen. Maar als de politie van Evanston me kan tegenhouden of bij me in de buurt komt, kan ik John niet waarschuwen... Ik wil niet nadenken over een faliekante mislukking of een confrontatie met de politie en dat ik moet kiezen tussen een agent en mijn zoon. Mijn plan moet gewoon lukken.

Ik werp een blik op de tv. De Cubs liggen één run achter in de derde inning. De burgemeester en zijn vrouw zijn vast in het stadion.

Wat is het toch met haar?

Mijn telefoon trilt. Ik herken het nummer, maar kan het niet plaatsen totdat mijn duim van de hoek van het scherm glijdt: 602. Delmont Chukut.

'Patti Black.'

'Aangenaam, Miss Black. Delmont Chukut. Ik wil graag met u praten.'

Opluchting. Het is niet Rolands stem. 'Waarover?'

'Het gaat over een erfenis. Geld dat u tegoed hebt als ik kan bevestigen dat u de juiste Patricia A. Black bent.' Hij klinkt niet als een indiaan, hoewel ik geen idee heb hoe een indiaan klinkt.

'Goh. Geweldig.' Ik vraag niet eens wie er dood is, omdat dit een lulverhaal is en dat weten we allebei. 'Waar bent u? Ik kom meteen.'

Delmont lacht te gladjes, zoals straatpooiers doen, zoals zijn hulpje Harold J.J. Tyree deed. 'Het is gebruikelijk dat ik naar u toekom, om uw adres, uw telefoon, elektriciteitsrekeningen en bankafschriften te controleren, alle elementen waarmee je tegenwoordig je identiteit kunt bewijzen. Een geboortebewijs, de pas van uw ziektekostenverzekering, stemregistratiepas, dat soort dingen.'

'Maar ik ben nu niet thuis. Misschien kan ik die spullen even halen. Die liggen allemaal in mijn kluisje op het bureau. We kunnen elkaar daar ontmoeten.'

'Nee. Ik denk niet dat dat zou werken. Ik moet uw huis zien, of de naam op de rekeningen klopt, dat soort dingen. Waarom haalt u die papieren niet even en brengt u ze mee naar huis? Dan zie ik u... over een uur?'

Ik haal zo diep mogelijk adem als ik kan, probeer de woede naar mijn voeten te drijven, zover mogelijk van mijn mond vandaan. Dat lukt niet. 'Moet je luisteren, Delmont. Binnen drie minuten kan ik ervoor zorgen dat elke agent in deze stad naar jou uitkijkt. Dan herhaal ik dit gesprek als onderdeel van een lange lijst van gewelddadige misdrijven die we op dit moment onderzoeken. Als ik klaar ben, denken mijn collega-agenten dat je van plan bent om me te vermoorden. Dit zal jouw kans om de arrestatie te overleven dramatisch verkleinen.'

Ik geef Delmont een kans om te antwoorden, maar die grijpt hij niet aan.

'Daarna bel ik de officier van justitie thuis, zij en ik zijn maatjes, dan heb ik meteen de FBI, DEA, ATF en INS gewaarschuwd. Mocht je ontsnappen uit onze stad, dan kun je beter niet naar Phoenix of nog zuidelijker gaan.'

Hij schraapt zijn keel. 'Allemaal omdat ik je wil helpen om je erfenis te innen?'

'We weten allebei wat jij wilt. We gaan zaken doen, jij en ik, persoonlijk, nu direct. Zoals ik al zei, als ik ophang, dan kan dat maar beter zijn omdat ik naar jou toekom.'

De stilte duurt dertig tot veertig seconden, en dat is behoorlijk lang als je bluft.

Delmont zegt: 'Ken je de Lamplighter Inn op Lincoln?'

'Tuurlijk.' Maar dat is niet zo.

'Kamer 121, aan het afgelegen gedeelte. Wacht buiten in je Celica. Ik kom naar je toe.'

Ik sta met gebalde vuisten voor Tracy's tv, alsof het een langwerpige Delmont is. 'Dat is zeker een grapje, hè? Binnen zestig seconden word je in de hele stad gezocht.'

'Zeg jij het dan maar.'

Ik kijk uit het raam naar Lincoln Park, waarvan je zou denken dat het aan Lincoln Avenue zou liggen, maar dat is niet zo. 'Liever een koffieshop vol mensen.'

Delmont denkt even na, dan: 'Mocht ik op een probleem stuiten, gearresteerd worden of tijdens onze ontmoeting worden aangevallen, dan komt *niets* van je erfenis naar jou toe. *Niets*, als je me goed begrijpt.'

Ik neem aan dat hij met 'mijn erfenis' John bedoelt en ik wil Mr. Chukut wurgen, in plaats van de telefoon.

Hij zegt: 'Een woonboot aan E-26, Diversey Harbor. Er zijn veel mensen in de jachtclub daar. De *Schofield's Too*. Kom alleen, geen volgauto's, geen zenders. We praten, om te zien of er een manier is om dit voor iedereen tot een goed einde te brengen.'

Ik weet bijna zeker dat hij hier vanaf het begin al op aanstuurde. En als hij een spelletje speelt met zijn opdrachtgever, dan heeft Delmont nog iemand anders bij zich die me vertelt wat mijn rol is in deze zwendel of me vertelt waar Delmont echt is, zodat Delmont het me kan uitleggen. Dat of ze hebben een explosief aan boord van de boot gebracht, en dit voorbereid: ik stap aan boord en BOEM.

'Wanneer?'

'Vier uur. Geen gezeur. Alleen.' Stilte. 'Zou kunnen zijn dat er iemand is die je wilt ontmoeten.'

Klik.

Klik? Ik sta nog steeds in gevechthouding voor de tv. *Iemand die je wilt ontmoeten*, mijn reet. Wachten tot vier uur? Mannen verbreken de verbinding niet als je alles onder controle hebt. Ik zie de score van de Cubs. Het staat gelijk, en Soriano is aan de beurt. Vier uur. Misschien heb ik niet alles onder controle.

In plaats van dat ik naar Alfonso kijk die aan slag is, google ik 'Diversey Harbor'. Na drie keer klikken heb ik een kaart voor me. De haven bevindt zich aan de andere kant van Lincoln Park, minder dan twaalf straten van waar ik sta. Dichtbij. God houdt vandaag van me.

Morgen gaat het heel anders.

Voordat ik naar de hel ga, moet ik een plan hebben, een manier om deze ontmoeting te overleven en te zorgen dat de ontmoeting waar het werkelijk om gaat doorgaat. Daarvoor heb ik een of andere Lincoln Park-achtige yuppievermomming nodig. Ik ren met twee treden tegelijk Tracy's trap op en hoop dat ik niet verdwaal in haar kast.

Terwijl ik door het equivalent van tien jaar diendersalaris aan de hangers snuffel, hoor ik een *kraak*, en daarna de *woesj* die een vliegengordijn maakt als een dure deur zachtjes wordt geopend. Te zacht om de eigenaresse te kunnen wezen. Ik zie Delmont Chukut en Idaho Joe voor me, met rubberen boeien, en hun grinnikende opdrachtgever... Ik heb mijn Smith in mijn hand. Ik kijk om me heen om een uitgang te ontdekken: het raampje in de badkamer: te klein, groot raam in de slaapkamer. En zevenenhalve meter boven de grond. Gevangen: maar één trap naar deze verdieping. Als degene die beneden staat een machinegeweer heeft of een geweer ben ik al dood. De deur beneden gaat dicht en er valt iets op de vloer. Niemand schreeuwt. De wedstrijd tegen BASH kan nog niet voorbij zijn, daarvoor is het nog te vroeg. Ik houd mijn adem in en hoor beweging. Het stopt of aarzelt. Een trede kraakt. *Daar komen ze.* Mijn beste kans is om door de muur te schieten...

'Patti?' Tracy's stem is onvast, zoals het zou kunnen klinken als iemand een mes tegen haar keel had gezet.

Ik loop zachtjes naar de deuropening, maar kijk niet. 'Hierboven.'

Mijn pistoolhand trilt. De trap kraakt, vlug, alsof iemand met twee treden tegelijk naar boven komt, niet hoe je je zou voelen nadat je tegen BASH hebt gespeeld, of je nou gewonnen of verloren had. Ik duik de deuropening uit, de blinde hoek van de gang in, en zet me schrap in mijn houding, klaar om diegene die haar in zijn macht heeft neer te schieten... De snelle voetstappen blijven maar komen. Tracy's gezicht komt de hoek om, alsof ze wordt geduwd, ziet alleen een loop en gilt: '*Jezus!*' Ze bukt en schuift zijwaarts langs me heen, tegen een tafeltje aan. Ik stap langs haar heen naar de hoek en richt ter hoogte van de borst van degene die haar had geduwd.

'Ik ben alleen. *Ik ben alleen.*'

Er is niemand op de trap.

Ik richt mijn Smith omlaag, blaas uit, leun met mijn schouders tegen het behang en kijk naar hoe ze met opengesperde ogen in de gang ligt. Ze draagt nog steeds een korte broek en sporttrui en vraagt: 'Wat... is er gebeurd?'

'Heb met Delmont gepraat.' Mijn toon is droog, en klinkt niet als: ik-heb-je-bijna-neergeschoten. 'Waarom sta je niet op het veld?'

Ze gaat razendsnel staan. 'Julie belde de hele tijd je mobiel, maar je nam maar niet op.'

'Dus *jij* laat de wedstrijd schieten omdat ik mijn telefoon niet opnam? Man, dan *moet* dit wel een Pulitzer-verhaal zijn.'

'De FBI stond geparkeerd bij het veld. Plus een hulpofficier. *En* een vertegenwoordiger van het kantoor van de burgemeester. Ik kon me niet concentreren, moest steeds maar aan Mary Kate denken ...'

'*Jij* kon je niet op BASH concentreren? Heeft de burgemeestervrouw je soms verslagen in een missverkiezing of zo?'

Tracy gebruikt beide handen om op een kunstige manier haar rode manen in bedwang te houden. 'Dit kan alleen maar mooier worden als het niet om de vrouw van de burgemeester zou gaan, maar om Hillary Clinton.'

Ik kan er niks aan doen en lach, en dat voelt beter dan het klinkt. 'Julie slaat je in elkaar als we verliezen.'

Tracy glimlacht en nu weet ik zeker dat zij en de vrouw van de burgemeester een missverkiezingverleden hebben. Ze zegt: 'Ik heb tegen Julie gezegd dat ik je niet in de steek kon laten.'

Ja, hoor. Meryl Streep had die zin nog niet geloofwaardig Tracy's mond uit kunnen krijgen. Tracy zet de tafel weer recht die ze omver had gelopen.

'Ooit overwogen dat we ook vriendinnen zouden kunnen zijn? Zoals jij en Julie? Zoals Julie en ik?'

Ik staar, met mijn pistool nog in mijn hand. 'Eh... nee?'

Ze fronst. 'Zou je eens moeten doen,' en ze loopt haar slaapkamer in. Haar tred is nonchalant, maar haar stem niet. 'Maar wat heeft Delmont dan gezegd?'

Ik volg haar en stop in haar deuropening. Terwijl ze naar de badkamer loopt, kleedt ze zich uit. Ik hoor de douche en ze schreeuwt boven het douchegeluid uit: 'Zei Delmont iets over Mary Kate?'

Haar kast staat in de badkamer, en dus moet ik langs het beslagen glas om verder te gaan door de hangers, om een vermomming te zoeken. 'Ik heb een afspraak met hem in Diversey Harbor.'

'Vijf minuten. Ik ga mee.'

Tuurlijk. Vijf minuten worden er vijfenveertig. En terwijl ze veilig onder de douche staat 'gaat ze mee'. Zodra we even kort de werkelijkheid onder ogen zien, doet ze zo iets anders van even groot belang waar geen moord of zelfmoord aan te pas komt.

Het douchegeluid stopt en de cabinedeur achter me gaat open. Ik hoor: 'Wat zoek je?'

Miss Centerfold wikkelt zich in een witte handdoek. Een klein Pink Panther-logo eindigt op een perfecte manier boven haar linkerborst. Als ik een man was, dan was ik nu als was in haar handen. Ik kom er niet achter of dit nu een versierpoging, een uitnodiging, of een ongelukje is.

Ik keer me weer om naar de hangers en mijn zoektocht naar een vermomming. Zij blijft naast me staan, als Sharon Stone in een witte handdoek. 'Was je bezig mijn kledingkast te doorzoeken?'

'Ja. Sorry. Ik heb een jas en hoed nodig, iets wat er yuppieachtig uitziet.'

Tracy knijpt haar ogen half dicht. Ik leg uit:

'Als ik deze ontmoeting in de haven overleef, dan ga ik daarna naar Le Bassinet. Ik moet eruitzien alsof ik hier hoor, in plaats van op 79th Street.'

'Waar in Diversey Harbor? De hemel boven het meer ziet er behoorlijk dreigend uit. Er komt nog een noodweer.'

'Een woonboot.'

Ze gaat voor me staan, grijpt eerst een broek, daarna een blouse, en op weg naar de douche een sweater. Over haar schouder zegt ze: 'Alle jassen en hoeden zijn beneden, de kast bij de keuken. Wat is het ligplaatsnummer?'

'Ik zeg: 'E-26', loop dan naar de deur, naar de trap, waar zich nog maar minuten geleden een zaak van leven of dood afspeelde. Vreemd hoe dingen veranderen.

'Geweldig.' Ze laat de kleren op haar bed vallen en pakt een haarborstel. 'Een motorjacht van een vriend van me ligt bij F-21. We kunnen de kade bereiken met...'

'Ik ben agent. We komen erin en eruit zonder "vriend".' Mijn toon klinkt als die van een kind van zes en Tracy trekt een bijpassend gezicht als ik langs haar loop.

Kreng, nu wil ik dat ze meegaat. Ik ben al halverwege de trap naar beneden en hoor: 'Eerlijk gezegd is het niet één vriend. Het zijn er vijf.'

Twee kinderen van zes bij de kraan. Ik zeg: 'Rot op', maar zo dat alleen ik het kan horen en ik concentreer me op het doorzoeken van de kast bij de keuken. In de kast hangen twee leren jassen. De een is perfect als ik me zou willen voordoen als maffialid met een zwart shirt en kettingen om mijn nek. Er hangt een poncho of wollen cape, vier lange winterjassen, een jas met het embleem van Northwestern die ze waarschijnlijk op haar knieën heeft bemachtigd. *Jezus*, wat heeft ze een kleren. Meer jassen en daaronder tien paar schoenen. Ik wil die maffiajas natuurlijk, maar kies de cape omdat ik die nooit zou dragen. Nu een hoed. Boven de jassen bevindt zich over de hele lengte van de kast een hoedenrek, met drie planken, en overweldigend wat betreft de keuze. Hoeveel geld geef je daar nou aan uit?

'Dat is een verrassing.' Tracy kijkt stomverbaasd naar de poncho. 'Maar het staat... leuk. Probeer die luipaardprint,' en wijst naar iets wat ze een 'Russische muts' noemt.

Tracy doet alsof ze een pop aankleedt, ongetwijfeld met de bedoeling om me er zo belachelijk mogelijk uit te laten zien. Ik grijp die muts toch maar. Zij pakt laarzen met hakken en reikt ze me aan, knikt me toe met een zwijgende, wellustige blik en opgetrokken wenkbrauwen.

'Ik ga niet met die vent neuken, ik ga hem vermoorden.'

Miss Sportief, personal shopper, staakt haar activiteiten. Ik zei het op een eerlijke, nuchtere manier, zonder een hint van overmoed. Het is zo overduidelijk waar dat ze een stap achteruit doet.

'Delmont Chukut? Roland niet?'

'Delmont Chukut als hij stom is, en die kans is groot. Roland Ganz zeker, en verder iedereen die me daartoe dwingt.'

De laarzen vallen op de grond, maar ze blijft stokstil staan. 'Echt?'

'Moord met voorbedachte rade, lieverd. Minstens eentje.'

'Dan ben ik medeplichtig, zoals je zei.'

Ik glimlach. De Pink Panther snapt het eindelijk.

'Dat kun je niet doen, en tegelijk je zoon redden.'

'Het is de enige manier waarop ik hem *kan* redden.'

Mijn nieuwe poncho strijkt tegen haar aan terwijl ik langs haar loop. Ze staat achter me, maar zwijgt. Ik vind mijn gymschoenen in de woonkamer. Ze zijn droog, wat een onverwachte meevaller is.

'Patti, kijk, je mag niet gewoon... Je mag niet... Omdat dat niet kan.'

Tracy's sprookjesleven aan de Northside heeft haar niet voorbereid op moord met voorbedachten rade. Mijn leven wel. Dat zouden de meeste mensen na zeventien jaar in het getto hebben. Maar ik ben de meeste mensen niet. Ik draai me naar Tracy's spiegel en staar naar mijn evenbeeld. Tart het. In plaats van de weerspiegeling van de schim die nooit helder omlijnd is, is er... minder. De nieuwe ik.

Ik controleer mijn twee snelladers, en kijk haar daarna aan. 'Zie ik eruit alsof ik het niet kan?'

Tracy geeft geen antwoord, maar haar uitdrukking zegt genoeg. Ze loopt achteruit naar de voordeur, duwt haar kont ertegenaan en zegt: 'Denk er nou... even over na. Misschien is er een andere manier.'

Ik blijf even staan wachten. Uit beleefdheid, vanwege de dure kleren die ik ga verpesten en de verklaringen die ze moet afleggen zodra dit achter de rug is. Maar dan heeft ze het verhaal, en als de volgende ochtend uitkomt wat er gebeurd is, is zij de enige met alle antwoorden.

Ze blaast uit door lippen die zijn getuit alsof ze me wil zoenen of wil fluiten, maar dat doet ze geen van beide. 'Oorlogscorrespondente. Geen medeplichtige. Makkie. Ik doe mee.'

En in mijn hoofd hoor ik een drummer die climax onderstrepen met een roffel.

Omdat ik zo'n stomkop ben, dacht ik dat dat 'je mag niet' van haar bedoeld was omdat ze bezorgd om me was. 'Oorlogscorrespondent' is veel beter. De Pink Panther gaat op eigen verantwoordelijkheid mee, en dus is haar leven maar gedeeltelijk mijn verantwoordelijkheid. Nu kan ik me concentreren op Delmont Chukut, Army Ranger, agent die toezicht houdt op voorwaardelijk vrije personen, drugssmokkelaar, ontvoerder, en waarschijnlijk moordenaar.

Zondag, dag zeven
drie uur 's middags

De lucht is geladen. Lake Michigan is heftig in beweging waardoor de golven schuimkoppen hebben en over de schoren van Lake Shore Drive spatten. Als we aan komen rijden vanaf de westelijke kant van Diversey Harbor, maak ik me zorgen en Tracy ook. De haven ligt zo'n honderd meter landinwaarts van het meer en heeft de vorm van een karbonade. Ten noorden, ten zuiden en ten westen ligt het lommerrijke Lincoln Park, en daarachter de stad met zijn wolkenkrabbers.

Vanaf de passagiersstoel van Tracy's Jaguar tel ik vijftien lange pieren met honderden boten die op en neer deinen door de korte golfslag. Tracy zegt dat er ook een jachtclub is. Net op het moment dat ze naar het noorden wijst naar het parkeerterrein waar we de auto neerzetten, zie ik het terrein liggen onderaan de heuvel aan de brede kant van de karbonade. Het ligt tegenover een laagliggend overbrugd kanaal dat onder Lake Shore Drive doorloopt naar het meer. Het water in het kanaal gaat tekeer en er liggen geen boten in.

Ik kijk naar de hemel boven het meer. Tracy had niet gelogen toen ze zei dat er een noodweer naderde. Ze zegt dat die mensen van de jachtclub haar vrienden zijn, die van haar en die van Mary Kate, hoewel ik me geen foto's van hen herinner boven Tracy's koelkast. Ze vertelt ook dat de woonboot ongewoon is. Het is een van de twee woonboten in een haven met meer dan vijfhonderd boten. En hoewel ze alles en iedereen kent, kent ze de eigenaren van die woonboten niet.

We rijden langs de noordkant van de haven, klimmen hoger het park uit en rijden de oprit naar Lake Shore Drive op in zuidelijke richting en nemen de langzame baan. Tracy wijst in de richting van aanlegplaats E-26 en wat misschien een gerestaureerde, mahoniehouten woonboot is die in het midden van een lange pier ligt en die omringd wordt door grotere en kleinere boten die stevig afgemeerd liggen in het onstuimige water. Tracy zegt dat als er geen noodweer op komst was, en het niet een stuk kouder was dan normaal, er geen boot aan de pieren zou liggen. Ze zegt verder dat we duidelijk zichtbaar zouden zijn vanaf het dek van elke boot die nog aan de noordkant ligt.

Echt? Ik vraag me af of Delmont dat heeft gemist of dat hij gewoon geen reet van zeilen afweet. Je zou denken dat een zwervende woestijnindiaan op dat gebied misschien geen expert is. Dus waarom zou hij een jachthaven kiezen met maar één ontsnappingsmogelijkheid als je nooit eerder een boot hebt gezien? Voor een afspraak met een agent?

We rijden Lake Shore Drive af bij Fullerton, keren om in het drukke verkeer, rijden op de Drive terug in noordelijke richting naar Belmont, dan terug in zuidelijke richting, en rijden langzaam in de baan van Lake Shore Drive die het dichtste langs de haven loopt. Twee keer langs de haven rijden kostte twintig minuten. Nog één uur. Er zijn geen mensen op het dek van de woonboot, als het de juiste boot is. Delmont zei dat er misschien iemand zou zijn die hij me wilde laten ontmoeten. Iemand die betrokken moet zijn bij zijn oplichterij, als dit oplichterij is. En ik ben er nog steeds niet achter wie.

Omdat hier geen andere manier voor is, verlaten we de Drive, slaan twee keer rechtsaf en draaien het park in dat de haven aan drie kanten insluit. Meteen zijn we de stad uit en rijden we door een olieverfschilderij.

Bladeren dwarrelen over de voorruit, stukken groen gecombineerd met afgevallen rood en bruin. Tracy gaat langzamer rijden en laat haar raampje zakken. Lucht stroomt de Jaguar in die niet verpest is door gebakken dierlijk vet, uitlaatgassen en herrie uit speakers van een centimeter of tien die harder spelen dan ze eigenlijk aankunnen. Heel jammer dat mensen in het getto dit nooit zien en ruiken. Wij hebben ook parken, sommige aan het meer, maar je hebt een leger nodig om er doorheen te kunnen lopen.

Ik weet dat John dit park heeft gezien, of net zo'n soort park. Hij en zijn moeder hebben door de bladeren geslenterd, en de vogeltjes gevoerd, en nu doet hij hetzelfde met zijn vriendinnetje, en wijst dingen aan die zijn moeder hem heeft laten zien en ze lachen om de herinneringen. Ik weet dat absoluut zeker en leun achterover. De kolf van mijn Smith duwt tegen een rib en ik duw hem een beetje opzij, zoals een normaal iemand met zijn pieper zou doen. Johns moeder heeft vast geen pistool, maar een penseel of een harmonica. En zij zou altijd aardig zijn. En nooit iemand vermoorden.

Tracy rijdt van de boulevard af, naar het verste hoekje van het parkeerterrein bij de haven. Het olieverfschilderij verdwijnt, mijn hart gaat sneller kloppen. Ze wijst en zegt dat het motorjacht van haar vriend daarginds bij F-21 ligt, één pier ten zuiden van Delmont Chukuts woonboot. Vanaf hier kan ik in de deinende massa geen van beide boten zien liggen, alleen maar bovenkanten van boten, meeuwen en donker water dat vanuit het meer hierheen wordt gestuwd. Tracy kijkt naar me, haalt diep adem waardoor ze haar nek strekt, en stapt aan de chauffeurskant uit. Toch vreemd, zij neemt risico's die ik echt nooit zou nemen, voor een verhaal.

Ik klim over de middenconsole achter het stuur. Ons plan is riskant, maar eenvoudig: Delmont kent haar niet, dus zij gaat op verkenning door naar een jacht te lopen dat net achter zijn boot ligt. Ze doet alsof dat jacht van haar is. Dan rommelt ze een beetje, legt het jacht stevig vast in verband met het noodweer, en dan komt ze terug om me te vertellen wat me te wachten staat als ik rechtstreeks en alleen naar Delmonts woonboot loop. Terwijl zij de boel verkent, glip ik naar de boot van haar vriend aan de volgende pier, die dichtbij genoeg ligt om iets te kunnen zien en misschien als ondersteuning te kunnen fungeren als het verkeerd gaat met Delmont Chukut.

Het is geen goed plan en dat weten we allebei, maar als Tracy voorzichtig is en geluk heeft, dan zou het kunnen slagen. Als ze geen geluk heeft... Tracy kan heel goed zwemmen, en dat is plan B. Koud water, vol boten, is haar ontsnappingsroute, mocht Delmont op de een of andere manier besluiten dat zij bij deze zaak betrokken is en niet de eigenaresse van die boot.

Door de voorruit van de Jaguar zie ik haar heuvelaf het bijna lege parkeerterrein af lopen in de richting van het water, naar het hek dat voor Delmonts pier staat. Bij het hek toetst ze de code in 'die ze al zo lang geleden van de commodore had gekregen dat ze niet eens meer weet waarom'. Ik kijk wat er zich voor haar op de pier bevindt. Delmonts woorden, 'iemand die je zou moeten ontmoeten', echoën in mijn hoofd.

En als het nou geen partner van hem in zijn oplichterspraktijken is?

De adem stokt in mijn keel. Jezus Christus...

Stel dat het Roland Ganz is? Met al die godsdienstwaanzin op die woonboot? Ik zwaai het portier open om naar Tracy te schreeuwen, maar ze is het hek al voorbij en loopt op de pier. Mijn hart begint te bonken. Hoe heb ik iets wat zo voor de hand lag over het hoofd kunnen zien? Door een windvlaag struikelt ze uit evenwicht. Ze is absoluut niet voorbereid op die psychopaat. Tracy grijpt haar pet en zoekt steun bij een paal. De wind gaat liggen en ze loopt naar het einde van de pier, aarzelt met haar rug naar de woonboot, gaat aan boord van een motorjacht dat met de boeg op en neer deint tegenover de *Schofield's Too.*

Shit, ze zit in de val. En het is te laat om nu af te breken.

Voer het plan uit, zorg ervoor dat het slaagt. Ik rijd over het parkeerterrein naar de pier waar het motorjacht van haar vriend ligt, parkeer tussen twee SUV's, die geen van beide gedeukt of van de juiste kleur zijn, en loop naar mijn hek. *Alsjeblieft, geen Roland in de buurt van Tracy. Alsjeblieft.* De wind blaast regelrecht in mijn gezicht en het beton ligt bezaaid met gerimpelde glad groene Tootsie Rolls. Verderop liggen vijftig ganzen in het water te schreeuwen. Het hek naar de pier gaat niet open. Ik sta hier open en bloot en enorm opvallend voor elke medeplichtige van Delmont en ik ben de code vergeten. Het slot is te goed om te kunnen forceren. De ganzen blijven schreeuwen, en vertellen elkaar en wie het maar horen wil dat ik hier sta. Tracy hoeft op geen enkele steun te rekenen. Zelfs in vermomming kan ik niet blijven rondhangen... Ik voel aan mijn zakken, opvallend, en klop er daarna nog eens op. Ik knijp mijn handen tot vuisten, en sla er gefrustreerd mee tegen de wind, en loop dan terug naar de auto om de code te zoeken die ik stom genoeg niet kon onthouden. Vanaf de pier schreeuwt een man. Ik draai me om om te kunnen trekken, maar kan niet bij het handvat van de Smith dat bedekt wordt door de poncho die ik nooit draag. Hij wuift vanaf de kant van het water van het hek dat nu openstaat. Ik ren terug, en zeg: 'Hartelijk dank' zonder te stoppen en haast me over de deinende pier naar het motorjacht. De pier stuitert en ik struikel over mijn voeten, maar val niet. De man van het hek staart me vast en zeker na, maar ik kijk niet om en hoop dat ik de juiste boot kies. En ik hoop dat er niemand is. En ik hoop en bid dat Roland Ganz inmiddels Tracy niet al te grazen heeft genomen.

F-21 ligt vol deinend wit glasvezel, misschien negen meter lang, open dek met een cabine in het midden. Ik spring erop, val niet, maar de deur van de cabine zit op slot. Ik buk en hoop dat er het eruitziet alsof ik naar binnen ging. Ik haal even vlug adem, gluur dan om de hoek van de cabine door het allegaartje van op en neer deinende schepen. Ik zie Tracy niet. Ze heeft iets roods aan. Dat zou je makkelijk moeten zien als alles in orde is. BOEM. De bliksem spiest zich in het meer. BOEM. Door de tweede donderklap beland ik bijna in het water. Ik kijk of ik Tracy zie, zie haar niet, kijk daarna weer naar de hemel. Een front van dertig kilometer schiet bliksems links en rechts het water in. Tracy zei dat dit het tweede noodweer was waar Tim, de piloot, zo bang voor was, een noodweer dat uitgestrekt genoeg is om de hele stad te bedekken.

Een sirene gilt. Nog steeds geen Tracy op een boot of op haar pier. Het is geen politiesirene, maar de ouwe waarschuwing van de Bescherming Bevolking. In Chicago betekent dat bijna altijd 'test', geen tornado's, maar niemand zou op zondagmiddag in deze buurt gaan testen. Ik kijk om me heen of ik een trechterwolk kan ontdekken, maar ik zie hem niet. Misschien is de sirene vanwege het front dat eraan komt, om idiote schippers te laten weten dat ze naar de haven moeten varen, of om mensen in het park te waarschuwen om onderdak te zoeken voordat het te laat is. Een rode flits tussen de boten op Tracy's pier. Meer rood en het beweegt snel. Tracy rent zo hard ze kan, veel te hard voor de ondergrond.

Roland Ganz.

Ik ga klaarstaan om te schieten op alles achter haar. Vijftig deinende boten blokkeren elk schot. Ik spring naar de pier, maar glijd uit, richt en... *Shit*, ik ben haar kwijt. *Wacht*: boot... niks... boot... niks... rood. *Rood*, daar is ze, en ze rent weer. Boot... niks... boot... *Rood*. Ze staat tegen het hek. Worstelt ermee. Ik richt met beide handen en weet dat het Roland Ganz is. *Sterf, gore klootzak*. Tracy vecht het hek open en stormt erdoorheen. Roland zit niet achter haar aan. Ik sprint over mijn pier, probeer haar in het oog te houden zonder dat ik het water in stuiter. Tracy is op het parkeerterrein en rent nog steeds. Ik kan snel zes kogels afvuren en ze laten schrikken... Zij en ik bereiken op hetzelfde moment de beide kanten van mijn hek. Haar blik past bij mijn hartslag. Ik passeer het hek, duw haar achter het spatbord van de Jaguar, en draai me om om Roland Ganz en Delmont Chukut dood te schieten.

Achter mijn rug gilt ze: '*Maniakken...*' de rest gaat verloren in de donder.

Ik richt op haar hek en alles wat tussen het hek en ons in ligt. Mijn hart klopt in mijn keel. *Kom op, klootzak...*

Tracy's stem klinkt zwakker. 'Aan stukken gehakt,' en daarna moet ze overgeven. De wind trekt aan en raast langs me heen. De sirene loeit weer. Tracy hijgt naast mijn oor en stottert: 'Grote god.'

Kom op, Roland, nu...

'Op... op het dek. Bloed. God, overal.'

Niemand stormt op ons af. Hartslag. Hartslag. Niemand stormt op ons af. '*Wie*, Tracy? Wat voor bloed?'

Ze geeft geen antwoord.

'Wie, Tracy! Wie zat er achter je aan?'

'Was een lijk. Alleen een lijk. Bloed. Stukken.' Haar stem klinkt krachtiger. 'Ik werd gek... denk ik.'

'Ben je alleen? Zeker weten?

'Nee. Ja, er zit niemand achter me aan.'

Haar hek zit nog steeds dicht. Ik kijk naar het meer. Een *trechter*, in het zuiden, die water de hemel in zuigt. Hij zwelt op als een slang. We zitten te laag om uit te kunnen maken hoe ver zuidelijk die is of in welke richting hij gaat. Ik kijk naar Tracy met opengesperde ogen. 'Is er nog iemand op die boot?'

Ze schudt haar hoofd, hervindt langzaam haar evenwicht en ziet dan de trechter. *'Goeie god.'*

'Geef me de code van het hek.' Dat doet ze niet. Ik grijp naar haar, maar mis. 'De code, geef me de code.'

Ze is helemaal gericht op de trechter die Lake Michigan de hemel in zuigt. Ik sla haar op haar handen en ga tussen haar en de rest van de wereld staan. *'Geef-me-de-code.'*

'Ja, ja,' en ze mompelt hem.

De sirene, de wind en de trechter zorgen ervoor dat die paar mensen die nog op de boten waren snel vertrekken. Ik verberg mijn pistool niet en ren naar Delmonts hek. Opnieuw flitst de bliksem en knalt meteen daarna de donder. Lincoln Park en Diversey Harbor krijgen er zo meteen enorm van langs. Ik kom bij het hek, worstel ermee totdat hij open is, en sprint over de pier, terwijl ik elektriciteitsdraden en overslaand water probeer te vermijden.

Tracy zou zich kunnen vergissen. Roland wacht misschien op die boot.

Dat doet me iets vertragen. En wat als die dode man Delmont Chukut niet is? Misschien wacht die daar ook.

De donder slaat en autoalarmen gaan af. Ik land op één knie, haast me om te richten... en daar ligt de gerestaureerde woonboot, vast aan de trossen. Ik doe een stap dichterbij. Het dek van de *Schofield's Too* is roodbruin bespat, zoals Tracy zei.

Het hele dek. Lichaamsdelen. Gerafelde wonden, een been afgescheurd boven de knie, een voet, een torso, half bedekt door een shirt, met een schuin afgehakte nek. Een hand die nog steeds met brede tape zit vastgeplakt aan een afgebroken stoelleuning, een andere hand met maar twee vingers. Richeys lijk was vingers kwijt. Surrealistische slachting.

De deur van de cabine vliegt met een klap open.

Ik duik weg en schiet. Een windvlaag en de *Schofield's Too* deint omhoog. Ik richt, knijp al in de trekker en... Is de cabine leeg? De deur zwaait dicht en daarna weer open, verdwijnt naar beneden, en daarna weer omhoog. *Knijp...* Het licht is aan in de cabine, kleine cabine, te klein om een schutter te verbergen. Mijn voeten springen het dek op. Ik glijd weg in het bloed, maar struikel over een voet met een schoen, en ram met mijn schouder tegen de buitenkant van de cabine. De deur naast me zwaait open en ik probeer hem te raken.

Mijn vinger zit tegen de trekkerbeugel. Een flard rood flitst links van me: Tracy hurkt vijf boten verderop op de pier. Ik trap een dekstoel langs de deur en lok daarmee geen schietpartij uit, haal diep adem en storm dan laag naar binnen: schaduwen links, draai me ernaartoe, struikel, draai naar de hoeken. Mijn knieën knikken en ik zwaai mijn pistool weer heen en weer. Geen schutters. Ik storm verder en dreun met mijn rug tegen de muur tegenover de deur waar ik zojuist doorheen ben gekomen.

Binnen is het ook een bloedbad. Hij... zij... het... heeft hier gemarteld, de stukken naar buiten op het dek gegooid terwijl ze bezig waren. Vermaakte zich. De bloedvlekken schreeuwen nog. Ik ruik de lust, proef het koper. Dit is niet menselijk, dit is...

Donder slaat op de boot en het water. Roland de duivel. De klootzak is me altijd voor. Altijd...

Een stuk van de onderkant van het torso zit nog vastgebonden aan de resten van de stoel, een injectienaald zit tot aan het plastic boven de heup. Een kapmes ligt in de hoek, een tang en zaag liggen ernaast. Mijn maag speelt op, ik dwing het braaksel terug. Daar is het hoofd. Rollend in een hoek.

Delmont wilde dat ik iemand zou ontmoeten.

Het hoofd is gekneveld. De ogen zijn verdwenen. *Jezus Christus*, dit is gruwelijk.

Ik haal diep adem. Verkeerd. Kalm, Patti, kalm. Te oordelen naar de hoeveelheid lichaam, al dit... vlees, ging het hier waarschijnlijk om Delmont Chukut. Volgens Sonny was hij zo'n 115 kilo. Maar nu hij vermoord is, lijkt Delmont wel twee keer zo groot. Dit is erger dan wat ik ooit eerder heb gezien. De wind raast over de boot. De sirene gilt en ik herinner me de tornado. Ook erg. Ik reikhals, half verstijfd, maar zie de trechter niet. Wat er aan de stoel zit gebonden, kan ik zien. Dat stuk lijkt op een bermudashort, maar dan vol. Ik weet wat ik doen moet, wegkijken, en door het geronnen bloed reiken, in de hoop in alle vier zakken te voelen, als ik mezelf daartoe kan dwingen.

In zakken één en twee zitten autosleutels en een dunne portefeuille. Die gooi ik allebei in de richting van de deur. Zakken drie en vier zijn leeg, afgezien van een pen die me steekt. Het wordt langzaam mistig in mijn hoofd en ik hap naar adem omdat ik geen adem heb. Het geloei van de sirene gaat maar door. Dat maakt nadenken lastig. De wind doet de boot stampen en gooit me tegen de wand. Opnieuw zie ik het hele tafereel voor me, maar dan uit de tegenovergestelde hoek. Net achter de ramen schiet de bliksem door de hemel. Mijn hand en vingernagels zijn bedekt met Delmont Chukut.

Ik storm gedeeltelijk, struikel gedeeltelijk de cabine uit, naar gedumpte lichaamsdelen. Door de wind val ik op één knie en glijd ik in het bloed. Een kwart van de zuidelijke hemel is nu trechter. Het ding is gigantisch, maar is niet dichterbij dan eerst. De donder slaat opnieuw. Ik val op mijn kont, *Jezus Christus*, met beide handen steunend op het dek.

Tracy schreeuwt, maar ik kan niet verstaan wat. Ik zie de bloederige portefeuille en de sleutels, gris ze allebei mee, kom met moeite overeind en spring de pier op. Mijn handafdrukken en schoenafdrukken staan overal in het bloed. Tracy en ik rennen naar het hek. Ze springt over een omgewaaide kist en wordt zijwaarts geblazen door een windvlaag. Ze valt en ik kan haar niet ontwijken zonder in het water te belanden en ga ook neer. De portefeuille en de sleutels vallen in het water. Ik graai ze met beide handen na. De sleutels zijn weg, de portefeuille zinkt langzamer. Ik pak hem, raak hem weer kwijt, en pak hem opnieuw. Grootgebekte vissen komen naar boven en happen naar mijn handen.

Wat betreft de portefeuille ben ik ze voor. Mijn armen komen door het havenwater tot aan mijn ellebogen schoon op het droge. De bliksem scheurt door de hemel. Tracy trekt me omhoog en schreeuwt. Ik hoor alleen sirenes en wind. We rennen naar het hek, daarna naar haar Jaguar. Ze rukt haar portier open en duikt achter het stuur. Ik ren voorlangs en klauter naar binnen. De regen komt in een golf neer. We krimpen allebei ineen en vloeken *Jezus* in koor.

Maar we blijven staan waar we staan.

'We moeten hier weg, Trace.' De bliksem explodeert in het park. De lucht is water. We zwemmen of we zwemmen straks als de trechter ons hier te grazen neemt.

'Ik zie niks...'

Ik duw Tracy omhoog in haar stoel. Ze knippert. '*We hoeven niks te zien.* Doe je raampje naar beneden.' Haar kant zit in de luwte. Ze zou ten minste landinwaarts kunnen zien als we niet hoeven te draaien. De Jaguar rijdt voorzichtig achteruit. Ik sla haar op haar knie en we schieten achteruit, het parkeerterrein op. 'Vooruit!'

Ze trapt op de rem. Ik stuiter tegen het dashboard.

'In godsnaam, schiet op! Roland heeft die vent aan stukken gehakt. Wie weet zit hij achter ons aan!'

Blind trapt ze op het gas en de oplopende snelheid drukt me mijn stoel in. Haar hoofd hangt uit het raampje, en terwijl ze met één hand de regen tegenhoudt, slingert ze met haar andere hand het terrein over. Ze remt en slaat linksaf in de richting van het park, weg van het meer en schokt en stopt.

Ze zwaait haar portier open. '*Ik zie niks.* We moeten rennen,' en ze struikelt naar buiten. Ik ren half drijvend om de motorkap heen en grijp haar mouw voordat ze wordt weggezogen door de wind. We persen ons weer in de auto, ik achter het stuur, en ik stamp op het gas. Door een lage stoep stuiteren we met de wind en regen mee. Ik stuur, mis bij toeval een iep, zwenk, mis een bankje, en beland op een wandelpad van 1 meter 80 breed. Een rij bomen houdt regen tegen, zodat ik plotseling iets door de voorruit kan zien. Ik geef een dot gas en hoop dat geen idiote jogger me voor de wielen komt.

Zo'n honderdtwintig meter, daarna nog zo'n dertig meter, en daarna draait het pad tegen de richting van de storm in. Ik zet me schrap en stuiter blind opnieuw een stoep af, en land op het midden van de boulevard uit het olieverfschilderij. De wind duwt ons opzij, duwt ons dan in de rug, alsof we een zeil zijn en vliegen dan min of meer bij een monument de hoek om. Dat houdt onze rugwind tegen. We gaan langzamer en de banden vinden grip. Ik sla weer linksaf en we zitten achter het gebouw. Meteen is de wind weg. De regen neemt met de helft af. Met al mijn kracht houd ik het stuur vast en ik voel mijn handen niet. Maar ik kan ze wel zien, met het geronnen bloed onder mijn nagels. Ik hijg, omdat ik mijn adem heb ingehouden.

Tracy zegt: 'Koplampen. Achter ons. Bij het parkeerterrein.'

Ik zie een door de regen vlekkerige gloed en stamp op het gas. We worstelen ons door het gras omhoog, daarna naar beneden, langs wilgen die zichzelf tot groene repen zwiepen, scheer langs de rand van een enorme vijver met schuimkoppen en slip een straat in die bezaaid ligt met takken en waarin zo'n dertig centimeter water staat.

De Jaguar slaat af.

O, shit, kom op.

Hij start.

Tracy priemt tegen de voorruit. 'Diversey ligt die kant op.'

We bereiken Diversey en het park wordt stad. Een massa mensen worstelt zich een ziekenhuisgebouw in dat hoog genoeg is om in de problemen te komen als de trechter dit pad kiest. Ik draai naar links, weg van het meer. Beide banen van Diversey zijn leeg. Bijna zonder iets te kunnen zien, halen we de negentig en Tracy schreeuwt dat ik langzamer moet. Ik rem, mis een ambulance die zonder licht aan geparkeerd staat, schuif zes meter zijwaarts op de middenstreep, rijd niemand dood, en de Jaguar stopt.

Mijn hart bonst. De regen beukt. Een man beukt ook, op mijn motorkap, doorweekt, verward, met een enorme baard, beukt met beide vuisten. Ik druk op de claxon en hij springt opzij naar Tracy's portier. Zij schrikt en buigt zich naar mij toe, en ik geef gas. We rijden de nog steeds schreeuwende man voorbij en ik zie van drie kanten koplampen waarvan de lichten lijken samengesmolten. Ik draai een... steeg in, geef een dot gas, mis alle vuilcontainers van Duffy's Tavern op één na, stuiter over het afval, vind nog een straat, draai naar links, rijd weer naar het westen, en weg van het water. Weg van de duivel.

Maar niet ver genoeg. De grond trilt. Ik kan de motor niet horen. Plotseling is het geraas buiten zo hard dat ik niets kan horen.

22

Zondag, dag zeven
vijf uur 's middags

Ik heb een vent ooit horen zeggen dat God parkeergarages bezit.

We zijn in een parkeergarage op Clark Street, een oude met twee verdiepingen die tegen artillerievuur zou kunnen. Aan drie kanten slaat de regen naar beneden. Tracy's is uit de auto gestapt en heeft haar armen om zich heen geslagen om warm te worden, beschermd door de buitenmuur van de garage die in de luwte ligt. Ze kijkt uit naar wat haar en mij twee uur geleden wilde doden. De radio van de Jaguar doet het. WLS zegt dat het een waterhoos was, een tornado boven het water die driehonderd meter hoog was, zoals ze ook in Miami voorkomen. De hoos kwam binnen zo'n vierhonderd meter afstand van 31st Beach, voordat de eigen buienlijn van het noodweer haar opslokte.

De deejay belooft dat het ergste voorbij is, en grapt daarna dat alle vissen aan Chicago's kant van Lake Michigan dood zijn. Ga naar elk willekeurig strand, en raap je avondeten op. Hij heeft een lachband die meeloopt met zijn gebabbel.

Achter Tracy zie ik dat de regen minder is geworden en dat het einde van de middag steeds minder op dichte mist lijkt. De wedstrijd van de Cubs werd uitgesteld vanwege de regen en werd uiteindelijk verdaagd toen het duidelijk werd dat iedereen in Wrigley het loodje zou leggen als ze daar zouden blijven. Want dat zouden ze natuurlijk doen: Cubs-fans zijn nou eenmaal niet de slimsten. De deejay zegt dat de Sox gisteren hebben verloren, dus ze zijn weer een jaar lang het haasje. Of we nou winnen of verliezen: wij hebben het in elk geval langer volgehouden.

Ik wrijf het laatste water uit mijn ogen en kijk naar mijn nagels: zodra ik een mes of paperclip kan vinden, zijn ze pijnlijk, maar schoon. Mijn jeans en Tracy's poncho zijn bevlekt met Delmont Chukuts bloed. Ik denk dat het Delmont was.

En ik denk ineens aan de portefeuille. Maar die ligt niet in mijn schoot, zit niet in mijn zakken, en ligt niet in de middenconsole. De rit van daar naar hier viel niet mee, maar ik weet dat ik de portefeuille uit de haven heb gevist voordat de vissen aanvielen en de hemel openbarstte. Tracy komt teruglopen, en houdt haar armen nog steeds om zich heen geslagen. Bij het passagiersportier leunt ze naar binnen, en ziet er iets beter uit. Goed kun je het absoluut niet noemen, maar beter.

'Dat was... aangrijpend.'

Aangrijpend, daar moet ik om glimlachen. Aan de Northside hebben ze drie lettergrepen nodig om te zeggen dat je bijna bent omgekomen door het weer. Miss Sportief heeft als mijn hulpje al twee zware dagen achter de rug.

'Wie heeft hem... dat aangedaan?'

Ik veeg weer mijn neus en ogen af. 'Moet Roland zijn.'

'Maar waarom... zo?' Ze trekt opnieuw wit weg en draait zich af.

Dat is ook geen moeilijke vraag. 'Roland is een monster. Met een lange geschiedenis als jager-moordenaar. De duivel.' Ik voel hem in de woorden, ril en reik naar de knoppen om de verwarming hoger te zetten.

Tracy leunt op de Jaguar, met haar heupen naar mij toe en perst haar rode haar in een paardenstaart. Als ze klaar is, draait ze zich om, en ik zie alleen haar boezem door de voorruit. Haar stem klinkt half als journaliste, half als slachtoffer van aanranding.

'Nee. Ze worden langzamer naarmate ze ouder worden. In alles wat ik gelezen heb, wordt dat genoemd. Minder testosteron, minder moord.' Ze rilt ook, en schudt het water van haar handen. 'En op die boot, dat was... veel moord.'

Omdat ik niet met seriemoordenaars te maken heb, heb ik geen idee. Maar ik ken Roland Ganz, de vroegere versie. Maar Tracy heeft wel gelijk... Waarom op deze manier? Dat was een en al waanzin en woede. Veel meer dan wraak op een oneerlijke werknemer. Het noodweer was nog niet begonnen en toch gooide Roland lichaamsdelen neer waar iedereen ze kon zien? Elke booteigenaar aan het einde van de pier had ze kunnen zien. En als het foltering was, *dat moet wel, zeker in het begin*, dan zocht Roland aanvankelijk antwoorden op iets, nadat Delmont gedwee gemaakt was met de injectienaald, antwoorden die Delmont achterhield. Als het Delmont was.

Waar is verdomme die portefeuille?

Dit is de chantage, de opdrachtgever die weigert om te worden gechanteerd of om meer te betalen voor informatie die hij al heeft gekocht.

Waar is verdomme die portefeuille?

Ik reik onder mijn stoel en vind alleen een pen, reik daarna onder de passagiersstoel en vind de portefeuille. Het leer is nat, maar gelukkig van het havenwater. Ik maak hem toch maar open op de stoel, niet op mijn schoot. Links zitten een aantal creditcards, een stapel visitekaartjes rechts. *Privédetective* staat er in vet, zijn naam eronder met het telefoonnummer in Arizona. Op alle creditcards staat zijn naam. Twee rijbewijzen, één uit Arizona, de andere uit Californië. Met verschillende foto's, maar van dezelfde man, met een groot vierkant hoofd en brede schouders.

Ik zie het geknevelde en afgehakte hoofd rollend in de cabine weer voor me. Er is geen duidelijk gelijkenis, maar die zou er ook niet zijn. Het is dezelfde man, moet wel, aangezien ik deze portefeuille uit het stuk van hem heb gevist dat nog steeds aan de stoel vastgebonden zat. Roland was het niet, dat weet ik tot in mijn botten. En dat is jammer. In de portefeuille zitten negentien biljetten van honderd dollar en een op een vreemde manier bekend opgevouwen stuk papier verpakt in plastic.

Tracy zegt iets wat ik niet helemaal versta, en daarna: 'Patti?', wat ik wel versta.

'Hè?' Ik kijk op, en probeer het me bestormende gevoel te plaatsen. 'Wat?'

'We hebben gezelschap.'

Het is een SUV, met de juiste kleur, de koplamp aan de chauffeurskant is kapot, wat klopt, als hij vier dagen geleden in district 18 tegen een TAC-auto is gebotst. Ik spring de auto uit, en trek mijn pistool voordat hij de bocht om is. Tracy springt razendsnel weg en landt levend achter onze achterbumper. Ik richt op de voorruit van de SUV en gebruik ons spatbord min of meer als dekking. Een .38 doodt de chauffeur, maar niet vier ton metaal.

De SUV rolt op ons af, komt dan met een schok tot stilstand waardoor er water van de motorkap stuift.

Drie... twee... een...

De achterbanden roken en piepen bij het achteruitrijden. Na zo'n negen meter ramt hij twee geparkeerde Honda's waardoor hun ruiten worden verbrijzeld, draait naar links en slingert de helling af die hij daarnet had beklommen. Ik hoor dat er gas wordt gegeven. Ik heb geen idee of het nou zomaar iemand was die zich kapot schrok van mij en mijn pistool of het team dat Richard Rhodes had ontvoerd en naar Roland had gebracht.

'Stap in. We gaan.'

Tracy hoeft niet overtuigd te worden. Ze houdt me tegen met haar heup en gaat achter het stuur zitten. Ik loop voorlangs, gris de portefeuille van de passagiersstoel, en stap in net terwijl zij gas geeft. We rijden razendsnel van de helling af en wachten niet op de slagboom. Die beukt bovenaan haar voorruit aan stukken, en we duiken allebei weg.

Geen SUV die van de zijkant op ons in rijdt. Bij het kruispunt schuift ze naar links, raakt niemand, en scheurt weg in noordelijke richting. Ik denk ineens aan het opgevouwen papier dat in de portefeuille zit die ik in mijn hand houd. Ik zie het zo voor me, in een vergeelde envelop die tegen de achterkant van mijn spiegel thuis zat vastgetapet.

Mijn adoptieovereenkomst met Le Bassinet.

De inbrekers hebben de envelop laten zitten, maar hebben de overeenkomst meegenomen. Ik heb alleen de envelop maar aangeraakt om zeker te zijn dat die er nog zat. Ik ruk de portefeuille open, scheur het plastic open. 'Le Bassinet' is het vierde woord dat ik zie. 'John Cougar Black' zijn de eerste drie. Harold Tyree *wist* het. Delmont wist het. Nu weet *de duivel* ervan. 'O mijn God.'

'Wat? Patti, wat?'

De telefoon glipt uit mijn handen op de vloer. Onze auto draait het trottoir op, en gooit me tegen het dashboard terwijl hij stopt. Met mijn schouder duw ik tegen het portier. Tracy grijpt mijn arm. Ik vind de telefoon, gooi het portier open en waggel de regen in. De nacht valt en Roland weet waar John is.

Tracy grijpt me bij de schouders, en haar gezicht is maar een centimeter of tien van dat van mij af. 'Patti!'

Het is alsof ik... verdwaald ben. 'Roland weet ervan. Van het adoptiebureau.'

Ze grist het papier uit mijn hand, beschermt het tegen de regen en leest het. Ze zegt: 'Wanneer?'

'Hè?'

Ze schudt me heen en weer. '*Wanneer, Patti*? Hoe lang hebben ze dit papier al?'

'De inbraak... afgelopen maandag.' Mijn vinger probeert het nummer van Le Bassinet te toetsen, maar mist. 'Harold Tyree. Heeft het aan Chukut gegeven.'

'Ze hebben John niet.'

'Jawel. Ja...' De telefoon wordt daar natuurlijk niet opgenomen.

'Dat is zes dagen geleden. Jij bent daar sindsdien nog langs geweest.' Ze schudt me weer door elkaar. 'Roland heeft hem niet.'

'Wat?'

Ze slaat me. 'ZE-HEBBEN-JOHN-NIET. Denk nu eens na. Vooruit.'

Ik knipper na de klap, en daarna lang genoeg om weer iets te zien. Ze heeft gelijk. *Ze hebben hem niet.* Ik was vrijdag nog bij Le Bassinet. Delmont Chukut heeft het niet tegen Roland verteld, Delmont was zijn eigen zaakje gestart. Chantage. Precies zoals ik had gedacht.

Het respijt voor John is een rivier die over me heen en door me heen stroomt en plotseling zit ik op het natte beton, leeg en vol tegelijkertijd. Mijn horloge is beslagen, maar het is geloof ik kwart over vijf. Le Bassinet opent over zestien uur...

Tracy trekt aan me: 'Kom op, blijf niet in de regen zitten.'

Ik sta, maar beweeg me niet. Tracy trekt me naar de deuropening van een kopieerwinkel, kijkt de straat in, kijkt nog eens en daarna naar mij.

'Alles in orde?'

Ik knik en schud het water van me af, adem drie keer in terwijl ik mijn handen voor mijn gezicht houd, en kijk ook de straat in. Mijn horloge verlicht de littekens op mijn pols. Ik kan geen zestien uur wachten. Ik kan absoluut geen zestien uur wachten...

Tracy merkt dat en probeert mijn aandacht af te leiden met iets anders. 'We beginnen bij de burgemeestersvrouw. Die vinden we wel, dat weet ik.' Tracy probeert opnieuw de geschiedenis van Mary Kate en Roland Ganz met elkaar te vergelijken, net zoals ze gisteren bij haar thuis deed. 'Mary Kate heeft hem in 1976 dat gebouw verkocht. Wat is er verder nog in 1976 gebeurd dat voor ons relevant is?'

Ik leun tegen de winkelpui, verwerk Johns uitstel van executie, kom weer op adem en kijk uit naar de SUV uit de parkeergarage. Dat moet precies zo'n exemplaar zijn geweest, anders waren we er geweest. Ik moet de moord op de woonboot doorbellen. *Shit*, dat gaat niet, mijn vingerafdrukken zitten overal... Ze zitten alleen overal op de woonboot *als* die nog drijft. En net voor mijn gezicht komt de regen nog naar beneden. Er ligt toch geen bewijs waar een hulpofficier iets aan zou kunnen hebben. Op het dek tenminste.

Tracy's stem: 'Patti. Hoe zit het met 1976? Of 1983 toen Roland het gebouw in de LaSalle-trust heeft gedaan?'

Ze houdt me bezig, houdt me af van *daden*. Ik geef antwoord zonder na te denken en mompel: 'John', en verzeker me ervan dat het motorgeluid dat ik hoor niet van de terugkerende SUV is.

'Wat is er met hem?'

Het motorgeluid is van een Datsun die laag door het straatwater klotst. 'John is geboren in 1983. Dat heb ik je verteld.'

'Geboren...' Tracy doet een stap achteruit, reikhalst daarna, net als honden deden in de kennel als ze in de gaten kregen wat er aan de hand was. 'En 1976? Wie is er in 1976 geboren, het jaar dat Roland eigenaar wordt van het gebouw?'

Ik haal mijn schouders op en voel de regen. Het heeft niks met 1976 te maken, maar als donderslag bij heldere hemel denk ik aan Delmont. Hij heeft *gepraat.* O mijn God, hij heeft gepraat. Ook al hield hij de adoptieovereenkomst in zijn zak, toch heeft hij gepraat. Dat weet je gewoon: de ontbrekende vingers, daarna de hand. Daarna heeft hij gepraat. Daarna ging Roland door het lint en heeft hij Delmont tot kattenvoer gehakt.

Roland is bij Le Bassinet.

In Tracy's ogen zie ik half angst en half verbazing. 'Patti?'

'Geef me de sleutels!'

Dat doet ze niet. Ik trek de Smith om haar te laten zien dat het menens is. 'Geef me verdomme de sleutels!' Ik gris, ze ontwijkt me, rent naar de straat en zorgt dat het spatbord tussen ons in zit.

'*Delmont heeft gepraat.* De ontbrekende vingers. Hij heeft gepraat. Ik ga met jouw auto naar Evanston. Ik bel een ambulance voor je,' en richt op haar enkel.

'Ik ga mee. Je hebt me nodig.'

'Geef me verdomme die sleutels.'

Ik ben van plan om haar neer te schieten, niet om met haar te discussiëren. Ze springt achter het stuur en start de motor. Dan zit ik naast haar en we rijden op Clark in noordelijke richting. Mijn handen trillen.

Bel de politie van Evanston. Bel de politie van Evanston... Nee... Zelfs al zouden ze naar Le Bassinet gaan, dan is er geen garantie dat iemand John zou waarschuwen. Maar de politie van Evanston zou me aanhouden, ik ben de waanzinnige biologische moeder. John wordt niet gewaarschuwd.

'Kalm, Patti. We komen er wel.'

Ik knijp mijn linkerhand tot een vuist. In mijn rechter heb ik de Smith. Met beide handen heb ik op mijn dijen zitten hameren. Het doet behoorlijk pijn, nu ik het merk. Mijn mond vraagt me: '*Wat moet ik doen?*'

'Roland komt die kluis niet in, Patti. Hij is accountant, geen bankrover.'

Midden in een ademtocht stop ik, draai naar Tracy en staar naar haar. In haar fantasiewereld doen accountants belastingaangiften. Mijn lippen glijden naar achteren en tanden vallen bloot. Ik zie haar, maar zie haar ook niet. Mijn ogen vernauwen zich tot spleetjes terwijl de woorden zich vormen. Ik voel de woorden voordat ik spreek, ze hebben zich drieëntwintig jaar gevormd.

'Deze vent verkrachtte ons terwijl hij bad, en als zijn pik niet werkte, nam hij kaarsen, een handvol kaarsen.'

Tracy schuift schichtig naar haar portier.

'Hij is de man die zijn vrouw levend heeft ingemetseld, die Richard Rhodes heeft doodgeslagen, en de benen van Delmont Chukut, een Army Ranger van zo'n 115 kilo, van zijn romp heeft getrokken.'

Tracy rijdt door rood en er wordt van alle kanten getoeterd. 'Sorry, ik wilde niet...'

'Die vent wil mijn zoon. MIJN ZOON.

Tracy krimpt weer ineen, maar ze kan geen kant op. 'Dat weet ik, Patti, ik weet het. We komen er wel. Echt.'

Het enige wat ik doen kan, is heen en weer wiegen in de stoel. Als een zwakzinnige crimineel stevig ingesnoerd in een dwangbuis, die minuten telt in een horrorfilm waar maar geen einde aan komt.

23

Zondag, dag zeven
zes uur 's middags

Het duurt te lang.

Evanston ligt echt niet zo ver van Diversey Harbor, dat kan gewoon niet. Tracy zwenkt langs twee door het weer veroorzaakte ongevallen. Het is zes uur, maar het lijkt wel middernacht. Op Howard Street houdt het op met regenen, maar aan de kant van Evanston is het een chaos van omgewaaide bomen en stroomdraden, en hoe noordelijker we komen, hoe donkerder het wordt. Geen straatlantaarn werkt, geen licht, achter geen enkel raam. Agenten en brandweerwagens blokkeren alle vier de straten in noordelijke richting die we proberen.

Noch Tracy, noch ik ken een 'sluipweggetje' naar Le Bassinet. We verspillen tijd. Het kan inmiddels wel vijf uur geleden zijn dat Roland op die boot was.

Tracy zegt: 'Kalm, Patti. Hij kan niet naar binnen totdat ze opengaan.'

Dat probeer ik te geloven. Maar hij vindt wel een manier.

Hoe? Hoe zou hij het doen?

Hij zou die vrouwen vinden, de co-directeuren met de sleutels.

Dat was jou niet gelukt.

Een privédetective wel. Delmont Chukut.

O mijn God. 'Hij heeft de sleutels.'

Tracy slaat een andere zijstraat in die bezaaid ligt met takken, maar er liggen geen stroomdraden en er staan geen patrouilleauto's. 'Welnee.'

'Hij heeft de sleutels al!'

Tracy geeft een dot gas in plaats van te discussiëren. Overal liggen afgebroken boomtakken en puin. Ze zet een slingerkoers in bij snelheden die mijn volle aandacht opeisen en waardoor ik me schrap zet tegen het dashboard. *Roland heeft de sleutels.* PATROUILLEWAGEN. Op een paar centimeter na hadden we die in de flank geraakt. Zijn sirene gilt ons na als we al gepasseerd zijn. Tracy slaat plotseling links af. We rijden drie straten bij hem vandaan. Op een winkelstraat slaat ze af, weer in noordelijke richting. Drie auto's staan voor het stoplicht te wachten. Ik kijk om of de patrouillewagen ons nog volgt. Ze geeft gas en steekt de kruising over, maar stopt bij het raampje van een auto die in zuidelijke richting staat te wachten.

'Waar is Ridge Avenue?'

De man geeft antwoord in plaats van weg te scheuren. Tracy geeft plankgas in noordelijke richting, houdt rechts aan om een verlaten busje te omzeilen en scheurt daarna links door water dat net zo hoog staat als onze assen. We klotsen zijwaarts totdat ze het hoogste stuk van de straat bereikt. Ridge Avenue. Ik herinner me de hoek. Le Bassinet ligt zo'n anderhalve kilometer verderop. Een patrouillewagen met brandend zwaailicht zwenkt om ons heen voordat we hem zien of horen komen. Het stoplicht voor hem en ons staat op oranje. Hij remt en slaat af in de richting van het meer. Het stoplicht springt op rood en Tracy rijdt door. Ze gelooft me. Ze weet dat Roland de sleutels heeft.

Voor Le Bassinet staan twee patrouillewagens van de politie van Evanston. Twee is een flinke respons op dit moment, omdat het noodweer nog maar net de helft van hun burgers heeft proberen te doden en de rest zonder stroom zit. Tracy grist een kleine zaklantaarn mee uit het handschoenenkastje en zegt: 'Laat mij het woord doen. We zijn allebei journalist.'

Na zeventien jaar op straat weet ik dat dit een plaats delict is. Een moord. Of Mrs. Trousdale of Mrs. Elliot. In de buurt van de kluis komen is vrijwel onmogelijk zonder... Een geüniformeerde agent struikelt de voordeur uit, het licht van zijn koplampen in en kotst in de struiken. Hij valt op één knie, met getrokken pistool, en kokhalst opnieuw. Overal waar zijn koplampen niet schijnen, is het donker. Tracy en ik verbergen ons achter een hoge heg en rennen naar de verste hoek van het gebouw. De zijdeur staat open. De stem van een tweede agent roept tegen de kotsende agent: 'Jezus, Tommy, geef het door. We hebben de recherche hier nodig.'

Tracy en ik glippen de zijdeur door een duistere gang in. Ik fluister, en zeg dat ze mij de zaklantaarn moet geven en me voor moet laten gaan. Dat doet ze. Dat deze deur openstond klopt niet, maar ik weet zeker dat die dienders dat niet hebben gedaan. Ik trek mijn pistool. Deze plaats delict is misschien een paar seconden oud. Iemand botst van achteren tegen me op en ik stap opzij. Tracy hapt naar lucht. Of ik ben langzamer gaan lopen of ze vindt het doodeng om opgeslokt te worden door het donker nadat ze die smeris had zien kotsen. Misselijk of niet, voor die dienders is dit een verse plaats delict en ze schieten ons neer als we ze laten schrikken.

Zo'n tien meter voor ons zie ik een trap naar beneden in een rode gloed door het bordje 'uitgang' dat erboven hangt. Tussen ons en de trap zijn drie deuren, alle drie dicht, alle drie met heel akelige vooruitzichten. Ik schijn met Tracy's kleine zaklantaarn op elke deur, daarna op het tapijt naar de volgende deur. Mijn hart gaat tekeer. De duivel is hier, achter die deuren of beneden aan die trap. Die donkere trap. Ik heb geen keuze. Geen tijd.

Rot ook op. Ga naar beneden en hoop er het beste van.

Dat doen we. En als Roland in de val zit, ziet hij ons komen, dan ziet hij de lichtstraal, en wacht hij totdat we vlak in de buurt zijn en... Beneden aan de trap zie ik in het licht een open deur, een deur als van een kluis. Ik hoor een gedempte stem en draai me naar het geluid. Ik ram met mijn schouder tegen Tracy's kin en ze grijpt mijn overhemd om niet te vallen. Ze gilt niet. De stem is boven ons, de trap op, misschien in de gang. Zou een agent kunnen zijn, zou Roland kunnen zijn. Ik doe het licht uit en meteen is het zwart, alle angsten worden waar. Tracy blijft mijn overhemd vasthouden, we staan allebei stokstijf stil. De stemmen sterven weg. Ik doe de zaklantaarn aan, buk en schijn in het rond boven onze hoofden. In de kluis schijnt de lichtbundel langs dossierkasten die van vloer tot plafond zijn ingebouwd in drie muren. Donkere vlekken bespikkelen de ene openstaande kast. Voorzichtig stap ik dichterbij. Op het label op de lade staat '1980-1984'. Mijn knieën knikken, de lucht is dikker dan eerst. Tracy botst weer tegen me aan en reikt langs mijn aarzeling. Haar hand komt in het licht en doorzoekt mappen in '1983'.

Het jaar is besmeurd. Tracy rommelt met het B-label, en daarna met een groene hangmap die erachter zit. De map is leeg. Ze fluistert: 'Shit', en grijpt de volgende. Die zit in een zware band waar 'duplicaat-2' op staat, met een uitleenformulier aan de voorkant geniet. Geen notities, geen vlekken. Ze opent de band, gekopieerde rapporten, daarna de voorpagina van een rapport dat ik herken. Mijn naam. En die van John. En zijn ouders: M/M T.L. Bergslund. Zijn adres is Ridgeway 2507½, Evanston, Illinois.

Ik duw Tracy opzij en blader als een razende door de dossiers, op zoek naar het origineel. Ze stapt achteruit en stottert: 'Dat is w-weg, kom mee.'

Ik blijf zoeken. De donkere vlekken schilferen bovenop mijn hand. Schilfers...? Mijn adem wordt afgesneden. Tracy rukt aan mijn arm, maar dat is al niet meer nodig. Ik begrijp haar nu. Roland is hier niet meer, hij is naar Ridgeway 2507½. De schilfers en het bloed zijn droog. Hij is er al uren.

Tracy rijdt negentig op een belangrijke verkeersweg, Central Street, die van oost naar west loopt. Het is pikdonker en het moet voelen alsof ze met een blinddoek om rijdt. We weten de meeste boomtakken en -stammen te ontwijken en andere wagens doen hetzelfde. Mijn hart klopt in mijn keel. Volgens het informatienummer hoort het adres bij het huidige telefoonnummer van 'T.L. Bergslund'. John en/of zijn ouders wonen daar nog *steeds.* Niemand neemt op als ik bel. Tracy's zaklantaarn balanceert in mijn hand. Ik probeer het dossier te lezen, terwijl we verder scheuren, ondanks het duister, de claxons en de troep op straat.

Tracy's stem: 'Wat staat er in het dossier?'

'Kan het niet lezen.'

'Wat staat er?'

'Ik zei dat ik het niet kon lezen.'

'Wat staat er?'

Ik draai me met een ruk naar haar toe om haar te slaan. Ze heeft haar handen vast als een bankschroef op het stuur, haar hoofd vooruitgestoken over haar handen, haar gezicht vertrokken in shock. Ze ziet er waarschijnlijk al zo uit sinds we zijn vertrokken uit Le Bassinet, sinds we langs de lichaamsdelen zijn gestrompeld. In een emmer, die de zijdeur openhield waardoor we waren binnengekomen. Een grijs hoofd met een kogelgat en ogen die vanaf de bodem naar ons op staarden, een afgerukte hand met twee ontbrekende vingers in het haar. Het grootste bloedbad heeft boven plaatsgehad, en dat hebben die agenten gezien.

Een patrouillewagen verlicht ons gezicht beurtelings rood en blauw. Door het licht slaan Tracy's schouders tegen de rugleuning. Hij scheurt voorbij zonder sirene. Haar Jaguar mindert vaart. Ik leg mijn handpalm op haar borst. 'Tracy.' Haar hart bonkt onder mijn hand. 'Tracy!'

'Ja...' Ze slikt en buigt naar me toe alsof ze op een bank zit. 'Wat?'

'Je zit achter het stuur.' Ik duw haar rechtop en ze remt hard. Midden op straat slippen we en komen we tot stilstand. Achter ons klinken claxons. Ik ruk aan het stuur, in de richting van de stoep. 'Parkeer. Van de weg af.'

Ze laat de rem los. Met horten en stoten bereiken we de stoep. Ze ziet in het pikdonker zo wit dat ze gloeit. Ik geef haar een klap. Twee keer, en daarna een derde keer totdat ze met een schok tegen haar raam terecht komt, en beide handen tussen ons in opsteekt.

'Wa...?'

'Laat mij rijden.' Ik grijp de sleuteltjes, gooi mijn portier open en ben bij de hare voordat ze zich beweegt. Na drie keer proberen krijgt ze haar gordel open en schuifelt daarna door onze koplampen naar de passagierskant. Absoluut in shock. Opnieuw nadert er een patrouillewagen, met tollend zwaailicht, in oostelijke richting. Hij remt stevig om naar ons te kunnen kijken. Ik glimlach en gebaar hem door te rijden: een vrouw die niet in de problemen is. Hij trapt op het gas en zet de sirene aan.

De sirene doet Tracy opschrikken en ze mompelt: 'Waar gaan we heen?'

Een vrouw, in ernstige problemen, zegt: 'Het huis. Ridgeway. Johns ouders.'

Ridgeways lantaarnpalen branden als ik de straat in rijd, maar gedimd. Het zijn de ouderwetse palen met de dikke ruitjes en vrijheidskronen. Het wolkendek breekt open. Het maanlicht toont vage schaduwen van grote bomen met afgebroken takken. Een stuk van de stoep af staan kleine, keurige huisjes. Ik doe onze koplampen uit, parkeer en wou dat ik een geweer had. En wou ook dat ik moed had. Maar het allermeeste wou ik nog dat alles in orde was met John en zijn gezin. Ze zouden deze nachtmerrie nooit hebben zien aankomen, hadden niet het geringste benul dat ze ook maar iets te maken hadden met iemand als Roland Ganz.

Tracy volgt me, de auto uit. Ridgeway is even stil als donker en Tracy slaat haar portier niet dicht. Ik controleer haar blik. Het gaat beter en ze is alert. Er staan maar vijf auto's geparkeerd op straat. Er moet een achterstraatje zijn, en nummer 2507½ is aan de oostkant. Roland zou ze van achteren hebben aangevallen. Hij viel iedereen van achteren aan.

Ik struikel door een scheur in het trottoir en bots tegen een brede boom. De schors ruikt rokerig en bitter. 2507½ is drie huizen verderop, een bakstenen huis met één verdieping en een hoog dak en een boom in de hoek van de voortuin. Waar is iedereen? Tracy botst tegen mijn schouder. Ik besef dat ik stil ben gaan staan, dat ik niet wil weten wat er zich in Johns huis afspeelt. Ik ben te laat. Roland heeft te veel tijd gehad.

'Is het dat, het huis?' Tracy wijst naar de witte dakrand van de buren.

Ik haal diep adem. Ga de *confrontatie aan, Patti. Vooruit.* 'Kom op, we lopen naar het achterstraatje.' Ik trek haar mee naar links, door een lange achtertuin, langs een huis met klimplanten en een vrijstaande garage. Het achterstraatje is nauw, wordt begrensd door garages en is voorzien van een lange rij telefoonpalen. We komen langzaam vooruit, met de zaklantaarn uit en breken takken met bladeren en proberen in het midden van het steegje te blijven. Als Roland zich hier ergens verbergt, hebben we nul reactietijd.

Linksboven van ons, achter een raam flikkert licht. Tracy en ik deinzen terug, tegen elkaar aan. Een kaars? Daarna nog een in hetzelfde huis. Kijken ze naar ons? Waar is iedereen?

We tellen drie gebouwen en stoppen bij een donkere garage met een laag hek aan de rechterkant. Het hek blokkeert een nauw, betonnen pad naar de noordkant van Johns ouderlijk huis. Heel voorzichtig open ik het hek en het piept niet. Op het pad staat een paar centimeter water en de bomen van de buren hangen laag over het pad. Geen kaarsen branden in de ramen van nummer 2507½. Geen lichten in de tuin. Tien meter verderop staat de zijdeur van het huis open.

Het is oorverdovend stil. Wees een smeris. De deur staat open. Ik wip het lege koper uit mijn revolver en herlaad. Wees een smeris. Wees een smeris. De wind jaagt door de boomtoppen. Tracy schrikt en ik sprint het pad op. Deze deur wordt opengehouden door een bezem, niet door een emmer. Ik luister, terwijl ik tegen de bakstenen sta geplakt, hoor niks, werp een blik en spring terug. Geen schoten of gesteek. Ik kijk nog eens: een korte, brede gang: rechts leidt naar een stel donkere keldertreden, ik buk me en ga links een kleine keuken in, en zwaai mijn Smith en de zaklantaarn heen en weer.

Maanverlichte ramen aan twee kanten, een porseleinen gootsteen aan de kant van de achtertuin waar we net doorheen zijn gelopen. Geen bloed. En geen geluid. Alleen de wind. Parfum. Tracy's parfum, ze staat achter me. De ruimte doet het haar op mijn armen rechtovereind staan. Ik richt de zaklantaarn op een andere deuropening, daarachter staat een eettafel. Achter de tafel bevinden zich twee ramen die met zware gordijnen zijn bedekt.

Vooruit. Ik stap de kamer in, duik en zwaai naar rechts: een open trap met een witte, metalen leuning, bij de trap een doorgang. Mijn lichtstraal is te zwak en kan de doorgang niet bereiken. Het zweet parelt in mijn nek. Alles is pikdonker waar mijn licht niet reikt. Vooruit. Ik bots tegen een hoek van een tafel. Ik en de zaklantaarn maken een plotselinge ruk naar links. Ik schiet niet, zie dat het een halfronde houten voordeur is, draai daarna naar de trap ertegenover.

Niemand.

Tracy ademt bij mijn rechterschouder. Haar lichaam blokkeert elk schot dat ik in de richting van de eetkamer of keuken zou moeten lossen. Ik duw me voorzichtig tegen haar aan, en duw haar achter me, tegen de houten voordeur aan. Ze beweegt in stilte totdat we de deur bereiken. Ik doe het licht uit. Haar adem stokt en we duiken allebei weg.

Dit is een noodzakelijke tactiek. Wie er ook in dit huis is, in het donker, achter het meubilair, in de kasten, ziet nu niet beter dan wij. Mijn ogen passen zich aan het donker aan, terwijl mijn hart sneller gaat kloppen. In de woonkamermuren links vormen zich ramen, donkere grijze rechthoeken van buiten verlicht door de lantaarns. De bomen slingeren heen en weer. Licht kruipt over de ruiten. Het meubilair werpt schaduwen.

Zweet. Geen geluid van een worsteling. Mijn knieën doen pijn van het hurken. Ik zie rechts nieuw licht, minder dan anderhalve meter van de deuropening naar de keuken waar we net doorheen zijn gelopen. *Shit.* De eetkamer loopt verder door naar rechts en door in een andere kamer. Dat heb ik helemaal niet gezien. De muren die ik kan zien, bestaan grotendeels uit glas... een gesloten veranda misschien. Ik heb weinig keus, dus ik besluit om die het minste te vrezen.

Trap.

Red John.

Wind en schaduwen ruisen langs de ramen. Schiet niet de verkeerde neer. Wees een smeris, red Johns gezin. Wees een smeris.

Trap.

De trap is anderhalve meter breed en voorzien van tapijt. Acht treden hoger is een tussenbordes dat met door het raam vallend licht wordt beschenen, daar waar de treden van richting veranderen en naar de volgende verdieping gaan. Vanaf de eerste verdieping tekent dat raam iedereen af die de trap opkomt. Elk geweer, van wat voor kaliber dan ook, zou volstaan.

John en zijn kamer zijn daarboven.

En de duivel ook.

Ik slik wat van een oppervlakkige ademtocht in. 'Blijf hier totdat ik op het tussenbordes ben.'

Tracy geeft geen antwoord, maar beweegt zich niet als ik dat wel doe. Ik lig op mijn rug en duw me met mijn hakken trede na trede omhoog, met mijn hoofd omhoog, met mijn arm en pistool uitgestrekt omhoog naar wat voor wapen er ook op me gericht wordt. Op deze manier is mijn hoofd niet te zien voordat mijn pistool zichtbaar is, en ik word niet afgetekend tegen het raam.

Roland Ganz schiet vanaf zes meter. Als hij een geweer heeft, ben ik er geweest. Zo niet, dan is het fiftyfifty.

Het tapijt ruikt naar een bloemachtige luchtverfrisser. Waarschijnlijk hebben ze een hond of kat. Bij de vierde trede zie ik de onderkant van de stijlen van de eerste verdieping. Wees een smeris, ogen open, Smith stevig vast, haan gespannen. De vijfde trede schaaft de achterkant van mijn nek. Ik zie de bovenkant van het traliewerk. Nog geen geweer, geen schokkerige schaduwen... *Daar.* Schiet. *Nee, wacht. Schiet*

John niet dood. Niet doen. Ik houd mijn Smith in mijn uitgestrekte arm ter hoogte van de railing, haal snel adem. Meer kamers. Bovenkanten van deuren, vier in totaal, twee links, één rechts, één recht vooruit. Allemaal open. Weer vier deuren, kamers om te doorzoeken. Nog afgezien van alle ruimten die ik beneden niet heb bekeken.

Ik wil de zaklantaarn gebruiken, maar doe het niet. Op de overloop draai ik me op mijn buik, wacht twee tellen, en kom daarna tegen de muur iets overeind. Geen geweer. Ik glijd de laatste vijf treden naar deur één aan de kant van mijn linkerschouder. Ik haal diep adem, haal nog eens adem en... er gaat een licht aan. Ik duik weg, verwacht het geweerschot dat niet komt, en storm de kamer in: vier muren, richt, twee ramen, draai, meubilair, deur. Dicht. Draai terug naar de deur waardoor ik binnenkwam. Leeg, lichten aan.

'Patti?'

Geen bloed. Ik duw me tegen de kastdeur en plat tegen de muur. De kast gaat niet open. De kamer krimpt. Tracy verschijnt bij mijn schouder. Ik wijs in stilte naar de deurknop. Ze aarzelt, stapt dan op de knop af en rukt de deur open. De deur geeft haar dekking, ik buk en draai en... alleen kleding. Meisjeskleding.

Nog drie kamers.

Iedereen kan iedereen aan zien komen. We doen hetzelfde in kamer twee, het wordt niet onze dood, daarna de badkamer, daarna nog een slaapkamer, in elke kamer staan kasten. Als we klaar zijn, zijn we compleet opgefokt. Maar alleen op de eerste verdieping. En geen bloed.

Ik denk dat we alleen zijn. Tracy begint te praten en ik gebaar dat ze stil moet zijn en luister of ik op de benedenverdieping iets hoor. Twee minuten zonder gekraak of gebons en ik neem Tracy mee naar kamer twee.

Johns kamer, hemel en hel ineen. Trofeeën, filmposters, een kalender van de Universiteit van Chicago uit 2004, posters van rockgroepen, Cowboy Mouth en Farm Aid, boekenplanken en een bureau met een kleine metalen Corvette onder de lamp, een eenpersoonsbed en een poster van de Cubs boven het kussen, met handtekeningen van het team van 1995, een ladekast met een ingelijste foto. Het is John, dat moet wel, donkerharig en knap, en zijn moeder met een Duitse herder op leeftijd.

John is jongensachtig en... en... en, o God, hij lijkt absoluut niet op

Roland Ganz! Johns arm ligt gemakkelijk om zijn moeder geslagen en zijn hand brengt haar haar in de war. Ze glimlacht, op haar gemak met Johns hand, en... En... deze kamer is te netjes.

John woont hier niet meer.

Snel controleer ik... Ik zucht naar de bovenkanten van mijn schoenen. Tracy komt door de deuropening en grijpt me bij mijn middel. 'Patti, kom mee.'

John is hier niet doodgegaan. Hier is alleen maar zijn verleden, netjes gehouden door een moeder. Ik ga op het bed zitten. *John is hier niet doodgegaan.* Zijn foto vervaagt door de tranen die ik niet kan tegenhouden. Net als zijn posters... mijn hart en longen doen echt pijn. Ik wil me behaaglijk oprollen met zijn kussen. Tegen hem zeggen... Het is alsof ik opnieuw van hem beval. Het is alsof...

Een gefluister, 'Patti, kom op. Patti...'

Een hand op mijn schouder. Mijn naam. Johns kamer. Ik veeg mijn tranen af en sta scheef. Een softbaltrofee bij zijn foto. Met een inscriptie: 'Paralympics: J.C. Bergslund, 2004, Sporter van het Jaar.' Ik strompel achteruit, tegen Tracy aan. Ze struikelt om niet te vallen, en kijkt daarna ook naar de trofee. De inscriptie verandert niet. Opnieuw scan ik de kamer, deze keer op zoek naar... Is John, heb ik...? *O nee, God*, is hij door mij gehandicapt? Is hij...

Tracy kijkt naar de deur om naar beneden te gaan, maar heeft dezelfde 'bijzondere' gedachten op haar gezicht. Ik zoek krukken en maak te veel lawaai, bekijk daarna zijn boeken, probeer om zijn laden te openen, probeer om... *Hoe komt het verdomme dat ik zo veel levens verpest?* De duivel ben *ik*, niet Roland. Een blos brandt in mijn gezicht, mijn maag zet zich uit. Nee. *Wij* zijn de duivel, Roland *en* ik. Vader en moeder. Ik.

Het braaksel weerhoudt me ervan om te schreeuwen. Ik zit op mijn knieën te kotsen, in de badkamer, met mijn hoofd in het toilet, met mijn pistool in mijn hand. Tracy staat met haar rug naar me toe, met haar blik op de trap. Ze fluistert, maar de woorden doen er niet toe. Ik ben de duivel, de gore duivel. Mijn broekzak trilt. Maar ik veeg mijn mond af, weet niet zeker of ik kan staan. Tracy loopt voorzichtig bij de traprailing vandaan. 'Er is iets beneden...'

Ineens sta ik stijf van de angst, spring op, en verwacht Roland op de trap. Mijn voeten stormen Tracy voorbij... Niets op de trap, niets op het tussenbordes. *Die gore klootzak is hier.* Ik spring naar de benedenverdieping en richt op alles, schiet niet op een lamp in de woonkamer die nu brandt of een plant in zijn schaduw. Ik draai me naar de buitendeur waardoor we naar binnen zijn gekomen. Er brandt licht in de keuken. Mijn oog valt op de telefoon aan de muur, daarnaast hangt een notitie, groot: een hele pagina uit een notitieblok. Het handschrift is kinderachtig. 'JE VRIENDIN GWEN HEEFT GEBELD.'

Tracy komt snel achter me aan lopen en zegt: 'Ruik je dat?'

Ik sta bewegingsloos gefixeerd op dat papier, maar kijk naar Tracy als ze herhaalt wat ze zei. Ik ruik alleen haar parfum en richt mijn blik weer op de pagina. *Heeft Gwen gebeld?* Tracy botst met haar rug tegen me aan, schrikt van iets terug wat ik niet heb gezien. Ik kijk weer naar het papier. Erop geprikt is een visitekaartje met Johns naam erop en een adres aan South Michigan.

Tracy zegt: 'Die lucht komt uit de kelder.'

Ze trekt me naar de kelder en laat niet los. Ik sla haar hand weg, maar door de vaart struikel ik en volg haar toch. De keldertrap, net voorbij haar schouder, is slecht verlicht. Ze wijst naar de plek onder aan de trap. Nu het licht aan is, kan ik het bloed zien.

24

Zondag, dag zeven 7
zeven uur 's avonds

De kelder is koud, vier betonnen muren. De vloer is geschilderd, net als de muren. Een ordelijke nuttige ruimte, met de wasmachine en de droger in de hoek, planken. Gietijzeren leidingen lopen naar het plafond, een metalen paal ondersteunt een geschilderde balk. Dozen. Een hoogpolig kleed. Speeltjes voor een beest. Bakken voor voer en water. En een oude Duitse herder, aan stukken gescheurd.

Ik spring bij de trap vandaan en richt omhoog. Niets. Tracy wankelt naar de paal en leunt ertegen om op de been te blijven. De lucht ruikt licht naar koper en ingewanden. De dekens van de herder zijn doorweekt. Zijn grijze snuit is platgeslagen, de ogen bevroren in zijn laatste minuten.

Geen gekraak op de vloer boven ons. Niemand op de trap. Tracy is lijkbleek, maar ze staat. Ze mompelt: 'Roland... dit zijn geen mensen.'

'Nu snap je het.' Ik herinner me het kaartje bij de notitie, zeg: 'Kom op', en gris haar mee, bij de paal vandaan. Ze laat niet los en dat neem ik haar niet kwalijk. 'Tracy, ik ga naar boven. Je moet met me meekomen.'

Ze staart naar de herder.

'Kom op,' en ik ruk haar handen los. We lopen de trap op, naar de keuken. Ik lees het telefoonnummer op Johns kaartje en bel met de telefoon aan de muur. Zijn stem antwoordt, voor de eerste keer sinds hij huilde op mijn buik. Hij klinkt als muziek, jong en soepel, maar volwassen. De tijd om een boodschap in te spreken is afgelopen, het apparaat verbreekt de verbinding. Ik heb kennelijk de hoorn alleen maar bij mijn gezicht gehouden en ben vergeten om iets te zeggen. Ik bel nog eens, hoor hem opnieuw. Het is net... alsof hij tegen mij praat. Hij en ik.

Tracy kucht. Het apparaat piept opnieuw ten teken dat de tijd is verstreken. Ik bel nog eens. Dit keer zeg ik: 'Vlucht. Nu. Ga niet...' en opnieuw wordt de verbinding verbroken. Dat kloteding is kapot of vol of... Opnieuw trilt mijn mobieltje in mijn zak. Ik neem deze keer ook niet op en gebruik de telefoon aan de muur opnieuw om Johns nummer te bellen. Mijn mobieltje trilt weer en blijft trillen totdat ik hem onhandig tevoorschijn haal. Ik hoor gegil:

'Hij heeft ons allemaaaal.'

Met een ruk hou ik het gegil bij mijn oor vandaan. 'Wat?' De verbinding met mijn mobiele telefoon is verbroken. Gwen? Johns stem uit de telefoon aan de muur praat in mijn andere oor en zegt dat ik een boodschap moet achterlaten. Ik schreeuw *'Gwen!'* in mijn mobiel.

Tracy zet grote ogen op, en kijkt tegelijkertijd in alle richtingen. Ik ram de hoorn op de haak en toets Gesprek op mijn telefoon. Die belt Gwens nummer terug, terwijl ik Tracy's blik probeer te volgen.

Er wordt niet opgenomen.

Tracy's blik landt overal. Er wordt nog niet opgenomen. Er wordt nog niet opgenomen. Ik toets op *redial. 'Hij heeft ons allemaaaal.'* Ik laat het nummer natrekken. Volgens de telefoniste is het nummer in Chicago, en ze geef me een adres: South Michigan 2301.

Mijn ogen bevinden zich op zestig centimeter van Johns kaartje: S. Michigan 2301. Het is een ander nummer, maar hetzelfde adres. Roland heeft hem. Haar. Hen.

Alarmeer de antiterreureenheid of een TAC-ploeg. Nu. Met mijn duim toets ik het alarmnummer, mis, en het mobieltje laat mijn hand trillen. Het is Gwen, ze huilt hysterisch: '*Help ons, Patti, help ons. Hij is hier.* Hij ruilt... jou tegen John en ons. Dat doet hij. Alleen jou. Hij wil jou. Alsjeblieft. Geen politie. *Alsjeblieft, Patti. Help ons.*'

De verbinding wordt weer verbroken. Ik toets weer op redial. Er wordt niet opgenomen. Ik pak de rode stift bij de telefoon aan de muur, scheur het papier met 'Gwen heeft gebeld' af, en krabbel: 'VLUCHT. BEL DE POLITIE.' Daarna sprint ik de deur uit met een doodsbange Tracy op mijn hielen.

Ik rijd veel te hard voor de omstandigheden als in de rest van de huizen in Evanston tegelijkertijd de lichten aangaan. Schaduwen van troep worden driedimensionaal: vuilnisbakken, omgevallen bomen, silhouetten van mensen die een seconde geleden niet eens schimmen waren. Uit het niets schijnen koplampen met groot licht. Tracy zit stijf in de passagiersstoel.

Mij ruilen voor John? Roland en ik... Dat kan niet. Nooit.

Sta je je zoon weer af? Opnieuw?

Ik schreeuw: 'Hij mag John niet houden!' tegen de voorruit en Tracy krimpt ineen.

Hoe win ik van de duivel?

HOE, VERDOMME?

Bel Sonny, laat je telefoon weer aan, en houd verbinding, net als toen bij de Gypsy Vikings. Hij roept een TAC-ploeg op het moment dat ik merk dat ik Roland alleen niet aankan. Mijn mobieltje trilt. Ik kan het niet pakken en tegelijk sturen. Het trilt nog eens en ik haal het met moeite tevoorschijn. Niemand. Ik druk op de sneltoets voor Sonny. Zijn voicemail neemt op.

'Sonny, ik ben het. Ik heb hulp nodig. Sorry. Sorry. Maar ik heb hulp nodig. Hij heeft John. Op South Michigan 2301. Je weet wat ik ga doen. Roland wil ruilen. Als er politie komt, vermoordt hij John. Ik ben er over een kwartier. Bel me. Kom erheen, maar blijf buiten, net als bij de Vikings, tenzij... Tenzij het misgaat.' Ik stotter, besef dat dit idee van een open telefoonlijn niet werkt als hij niet belt voordat ik naar binnen ga. 'Als we elkaar voor die tijd niet spreken, als het misgaat en ik die klootzak niet vermoord, meld dan een 10-1.'

Ik verbreek de verbinding zonder hem te bedanken en richt me op het niet total loss rijden van de auto. Ik voel Tracy's blik op me en kijk naar haar. Ze ziet eruit alsof ze even bang is voor mij als voor de straat. 'W-wat betekent 10-1?'

'Agent neergeschoten, heeft hulp nodig.'

Haar ogen staan wijd opengesperd en zijn wit.

'Ja. Ik ga hem vermoorden. Dat heb ik je al verteld. Moorden met voorbedachten rade. Hij komt nooit meer terug.'

Tracy leunt voorover tegen de gordel, knippert in mijn gezicht en valt flauw.

South Michigan Avenue is verlaten, net als de buurt. De westkant van de straat is een leegstaand blok afgezet met een hoog hek met prikkeldraad erbovenop. Aan de overkant en op de hoek staat 2301. Het is een pakhuis van vier verdiepingen dat twintig jaar geleden wit is geverfd. Het is een oude autodealer, van toen er nog overdekte showrooms waren in de South Loop. Op een bord van een projectontwikkelaar dat aan het gebouw hangt, staat: 'Lofts. Februari.' Moeilijk om te geloven dat de buurt tegen die tijd leefbaar zal zijn. Johns naam en nummer staan met zes andere onder de kop Aannemer/Makelaar. Onder de nummers staat: 'Kantoor op locatie, eerste verdieping.' En de tijden staan erbij.

'Eerste verdieping' springt eruit voor me. *John is niet invalide, of geestelijk gehandicapt.* De boodschap bij hem thuis, het kinderlijke handschrift, de Paralympics-trofee voor Sporter van het Jaar, de meisjeskleding en de krukken in de andere kast: *John is coach, zijn zus heeft die boodschap geschreven.*

Tranen wellen op in mijn ogen. *Met John is alles in orde...*

Was alles in orde. Ik haal diep adem, word misselijk. Wees een smeris. Het gebouw ligt behoorlijk aan puin, net als de buurt. John hoort waarschijnlijk bij een groep jonge jongens die hun geld bij elkaar hebben gelegd. Ze wonen waarschijnlijk in het gebouw om de kosten te drukken. Ik mag hopen dat dat niet zo is, maar dat is waarschijnlijk.

Ik rijd twee keer snel rond het gebouw en zie op geen enkele verdieping licht, geen beweging, en... een SUV die een eindje verderop geparkeerd staat. De koplamp aan de chauffeurskant is kapot. Roland is hier. Hij houdt me in de gaten. Hij wacht. Het is waar, hij wil ruilen.

Ik rijd de stoep op en parkeer uit het zicht op 23d Street, neem de zaklantaarn, en raak Tracy's arm aan. Ze komt met een ruk overeind. '*Wat! Wat?*'

'Kalm. Haal even adem. We zijn in de stad. South Loop. Haal even adem.'

Dat doet ze en blijft tegen het portier gedrukt. Haar blik schiet de buurt door, kijkt dan naar mij en daarna naar de auto. 'Wat doen we... hier?'

Aan haar toon hoor ik dat ze het weet. Ik voel de adrenaline komen, slik het weg, en kijk naar het gebouw terwijl ze het zich herinnert.

'Ga je... naar binnen? Om hem te vermoorden...'

'Luister. Ik heb Sonny gebeld, mijn brigadier die je in district 6 hebt ontmoet. Hij komt. Als dit verkeerd gaat, roept hij assistentie in. Jij houdt je erbuiten. Wacht verderop in de straat bij dat Exxon-pompstation. Maar zorg dat je niet gezien wordt.'

Tracy schudt haar hoofd.

'*Wat?*'

'Niet hier... alleen. En ik ga niet weg. Mijn verhaal...'

Ik richt me opnieuw op het gebouw en hoor hoe ze domme dingen zegt tegen mijn achterhoofd. 'Wegwezen hier. Nu. Ik ga alleen naar binnen.'

'Nee.'

Ik draai me naar haar toe, ze staart me aan. 'Hé, Tracy. Dit is geen spelletje.'

'Nee.' Tracy draait heen en weer in haar stoel. 'Nee.'

Johns leven staat op het spel en dus is er geen tijd voor deze flauwekul. 'Goed dan. Kom mee. Je weet wat ons daar wacht.'

Ze aarzelt.

Ik trek mijn pistool en zet drie vlugge passen de auto uit in plaats van haar te slaan. Ze volgt, loopt langs de auto zoals ze tacklers volgt op het veld. Ze laat zich dus toch niet helemaal gekmaken, zoals vaak gebeurt met journalisten, of gek als een rugbyspeler, maar ze is gewoon simpelweg krankzinnig. Dat had ik me tot nu toe nooit gerealiseerd. Het gebouw maakt op de stoep een einde aan onze discussie. Een toegang vinden zonder de deur te nemen die Roland open heeft laten staan, zal lastig worden. Mijn handen zijn glad. Dit is... helemaal niet... goed. Vijftien meter verderop, aan de lange noordelijke kant is een deur. Die is op slot. En nog een deur, zo'n vijftien meter verder in oostelijke richting, langs de plassen. Van dichtbij blijkt die van roestig metaal te zijn, en op slot. Verder naar het oosten zie ik niks, alleen steen en dichtgetimmerde ramen.

We lopen zestig meter terug naar de voorkant. Naast een lege fles en een urinevlek komt een vies gezicht tevoorschijn uit viezere dekens. Ik richt en schijn met de zaklantaarn. De man reageert niet. Drie meter zuidelijk liggen meer gedaanten helemaal opgerold in hun dekens. Geen flessen. Geen urinevlekken. Een winkelwagentje scheidt ze, leeg, niet vol. Ik duw Tracy naar achteren, richt en trap tegen de eerste voet.

'Smana nanan bamma.'

Ik trap nog eens tegen de voeten en doe een stap opzij, klaar om twee kogels in Rolands hoofd te schieten. De snuit van een hond, en nog een vies gezicht dat ik niet herken komt tevoorschijn en knippert tegen het regenachtige duister, bedekt zich dan weer en het gemompel stopt. Ik herhaal dit met de tweede gedaante. Het is een zij, en ook een echte dakloze. De deur achter hen in zuidelijke richting is op slot, net als de volgende. Op de hoek wordt het nauwe terrein, dat is leeggeschoven met een bulldozer, gebruikt als een brede toegang. Het einde van de toegang wordt geblokkeerd door een puincontainer van zes meter waarin vanaf de eerste verdieping een stortkoker hangt. Tracy en ik drukken ons tegen de container aan, glippen eromheen, en zien Rolands uitnodiging dertig meter verderop in de muur: een nieuwe stalen bouwdeur die openstaat. Ik werp een blik naar boven de ingang, naar dichtgeschilderde ramen die de halve straat doorlopen in oostelijke richting. Roland Ganz houdt ons in de gaten. Tracy voelt hem ook en stapt door de plassen terug om zich schuil te houden tegen het gebouw.

Ik duw me naast haar tegen de muur, kijk langs haar heen naar de bouwtoegang. 'Wegwezen. Dood is voor altijd.'

Ze knarst haar tanden en schudt haar hoofd. Tracy is doodsbang en toch doet ze dit. Als ik mijn beide handen niet op de Smith zou hebben, had ik haar geslagen.

'Hou je op de achtergrond. Blijf uit mijn buurt. Ik ga schieten...'

Geen reactie. Alleen maar dat vastberaden gezicht.

Ik haal diep adem, knip de zaklantaarn aan, buk me, richt en... Naar de deur. Alles is snel, pilaar, muur, vloer, puin, *struikel, draai, wend me,* pilaar, donker, licht, schaduwen, *daar, daar, schiet hem neer! Schiet hem neer!*

Ik knijp in de trekker, maar vermoord hem niet. Hij beweegt zich niet. Praat niet. Ik spring naar links, richt op... niets en draai terug. Heeft zich nog niet bewogen. Heeft niets gezegd. Ik buk, draai naar rechts, richt op de pilaren die niet terugschieten, draai terug naar hem, en... geen enkele beweging.

Hij is op een plek waar ik hem niet kan missen. In een stoel. Zijn hoofd naar beneden. Zou John kunnen zijn. Zou Roland kunnen zijn. Het is een val. Absoluut. Een val. Mijn hart racet als een bezetene. Schiet hem niet dood. Kijk naar zijn gezicht. Schiet hem niet dood. Niet...

Achter me. Ik draai me om en SCHIET. Ik zie Tracy afgetekend in de flits en de knal. De enorme ruimte verslindt de explosie en het licht. Nachtblind. Ik duik achter een pilaar, draai terug, en zie niets. Luisteren is lastig, zien onmogelijk. *Dreiging, dreiging, dreiging.* Wie is daar? De ruimte wordt weer donker. Hij zit nog steeds in de stoel.

Is Tracy dood?

Nee. Ja. Ze zit in gehurkte houding, ze is niet dood. Ik schreeuw: 'Blijf op de grond', zonder een idee te hebben of ze geraakt is of niet. Inmiddels zie ik iets beter. Vanachter de pilaar scan ik zo'n groot mogelijk deel van de donkere ruimte. Afgezien van achter de andere pilaren kun je je nergens verbergen. De hele vloer ligt wijd open en is verlaten. Behalve dan de man in de stoel zijn we alleen. Wat is dit voor val?

Ik wacht. Net als Tracy. Net als de man in de stoel. Mijn ogen knipperen de laatste resten van de flits weg. Ik zie dat er op de grond bij de voeten van de man een tas ligt. Beide voeten zijn geboeid aan de stoel, net als zijn handen. Onder zijn kin is een lange schroevendraaier in zijn borst gestoken.

Op de tas zit een gouden gesp die bij zijn rechterschoen past, een pump met tien centimeter hoge hakken.

Misschien is het geen man.

Tracy fluistert: *'Schofield's Too.'*

Ze is nog voldoende in orde om te kunnen praten. Ik snap het verband niet met de woonboot uit de jaren twintig waarop Delmonts lichaamsdelen lagen. Maar ik weet inmiddels wel van wie het gezicht is dat verhuld wordt door het donkerblonde haar. Er is maar één iemand die altijd zulke schoenen draagt. Hun eigenaar is niet John en niet Roland.

Tracy zegt: 'Ik snap het nu, de bloemist. Schofield's op State Street... beroemd.'

Schofield is een beroemde plek in de misdaadgeschiedenis van Chicago. Nu snap ik het ook: dit moordslachtoffer is degene van wie Delmont vond 'dat ik die zou moeten ontmoeten'. De woonboot was van haar. Haar grootvader, gangster Dean O'Banion, was eigenaar van

Schofield's Flower Shop totdat hij daar in 1924 werd vermoord. Hij heeft ook het gebouw aan Gilbert Court laten bouwen, in 1922. En hij was ook eigenaar van de woonboot uit hetzelfde decennium, zijn laatste.

Ik kijk voor de laatste keer nog eens zorgvuldig naar de lege ruimte en loop naar de stoel.

Vijf meter is een lange wandeling. Ik til het hoofd van de vrouw op aan haar verwarde haar. Het gezicht laat me schrikken. De make-up, niet het gezicht. De make-up is net zoals op die foto van de plaats delict in Calumet City, van de moord op Burton Ottson. De make-up van Tammy Faye.

Ik tril, staar naar de make-up, niet naar de grijze gelaatstrekken van de eens stralende Mary Kate O'Brien, vrouw van de burgemeester van Chicago.

Waarom die make-up *hier*? Als ik in Calumet City de dader was, tijdens een black-out door de drank... Ik *weet* dat ik Mary Kate niet heb vermoord.

Mary Kates mond is opengevallen. Een aantal tanden is gebroken en haar tong is weg. Ik hoor Tracy *'o shit'* zeggen, en voel haar daarna naar voren komen. Mary Kates jas is verkeerd dichtgeknoopt. En haar schoenen zitten aan de verkeerde voeten. Er zit ernstig letsel onder die kleding. Mary Kate is ergens anders vermoord en is hier daarna opnieuw aangekleed.

En omdat ik haar niet heb vermoord, zou ik ook die make-up nooit aangebracht kunnen hebben. De plotselinge implicaties hebben mijn aandacht, niet de moord. Niet de moord op Mary Kate tenminste. *En misschien niet de make-up en de moord op Burton Ottson in Calumet City, negentien jaar geleden?* Ik laat het haar los en Mary Kates hoofd zakt langzaam naar beneden op de stijver wordende nek. Het is absurd dat ik naar een lijk staar en doe alsof het leeft. Ik hoor Tracy struikelen. Ik maai met mijn arm om Roland Ganz neer te schieten, mocht hij daar staan zwaaien met een bijl.

Tracy staat anderhalve meter van haar einde, voor mijn loop, ze is ongedeerd en helemaal alleen.

Ze staat stokstijf. Op dat moment besef ik dat ze weet van Calumet City of dat ze het heeft geraden. Dat gedeelte dat ik niet heb verteld, het gedeelte over dat Patti Black een moordenaar is. Ze heeft het al die tijd geweten en nu ziet ze de plaats delict van Calumet City, met mij en de make-up van Tammy Faye als middelpunt. En ziet mijn pistool in haar gezicht, ik hoef de trekker maar over te halen en ze kan nooit meer getuigen.

'Ik heb het niet gedaan.' Ik fluister mijn woorden, half een vraag, half een verklaring. Langzaam laat ik mijn Smith zakken.

Tracy beweegt zich niet.

Ik glimlach. Er zit een dode vrouw met een schroevendraaier door haar borst naast me en ik denk niet aan haar. '*Ik* heb het *niet* gedaan.' Calumet City was niet mijn werk. Deze keer is het een feitelijke verklaring en ik voel me vrijgewassen van schuld. Ik knik met groeiend enthousiasme. *'Ik heb het verdomme niet gedaan.'*

De Pink Panther is waarschijnlijk niet erg blij met waar ze staat: middenin een val en we hebben zojuist in het lokaas gehapt. Maar ze kan het niet helpen en zegt: 'Eh... wie dan wel?'

Lawaai. Ik buk, en wend me om te schieten. Een rat rent tussen twee pilaren. Pilaren die het hoge plafond omhoog houden. Tot nu toe had ik nog niet omhoog gekeken. Tracy wel en begint te gillen.

25

Zondag, dag zeven
negen uur 's avonds

Twee vaten van 250 liter dreunen op de vloer. Wij, en alles in onze omgeving, is doordrenkt met benzine. Tracy sprint naar de deur. Ik spuug benzine uit en adem dampen in. Een metalen blokje fonkelt, en valt in slowmotion naar beneden. Zippo-aansteker.

Hij landt open, tikt zonder vlam tegen het natte beton en stuitert. *O, shit.*

Geen vonk. Geen vuur.

Ik sprint het halve gebouw door naar een open lift die is omhuld in beton. De knoppen zijn het enige licht. Mijn vinger ramt op de '1'. Het enige wat ik ruik is benzine. *Wegwezen. Straks gooit hij een doosje lucifers.* Ik draai me om, de lift uit, en sta pal voor de brandtrap. De trap naar boven ligt vol met hout en gipsplaten. De trap naar beneden niet. Gedempt licht komt van beneden. Op het eerste bordes ligt een lange zak van zeildoek, vastgebonden met touw. Hij kronkelt. De zak is zo groot als een mens.

Het is John.

Te klein.

Gomballen.

Gomballen. Een spoor. Meer lokaas, alleen ben je nu een menselijke kaars, makkelijk te beheersen, makkelijk te vangen, *een makkelijke prooi.* Ik stap met een ruk bij de trap vandaan, zwaai met mijn pistool en zaklantaarn in de open ruimte achter me. Geen moordenaars, geen Tracy, alleen Mary Kate in haar stoel.

Een kleine rat rept zich langs de verste muur. Ik hoor gekreun, kijk achter me en wacht. Opnieuw kronkelt de zak. Ik stap voorzichtig naar beneden met mijn rug tegen de muur, en verwacht een aanval van onderen, of van boven me zodra ik in de val zit op het bordes. Ik heb geen mes en ik heb zo beide handen nodig om de knoop los te maken. Roland kan zijn lucifers in de afgesloten ruimte gooien. Ik ga niet verder. Straks dreigt hij dat... Dan zegt hij dat John in die zak zit en dwingt hij me om het wapen af te geven...

Niet doen. Ik luister en loop voorzichtig drie treden af. Het licht is gedempt, maar feller, alsof het uit de deur naar de kelder komt. De zak hoort me komen en kronkelt harder. Hij is gevlekt met verf. Of bloed? Ik spring de laatste drie treden, land gebukt en zwaai met mijn pistool naar de deur beneden en daarna omhoog de trap op. De zak ritselt tegen mijn enkel. Ik pruts met één hand aan de knoop en houd beide deuren in de gaten. De zak stopt. Twee gruwelijke gedachten komen bij me op: stel dat er in de zak een schurk zit met een wapen? Erger nog: als ik schiet met mijn pistool, word ik dan zelf in brand gestoken door de ontlading?

Ik spring bij de zak vandaan en de trap op, met twee treden tegelijk, bestrijk opnieuw de hele verdieping en trek dan vlug mijn bovenkleding uit tot aan mijn beha. Vanaf mijn middel ben ik droog, afgezien van mijn gezicht, haar en handen. Als ik met uitgestrekte arm, ver van mezelf af schiet, steek ik mezelf misschien niet in brand. Terug naar de zak. Ik bestrijk het trappenhuis, duw de zak in de richting van de treden naar beneden en trek net zo lang aan de knoop totdat hij losgaat. Geen beweging. Ik por met mijn voet en fluister: 'Trap je vrij,' en klim daarna de trap op om ervandoor te kunnen gaan of om de hoek van de muur te kunnen schieten, mocht de gevangene een schurk zijn.

De zak doet aanvankelijk niks, maar begint dan een gevecht. De worsteling duurt meer dan een minuut. Het is een vrouw, jonger dan ik, blond, ze ligt op haar buik, handen gebonden, een opgeverfd gezicht, mond dichtgeplakt, en zo bang dat ik haar ogen vanaf hier kan zien. Ik zwaai naar haar dat ze moet stoppen met bewegen. Dat doet ze, maar ze houdt haar blik op me gericht. Ik maak een geruststellend gebaar, in de hoop dat ze zich ontspant, maar dat lukt niet, en daarna stap ik voorzichtig twee treden naar beneden. Ik wijs naar haar voeten en gebaar: 'Sta op.'

Dat probeert ze, maar het lukt niet. Ze probeert het nog eens en komt op haar knieën terecht. Ze lijkt precies op een hert voor een stel brandende koplampen. Dit moet Gwen zijn. Ik blijf naar haar wenken dat ze naar me toe moet komen. 'Kom op, je kunt het wel. Ik ben van de politie.'

Ze ziet mijn ster op mijn beha hangen en probeert het nog eens, doet harder haar best. De muur helpt haar omhoog. Ze is langer dan ze leek in de zak. Het blonde haar is verward, net als dat van Mary Kate. De verf op haar gezicht is Tammy Faye Bakker tijdens Halloween.

'Kom op, lieverd. Hierheen. Je kunt het.' Haar benen werken niet al te best. 'Ik ben het, Patti Black. Kom op, Gwen. Nog zeven stappen en je bent veilig.'

Allebei horen we een geluid onder haar. Ze rent de trap op, rent langs me heen en knalt tegen een pilaar waardoor ze tegen de grond gaat en de knevel gedeeltelijk haar mond uit vliegt. Ik richt, wacht totdat het lawaai van beneden een aanvaller wordt. Dat gebeurt niet. Ik kijk over mijn schouder. Het meisje ligt vormeloos op de grond. Ik loop behoedzaam naar haar toe, houd de trap in de gaten en maak haar handen los.

Ze krimpt ineen tot een bal en trilt alsof het min tien graden is en mompelt: 'Mijn zoon. Heeft mijn zoon.'

'Ik weet het, lieverd. Ik weet het.' Met één hand ontdoe ik haar van de knevel en houd de Smith op de deur bij de trap gericht. 'We gaan hem redden.'

Ze kijkt me met grote ogen aan en ik herinner me de blik. Gwen was destijds een kind, maar het is dezelfde blik, alleen met veel te veel jaren van Rolands foltering ingebouwd. Ze trilt over haar hele lijf.

'Sta op, lieverd. Je moet hier vandaan. Er is een vrouw buiten die je kan helpen.'

'Mijn zoon. Nee. Mijn zoon.'

'Ik vind hem wel. Rennen. Nu.' En ik grijp haar bij haar riem om haar omhoog te tillen. Ze ontwijkt me met zo'n kracht dat ze mijn elleboog verdraait, en duikt daarna op handen en voeten ineen om zichzelf te verdedigen. Ze is doodsbang, een moeder die vecht voor haar kind, maar die verloren is in Rolands gekte.

'Ik vind hem wel, Gwen.'

'Maar, maar... Ik weet waar ze zijn. Ik weet waar ze zijn.' Ze zegt het zo snel dat haar tong het niet kan bijhouden. 'Heeft jouw zoon ook. HIJ HEEFT ONS ALLEMAAL.'

Gwen is banger dan ik ooit iemand heb gezien. En ze gilt. De angst weerkaatst tegen de muren. Ik draai, richt op alles. Draai me daarna weer naar haar. 'Waar? Vertel dan waar.'

Terwijl ze op haar knieën zit, wijst ze naar beneden. De kelder. Roland was altijd dol op kelders. 'Waar in de kelder?'

Gwen deinst terug en krimpt ineen. 'Ik ga met je mee. Ik laat het je zien.' Ik weet niet of ze haar hoofd schudt of dat ze trilt.

'Nee, lieverd, dat gaat niet. Vertel het me gewoon. Ik ben van de politie. Ik kan ze redden.'

'Lukt niet. Lukt niet. Lukt niet.' Gwens gezicht is strak getrokken onder de make-up.

'Kalm, schatje. Kalm maar.' Ik zet mijn allerbeste jokgezicht op en maak een geruststellend gebaar. 'Goed. We doen het samen.'

'De kelder. Hij is... Zij zijn... Het is zooooo erg.'

Ik doe een misstap. *God, alstublieft, laat dit niet gebeuren.* Alstublieft. Ik doe alles. Alles. Alstublieft. Gwen waggelt overeind. Haar handen blijven komvormig bij haar borst, alsof ze nog steeds vastgebonden zijn. Ze staart me aan alsof ze weet wat we zullen aantreffen, maar het niet kan zeggen.

'Ik ga er nu op af. Jij gaat gewoon zover mee als je wilt, oké?'

Gwen zet geen stap totdat ik het doe en schuifelt daarna alsof haar benen geketend zijn. Als John niet beneden was, zou ik toch de confrontatie aangaan met Roland Ganz en hem vermoorden, voor Gwen. Dat gore monster vermoorden. De confrontatie aangaan. Hem vermoorden. Steeds opnieuw. Vermoord Roland Ganz, Patti. Het is het waard om daarvoor levenslang te zitten.

Gwen en ik aarzelen bij de deur. Ze staat bij mijn schouder, een trillende combinatie van zweet, sigaretten en goedkope parfum. Roland was gek op sigaretten en goedkope parfum. Ik voel hem in haar, op haar, op mij. Opnieuw. 'Ik ga als eerste naar beneden, jij blijft achter totdat ik je roep, oké?'

Gwen, met een apathische blik, knikt 'ja'.

Ik loop de trap af naar beneden naar het tussenbordes, aarzel, en neem daarna de laatste trap en duw me tegen de muur met de deuropening. Mijn hart telt af. De deur doorgaan is mijn enige optie. Niet goed, maar als Roland me hier in de val wilde lokken, zou hij het trappenhuis hebben gebruikt. Maar dat heeft hij niet gedaan. Ik wil vragen waarom, maar storm de deuropening door nu ik nog durf.

Laag plafond. Pilaren. Leidingen in beide richtingen. Schemerig. Schimmel. Een boiler ratelt, ik draai, buk en... schiet niet, bestrijk de ruimte, links, rechts, links, rechts. Niks? Pilaren, kort en dik. Rijen en rijen pilaren in elke richting. Gedempt licht. Recht vooruit, aan de korte kant van de kelder. Het licht komt uit een deuropening, zo'n vijftien meter verderop. Ik kruip de open ruimte in, ga naar links en ga dan in de richting van de deuropening. De kelder is een rechthoek, misschien drie of vier keer zo lang als breed. Verderop, oostelijk van de lift en brandtrap, bevindt zich een wirwar van verticale leidingen en metalen boilers. De geur van olie en vet is even sterk als die van de benzine die mijn spijkerbroek doordrenkt en de parfum die mijn nek in kruipt.

Bukkend loop ik achteruit tegen Gwen aan. Zij komt plat op het beton terecht. Ik draai me met een ruk terug naar het pilarenwoud. Er beweegt niets. Ik richt op de wirwar van leidingen en boilers. Het geluid dat we op de trap hoorden, kwam niet uit deze boilers en is nu ook niet hoorbaar. Gwen ligt op haar rug en ademt oppervlakkig. Met één hand wenk ik haar op te staan en met de andere richt ik op de rest van de omgeving.

Haar parfum bereikt me voordat ze tegen mijn schouder zegt: 'Hierheen.' Haar hoofd duwt dat van mij zo'n vijftig meter in oostelijke richting, naar het labyrint van leidingen en een muur die nu zichtbaar is en die zich er achter bevindt. 'Mijn zoon is daar.'

'Waar is John?'

'Daar.' Gwen klinkt alsof ze twaalf is.

'Waar is Roland?' Ik concentreer me op de dichtstbijzijnde pilaren en het lage plafond dat nog lager wordt, ook al is dat niet echt zo. 'Waar is Roland? Hoeveel zijn er bij hem?'

Ik moet mijn oren spitsen om haar te horen: 'Joe. Een jongen. Man, van de ranch.'

'Eén of twee, Gwen? Een jongen *en* een man?'

'Joe... van de ranch. De zoon van de prediker. Joe is ook slecht.'

'Waar is Roland?' Ik hoef niet te vragen waar Joe is. Hij moet het zijn geweest die de benzine door het gat in de vloer van de eerste verdieping had gegooid. 'Waar is Roland, lieverd?'

Ze beweegt haar lippen en zegt iets wat ik niet kan verstaan. Ik vraag het nog eens en de lift rommelt. We schrikken allebei en rennen vijftig meter het leidingenlabyrint in, botsen tegen een boiler aan, glijden tussen twee andere door, en hurken daarna in een donkere hoek. De liftmotor stopt. Vanaf hier kunnen we de lift niet zien opengaan. Geluid van een deur. Licht valt de kelder in. De deuren gaan rommelend dicht en het licht valt weg. We luisteren. Het enige wat ik hoor is Gwens ademhaling en het gedruppel van water. Of benzine?

Gwen fluistert: 'Hiernaast' in mijn oor.

'Wat?' Ik concentreer me op het neerschieten van een liftpassagier voordat hij een Zippo naar ons kan gooien.

'Roland. Die kant op.' Ze wijst met een trillende vinger door de wirwar naar een ongeziene, brede gang/tunnel omlijst met crèmekleurige tegels. 'Hiernaast.'

Een aantal oudere gebouwen in Chicago is onder straatniveau met elkaar verbonden, maar waarom deze twee weet ik niet. Dus zelfs al heeft Sonny mijn boodschap ontvangen en besloten om me te helpen, dan gaan hij en de antiterreureenheid naar het verkeerde gebouw.

'Hij... dwong me... op de ranch. Ik wilde niet. Hij dwong me.'

Ik werp een snelle blik op Gwen, die in een andere tijdzone zit, en fluister dan: 'Rustig, lieverd', en verwacht nog steeds dat de liftpassagier zal aanvallen. 'Ik maak er een einde aan, oké?' Ik til mijn kin omhoog naar de tunnel, en weet dat we moeten gaan, ongeacht wat ze zegt. 'Is hij daar?'

'We zijn... getrouwd. Ik heb een kind van hem gekregen.'

'We moeten gaan.' Ik grijp haar hand, glippen langs de leidingen en sprinten de tunnel in. Drie stappen en het is pikdonker. We rennen nog tien stappen voordat ik struikel en we allebei op het natte beton vallen. Ze jammert, ik trek haar naar me toe en bedek haar mond met de hand waarin ik mijn pistool heb. De tunnelingang achter ons is goed te zien, dus is de liftman, mocht hij ons achterna komen, goed te zien. Als ik niet brandbaar was, zou ik hem kunnen neerschieten. En misschien moet dat sowieso als hij een zaklantaarn en een wapen heeft.

Zaklantaarn! Ik voel aan mijn zakken.

Die moet ik hebben laten vallen. Mijn lege hand steunt in koude vloeistof, waarschijnlijk water. Ik neem het in mijn hand, ruik bedompt vuil, maar geen benzine en gooi het in mijn gezicht. *Concentreer je, nu.* Ik steek de Smith in mijn holster, was mijn handen en polsen en daarna opnieuw mijn gezicht. Het water smaakt vreselijk, maar nu heb ik een kans van fiftyfifty dat ik niet in brand vlieg als ik moet schieten.

De andere kant van onze gang waar we heen lopen is pikdonker.

'Waar is Roland, lieverd? Daar?'

Ik voel haar knik.

'Is deze gang veilig? Kunnen we de muur volgen?'

Ze geeft geen antwoord en beweegt niet.

'Gwen, lieverd. Kom op. Is het veilig? Kunnen we de muur volgen?'

Ze drukt zich tegen me aan. 'Misschien.'

We duwen ons omhoog totdat we staan. Ze beeft zo hard dat mijn been ervan trilt. Nee, het is mijn telefoon, maar die kan ik met mijn hand niet bereiken. 'Laat los, lieverd. Ik moet mijn telefoon pakken.' De telefoon stopt. Gwen niet. Ik wriemel en zij houdt me steviger vast. Beide armen zitten bekneld. De telefoon trilt opnieuw. Ik probeer het, maar ze heeft de kracht van iemand in doodsangst en dit keer lukt het me ook niet. 'Lieverd, je moet me loslaten.'

Dat doet ze niet en de telefoon trilt opnieuw. Ik ruk me hardhandig los uit haar omhelzing, hoor haar struikelen en fluister dan in het duister: 'Alles is goed, Gwen. Alles is goed.' Ik tast totdat ik haar vind, grijp ledematen totdat ik van achteren haar schouders vind en fluister: 'Alles in orde met ons, lieverd. Ik help je. Ik ga niet weg. Dat beloof ik.'

'Alsjeblieft.' Ze jammert. *'Hij heeft mijn zoon.'*

Ik laat mijn hand naar beneden glijden naar haar pols, pak die stevig vast, stap achter haar vandaan en duw me tegen de muur. 'Volg me, duw je tegen de muur.'

Bij de ingang van de tunnel is nog steeds niemand. Misschien was die lift maar een truc, deel van de val om ons... hierheen te leiden. Gwen en ik zetten babypasjes, daarna grotere stappen. We struikelen over een ratelende leiding, maar we blijven allebei overeind. De lucht wordt bedompter en het licht achter ons bij de ingang van de tunnel vervaagt. Gwen knijpt mijn hand fijn. Onze ruggen glijden over de vieze tegels.

Geluid. Achter ons.

Ik sta meteen stokstijf stil. Tuur zo hard ik kan. Luister, luister, luister... Iemand of iets *is* daar, is het licht al voorbij en komt nu dichterbij. En Roland is voor ons en wacht. We zitten in de val, aan beide kanten in de tang... Gwen fluistert woorden die ik niet kan verstaan. *Vooruit of achteruit, maar blijf niet hier.* Ik ga naar voren en Gwen volgt, met halve stapjes.

Ze fluistert opnieuw en ik stop om haar te verstaan. 'Hij... gaat ons verbranden. Ons zuiveren.'

Ik fluister, mijn lippen raken haar oor. 'Is hij in de buurt? Is hij hier?'

Gwen stottert, en zegt dan: 'Nee. Er is... een... val. Eerst.'

Ik verstijf totaal. En denk aan een draad met een ontsteker. 'Waar?'

'Aan het einde... bij de deuren.'

Maar daar zijn geen deuren. Ik zie niks. Geen deuren, geen 'einde', alleen duisternis.

'G... Ga die deur niet door. De... de deur met het l... licht erachter.'

'Zeker weten?'

'Hmmm.'

'Je moet het me laten zien.'

Heel langzaam en voorzichtig lopen we langs de muur, nog zo'n tien meter duisternis, en botsen daarna tegen een gesloten deur. De botsing wordt niet onze dood. Ik herstel me, leg Gwens hand op de deurpost en vraag of deze deur oké is, een goede deur. Ze zegt 'ja'. Ik voel voor de zekerheid naar een draad, tast hoger naar een knop of klink, vind allebei, duw op de klink, *te luidruchtig*, draai aan de knop, en de deur gaat krakend een paar centimeter open. Roestige scharnieren doen de bedompte lucht echoën. Het ruikt er roestig. Ik kijk snel in het duister of er achter ons zich iets beweegt, en duw dan hard met mijn schouder tegen de deur. Die gaat met een luidruchtig *krieeeek* open en ik struikel een vreemde ruimte in, een soort ruime keuken, maar met een holronde muur aan de overkant. Ik struikel en bestrijk de ruimte met mijn pistool, maak een rondje, hervind mijn evenwicht en maak nog een rondje.

Leeg. Geen Roland Ganz. Mijn hart bonkt in mijn keel. Een aantal kale bouwlampen verlichten drie deuropeningen in een holronde muur, met tussenruimten van een meter of twintig, en voor elke doorgang liggen plassen en in plaats van deuren een steigerconstructie. Alle drie geven toegang tot gangen die in duister eindigen. Wie weet staar ik nu in de loop van een geweer zonder dat ik die heb opgemerkt.

Alleen in de doorgang helemaal rechts schijnt licht. Dat moet de 'val' zijn, als Gwen gelijk heeft wat het licht betreft. Zo'n tien meter de gang in worden de randen van een deur van binnenuit verlicht. Verder is de gang donker. Ik duw Gwen terug onze tunnel in, luister of er iets achter ons is, hoor niets en fluister: 'Roland? Welke kant op?'

Ze krimpt ineen en wijst naar de gang met het gedempte silhouet van de deur. En duwt daarna haar borst tegen mijn rug. Ik wacht en luister, hoor haar ademen en het gebonk van mijn hart. Ik ruik het smerige water en de roestige lucht, en de benzine die mijn broek en schoenen nog steeds doorweekt. Tijd om te gaan... geen keuze... Ik moet opspringen, de gang in sprinten, naar het silhouet van de deur waarachter Roland wacht. Met wat geluk rukt hij de deur open, en denkt hij dat ik hem voorbij ben, en dan ligt het eraan wie er beter is met zijn wapen. Ik tast naar mijn snelladers en stoot tegen mijn mobiele telefoon. Dan herinner ik me dat die trilde. Dat had Sonny geweest kunnen zijn. *Shit.* Ik klap hem open, bedek het licht, kijk naar Rolands gang en hoop dat ik nog steeds bereik heb. Vier boodschappen, allemaal van Tracy. Gwen drukt zich steviger tegen mijn rug. Tracy's eerste twee berichten zijn paniekerig gebrabbel. De derde is een aantal moeizame zuchten, en duidelijkere woorden:

'Roland Ganz is dood. Hij is *dood*, Patti. Bob Cullet heeft hem gevonden. Ganz en vier andere lichamen. Allemaal al een week of meer dood. Vermoord, *voordat* dit allemaal begon in Chicago. Er is een testament. Bob heeft Rolands testament gevonden in een...' De boodschap wordt afgebroken.

Is Roland Ganz dood? Wie hakt er dan mensen aan stukken? Brandstichting, SUV's... Ik staar naar het kleine scherm van de telefoon, alsof dat antwoord zal geven. Bob Cullet vergist zich. Roland Ganz is niet dood. Hij is hier, in die gang, achter die deur met...

Ik draai me om naar Gwen en een gestalte stormt uit het duister regelrecht op me af. Ik buk, draai en een man beukt Gwen tegen de muur. Een flinke ruk verdraait mijn arm en de man is overal, handen en voeten en... Ik duik weer weg en houd de Smith met beide handen vast. Mijn linkerarm werkt niet meer en ik vuur met één hand. Op een meter afstand zie ik zijn silhouet en de crèmekleurige tegels in de flits uit de loop. Ik vlieg niet in brand, hij tolt tegen de muur, en ik struikel tegen de andere. Mijn linkeronderarm schreeuwt naar me. Net als Gwen. De man doet een uitval en ik vuur nogmaals. Hij slaat tegen de muur. Pijn schiet omhoog in mijn arm. Bloed pompt in mijn mond. De man valt en krult op als een bal. Ik draai me naar Gwen om haar te pakken, maar het enige wat er nog is, is haar gegil in het donker. Uit een snee van vijfentwintig centimeter in mijn arm gutst bloed en ik duw mijn arm tegen mijn buik. De man kreunt. Ik spring over hem heen en ren de tunnel uit, en richt op de drie gangen, maar er verschijnt niemand, ga daarna terug naar de ingang van de tunnel en trap hem in zijn gezicht. Gwens gegil sterft weg. De man aan mijn voeten mompelt opnieuw. Hij heeft een oorbel en draagt een motorrijdersbandana die vlassig blond haar bedekt. Ik richt op Rolands gang, maar de deur gaat niet open, steek de Smith daarna tussen mijn riem en trek de bandana van het hoofd van de man. Dit moet Idaho Joe zijn, de zoon van de prediker. Hij kreunt iets naar mijn schoenen. Ik trek de Smith opnieuw en jaag vier kogels in Rolands deur.

Maar Roland is dood.

Absoluut niet. Echt niet. Ik tast naar de telefoon die ik niet meer heb. *Roland was al dood.* Daarom voelde je hem niet in Arizona. *Onzin, hij zit achter die deur.* Ik hoor een schurend geluid in de gangen en ren terug, dieper de tunnel in totdat ik val. Mijn arm klopt. Ik pers hem hard tegen mijn buik, duw de rest van me tegen de koude tegels en richt op de ingang van de tunnel.

De telefoon ligt in het water en licht op waar ik hem heb laten vallen. Uit mijn arm borrelt bloed. Ik steek de Smith tussen mijn riem en wikkel de bandana om mijn arm, steek mijn hand daarna tussen mijn riem en schreeuw niet. Ik heb de vent die ik heb neergeschoten niet gefouilleerd. Als Roland dood is, wie heeft John dan? Dit is een truc, deel van de val. Tracy gelooft wat Bob Cullet zegt. Bob Cullet is een dronken idioot die met Roland Ganz samenwerkt en Roland staat levend en wel in de ruimte hiernaast en hakt mensen aan stukken. Gwen was Rolands gevangene.

Ik steek de Smith onder mijn oksel en grijp mijn mobieltje. Dat ruikt naar benzine en doet niks, ongeacht hoe hard ik ook toets. Kies deur nummer 1, gebruik de .38, dat werkt. Dat is het enige antwoord. Vermoord Roland Ganz, die zich achter deur nummer 1 verstopt. Ik stop het mobieltje in mijn zak, trek de Smith en loop behoedzaam terug de tunnel uit naar de ingang. Idaho Joe ligt voorover aan mijn voeten. Zijn handen zijn leeg. Ik kijk langs hem heen naar deur nummer 1.

Die is niet langer dicht. Ik draai me met een ruk achteruit. Was die ooit dicht? Hij staat nu open, maar het is niet lichter.

Wegwezen.

Dat kan ik niet. Ik moet John vinden. John vinden, niet eerst sterven.

Ik sla gebukt de hoek om, ren de nauwe gang in naar Rolands deur. Na tien meter heb ik nog geen draad met een ontsteker geraakt, ik stop, draai om en trap Rolands deur helemaal open. De deur slaat tegen de muur. De ruimte is leeg. Ik draai terug naar de doorgang. Links lichten en Idaho Joe op de grond, rechts schaduwen.

Nee, HET IS ROLAND.

Nee, het is niks. Stilte en ik, hijgend. Ik ren naar rechts, naar een T-splitsing, sla linksaf en ren naar nog een T-splitsing, sla zonder enige reden rechtsaf en kom glijdend zo'n dertig centimeter vanaf de rand van het laagste niveau van een ketelruimte tot stilstand. Twee peertjes verlichten het diepste deel van het gat en werpen schaduwen op waar ik sta. Ik spring naar links langs de rand en schuif tussen de wirwar van pijpen en ketels boven de diepte. Ik hijg en kan maar niet ophouden. *Bel om hulp, het gebouw is te groot. Je vindt John nooit.*

Ik bestrijk de hele ruimte, totdat ik de Smith veilig tussen mijn riem kan steken en mijn mobieltje nog eens kan proberen. Ik kan nog steeds niet bellen, maar Tracy's vierde boodschap knippert naar me. Het begint met: 'Het testament, Patti. John erft alles. Als hij dood is, dan ben jij als zijn moeder de volgende. Als jullie allebei dood zijn, erft Gwen alles. *Zij* is het, Patti! Ze is krankzinnig, was zelfs al gestoord voordat...'

Mijn kostbare rottelefoon wordt donker. Wacht. *Wat?* Ik pruts er weer aan. Het scherm licht op, maar geeft het daarna op. Ik hoor het schurende geluid weer en duik weg. *Het is Gwen,* wie hou je nou eigenlijk voor de gek? *Vermoordt Gwen al die mensen, hakt zij ze aan stukken?* Mijn linkerarm trekt uit de riem om te helpen en de pijn doet mijn knieën knikken. Uit een reflex maakt de hand een vuist. Ik duw de telefoon in de vuist. Gwen, Roland, Idaho Joe... Te veel. Ik moet John vinden. Mijn hart bonkt: Ik moet. Ik moet. Ik moet.

Ik hoor Tracy tegen mijn jeans praten. De telefoon licht weer op. Ze praat in journalistentelegramstijl en zegt: '...ze is Mary Kates dochter. Onwettig. Geboren in 1976, hetzelfde jaar dat Roland Gilbert Court kocht. Gediagnosticeerd met een hersenbeschadiging. Nooit geadopteerd, in een inrichting geplaatst in 1982 wegens brandstichting en mishandeling. Zij is het, ik heb net met mijn assistente gesproken. De archieven zijn verzegeld, maar wij hebben ze. Roland werkte in dat ziekenhuis. Hij chanteerde Mary K...'

Een *woesj* zuigt de zuurstof de ruimte uit.

Brand! Ik haast me naar de open ruimte en Gwen vliegt gillend tegen me op. Ik land op het beton, terwijl haar nagels naar mijn ogen klauwen en tanden naar mijn keel bijten. Ik zwaai met de Smith en raak hem kwijt. Haar gewicht is op mijn buik, beide handen stompen op me in. Ik haal uit naar het gegil en gekwijl en naar de Tammy Faye-make-up. Beide handen rammen me helemaal in elkaar. Haar linker mist en ze glijdt van me af. Ik stoot een rechtse tegen haar slaap, rol mee met de stoot en zij valt op haar rug.

De Smith ligt naast haar hand.

In één perfecte, vloeiende beweging grijpt ze hem.

26

Zondag, dag zeven
tien uur 's avonds

Gwen prutst en schiet. Ik duik weg, spring tussen de leidingen. Deur. Op slot.

De leidingen zijn een labyrint. Ik wurm me ertussendoor en kom in een gang weer tevoorschijn. Geen idee waar ik ben. Ik ren.

Nog een deur. Ook op slot. Achter me brult een beest, een krankzinnige vrouw met mijn wapen. Metalen deur. Wijd open. Ik spring door de deuropening, struikel en duw me plat tegen de muur. Verkeerde kant! Mijn onbruikbare linkerarm is het dichtst bij de deuropening. Met mijn goede hand pak ik de metalen deur en sla hem met een klap dicht. De deur klemt halverwege. Ik struikel naar achteren, stop en gooi er mijn zestig kilo tegenaan. De deur knarst in de deurpost en ik duw de grendel van zo'n dertig centimeter naar beneden.

Geen ramen, geen andere deuren. Ik ben veilig, als de brand in de kelder deze plek niet kan bereiken. Ze heeft maar drie kogels, of misschien zijn het er vier... als ze niet nog een wapen heeft. Maar dat heeft ze waarschijnlijk wel. Er is hier geen uitgang. Ik zit in de val. In het schemerduister. John gaat dood en ik ook.

Gwen schreeuwt aan de andere kant van de deur. Ik wijk achteruit, struikel over puin en zie de lichtbron. Boven me zit een ongelijkmatig gat in het plafond waar een brede geribde stortkoker doorheen steekt, net als die buiten hing. Deze is aan het einde gebogen, in een L-vorm. Binnenin zit een takel en blok. Er valt licht doorheen. Wat voor doel die stortkoker ook heeft, hij leidt ergens heen. Maar de koker hangt te hoog om erbij te kunnen. Gwen bonkt op de deur. 'Het geld is van mij. De ranch is van mij. *Hij* is van mij. Niet van Annabelle. Niet van jou. VAN MIJ!'

De ruimte bestaat uit vier betonnen muren en er ligt bouwafval. Ik kan die koker onmogelijk bereiken...

Gwen houdt op met schreeuwen. Haar stem klinkt nu hard en onbewogen. 'Wil je je kleine bastaard terug? Ik ben bijna klaar met hem.'

Ik laat de ruimte voor wat die is en staar naar de deur. Er vormen zich woorden, maar mijn mond kan ze niet spreken. Ik moet zorgen dat ze hier blijft... bij John vandaan.

'Gwen, het spijt me. Ik kom naar buiten, en dan praten we, goed?'

'Praten? Over *mijn* man en jouw Tammy-seks met hem? Dat smerige kleine meisjesgezuig en -geneuk met hem, net als Tammy?'

Dat beeld doet me achteruit wankelen.

'Terwijl je op je knieën zat? Ik heb toegekeken, HOER. Ik...'

Gwen stottert, vecht zich door een aantal hoestbuien naar een beheerste stilte en gaat dan verder. 'Jij was zo bijzonder, helemaal opgemaakt. De grote meid. Jij was *bijzonder*. Jij nam de benen, ik bleef. Jij nam de benen, ik bleef, en toch kreeg jij alles.' Haar stem wordt harder, dreigender, onbeheerster, 'en ik kreeg niks! Jij neukte met hem, huilde om hem, die *zielige*, petieterige Tammy-traantjes.'

Het beeld is te sterk en ik duw mijn goede hand tegen één oor. Het is *niet* waar. Niet waar. Ik wist te overleven, verder niks. Ik was vijftien.

'Je zal branden, Patti Black. Jij en je gore nakomeling. Jij en Annabelle. Ze wacht in de hel.'

'Gwen, hij heeft ons kwaad gedaan. Ons allemaal.' Ik probeer het hardop te zeggen, maar dat lukt me niet. 'Het was jouw schuld niet. En ook niet die van mij. Het was de schuld van Roland en Annabelle.'

Ik ruik rook en krijg geen antwoord.

Gwen fluistert. 'Hij dacht dat Annabelle weggelopen was. Net als jij. Maar ik had haar in mijn macht. Ik ging elke dag naar de kelder om te zien hoe ze zichzelf bevuilde. Ik heb haar laten huilen.'

God, Roland. Wat heb je dit kind aangedaan?

'Jij en Annabelle, de twee goddeloze teven. *Ik* predikte Zijn woord, wist je dat, hoer van Babylon? *Ik* bracht Hem eer en deed zijn ranch weer herleven. Herleven! *Mijn* harde werk. *Mijn* charisma.'

Ik zit op mijn knieën, op zoek naar iets wat ik kan gebruiken. Gwens stem wordt eentonig. 'Op de ranch in Arizona waren zat jongetjes en meisjes voor Roland.' Nu gromt ze. 'Hij had hen. Hij had mij. O, maar hij miste jou.' Vuisten bonzen op de deur. 'Nu is er NIETS meer voor mij. Ik bewaarde stukjes van de anderen voor jou, hun horloges en lintjes en strikjes. En hun mooie handjes. Alles was in orde. Want hij was van mij. Het was *allemaal* van mij, *alles*.'

Gwens nagels schrapen over de deur. 'En toen was het niet meer in orde.'

Roland is dood, Gwen heeft hem vermoord. Het duizelt me, probeer dat te verwerken en wat ze zei over 'de anderen'. O God, vertel niet over 'anderen'. Weer bedek ik mijn oren en schreeuw, beweeg heen en weer tot de beelden ophouden. Langzaam haal ik de handen van mijn oren. Het is rustig, geluidloos. Ik staar naar de deur. Of ze probeert me uit te lokken of... of... ze is *John* gaan halen.

'Gwen?' Wankelend kom ik omhoog en loop naar de deur. 'Gwen?' Ze geeft geen antwoord en ik ren naar de stortkoker, spring, kom zo'n dertig centimeter te kort en spring nog eens. 'Gwen? Toe, zeg iets.' Ik moet naar de stortkoker klimmen. Ik ruik rook, de brand in de kelder, en kijk naar de deur. Afval onder m'n voeten, niet erg veel, maar als ik het opstapel, er een verhoging van maak... Mijn arm doet zo'n pijn dat het haast zinloos is. 'Gwen? Zeg eens iets.'

Ik hoor buiten geritsel. Dat zou zij kunnen zijn of ratten die vluchten voor het vuur, of Idaho Joe, die gewond door de gang kruipt.

Stapel puin, maak een verhoging.

'Gwen?' Mijn stapel is dertig centimeter hoger geworden dan ik had gedacht. Wie weet red ik het. Ik kan de stortkoker bijna aanraken als ik één hand omhoogsteek. Meer geritsel aan de andere kant van de deur, maar zwaarder, daarna een laag gekreun en ik ruik benzine. Een vloeistof sijpelt onder de deur door. *O shit, nee.* Ik prop vodden uit mijn verhoging van puin en troep onder tegen de deur. De benzine stopt. Het geritsel en het gekreun niet.

Toe, toe, laat het John niet zijn. Alstublieft.

'Gwen, ik kom naar buiten.' De benzine heeft de vodden doordrenkt en begint een plas te vormen. Ik duw er meer puin tegenaan, maar het vertraagt de benzinestroom alleen maar.

Gwens stem wordt die van een prediker, maar zacht, alsof haar lippen tegen de deur rusten: 'Vrees de vlammen niet. In het vuur vind je verlossing.' Haar stem wordt weer eentonig, klinkt weer als die van een klein meisje: 'Speel met de jongens, speel met de jongens. Laat ze je onderbroekje zien.' Ze houdt zich even stil en zegt dan wat in haar 'gewone' Gwen-stem moet zijn: 'Ik heb John hier, *Patricia.* Tijd om te spelen.'

'Doe hem niks aan, Gwen. Niet doen. Hij is... John heeft hier niets mee te maken. Hij is...'

'O jawel. Roland heeft hem hierbij betrokken. Jij krijgt mijn ranch. Hij krijgt het geld van de verzekering. Mijn geld op de bank. Iedereen krijgt wat van mij is.'

'Je mag het allemaal hebben, Gwen. Echt. Ik wil alleen John. Als je Roland hebt vermoord, ben ik blij. Ik wil helemaal niets hebben van zijn spullen. Het is allemaal voor jou.'

'Zo werkt dat niet. Er is een testament. Jij hebt een bastaard gemaakt. Om van mij te stelen.' Gwen bonst op de deur en gilt iets over dat zij 'de vrouw' was.

Ik stap achteruit, struikel en land met mijn kont in een plas benzine. De brandstof doorweekt mijn broek tot aan mijn riem en maakt mijn handen nat. Ik spring op en draai in het rondte, op zoek naar een uitgang die er niet is.

'IK BEN DE MOEDER, IK BEN DE VROUW.'

'Gwen, toe...'

'Wil je je zoon? Ik vil hem wel voor je, haal zijn gezicht er voor je af.'

'Niet doen, Gwen. *Alsjeblieft.* Ik doe wat je maar wilt. Alles.' Ik ruk de klink hard omhoog. De deur gaat niet open. Ik trek opnieuw en nog eens. Mijn linkerhand probeert om te helpen, maar draait alleen maar aan de knop. 'Doe hem niets aan!'

'Wil de hoer haar knappe jongen?'

Weer een gil. Niet van Gwen. Ik trek aan de deur. De gil wordt een doodsstrijd en voeten die tegen het metaal aan trappen en uiteindelijk een gegorgel. Ik bons op de deur, trap ertegen, en worstel met de knop. De deur klemt te veel en ik krijg hem niet open met één arm of de deur zit nu aan de buitenkant op slot. De stroom benzine bij mijn voeten wordt groter en een van de vodden drijft weg. De kleur verandert, er komen rode strepen in de bleekroze benzine. Een dun stuk staal port onder de deur en duwt het grootste gedeelte van mijn blokkade opzij. Het stuk metaal verdwijnt en in plaats daarvan stroomt er een bloederige massa onder de deur door. Dun en vlezig, een masker, alleen is dit abattoirachtig echt.

Gwens kleinemeisjesstem zegt: '*Bah*, jongens zijn zo vies.'

Het gezicht heeft de helft van de haargrens en een oor.

'Maar, mammie, Johnny's gebit is nog mooi. Die hebben we nodig voor i-den-ti-fi-ca-tie.'

O God... Nee.

Een oorbel schittert. Het haar is gebleekt blond.

Idaho Joe. Hij had een oorbel en vlassig, blond haar. Gwen heeft net haar partner, vriend en helper gevild. Gwen wordt opnieuw de prediker, streng en dreigend. 'De prijs van de Pentecost is devotie. Vrij van lust. Het opsporen van de overspeligen die bastaards maken, die stelen. Ze verbranden, terwijl ze...'

Verbranden. Mijn dode linkerhand veegt langs mijn riem, pijn doet mijn knieën knikken. *Riem.* Ik kijk naar mijn riem, daarna naar mijn schoenen, roze en rood in de bloederige benzine, daarna naar de deur waarin ik geen beweging krijg. Daarna naar de koker. *Gebruik je riem, Patti. Trek de koker naar beneden.* Ik haal de riem uit mijn broek, en zie plotseling de betekenis van de benzine en van het dwaze gepreek: Gwen heeft John *niet.* Ze wacht hier ook op hem. Ze heeft hem *nog* niet. JOHN IS HIER NIET. De gedachte is net amfetamine. Ik spring en zwaai de gesp van mijn riem naar een schroef die uit de koker steekt. Mis.

'Gwen, soms ben je echt een stomme teef, weet je dat?'

Geen antwoord.

'Roland wilde Tammy Faye, niet mij.' Ik spring opnieuw en mis.

Gwens volwassen stem zegt: 'Tammy Faye staat niet in het testament. Zij steelt niet van de familie. Tammy Faye heeft geen bastaard gemaakt. Tammy Faye is niet met mijn man naar bed geweest. Tammy Faye is niet met mijn vader naar bed geweest. Tammy is niet...'

'Natuurlijk wel.' Ik probeer het opnieuw met mijn gesp en die klettert tegen het metaal. 'John is niet mijn zoon, maar de zoon van Tammy Faye.'

'Je liegt!'

'Vraag het hem.' Het onmogelijke gebeurt. Ik zeg dit allemaal hardop en zij luistert. 'Vraag het maar aan John.'

'Hij is jouw zoon, en je kunt niets doen om hem te redden.'

'Ik heb nooit een zoon gehad, stom secreet. Maar het was leuk om met jouw man of vader of wat dan ook te neuken.' De woorden brengen het gal naar mijn keel, maar de gesp haakt in de schroef. Ik trek zo hard ik kan. 'We lachten altijd om jou, wat een stomme, achtergebleven trut je was. Geen wonder dat Mary Kate je in het ziekenhuis heeft afgestaan.'

Ze zingt: 'Ik weet waar Johnny is.'

De blok en takel ratelen, maar de koker verschuift niet. 'Heeft ze je in een vuilnisbak of op de kraamafdeling achtergelaten?'

Gwen hoest opnieuw. Haar stem klinkt vlakker omdat ze doet alsof ze goed bij haar hoofd is. 'Je doet alsof we anders zijn, hè? Dat jij niet bent zoals ik, dat jij nu "beter" bent.'

Ik ruk aan de riem, maar de koker blijft hangen, maar er ratelt troep in mijn gezicht.

'Snijd je jezelf nog steeds open? Van wie gebruik je nu het scheermes?'

De riem glijdt uit mijn handen. Ik grijp ernaar en probeer niet te horen wat ze zegt.

'Ga je nog steeds naar bed met je kleren aan? Zelfs in augustus? En hoop je nog dat je niet in slaap valt? Annabelle wilde 's nachts spelen. Het is 's nachts pikdonker, hè?'

Hou verdomme je bek, Gwen.

'En als je kwaad wordt, word je dan *echt, heel* kwaad? Hoeveel mannen heb je gehad? Veel? Geen een? Je *kunt* ze niet krijgen, hè?'

Ik grijp de riem.

'En de haat. O, de haat, gloeiend, kleverig en vochtig. Het bonst tussen je benen, hè? Waar die kleine bastaard Johnny zat. Hij is net als zijn vader, weet je.'

Ik gil naar de deur: 'Nee, dat is hij *niet*.'

Op eentonige manier zegt Gwen: 'Ik weet waar Johnny is. Ik weet waar Johnny is.'

Ik wil uithalen, door de muur heen, en haar vermoorden. 'Ja hoor, teef. Je bent volslagen krankzinnig. *Shit*, je hebt daarnet je moeder en je enige hulp vermoord. Hoe gestoord ben je eigenlijk?'

Gwen antwoordt, grimmig: 'Ik ben de moeder. Jij bent de biologische hoer.'

‘Jij hebt boven een schroevendraaier in je inkomstenbron geplant, mammie.’

‘J... Johnny komt eraan. Hij ziet straks hoe je verbrandt. Daarna eet ik hem op... maar zijn gebit niet. Dat hebben we nodig... voor de i-den-ti...’

De benzine bij de deur vliegt in brand. De flits slaat het uiteinde van de riem uit mijn hand, maar hij blijft hangen aan de koker. Ik hoor: ‘Brengt de politie ook brandslangen mee?’ en mijn schoenen vliegen in brand. Ik land op mijn kont en trap mijn schoenen tot ze alleen nog roken, rook die de ruimte vult. De rook en het vuur doodt de pijn in mijn linkerarm. Ik hang met mijn hele gewicht aan de riem en de koker buigt naar beneden. De takel in de koker geeft me houvast. Ik grijp, spring erin, en worstel me in een hoek van dertig graden omhoog. Vlammen en rook volgen me. Hand over hand, zet me met beide voeten af. De koker is heet, heter, kan haast niet ademen. Drie meter naar de volgende verdieping, kruip, worstel, klauw. Mijn handen zijn verbrand.

En dan ben ik eruit. Op de benedenverdieping. En dan stoot de koker rook uit als een schoorsteen. Ik kruip naar een muur en ik hijg totdat ik kan staan. Ik ben overal zwart van het roet. Gecamoufleerd... maar Gwen heeft geen gegil gehoord dat ik levend was verbrand. Ze weet dat ik ben ontsnapt. Ze zal zich sowieso hiernaartoe haasten, zij heeft de twee branden aangestoken. Zij...

Aan de andere kant van het gebouw knarst een zes meter brede metalen deur op rollers open, aan de kant die Johns appartementen met dit gebouw verbindt. Ook uit die opening stroomt de rook naar buiten, net als aan Johns kant. Een man sprint erdoorheen. Aan mijn kant van de deur komt de rook door de enorme gaten die in de vloer zijn geboord. Vlammen knetteren onder de rook, spugen vonken naar het plafond. Het plafond vat vlam en vlammen racen als een rollend tapijt langs de balken.

De man die op me af rent is snel en jong. Hij schreeuwt, maar ik versta hem niet. Gwen vliegt het trappenhuis uit en richt het pistool. Ik doe een uitval. Mijn voorhoofd slaat tegen het pistool, daarna tegen haar borst. Ze wankelt. Ik stoot tegen haar aan met mijn hoofd en zwaai met beide vuisten. Ze valt en ik ga met haar neer. Mijn linkerhand grijpt haar krachteloos bij haar haar, de rechter slaat op haar in. Iemand slaat me zijwaarts de ingang van het trappenhuis in. Mijn linkerarm schokt pijn naar mijn schouder. Ik hap naar adem. De jongen helpt Gwen. Ik probeer mijn adem onder controle te krijgen, hem te vertellen dat niet te doen, om te vluchten, om... Gwen helpt hem, en trapt me weg met haar hakken. Ze gaat staan en steunt in zijn armen. '*John, ik ben het, Gwen.* Ik heb je gebeld om je te waarschuwen. Die naakte, gestoorde vrouw, die probeert ons allemaal te vermoorden, ze is...'

Mijn zoon spant zich in om Gwen overeind te krijgen. Ik wijs, maar weet geen woord uit te brengen. John kijkt om zich heen om een uitgang uit de vlammen te vinden. Buiten gillen de sirenes. Gwen wankelt, houdt zich aan John vast. Ik zie het pistool dat hij niet kan zien. John wijst haar in de richting van een raam dat met triplex dichtzit. Ik kom weer overeind. Gwen draait zich om, de glimlach is zacht, engelachtig en ze richt mijn Smith op Johns achterhoofd.

Hij schrikt van de knal en een enorme vlam. Gwen vuurt. Ik val een moment te laat aan, maar de kogel vliegt langs zijn oor en verbrokkelt pleisterwerk. Ze draait zich om, schiet op mij, en mijn schouder duwt ons door een brandend gat, waaruit een deken van rook golft.

Tong.

Die mijn gezicht likt. Ik kuch, rol me om: 'Aaau,' en spastische handbewegingen. Mijn linkerhand doet zo'n pijn dat ik hem vastgrijp. De tong likt opnieuw mijn gezicht. Ik sla naar hem, maar hij blijft maar likken. Mijn ogen gaan met moeite open en ik knipper. Rook en vuur en sirenes en zwaailichten en... 'Hou op met dat gelik!'

Het is een labrador en hij houdt niet op. Ik zie mijn buik en handen, nog steeds zwart, en de labrador begint ook daaraan te likken. Een zwerver trekt hem achteruit, naar zijn borst. Ik denk dat hij een van die daklozen was die ik zag toen ik naar binnen ging. Ook hij ziet er beroet uit.

Hij zegt: 'Je stond in brand. Ik heb het vuur gedoofd.'

Hij pakt een lege waterfles uit het onkruid om ons heen en toont me zijn geschroeide slaapzak. Zijn labrador probeert me weer te likken. Ik duw hem weg en kijk naar de vlammenzee twee gebouwen verder naar het noorden. Uit de benedenste verdieping van een gebouw van vier lagen slaan de vlammen, maar niet uit de bovenste verdiepingen. Overal waar ik kijk, staan brandweerauto's en liggen brandslangen.

‘Je broek stond in brand. Je zou helemaal zijn verbrand.’

Johns gebouw. *John.* ‘Iemand. Gebouw. Uit. Gekomen?’ Ik hoest en grijp mijn redder vast. ‘Is het ze gelukt?’

De labrador gromt. Zijn baas slaat naar mijn handen. ‘Laat los.’

Dat doe ik en kijk of ik John zie. Rook rolt het dichtgetimmerde raam uit. De ene die hij aanwees voor Gwen. Ik sta op om erheen te rennen, maar mijn rugbyknie knikt. De labrador likt me opnieuw. Zijn baas wijst naar Michigan Avenue. Tv-lichten, zwaailichten, veel zwaarbewapende mannen die niet bezig zijn met het blussen van de brand. Ik kijk in oostelijke richting. Aan de andere kant is het precies hetzelfde, alleen daar geen tv. Mijn dakloze redder zegt: ‘Ik heb je gered.’

Ik knik en blijf hoesten: ‘Is er een jongen naar buiten gerend? *Iemand?*’

Gwen ging samen met me het vuur in, ze kon onmogelijk John te pakken hebben. Hij zou het ook kunnen hebben gered. Hij moet het hebben gered. Ik hoest en mijn gehoest rolt me op mijn knieën. Ik spuug in het onkruid en hoor hoe de labrador blaft tegen mannen met pistolen. Ze zijn tweehonderd meter verderop en komen uit oostelijke richting onze kant op. De mannen worden staccato belicht door het zwaailicht van de patrouillewagen, en rennen op het gebouw af. Assistentie. Sonny of Tracy heeft de cavalerie ingeroepen. Ik kijk weer naar Johns raam, daarna naar Michigan Avenue. Een journalist staat badend in fel tv-licht verslag te doen. Rechts van de journalist staan twee mannen te praten aan de rand van de tv-lichten. Die komen niet onze kant op. De een is groot, de andere slank. Sonny Barrett is de grote man. Ik snak naar adem en rooktranen stromen mijn ogen uit.

Mijn zoon John is de andere. De labrador stapt tussen mij en het mooiste beeld dat ik ooit heb gezien. We zitten allebei op handen en voeten en hij likt de tranen van mijn gezicht en mij kan het niets schelen.

Sonny duwt tegen Johns schouder en John balt zijn vuisten. *Wat? Waarom doe je dat?* Ze staan oog in oog totdat John een stap achteruit doet. Opnieuw probeer ik op te staan en val. De labrador blaft. Sonny kijkt onze kant op en John draait zich af om weg te lopen. Sonny zegt iets. John steekt zijn middelvinger op en blijft lopen totdat hij staande wordt gehouden door een vrouw die een cameraploeg bij zich heeft.

'Zie je die man,' en ik wijs mijn dakloze redder op Sonny. 'Breng hem hier, oké?'

'Ik heb je gered.'

'Weet ik. Bedankt. Ga hem halen.'

'Ik heb je gered.' Hij steekt zijn in een handschoen gestoken hand uit.

'O ja.' Ik geef hem al het geld uit mijn zak. 'Haal hem hierheen. Schiet op, oké?'

Ik heb Sonny Barrett nog nooit op zijn knieën gezien. Ik had ook nog nooit gezien dat hij bijna huilde. Hij heeft zijn beide handen op mijn gezicht, nadat hij mijn haar opzij had geveegd en hij weet niet wat hij moet zeggen of doen. Dus zit hij daar, stokstijf, een kolossale beer die met natte ogen naar me staart terwijl ik huil als een klein meisje. Als hij mijn linkerarm aanraakt, val ik bijna flauw.

Hij kijkt ernaar zonder de bandana weg te halen. 'Daar moeten we even naar laten kijken.'

'We moeten,' snotter ik, 'hier vandaan.'

'Ik heb het doorgegeven toen ik je boodschap hoorde. Ze weten al dat jij het bent.'

Dat voelt als een messteek. 'Wat... weten ze?'

Sonny laat mijn gezicht los. 'Ze weten dat het ergens om gaat. Iemand die jouw zoon probeert te vermoorden.'

'Heb je ze dat verteld?'

Hij haalt zijn schouders op. 'Wat moest ik? Zonder een verhaal rukt het halve district niet uit. Er staan hier twintig man op zoek naar een diender in de problemen.' Sonny haalt een radio uit zijn jaszak en duwt op een knop. 'Paulie.'

'Yo.'

'Ik heb haar gezien. Patti is het gebouw uit.'

'Echt waar? Heb je haar?'

'Nee. Ik *had* haar. Ze is naar een Bonneville uit 1994 gerend.'

'Hoe erg?'

'Ziet er niet goed uit, maar ze kon tenminste nog rennen.'

'Begrepen. Heeft ze gezegd waar de schutters zitten?'

Sonny kijkt naar mij voor een antwoord. Ik schud mijn hoofd, steek twee vingers omhoog, en wijs naar beneden naar de oostkant van het gebouw. Hij duwt op de knop van de radio. 'Het zijn er twee. Brandhout. In de kelder aan jouw kant.'

‘Begrepen. Paulie uit.’

Sonny staart naar me, en zegt dan: ‘Je hebt vijf, misschien tien minuten om een belangrijke knoop door te hakken. We laten naar je arm kijken en beslissen voordat ze je verdoven.’ Hij helpt me overeind door me bij mijn middel te pakken, de tweede keer dat hij me daar aanraakt. Ik droog mijn ogen, voel zijn handen. Hij glijdt een arm om mijn middel en strompelt met me mee de schaduw in, naar het Mercy Hospital.

‘Ik ga niet naar het Mercy.’

Sonny verstevigt zijn greep. ‘Jawel. We doen nu niet meer aan al dat stiekeme gedoe.’

Ik ruk me halflos. ‘Wij? Sinds wanneer ben jij mij?’

Sonny trekt zijn Ierse gezicht. ‘Luister verdomme naar mij, voor eens in je leven. Je zit echt in de sores. Je kunt er niet voor blijven vluchten. Punt. En je vrienden ook niet.’ Hij reikt naar mijn arm en ik waggel achteruit. Hij werpt me een dreigende blik toe, haalt diep adem en zegt: ‘Laat dan tenminste die arm behandelen, dan doe je daarna verdomme maar wat je wilt.’

‘Niet in het Mercy.’

‘Goed. Dan gaan we naar het Mickey.’

Ik wankel, probeer ruimte tussen ons te scheppen. ‘Beloof je om me niet te verraden?

Sonny steekt beide handen in de lucht. ‘We gaan naar het Mickey. Daarna mag je weer doen alsof je problemen niet bestaan, als je zo graag stom wilt doen.’

Het Mickey is het Michael Reese-ziekenhuis. Ik ging alleen en halfnaakt naar binnen en dat is het laatste dat ik me herinner.

Nu bevind ik me in een appartement. Een appartement van een man. Eerlijk gezegd, herinner ik me de Eerste Hulp wel min of meer. Ik was te zwak en te duizelig om de benen te nemen, want anders had ik dat gedaan. Het appartement is warm en droog en er klinkt redelijke muziek... Stephen Stills en iemand met veel minder talent zingen: ‘*When you see the Southern Cross for the first time...*’

Ik knipper, maar beweeg me niet. De lichten zijn gedimd als in een restaurant en bijna roze. Ik ruik cornedbeef en kool, maar geen benzine. Ik lig onder... stadiondekens? De koffietafel bij mijn gezicht heeft betere tijden gekend, net als de boeken die erop gestapeld liggen. Mijn hand is bij mijn gezicht. Ik ruik... schoon? En herinner me niet hoe dat is gebeurd.

Onder de dekens blijk ik een mannenbadjas aan te hebben en ik lig op zijn sofa, ook geen idee hoe dat is gebeurd, maar ik weet dat ik er lig. Een enorme open haard staart me aan. Nee, toch niet, het is een tv die doet alsof hij een open haard is.

Vanaf een La-Z-Boy ziet Sonny Barrett, gekleed in een sweater en een pet, dat ik wakker ben. Hij is even van de wijs, is dan weer de stoere kerel, en zegt: 'De dokter zei dat je een halve liter bloed hebt verloren, en dat je je pezen had gescheurd. Hij heeft een verslag gemaakt, maar heeft mij erbuiten gelaten.'

Sonny Barrett in een sweater? Ik kijk naar het verband om mijn linkerarm en wrijf over mijn gezicht. 'Hoe laat is het?'

'Bedoel je: Welke dag is het?'

Zei hij *dag*?

Sonny buigt zijn hoofd naar een raam. Het is donker buiten en ik krijg het gevoel dat ik iets heb gemist. Wie weet hoeveel kalmerende middelen ze me in het ziekenhuis hebben gegeven. *Jezus*, of wat ik heb gezegd. Ik kijk nog eens naar Sonny.

'Hebben we... eh... koffie?'

'Ja, natuurlijk.' Hij komt van zijn La-Z-Boy. Zijn broek is gestreken, het prijskaartje hangt er nog aan. Terwijl hij naar zijn keuken sjokt, wijst hij naar de koffietafel en naar een opgevouwen stapel schone kleren met een nieuwe Cubs-pet erbovenop. 'Je vriendin de Pink Panther kwam langs. Zei dat ze haar artikel niet inlevert voordat je belt. Tenminste, als je haar vanavond belt.'

Ik werp een blik op de kleren, knipper twee keer om zeker te weten dat ik het echt goed begrijp, dat het echt is, en vraag dan: 'En vandaag is...?'

Vanuit de keuken hoor ik: 'Maandagavond. Zo meteen komt de wedstrijd tegen Miami op tv.' Sonny vloekt om de een of andere reden in de keuken, gromt, en zegt dan: 'Je hebt de hele dag geslapen. Je hebt dat gesprek met Interne Zaken gemist. En man, ze zijn razend.'

De afgelopen 24 uur komen weer langzaam terug, net als de pijn in mijn arm. Ik durf het haast niet te vragen, maar doe het toch. 'Mijn zoon. Is hij...'

Sonny komt terug met een blauwe koffiemok met MOORDZAKEN POLITIE VAN CHICAGO: ONZE DAG BEGINT ALS DIE VAN U IS AFGELO-

PEN erop. Die zet hij voor me op tafel, terwijl ik nog steeds lig uitgeteld, en zegt: 'De FBI heeft ook een bevel tegen je lopen, precies zoals ze hadden gezegd...'

'Is John... Is hij...'

Sonny zapt de tv van 'open haard' op WGN en leunt achterover in zijn stoel. 'De politie en de media weten dat er drie verkoolde lijken zijn, maar dat is alles.' Sonny tilt een blikje Old Style van de vloer tot boven zijn schouder. 'Jij zei dat het er twee waren. Moens vertelde dat een van hen absoluut de burgemeestersvrouw was. Dat is niet mis, hè?'

Ik zie de schroevendraaier, de make-up, het vuur... en krimp ineen onder de dekens.

'Tot dusver zijn jullie twee dames de enigen die weten dat Mary Kate de pijp uit is.' Sonny grinnikt, en trekt dan een afkeurende blik vanwege zijn grap. 'Vreemd dat Mary Kate nog niet als vermist is opgegeven.'

'H...hoe is het met...' Ik knijp mijn ogen stevig dicht en krimp nog iets verder weg, '...John?'

'Prima. Shit, ze herhalen het gesprek met hem elke tien seconden.'

'Alles in orde met hem?' Ik grijns zo breed ik kan, en kom zo snel omhoog dat ik even duizelig ben, en dan zie ik John ineens praten met Sonny, in de buurt van de tv-lichten, ze duwen elkaar weg. Alles met hem *is* in orde.

'Daar heb je hem. Zie je wel? Elke tien seconden.' Sonny zet het geluid aan. Mijn zoon met de brand op de achtergrond. Hij veegt het haar uit zijn gezicht en praat met een verslaggever die ik ken.

'...ze wilde me neerschieten, geloof je dat wel? En daarna greep die andere haar en dook samen met haar dat gat in.' John wrijft over een veeg roet op zijn gezicht. Toch is hij knap en ik voel dat ik bloos. 'De ene met dat pistool had make-up op haar gezicht. Mardi Gras, echt totaal geschift.' John veegt zijn handen af aan zijn spijkerbroek en haalt zijn schouders op. 'Twee gekke wijven. Misschien hebben ze gewoon de pest aan ontwikkelaars van appartementencomplexen. Wie weet?'

De verslaggever richt de microfoon naar haar gezicht. 'Herkende je ze? De een of de andere?'

John trekt een grimas. 'Mevrouw, ik ken dat soort vrouwen niet en die wil ik ook niet kennen.'

Sonny kijkt naar me en naar de tranen van geluk die in mijn ogen springen. John leeft, hem is niks overkomen, en wat hij zegt, klopt helemaal. Vrouwen zoals ik hoeft hij niet te kennen.

'Gwen, is ze..'

'Al dood toen ze werd binnengebracht in het County, met de afdruk van het wapen in haar hand gebrand.' Sonny knikt naar John op de tv: 'Ze hebben de dode hond van zijn zus gevonden nadat dit gisteren is opgenomen. Moens zegt dat ze die hond in verband zullen brengen met dat adoptiebureau waarover je me hebt verteld.' Sonny zwijgt even en ik voel zijn blik op me. 'Behoorlijk *Richard Speck-achtige toestanden* daar.'

Daarna gaan we naar de presentator in de studio: 'John Bergslund en zijn partners worden ondervraagd in verband met de drie doden op South Michigan 2301.' Daarna zijn we terug in het daglicht. Verslaggevers en camera's volgen John en drie andere jongemannen een kantoor in. We horen de presentator als voice-over: 'Omdat er tevoren geen appartementen zijn verkocht, wordt vermoed dat er sprake is van brandstichting.' En Sonny praat door de presentator heen.

'Moens' assistenten op de *Herald* hebben de zaak op het laatst gekraakt, echt behoorlijk goed. Ze zei dat die Gwen bij jou in dat pleeggezin zat, en dat ze toen al gestoord was. Dat ze een jaar of zes of zeven was toen ze in 1983 haar eigen weeshuis in brand stak. Zo zag Moens het. Moens zei dat Gwen Ganz' testament twee weken geleden had gevonden, razend werd en...'

Ik probeer naar de tv te luisteren en geef geen antwoord.

'Ze was de dochter van Mary Kate, kun je dat wel geloven? Die vent Ganz die... eh... met zijn handen aan jou had gezeten, was een keurige boekhouder in het ziekenhuis waar Gwen geboren werd. Kennelijk heeft hij zijn relaties op de administratie gebruikt om Gwen bij hem in het pleegtehuis te krijgen. Hij heeft Mary Kate dertig jaar lang gechanteerd.'

'Ja.' Ik zak weer terug in de bank. 'Dat heeft Tracy me verteld.'

Het tv-beeld zapt weer terug naar de presentator met een beeld-in-beeld van de brand van gisteravond boven zijn linkerschouder, en daarna een kleinere foto van mij van toen ik Agent van het Jaar was. 'Bronnen binnen de politie van Chicago zeggen dat bijzonderheden over de betrokkenheid van agente Patricia Black bij de waarschijnlijke brandstichting onbekend zijn. Maar ze bevestigen wel dat agente Black ten tijde van de brand rechtstreeks voor commissaris Jesse

Smith werkte. Commissaris Smith ligt nog steeds in kritieke toestand in het Mercy-ziekenhuis. Politiewoordvoerders ontkennen...'

Sonny schraapt zijn keel. 'Klootzakken. Ze laten je meteen vallen zodra er iets aan de hand is.'

Niets van dit alles komt onverwacht, en de volgende zin van de presentator ook niet: 'Het OM heeft *inderdaad* een arrestatiebevel uitgevaardigd tegen agent Black in verband met de dood van hulpofficier Richard Rhodes. Advocaten die agent Black vertegenwoordigen zeggen dat ze onschuldig is en dat ze zich morgenochtend zal melden in het Dirksen Federal Building. De presentator draait zich naar een andere camera. 'In Evanston zijn de meedogenloze moorden op...'

Ik buig me naar de tv en gooi de deken van me af. 'Mijn advocaten, hè?'

'Je vriendin Moens heeft een chique advocaat het woord voor je laten doen. Cindy Nog-iets, die kennelijk heel wat voorstelt. Dat soort kleding droeg ze tenminste. Haar nummer ligt op tafel.' Sonny knikt naar een briefje bij de opgevouwen kleding.

Ik voel me bedreigd in plaats van beschermd, maar moet uiteindelijk toegeven dat Miss Sportief kennelijk dus toch mijn vriendin is. En dat is bijna net zo gek als het feit dat ik nu naakt in Sonny Barrets ochtendjas lig. Maar het is waar en de gedachte aan Tracy doet me haast glimlachen.

'Wat zei Tracy verder nog?'

Sonny wordt ineens weer brigadier. 'Ze vond dat iemand je misschien in elkaar moest rammen. Je wakker schudden.' Hij haalt zijn schouders op en neemt een slok Old Style. 'Ik, ik weet wel dat je toch niet luistert, hoe hard je er ook van langs krijgt.'

De toon heeft iets vreemds, alsof hij zich gekwetst voelt. Ik werp een blik naar hem, groot en beter gekleed dan ik hem ooit heb gezien en besef dat die toon al de hele week zo is, sinds het begon. Ik raap met mijn rechterhand de kleren op en staar naar de man die nooit zijn blik afwendt, maar dit keer wel.

'Wat heeft mijn zoon tegen je gezegd? Bij die brand.'

Sonny Barrett, gekleed als Phil Donahue, geeft geen antwoord.

'Wat zei hij?'

'Die jongen was in de war. Hij had geen idee wat hij zei.'

Ik buig me naar hem toe, alsof hij me antwoord moet geven. 'Wat zei hij, Sonny?'

Sonny knijpt zijn ogen tot spleetjes terwijl hij zich naar mijn gezicht draait en al het Phil Donahue is verdwenen. 'Ga je nou ruzie met me maken? Omdat ik je heb gered? Alweer?'

Ik grijp zijn arm, begraaf mijn nagels in zijn arm en hij beweegt zich niet. Ik buig me voorover, in zijn gezicht en zie het verharden. 'Wat-heeft-hij-gezegd?'

Sonny buigt zijn hoofd, vecht om zijn kalmte te bewaren en verliest. 'Hij zei... dat hij hoopte dat die twee gestoorde wijven geen kinderen op de wereld hadden gezet, want niemand zat op nog meer geschifte types te wachten.'

Eerst moet ik lachen, omdat het iets is wat ik zou zeggen. Maar dan zie ik de WGN-beelden weer en besef dat hij op het punt staat om er achter te komen wie zijn ouders zijn en dat ze wél een kind hebben gemaakt.

Sonny haalt mijn nagels uit mijn arm. 'Je moet het vertellen. Het hele verhaal. Vertel het je zoon voordat hij het op tv hoort. En vertel het daarna aan mij en je advocaat. Maak een flinke heisa voordat de FBI de hele stad tegen je opzet.'

Ik negeer de toon en de woorden. 'Waarom zouden ze dat doen?'

'Doe nou niet zo naïef. *Iemand* wordt straks de zondebok voor de burgemeestersvrouw en dat wordt echt niet de burgemeester. Chief Jesse kan je ook niet helpen, die zit er tot over...'

Sonny houdt zo abrupt zijn mond dat zijn bier ervan spat. Ik kijk naar de tv alsof die de antwoorden heeft op de oude vragen die zich op mijn lippen vormen, maar de tv is nu een en al bikini, corpsballen en bier.

'Chief Jesse "zit er tot over *wat*?"'

Sonny's neusvleugels sperren zich open en zijn nek zwelt op, maar hij geeft geen antwoord.

'Wat! Verdomme.'

'Ze zeggen dat ze hem te grazen hebben, Patti, vanwege de casinovergunningen. Die advocate, dat secreet van de First Ward, je kent haar wel, ze werkt voor Toddy Pete, heeft hem en Chief Jesse verraden.'

Ik herinner me de parfum in Chief Jesse's auto. Shit, ze was ook in mijn ziekenhuiskamer, nadat de SUV bijna de zoon van Toddy Pete had doodgereden. Ze klopte geruststellend op mijn hand...

'De FBI heeft haar gebruikt, en haar met een microfoontje op pad gestuurd. Als Jesse Smith levend het ziekenhuis uit komt, is hij er geweest. Net als het merendeel van onze superieuren.'

'Zeg dat je liegt, Sonny.'

'Echt onmogelijk dat Chief Jesse schuldig is. Maar de FBI denkt van wel en dat jij overal van op de hoogte bent. Dat jij, hij en dat gezeik uit Calumet City werden gebruikt om druk uit te oefenen op de burgemeester, zodat McQuinn akkoord zou gaan met dingen wat die casino's betreft die hij anders niet goed zou vinden.'

'Dat is een leugen.'

'O ja?' Sonny wrijft over zijn arm.

'Geloof je me niet? Denk je dat ik daartoe in staat ben?'

'Shit, je geeft nooit antwoord, legt nooit iets uit.' Sonny klinkt niet goed, hij is niet kwaad, hij is... 'Wat moesten we dan denken?'

'*We?* Wie zijn *we*?' Dan snap ik het ineens. 'Draag je soms een zendertje, Sonny? Zie je er daarom uit alsof je naar een verkleedfeest gaat?'

Sonny laat zijn tanden zien en gaat staan. '"Wij" zijn jouw ploeg, stom wijf. Je vrienden.'

De hele week vol onthullingen rolt als een bulldozer over me heen: John, de carrière, gevangenis, advocaten, microfoons. De camera's. Patti Black, slachtoffer, Patti Black, leugenaar. Ik heb twee mensen vermoord, vandaag, gisteren. Roland Ganz is dood. Bij alle slachtoffers van Roland en Gwen zijn mijn vingerafdrukken te vinden. En behalve ik en Danny del Pasco, die levenslang uitzit in Joliet, is iedereen dood, mijn hele verleden uit Calumet City.

'Ik heb die vent in Calumet City niet vermoord, in 1987. Dat heeft Gwen gedaan.'

Sonny perst zijn bierblikje in elkaar, en zegt: 'Ik geloof je meteen', en loopt naar de keuken. Hij pakt de platte pet van zijn hoofd en gooit die in het voorbijgaan in de vuilnisbak.

Ik kijk, begin iets akeligs naar hem te schreeuwen, en been in plaats daarvan met mijn nieuwe kleren naar de badkamer. Daar trek ik, met mijn rug naar de spiegel, de spijkerbroek en het sweatshirt aan die Tracy zelf heeft afgegeven. Daarna zet ik het Cubs-petje op. Het bonnetje van de creditcard valt eruit. Sonny's naam staat erop, niet die van Tracy.

In de spijkerbroek zitten vijf biljetten van twintig dollar, de sleutel van Tracy's huis, en een briefje waarop staat: 'Mijn deadline is maandag, om middernacht. Bel me of kom om acht uur bij me langs. Vergeet niet dat we een afspraak hebben.'

We hebben een afspraak. Ik maak de veters van mijn tennisschoenen vast. Zo voelt het kennelijk om belangrijk te zijn: iedereen wacht op je volgende stap. En iedereen, behalve mijn fans en de paparazzi, staat verlekkerd te wachten met tabloidvragen, daarna pistolen en handboeien. Ik draai me naar de spiegel, kijk hem aan met een dreigende blik, en tart dat secreet om terug te kijken.

De schok is compleet. Mijn gezicht ziet er veel ouder uit dan 38, iemand door wier gebrek aan moed onschuldige mensen zijn omgekomen. Ze klein, jong en ondiep heeft begraven in de Sonoran-woestijn. Ik... ik... ik ben hiervoor niet hard genoeg om dit aan te kunnen. Mijn blik vertroebelt en mijn schiethand begint te trillen. Dus steel ik iets van Sonny. En ik doe wat ik sinds mijn vijftiende al heb gedaan.

Ik sla op de vlucht.

Chinatown

En ik blijf op de vlucht. In de richting van een laatste, duistere cocktail met de schimmen van Wentworth Avenue. Zeventien jaar lang, elke vrijdagavond.

In werkelijkheid ligt het op een uur van Sonny's appartement, maar bijna tweeënhalve decennia als je teruggaat naar het moment dat mijn ouders in dat autowrak om het leven kwamen. Mijn laatste confrontatie met Wentworth Avenue lost niet al de problemen in mijn leven op, maar alleen het nachtmerrieachtige gedeelte: de helft zonder relativering en alle haat.

Roland Ganz moet dood zijn, wil er aan de nachtmerrie een einde kunnen komen. Chinatown wordt voor mij het bewijs. Ik moet het hier te weten komen, het hier één keer voelen op mijn huid, voordat mijn leven geen brandstof en geen tijd meer heeft.

Slingerend scheer ik langs de parkeerplaats van de Ricobene's en langs de ergste schimmen en minder dan vaart tot ik stapvoets rijd aan de zuidkant van Wentworth. Het trottoir van Chinatown lijkt door de zware buien vrijwel ontdaan van alle troep. De neonreclames in de etalages stralen een uitgelopen jarenveertiggevoel uit, wazig, net als ik, en alle vier straten roken opium. Het is een drukte van belang op de trottoirs, druk voor een maandagavond.

Terwijl ik tussen de argwanende straathandelaars door loop die voor de bars en restaurants staan, vertellen ze tegen mijn schouder waarom ik nodig heb wat zij hebben. Ik hoor matrozen, meisjes... beloften. Toevallige voorbijgangers bevolken de trottoirs en letten niet op mij.

Maar ik wel op hen. Ik zoek Roland Ganz in hun gezicht, in hun handen. In de goedkope parfum en de sigarettenrook. Een man botst tegen me op. We kijken allebei kwaad naar elkaar en hij loopt verder, in de veronderstelling dat ik net zo'n ritselaar ben als hij.

Roland heeft me hier twee keer mee naartoe genomen. Chinatown paste bij hem, zei hij. Ze begrepen dingen in Chinatown. Ik was hier voor het eerst zodat hij het bloed in mijn ondergoed kon uitleggen, dat ik nu een vrouw was, met de verantwoordelijkheden van een vrouw. We aten noedelsoep en visballetjes en hij neukte me in de auto.

Roland en ik zijn heel binnenkort nieuws. Hij en Mary Kate en Gwen. Ik en John en het testament. De FBI en de media weten dat ik in Rolands pleeggezin in Calumet City zat. Misschien raden ze dat de duivel Johns vader was. Maar ze weten het niet *zeker*. Niet als dat geheim vanavond een einde vindt.

Tracy heeft nog genoeg andere zaken om over te schrijven en daar heeft ze Patti Black, de heldhaftige smeris, helemaal niet voor nodig. Eerder lafaard Patti Black. Patti Black, slachtoffer, Patti Black foute smeris en eigenaar van His Pentecostal City. Dan geeft Chinatown je de genadeklap als je niet de ballen hebt om er ergens anders een einde aan te maken: een gevangeniscel van twee bij drie, waar nooit zonlicht komt. Ik en Danny D. en de nachtmerries. Voor altijd.

Op 23d Street stap ik een restaurant binnen. Het is er schemerig en leeg en als de oude vrouw me ziet, schuift ze achteruit in haar stoel. Ze weet dat er iets niet in de haak is. Ik zit met mijn gezicht naar het raam. Dezelfde jongen die ook op vrijdagavond werkt, brengt me mijn thee. Ik verras hem en de oude vrouw door verkeerd en op te luide toon 'noedelsoep en visballetjes' te bestellen.

Ik weet dat ik niet naar de gevangenis ga. Dat weet ik al sinds ik vertrok bij Sonny. Ik kom ook niet voor de rechter en ga geen artikelen schrijven om smerige schandaalblaadjes te verkopen in de supermarkt. En ik sla niet op de vlucht. Ik hou me aan mijn geloof, mijn oude belofte die me op de been heeft gehouden sinds ik uit Calumet City ben gevlucht: ik laat me niet gevangennemen, geen zolders meer, geen kelders meer. Nooit meer.

Al zeventien jaar kom ik hier elke vrijdag en heb mezelf steeds opnieuw die belofte gedaan, waardoor die waar werd, waardoor die sterk werd om vol te kunnen houden wat niet vol te houden was.

Het eten komt, en bevochtigt de bedompte lucht tussen mij en het raam. Roland en ik zaten de tweede keer dat we naar Chinatown kwamen aan deze tafel. Ik zat in deze stoel en ik keek verdoofd uit dat raam. Destijds was ik vijftien, en je kon het al zien. Roland kocht een cadeautje voor onze baby en zei dat ik zijn bijzondere kleine meid was, zei dat hij mijn vader en mijn man was, en dat ik dat zou begrijpen zodra ik ouder was.

Nu ben ik ouder en begrijp het nog steeds niet.

Ik begrijp ook niet dat Chief Jesse geld heeft aangenomen en dat hij betrokken is bij die lui uit de oude First Ward en de casinovergunningen. En ik geloof het niet. Zijn toevallige betrokkenheid met mijn verleden zou hem de das om kunnen doen, alles waar hij voor heeft gewerkt, ook al hebben hij en mijn verleden niets met elkaar te maken.

Ik begrijp niet waarom John door al dit gedoe moet lijden.

Ik begrijp het niet. Maar ik weet wat ik moet doen.

De deur van het restaurant gaat met een klap open. Ik frons naar het raam, naar mijn weerspiegeling die er nooit zal zijn, nooit helemaal compleet zal zijn.

'Nou geen flauwekul.' Sonny's stem klinkt hard en boos. 'Tijd om te praten.'

Ik dwing mijn blik om niet weg te kijken. Hoe Sonny me gevonden heeft, is me een raadsel. Niemand weet dat ik hier kom. Ik voel zijn omvang opdoemen bij mijn schouder en kijk op. Hij is in schutter-geen-gezeik-stemming. In de Outfit haalt je beste vriend de trekker over. Dat zou gemakkelijker zijn. Ik wou alleen dat hij het niet was.

'Praten, waarover?' De damp van mijn soep ruikt niet vers.

Sonny heeft zijn nieuwe pet op en draait die naar de keuken. 'Cisco staat achter. Heb je een wapen bij je?'

Hij weet dat ik maar één wapen draag en dat dat verloren is gegaan in de brand. Als Cisco echt de achteruitgang verspert, dan heeft Sonny het restaurant laten krimpen tot armlengte. Hij weet ook dat ik panische angst heb om opgesloten te worden en komt geen stap dichterbij.

Ik trek de .38 Airweight die ik uit zijn appartement heb gestolen en leg die en mijn hand op tafel. 'Is de stoere Sonny Barrett bang voor me?'

Sonny haalt adem en blaast langzaam uit. 'Ik zal je eens wat vertellen.'

Ik wacht, maar hij zegt niks. Ik voel me op een vreemde manier lichter nu ik naar hem kijk, minder bang voor waar dit allemaal toe moet leiden. Hij verschuift zijn 115 kilo, haalt nog eens adem, maar zegt nog steeds niets.

Ik kijk naar het raam, daarna naar de keuken, en daarna weer naar hem. 'Wat?'

'Ik weet over deze plek.'

'Ja, dat zie ik.'

'Je moet het verhaal vertellen, Patti.'

We weten allebei dat dat echt niet gaat gebeuren. Dat weet hij door naar mij te kijken, en ik weet het door in het raam te kijken. Sonny en ik nemen afscheid. Hij weet het, ik weet het.

Sonny lijkt kleiner, bijna handelbaar. Jongensachtig. Zijn ogen staan ook vreemd, alsof hij een foto is van vroeger, toen we nog in de twintig waren. Ik was vergeten hoe hij toen naar me keek en me beschermde. Ik was het vergeten. Hij vroeg me toen twee keer om ergens 'koffie te gaan drinken of zoiets', en de betekenis van die vragen was tot daarnet niet tot me doorgedrongen. Aan het eind van alles, en dan dat.

'Hoe wist je het? Over deze plek?'

Sonny slikt, maar het is nauwelijks zichtbaar. 'Na dat gedoe bij St. Rita's. Ik dacht dat je misschien weer zou gaan drinken. Ben je hierheen gevolgd.'

Ik knijp in de .38 en leun achterover om hem helemaal te kunnen zien. 'Dat was lang geleden, Sonny. Ik kom hier elke week.'

Hij knikt, gegeneerd, alsof hij dat weet. Straatcriminelen knikken zo, als ze de minste van hun misdaden bekennen. Om de een of andere reden zet ik de Cubs-pet af en laat die aan hem zien. 'Heb jij die voor me gekocht?'

Opnieuw knikt hij, weer een misdaad in Sonny Barretts stoeremannenland.

Ik glimlach, verrast dat ik dat kan, en de glimlach snoert mijn keel dicht. '*Jij?* Stoere Sonny Barrett ziet *mij* wel zitten?'

Sonny schraapt zijn keel en wendt zijn blik af. Het is een reflex, en hij stopt halverwege, aarzelt en zegt tegen de vloer: 'Misschien. Als ik niet beter wist.'

'Mij?' Mijn keel zit nog dicht. 'Shit Sonny, ik dacht dat je slimmer was.'

Hij haalt zijn brede schouders op. Absoluut jongensachtig nu, nu hij zijn pantser heeft afgelegd, buigt dan zijn nek om de macho weer terug te vinden die hij zojuist in de rivier heeft gegooid. Ik staar, omdat ik niet weet wat ik anders moet doen. Driekwart van me weet dat ze moet gaan, en het Airweight-einde onder ogen moet zien, één kwart van me wil blijven, om te zien hoe de vriend voelt die ik nooit heb gehad. Sonny Barrett, mijn vriend, dat had ik onmogelijk kunnen vermoeden.

Behalve dat ik dat heel goed had kunnen vermoeden. Als ik voor dit moment een vrouw was geweest. Ik verstevig mijn grip op het pistool voordat ik de moed verlies. Ik ben mijn zoon een schone lei verschuldigd. 'Ik moet gaan, Sonny.'

Zijn gezicht wordt rood en in zijn ogen staat echte pijn. Hij schudt zijn grote hoofd.

'Ik moet wel. En jij moet me laten gaan.'

'Ben ik zo erg... dat ik zelfs de poging niet waard ben? Dat klopt verdomme niet, Patti. Ik kan beter worden. Even goed als de andere jongens.'

'Dat is het niet, Sonny. Het ligt niet aan jou, maar aan mij. Het is...' De .38 zwaait vanzelf rond in de ruimte.

Sonny grauwt: 'Deze tent en alles wat het betekent kan in de stront zakken', en knikt dan naar het raam. 'En zij ook.'

Buiten staan twee paar zwaailichten dubbelgeparkeerd. *Shit.* Ik spring op om ervandoor te gaan. Sonny duwt me terug in de stoel. Ik probeer het nog eens en hij gebruikt dit keer zijn gewicht, waardoor ik op de grond kletter. *Grote paniek*, daarna kwaadheid, daarna meer paniek.

'Ik moet gaan, Sonny.'

'Wat je moet doen, is de confrontatie aangaan. Doodgaan is laf.'

Dan zie ik het, het verraad, de... 'Heb je me aan de FBI overgeleverd? *Gore kloot...*'

Ik krabbel overeind. Sonny zet zijn maat 46 op mijn borst. Ik geef hem een duw zodat hij zijn evenwicht verliest en gebruik de muur om overeind te komen. Alles is vaag, en er is geen enkel moment van helderheid die er volgens de psychiater is als je uiteindelijk beslist. Cisco stormt de keuken uit, en schreeuwt: 'Niet doen!' Sonny duwt me tegen de muur. Zijn hand bedekt de Airweight, maar trekt hem niet uit mijn hand. Mijn gezicht bevindt zich voor zijn borst, ik kan zijn hart horen. Hij fluistert: 'Ik ga met je mee in de auto. Iedereen van de ploeg is straks op het bureau. Je doet dit niet alleen.'

Mijn hand verstevigt de greep op het wapen. Zijn hand verstevigt zijn grip op die van mij.

'Zeg niks, buiten. Geef nergens antwoord op. Voor zover zij weten, geef je jezelf aan, wilde je alleen eerst eten.'

'Ik... Ik kan het niet.'

'Je moet. Veel mensen om wie je geeft, vliegen eruit als je het niet doet.'

'Ik kan het niet.'

'Geef mij dat wapen. We lopen met geheven hoofd naar buiten. Samen.'

Elke porie brandt. Ik kan me niet overgeven, nu, hier, later. Ik kan het gewoon niet... De schim aan mij oor zegt: 'Ja, je kunt het wel.' Ik hoor Cisco bewegen. Binnen de kortste keren is de hele tent vergeven van de smerissen. God zegt 'vertrouw me', met de stem van Sonny.

Hij moet het twee keer zeggen. En harder.

Ik laat de Airweight in Sonny's handpalm glijden. Sonny doet een stap naar achteren en zonder het aan het raam te laten zien, doet hij het pistool in zijn zak. 'Kit Carson staat daar, en hij en zijn vriendje de hulpofficier willen hier een flinke heisa van maken voor de camera's. We gaan naar buiten, ik voorop, en als Kit iets zegt, dan moet hij naar de tandarts.'

Ik kijk naar Sonny, daarna naar Cisco, daarna naar de zwaailichten. Ik word bijna verblind door de camera's. Daarna opgesloten in de bak of in een federale gevangenis... het begin van het herleven van Calumet City. Van begin tot eind. Overgave. Opsluiting. Speeksel.

'En mijn zoon?'

'Je hebt hem gered, wat moet je verder nog doen?'

'Ik moet... weten of...'

'Patti, die jongen is verdomme volwassen. Hij kan het wel aan. Zodra je een advocaat hebt, vertel je je verhaal, met trots. Kit en de FBI en die andere klootzakken slaan op de vlucht. Als je dat doet, ben je vrij.'

'Nee.' Ik duw hem weg.

Sonny duwt me terug, tegen de muur, en zegt in mijn oor: 'Moens zegt dat ze ze op de voorpagina kan gooien. En ze kapot kan maken, inclusief de ayatollah.'

'Niet John. Ik vertel niks.'

'Jawel, want ik vertel het aan dat eikeltje uit de Northside wat er is gebeurd als jij het niet doet. Vraag jouw jongen of hij wil dat de vrouw die hem heeft gered doodgaat in de bak.'

'Nee!' Ik val uit naar Sonny's borst, haal uit naar zijn nieren...

Sonny houdt mijn hand tegen. 'Als hij ook maar een knip voor zijn neus waard is, wat zegt hij dan, denk je? *Laat haar maar creperen*? *Mij interesseert het niet*?' Sonny klemt mijn hoofd vast tegen de muur met zijn kin. 'Dat sta ik niet toe, Patti. Als dat betekent dat jij en ik geen enkele kans hebben, dan is dat maar zo.'

'Ik vertrouwde je, verdomme. Doe het niet.'

'Te laat. Je zoon zit daar ergens in een patrouillewagen. Hij komt je identificeren in verband met de brand. En de lijken.'

'Staat John daar buiten?' Ik probeer te kijken, maar kan me niet bewegen. 'Weet hij het? *Nou?*'

'Doe je wat je moet doen of moet ik je naar buiten slaan?'

'Weet hij het?'

Sonny's borst zwelt op en raakt die van mij aan en de langste stilte valt die ik me kan herinneren. 'Nee. Nog niet.'

Ik glijd weg en kronkel en stamp naar Sonny's schoen. 'Vertel het hem niet. Doe het niet.'

Potten- en pannengekletter in de keuken. Cisco schreeuwt: 'Laat haar met rust.' Dat betekent dat de FBI komt om hun prijs te halen. Tracy's stem voegt zich bij het tumult, terwijl ze hier niet hoort, en haar stem klinkt steeds harder. Dan staat ze bij de schouder die zich niet het dichtst bij het raam bevindt.

'Hé, fly-half.'

Ik kan me niet bewegen en naar haar kijken, maar ik ruik haar parfum.

'Meiden van de Southside zoals jij weten wel hoe je een feestje moet bouwen. Valt deze vent je lastig?'

Sonny's borst hikt. Misschien een snik of een lach zonder geluid.

'Vertel het hen *niet*, Tracy. Niet over John.'

'Schat, we hebben een afspraak.'

'Flauwekul. Vertel het hen niet. Ik maak geen geintje. Ik waarschuw je...'

'Jij waarschuwt mij?' Tracy's toon klinkt plotseling woedend. 'Je staat tegen een muur geklemd door een gorilla en jij waarschuwt mij? Ik heb je gered, op elke manier die een vrouw een ander zou kunnen redden. Ik heb je mijn vriendschap gegeven. Die heb je als brandhout gebruikt. Ik heb mijn carrière geriskeerd, shit, mijn *leven*, en ben *veel* verder gegaan dan wat we hadden afgesproken. En *nog* steeds heb je me niet bedankt.'

'Vertel het niet. Nu niet, nooit niet. Niet...'

'Onzin, Patti. Als ik dit verhaal niet schrijf, *zoals we hadden afgesproken*, waarom heb ik dit dan allemaal gedaan?'

Ik worstel tegen Sonny's gewicht.

'Waarom, Patti?'

'Ik weet niet waarom, maar je schrijft het niet op.'

'In een heel ander universum niet, nee. Vertel jij me maar waar dat universum is, dan maken we misschien een nieuwe afspraak.'

Sonny is te sterk om te kunnen bewegen. Mijn knie landt op zijn dij in plaats van in zijn ballen en ik word hard tegen de muur gekwakt. Horen gaat wel, maar ademhalen gaat moeilijk. Tracy zegt:

'In godsnaam, Patti, word wakker. Dit is echt en we kunnen van ze winnen, ik weet hoe.'

'Niet... met... John.' Ik draai mijn hoofd onder Sonny's kin vandaan en vind Tracy's blik. Ze is geschokt. Of vanwege de donkere kringen en de tranen of door mijn gehijg, omdat ik maar niet op adem kan komen. Patti Black, slachtoffer.

Tracy richt haar blik naar het raam, kijkt naar de lichten en mensen die ik niet kan zien. De perfecte lippen tuiten, glimlachen en ze knippert twee keer. Ze knikt op een onuitgesproken besluit en buigt zich naar voren, naar mijn gezicht. 'Je ziet er niet goed uit. Ik zou zo echt niet voor de camera gaan als ik jou was.'

Vanuit diep in zijn keel zegt Sonny Barrett, wapenheld: 'Laat ze oprotten. Ze loopt de voordeur uit, samen met mij. Die camera's kunnen oprotten... En de rest ook.'

En de rest ook betekent dat Sonny zijn streep in het zand heeft gezet. Niet alleen is zijn carrière voorbij en kan hij zijn pensioen wel vergeten, maar hij is bereid om naar de gevangenis te gaan voor mij, een doodsbang, klein meisje in een zonnejurk. Vanwege mij. Omdat ik niet...

'Goed,' zegt Tracy tegen Sonny en mijn wang. 'Ik doe het, geen John, geen woord. Maar ik schrijf wat jouw advocaat en ik besluiten dat geschreven moet worden om hier weer uit te komen. En als je je bek opentrekt en je niet aan de afspraak houdt, *alweer* niet, dan schrijf ik alles op. Het hele verhaal.'

Ik hoor wat ze zegt, maar er is te veel adrenaline en niet genoeg lucht. Als ik akkoord ga, dan is dit de afspraak: dan sta ik naakt in de lichten. Dan komt iedereen het te weten.

'Ja of nee, Patti? Nu.'

Ik kijk haar in de ogen en zie de leugen niet, zie geen carrière-ten-koste-van-alles huiseigenaar. 'Hoe moet het dan met je...?'

'Ik win de Pulitzer later wel.'

'Zou je dat doen?'

'Als je er nooit, *nooit* over praat, en vooral niet tegen mij.'

Sonny's hart gaat als een razende tekeer, net als dat van mij. Hij is echt van plan om me te redden, ongeacht wat Tracy zegt. Dit is het moment op het schoolfeest dat ik nooit heb meegemaakt, de jongen die ik wilde en die me vroeg, ondanks mijn uiterlijk. Deze jongen, deze grote, kolossale Ierse man, wil Patricia Black, hoewel hij weet dat ik verminkt ben, ook al weet hij dat mijn geschiedenis hem ook zal verminken. Zijn hart dat eerlijk tegen mijn wang bonst besluit voor me.

'Oké.'

Sonny leunt achteruit, houdt mijn schouders vast. Hij staart, maar zegt niks, kijkt of ik het meen en niet bezig ben om iets stoms te gaan doen. Verwondering verzacht zijn gezicht. Het is de kleine glimlach in mijn gezicht, het spoor van het meisjesachtige in de tranen en het trillen van de wimpers. Tracy onderbreekt ons eerste afspraakje.

'Hoe sneller we gaan, hoe minder FBI er staat.'

Cisco stemt daar achter haar mee in, en Sonny zegt: 'Cisco. Ga naar buiten. Vertel ze dat we naar het steegje gaan. Ze brengen die jongen naar achteren, hij doet de identificatie, en dan brengen *jij en ik* haar naar het bureau.'

'De... de FBI... FBI zal dat niet leuk vinden.'

'Die kan oprotten. Zeg maar dat ik "Ruby Ridge" zei.'

'Verd... verdomme, Sonny...'

'Ga het zeggen.'

Ik voel de kracht in Sonny's lijf, het gewicht dat zich klaarmaakt voor de strijd. Het is weer een 'meisjesmoment' dat ik voor het eerst meemaak en dat... goed voelt, in plaats van klef en bedreigend. Het is hier vochtig, ik ben een beetje duizelig... en wat doet mijn arm pijn.

'...Goed?'

'Hè?' Sonny heeft me bij mijn bovenarm. We staan neus aan neus.

'Alles goed?'

'Ja.' Ik knipper en slik en kijk. 'Geloof ik.'

Cisco komt terug en fluistert naar Sonny. Hij luistert, kijkt naar het raam, en wendt zich dan naar mij.

'Maak je klaar. Cisco zegt dat ze de identificatie hier doen. De politie wil je de brand in de appartementen in de schoenen schuiven. Houd je rustig, en laat mij en Cisco dit maar regelen.'

Ik antwoord niet. Ik heb geen antwoord nu ik mijn zoon op deze manier onder ogen moet komen. Of op wat voor manier dan ook.

'Zeg ja, Patti.'

'O...-ké.'

Sonny zet me rechtop, gaat achter mijn schouder staan en pakt me bij mijn riem. Er is wat extra tumult bij de voordeur en John komt binnen, links en rechts begeleid door twee geüniformeerde agenten, gevolgd door de commandant van district 21. Zij vieren blijven op zo'n vijf meter afstand staan. Mijn zoon kijkt me aan, voor het eerst sinds hij een dag oud was. John grinnikt, fronst of knippert niet. Alleen de bespatte stoelen staan tussen ons in. Sonny houdt me vast. Ik krijg niet genoeg lucht.

'Zie je haar hier?' De commandant neemt de leiding.

John bekijkt de ruimte en de ravage, veinst dan een glimlach naar me. 'Eh, hallo.'

Getto-instinct zegt me om weg te duiken. Mijn zoon heeft net 'hallo' tegen me gezegd, en mijn ogen zijn open. Ik moet op de vlucht. Het raam is een en al licht en ik kan nergens meer naartoe. Ik vermijd Johns ogen, maar moet er daarna wel naar kijken. Hij is... volwassen. En zo dichtbij. *Zo voor mijn neus.* Ik wou... ik wou dat er een manier was...

'Dus dat is haar, die ene?' De commandant kijkt me doordringend aan.

'Zou kunnen, denk ik.' John bekijkt me zoals een man een meisje zou bekijken. 'Maar de vrouw van gisteravond zat helemaal onder het roet, droeg alleen een beha, en overal waren vlammen, en de andere schoot...'

'Neem de tijd, jongen.' De commandant is vroeger Sonny's partner geweest. Hij en ik kennen elkaar al vijftien jaar, maar er kan geen glimlachje af. Hij is nu de baas.

John haalt zijn schouders op. 'Het zou kunnen.'

Cisco verbergt een glimlach en ineens snap ik het. Deze identificatie is een val. Ik werp een blik naar het raam. De hulpofficier is razend en wordt door een stel geüniformeerde agenten tegengehouden. Ik kijk naar de commandant, nog steeds doodernstig. Mijn zoon snapt het niet, maar ik wel. Zijn identificatie, zelfs als hij het zeker had geweten, is waardeloos. Zonder rij mogelijke verdachten waaruit hij kan kiezen. De commandant heeft me daarnet een verjaarscadeau gegeven.

John verplaatst zijn gewicht. Hij weet niet dat hij bij zijn vaders oude stoel staat, en zijn moeder aanwijst. Hij heeft geen idee dat zijn vader een monster was, en dat de tabloids hem totaal zullen verslinden als ik mijn mond opendoe. Meer lichten flitsen buiten, blauw en rood en wit, maar John wendt zijn blik niet van me af. Ik wil hem aanraken... maar ik ben verlamd. Er arriveert nog een patrouillewagen, daarna nog een. Ik hoor Eric Jackson schreeuwen, zie hem daarna vooroverbuigen, naar Kit Carson, die nu wordt tegengehouden door twee geüniformeerde agenten. Mijn ploeg zorgt dat Sonny en ik wat extra tijd hebben, hoewel ze weten dat Interne Zaken hen aan het kruis zal nagelen.

Mijn zoon werpt een blik naar het raam. Hij deelt niet in mijn golf van emotie. Zijn blik is kalm, diepzwart en eeuwig en geeft niets prijs over wat er zich binnenin hem afspeelt. Ik zoek naar Roland Ganz borrelend onder dat knappe gezicht. *Alsjeblieft, geen trekken van Roland. Alsjeblieft.*

John wordt omringd door agenten en tumult, maar zijn handen zijn rustig. Geen greintje Roland Ganz in de handen. Hij onderzoekt opnieuw het wrak dat ik ben. Geen uitdrukking op zijn gezicht: we zijn vreemdelingen, twee passanten in Chinatown. Tranen rollen over mijn wangen. Hij begrijpt niet waar dit naartoe gaat. Ik kijk nog een laatste keer of ik een spoor Roland Ganz kan ontdekken... John blijft, geen Roland.

Tracy fluistert: 'Kom op, fly-half, je kunt het wel.'

Maar, maar...

Maar in haar stem en in Johns ogen zie ik dat het zou kunnen...

Voor hem. Hij hoeft het niet te weten. Ik heb Roland nooit als de vader opgegeven, niet op de kraamafdeling, niet bij het adoptiebureau. Alleen ik en Roland weten dat zeker. *Dat zou de afspraak kunnen zijn, toch?* Mijn enige cadeau om zijn geestelijke gezondheid te sparen, voor een jongen wiens wereld op een dag totaal op zijn kop zal komen te staan als hij hoort wie zijn ouders zijn, echter dan een horrorfilm, zonder dat hij er weet van had.

In die afspraak vind ik een sprankje hoop. Het is niet donderdagavond in de dierenopvang in South Holland, en alle achtergelaten dieren hoeven morgen niet te sterven als de moordenaars komen. Ik herinner me hoop: het is het gevoel dat ik had als ik de dieren vrijliet.

De commandant tikt op Johns schouders en wijst naar de deur. John ziet er opgelucht uit en hij heeft gelijk. Dan zegt hij tegen mij: 'Als jij het was gisteravond, dan wil ik meer doen dan je alleen bedanken. Zo niet...' en hij knikt naar mijn tranen en de omstandigheden, 'dan succes ermee. Misschien moet je wat professionele hulp zoeken.'

Sonny spant al zijn spieren.

Ik zeg de enige woorden die ik sinds zijn geboorte tegen mijn zoon heb gezegd: 'Dat zal ik doen.'

En hij draait zich om om weg te lopen. Voor altijd, dat is het beste, maar ik wil dat hij van me houdt en me begrijpt. Zich nu omdraait, naar me grijnst en zegt: *'Dag mam, ik ben voor het eten terug.'* Maar dat doet hij niet, hij loopt gewoon weg, buiten afgetekend tegen een vloedgolf van geflits.

De cameralampen baden het raam en de papieren lantaarns in een felle gloed. Sonny duwt mij een stap dichter naar de deur toe. Hij heeft nog steeds een harde blik in zijn ogen van daar waar zijn hoofd en gevoel is geweest, maar verzacht dan wat als hij in mijn ogen kijkt.

'Nu trots, Patti. Magnificent Seven. Jij bent een van ons.'

Ik veeg de tranen weg, zie hoe Tracy de verbinding verbreekt met haar mobiele telefoon en zich voorbereid om de aandacht naar zich toe te trekken, daarna Cisco die naar voren springt om te boel te verstoren. Tracy volgt Cisco en zegt tegen Sonny:

'Geef me drie minuten om mijn verhaal te vertellen. Ik maak eerst gehakt van de zaak van de alderman en daarna van die van het OM. Ik geef ze een lokkertje voor de voorpagina van morgen.'

Sonny knikt, zijn tanden ontbloot.

'Laat Patti geen woord zeggen. De enige plek waar je het verhaal kunt lezen, is in mijn artikel. Cindy Bourland, dat is Patti's advocaat, is onderweg. Hier is haar mobiele nummer. Zodra je weet waar Patti naartoe gaat, bel je haar. Cindy is er zodra je arriveert. Ze is een stuk harder dan ze eruitziet, Sonny. Laat haar de juridische kant afhandelen.'

Ik luister alsof we het over iemand anders hebben.

Tracy loopt terug, naar mij toe, en kust me op mijn wang, hard, alsof ze woest is en blij, alsof we een wedstrijd gewonnen hebben die we niet hadden moeten winnen. 'Je staat voor altijd bij me in het krijt.'

De Pink Panther loopt naar buiten en Chinatown ontploft. Ik zie Sonny's weerspiegeling aan de rand van het raam. Mijn weerspiegeling is naast die van hem, schouder-aan-schouder. Mijn weerspiegeling draait, net als knappe meisjes doen als ze de aandacht van een jongen zoeken. Ik heb een gezicht...

En ik heb een man met zijn arm om mijn middel. 'Hebben we een afspraakje, jij en ik?'

Sonny Barrett, stoere man, bloost zelfs. 'Misschien nadat we de bak uit komen, als de GD's je niet eerst te grazen nemen.'

Ik glimlach terug, eerst naar hem, daarna naar Tracy, die alle camera's naar zich toe trekt, daarna naar het raam: ik, Patti Black, met een vriend en de weerspiegeling van een mooie meid. Wie had dat ooit kunnen denken.

Dankbetuiging

Schrijvers
Don McQuin, Denny Banahan en Easy Ed Stackler. Zonder deze drie mannen, en vijf jaar mentorschap, zou *Calumet City* nooit zijn verschenen. En nadat elke agent in twee landen 'nee' had gezegd, zei Simon Lipskar 'ja'.

Agenten
Patti Black, Denny Banahan, en Matty Rzepecki. Matty Rzepecki is de afschrikwekkendste man die ik ooit heb ontmoet. Hij heeft me geleerd hoe je je op straat gedraagt. Denny Banahan heeft me voorgesteld aan Patti Black en heeft me alles geleerd over de politie in Chicago. Patti Black heeft me begeleid door de hel, en heeft me laten zien dat je die kunt overleven.

Vrienden
Brian Rodgers, Sharon en Doug Bennett, Beth Steffen, Billy Thompson, Jim Barlow, Holly Kennedy, James 'Sears Tower' Levy, en Bill Owens. Zij hebben elke versie van het manuscript gelezen en herlezen, bekritiseerd en hielden vol als ik zei dat het flauwekul was wat ze zeiden.

Opdracht

De Libische woestijn werd in 1959 overvallen door een orkaan. Dat komt daar niet vaak voor. *Calumet City* is, net als alle andere werken die eraan voorafgingen, waarschijnlijk voor hem.

Noot van de auteur

Patti Black werkt al twintig jaar als agent in het getto van Chicago. Dit boek is fictie. Haar werkelijke verhaal is zowel erger als beter, en op een dag vertelt ze het.